trafny
wybór

J.K. ROWLING

trafny wybór

PRZEKŁAD
Anna Gralak

Wydawnictwo Znak
Kraków 2012

Dla Neila

Część pierwsza

6.11. Powstanie tymczasowego wakatu stwierdza się:
- (a) gdy członek organu samorządowego nie dopełni obowiązku oficjalnego przyjęcia mandatu radnego w wyznaczonym terminie lub
- (b) gdy złoży rezygnację z mandatu radnego, lub
- (c) z dniem jego śmierci...

Charles Arnold-Baker
Administracja samorządowa (wyd. 7)

NIEDZIELA

Barry Fairbrother nie miał ochoty iść na kolację. Przez prawie cały weekend męczył go potworny ból głowy, a w dodatku zbliżał się termin wysłania artykułu do lokalnej gazety.

Ale podczas lunchu żona Barry'ego była trochę sztywna i niewiele mówiła, więc domyślił się, że kartka, którą jej dał z okazji ich rocznicy, nie zmazała jego przewinienia polegającego na tym, że przez cały ranek siedział zamknięty w gabinecie. Na domiar złego pisał o Krystal, której Mary nie lubiła, choć udawała, że jest inaczej.

– Mary, chciałbym cię zabrać na kolację – skłamał, żeby oczyścić atmosferę. – Tak, dzieci, to już dziewiętnaście lat! Minęło dziewiętnaście lat, a wasza mama jeszcze nigdy nie wyglądała tak uroczo jak dziś.

Mary trochę złagodniała i uśmiechnęła się, więc Barry zadzwonił do klubu golfowego, który był najbliżej domu i w którym zawsze można było dostać stolik. Próbował rozpieszczać żonę różnymi drobnymi przyjemnościami, bo po prawie dwóch wspólnie spędzonych dekadach wiedział, jak często sprawia jej zawód w ważnych sprawach. Nigdy nie robił tego celowo. Po prostu mieli zupełnie odmienne zdanie na temat tego, co w życiu jest najważniejsze.

Dzieci Barry'ego i Mary wyrosły już z wieku, w którym była im potrzebna opiekunka. Kiedy po raz ostatni powiedział do nich „cześć", oglądały telewizję i tylko Declan, najmłodszy, odwrócił się, żeby na niego spojrzeć, i podniósł rękę na pożegnanie.

Barry czuł pulsujący ból za uchem, kiedy cofał na podjeździe i gdy jechali przez ładne miasteczko Pagford, w którym mieszkał, odkąd wziął ślub. Przejechali Church Row, stromą ulicą, przy której stały najdroższe domy, emanujące wiktoriańskim luksusem i solidnością, skręcili za pseudogotyckim kościołem, w którym kiedyś Barry oglądał swoje bliźniaczki w przedstawieniu *Józef i cudowny płaszcz snów w technikolorze*, i przejechali przez rynek z pięknym widokiem na dominujący w panoramie miasteczka ciemny szkielet ruin opactwa, które stały wysoko na wzgórzu i stapiały się z fioletowym niebem.

Lekko kręcąc kierownicą i pokonując znajome zakręty, Barry był w stanie myśleć tylko o jednym: o błędach, które na pewno zrobił, kończąc w pośpiechu artykuł wysłany przed chwilą e-mailem do „Yarvil and District Gazette". Był dobrym i ujmującym rozmówcą, okazało się jednak, że ma problem z przelaniem swojej osobowości na papier.

Klub golfowy dzieliły od rynku zaledwie cztery minuty jazdy, trochę więcej niż punkt, w którym miasteczko gasło ostatnim tchnieniem starych domów. Barry zaparkował przed Birdie, klubową restauracją, i chwilę stał obok samochodu, czekając, aż Mary skończy malować usta. Wieczorne powietrze przyjemnie chłodziło mu twarz. Patrząc na niknące w zapadającym zmierzchu pole golfowe, Barry zastanawiał się, dlaczego nie zrezygnował z członkostwa. Był marnym golfistą: jego zamachowi brakowało płynności i zawsze musiał dostać duży handicap. Istniało tyle rzeczy, którym mógłby poświęcić czas spędzany na polu golfowym. Dotknął głowy – jeszcze nigdy tak potwornie go nie bolała.

Mary zgasiła światło przy lusterku, wysiadła z auta i zamknęła drzwi po stronie pasażera. Barry wcisnął guzik centralnego zamka w pilocie, który trzymał w ręce. Wysokie obcasy jego żony zastukały na asfalcie, zamek wydał wysoki dźwięk, a Barry zaczął się zastanawiać, czy mdłości ustąpią, gdy coś zje.

Wtedy ból, jakiego jeszcze nigdy nie doświadczył, uderzył w jego mózg niczym kula do burzenia murów. Prawie nie poczuł pieczenia kolan, kiedy uderzyły o zimny asfalt. Jego czaszkę zalały ogień i krew; agonia była koszmarem nie do wytrzymania, musiał jednak go wytrzymać, bo minęła minuta, zanim stracił przytomność.

Mary krzyknęła, a potem już nie przestawała krzyczeć. Z baru wybiegło kilku mężczyzn. Jeden z nich szybko zawrócił, żeby sprawdzić, czy w środku jest któryś z emerytowanych lekarzy będących członkami klubu. Pewne małżeństwo, znajomi Barry'ego i Mary, usłyszało rejwach przed restauracją, porzuciło przystawki i pospiesznie wyszło na zewnątrz, żeby zobaczyć, czy może jakoś pomóc. Mąż wyjął komórkę i zadzwonił pod 999.

Karetka jechała aż z sąsiedniego miasta Yarvil i dotarła na miejsce po dwudziestu pięciu minutach. Kiedy się zjawiła, na scenę spłynęło pulsujące niebieskie światło, a Barry, nie reagując na żadne bodźce, leżał bez ruchu na ziemi, w kałuży własnych wymiocin. Mary kucała obok niego w rajstopach podartych na kolanach, ściskała go za rękę, pochlipywała i szeptała jego imię.

PONIEDZIAŁEK

I

– Szykuj się – powiedział sam do siebie Miles Mollison, stojąc w kuchni jednego z dużych domów przy Church Row.

Czekał z telefonem do wpół do siódmej. Miał za sobą złą noc, pełną długich godzin bezsenności przerywanych strzępami niespokojnego snu. O czwartej nad ranem zdał sobie sprawę, że jego żona też nie śpi, i przez chwilę cicho rozmawiali w ciemności. Nawet kiedy mówili o tym, w czym byli zmuszeni uczestniczyć, i gdy oboje próbowali odegnać niesprecyzowany lęk i przerażenie, Miles czuł w żołądku łaskotanie małych pierzastych fal podekscytowania na myśl o tym, że niedługo przekaże wieść ojcu. Zamierzał czekać do siódmej, ale obawa, że ktoś mógłby go ubiec, skłoniła go do sięgnięcia po słuchawkę wcześniej.

– Co się stało? – zagrzmiał głos Howarda z lekko brzękliwą nutą.

Miles przełączył telefon na tryb głośnomówiący, żeby Samantha też mogła słyszeć. Jej ciało w bladoróżowym szlafroku było brązowe jak mahoń. Wykorzystała ich wcześniejszą pobudkę i nałożyła kolejną porcję samoopalacza na blednącą naturalną opaleniznę. Kuchnię wypełniał zapach kawy rozpuszczalnej zmieszany ze sztuczną wonią kokosa.

– Fairbrother nie żyje. Wczoraj wieczorem stracił przytomność w klubie golfowym. Jedliśmy z Sam kolację w Birdie.

– Fairbrother nie żyje!? – ryknął Howard.

Jego ton świadczył o tym, że spodziewał się jakiejś radykalnej zmiany pozycji Barry'ego Fairbrothera, ale nawet on nie przypuszczał, że może chodzić o śmierć.

– Stracił przytomność na parkingu – powtórzył Miles.

– Dobry Boże – powiedział Howard. – Miał dopiero czterdzieści parę lat, prawda? Dobry Boże.

Miles i Samantha słuchali, jak Howard sapie niczym koń po wyścigu. Rano zawsze miał kłopoty z oddychaniem.

– Co to było? Serce?

– Podejrzewają, że coś z mózgiem. Pojechaliśmy z Mary do szpitala i...

Ale Howard nie zwracał uwagi na jego słowa. Miles i Samantha usłyszeli, jak odsuwa słuchawkę od ucha i woła:

– Barry Fairbrother nie żyje! Dzwoni Miles!

Miles i Samantha sączyli kawę, czekając, aż Howard wróci do rozmowy. Kiedy Samantha usiadła przy stole w kuchni, jej szlafrok się rozchylił, ukazując zarys dużych piersi spoczywających na przedramionach. Podparcie ich sprawiło, że wyglądały na pełniejsze i gładsze, niż kiedy wisiały niepodtrzymywane. Na chropawej skórze wokół końca rowka między piersiami rozchodziły się promieniście małe zmarszczki, które nie znikały już nawet po naciągnięciu palcami. W młodości Samantha była gorącą wielbicielką solarium.

– Co? – odezwał się Howard, znowu zwracając się do syna. – Mówiłeś coś o szpitalu?

– Pojechaliśmy z Sam karetką – odrzekł Miles wyraźnie. – Razem z Mary i z ciałem.

Samantha zauważyła, że druga wersja Milesa uwypukliła to, co można by nazwać bardziej komercyjnym aspektem historii. Samantha wcale nie dziwiła się mężowi. Ich rekompensatą za to okropne przeżycie było prawo do opowiedzenia o nim ludziom. Chyba nigdy tego nie zapomni: płaczącej Mary, nadal lekko otwartych oczu Barry'ego i jego twarzy zakrytej przypominającą kaganiec maską tlenową, siebie i Milesa usiłujących coś wyczytać z min ratowników medycznych, podskakiwania na wybojach w ciasnej karetce, przyciemnionych szyb, przerażenia.

– Dobry Boże – powiedział Howard po raz trzeci, ignorując ciche pytania zadawane w tle przez Shirley i skupiając całą uwagę na Milesie. – Tak po prostu padł martwy na parkingu?

– Tak – potwierdził Miles. – Kiedy go zobaczyłem, od razu wiedziałem, że nic nie da się zrobić.

To było jego pierwsze kłamstwo i wypowiadając je, odwrócił wzrok od żony. Pamiętała jego silne, opiekuńcze ramię, którym objął drżącą Mary: „Nic mu nie będzie... Nic mu nie będzie...”

„Chociaż w zasadzie – pomyślała Samantha, oddając Milesowi sprawiedliwość – skąd mieliśmy wiedzieć, co się stanie, kiedy wkładali maski i wkłuwali igły?" Wyglądało to tak, jakby próbowali uratować Barry'ego, i żadne z nich nie wiedziało, że to się nie uda, dopóki ta młoda lekarka nie podeszła do Mary w szpitalu. Samantha nadal miała przed oczami – i to z potworną wyrazistością – obnażoną, skamieniałą twarz Mary i minę młodej kobiety o lśniących włosach, w okularach i białym fartuchu: opanowaną, a jednak trochę nieufną... Bez przerwy pokazywali takie rzeczy w telewizji, ale kiedy działy się naprawdę...

– Ani przez chwilę – mówił Miles. – Jeszcze w czwartek grał z Gavinem w squasha.

– I wtedy wszystko wydawało się w porządku?

– Jasne. Dał Gavinowi wycisk.

– Dobry Boże. Tak to jest, nieprawdaż? Tak to już jest. Zaczekaj, mama chce ci coś powiedzieć.

Dało się słyszeć brzęknięcie i stukot, a potem odezwała się Shirley.

– Co za okropny szok – powiedziała. – Dobrze się czujesz, Miles?

Samantha niezdarnie upiła łyk kawy. Płyn wyciekł jej z kącików ust i spłynął na brodę. Wytarła twarz i pierś rękawem. Miles przybrał ton, którego często używał w rozmowach z matką: niższy niż zazwyczaj głos nieustraszonego przywódcy, charyzmatycznego i zasadniczego. Czasami, zwłaszcza po alkoholu, Samantha odgrywała rozmowy Milesa z Shirley. „Bez obaw, mamusiu. Miles czuwa. Twój mały żołnierz". „Kochanie, jesteś cudowny: taki duży, odważny i mądry". Ostatnio parę razy Samantha zrobiła to przy ludziach. Miles był wściekły i urażony, ale udawał, że go to bawi. Ostatnim razem pokłócili się z tego powodu w samochodzie w drodze do domu.

– Pojechaliście z nią aż do szpitala? – pytała Shirley.

„Nie – pomyślała Samantha – w połowie drogi zaczęliśmy się nudzić i poprosiliśmy, żeby nas wysadzili".

– Przynajmniej tyle mogliśmy zrobić. Szkoda, że nie więcej.

Samantha wstała i podeszła do tostera.

– Jestem pewna, że Mary była wam bardzo wdzięczna – powiedziała Shirley.

Samantha głośno otworzyła pojemnik na chleb i wrzuciła cztery kromki w szczeliny tostera. Głos Milesa zabrzmiał naturalniej:

– No tak, wiesz, kiedy lekarka powiedziała, to znaczy kiedy potwierdziła, że on nie żyje, Mary chciała, żeby przyjechali Colin i Tessa Wallowie. Samantha po nich zadzwoniła, zaczekaliśmy, aż przyjadą, a potem wróciliśmy do domu.

– Mary miała wielkie szczęście, że tam byliście – powiedziała Shirley. – Tata chce z tobą zamienić jeszcze słowo. Oddaję mu słuchawkę. Porozmawiamy później.

„Porozmawiamy później" – powiedziała Samantha do czajnika, bezgłośnie poruszając ustami i kręcąc głową. Zniekształcone odbicie ukazało jej twarz, opuchniętą po nieprzespanej nocy, i zaczerwienione brązowe oczy. Spieszyła się, bo chciała posłuchać rozmowy Howarda z rodzicami, i niechcący wtarła w nie trochę samoopalacza.

– Może wpadniecie do nas z Sam dziś wieczorem!? – zagrzmiał Howard. – Nie, zaraz, mama właśnie mi przypomniała, że umówiliśmy się z Bulgenami na brydża. Wpadnijcie jutro. Na kolację. Koło siódmej.

– Może wpadniemy – powiedział Miles, spoglądając na Samanthę. – Będę musiał zapytać Sam, czy nie ma innych planów.

Nie dała po sobie poznać, czy ma ochotę iść.

Kiedy Miles odłożył słuchawkę, kuchnia wypełniła się dziwnym poczuciem rozczarowania.

– Nie mogą w to uwierzyć – podsumował, jakby nie słyszała całej rozmowy.

Jedli grzanki i w milczeniu pili świeżo zrobioną kawę. Podczas śniadania rozdrażnienie Samanthy częściowo minęło. Przypomniała sobie, jak nad ranem nagle zbudziła się w ciemnej sypialni i poczuła niedorzeczną ulgę połączoną z wdzięcznością, że Miles leży obok niej: wielki i brzuchaty, pachnący wetywerią i starym potem. Potem wyobraziła sobie, że opowiada klientkom w sklepie o tym, jak człowiek padł martwy na jej oczach i jak w swojej łaskawości pojechała z nim do szpitala. Rozważała różne sposoby opisania poszczególnych aspektów tej podróży i przejmującej sceny z udziałem lekarki. Młodość tej opanowanej kobiety sprawiła, że wszystko wydało się jeszcze gorsze. Takie wieści powinien przekazywać ktoś starszy. Potem Samancie poprawił się humor, bo przypomniała sobie o zaplanowanym na jutro spotkaniu z przedstawicielem handlowym Champêtre – miło z nią flirtował przez telefon.

– Lepiej już pójdę – powiedział Miles i dopił kawę, spoglądając na jaśniejące niebo za oknem. Głęboko westchnął i poklepał żonę po ramieniu, idąc do zmywarki z pustym talerzem i kubkiem. – Chryste, po czymś takim człowiek patrzy na wszystko z innej perspektywy, prawda?

Wyszedł z kuchni, kręcąc krótko ostrzyżoną, siwiejącą głową.

Czasami Miles wydawał się Samancie śmieszny i – coraz częściej – nudny. Ale od czasu do czasu lubiła jego pompatyczność – z takich samych powodów, z jakich przy oficjalnych okazjach wkładała kapelusz. Bo przecież tego ranka należało okazać powagę i odrobinę szlachetności. Dokończyła grzankę i sprzątnęła ze stołu, dopracowując w myślach historię, którą zamierzała opowiedzieć ekspedientce w swoim sklepie.

II

– Barry Fairbrother nie żyje – wydyszała Ruth Price.

Prawie biegła oszronioną ścieżką w ogrodzie, by spędzić z mężem kilka dodatkowych minut przed jego wyjściem do pracy. Nie zatrzymała się w korytarzu, żeby się rozebrać, tylko w płaszczu i w rękawiczkach wpadła do kuchni, w której Simon i ich nastoletni synowie jedli śniadanie.

Jej mąż zastygł z grzanką w połowie drogi do ust, a następnie opuścił ją z teatralną powolnością. Dwaj chłopcy ubrani w szkolne mundurki z umiarkowanym zainteresowaniem spoglądali to na jedno, to na drugie z rodziców.

– Podejrzewają, że to anewryzm – dodała Ruth, a potem, nadal trochę zasapana, ściągnęła rękawiczki, palec po palcu, odwiązała szalik i rozpięła płaszcz. Była chudą, ciemnowłosą kobietą o wielkich, smutnych oczach i ponury niebieski fartuch pielęgniarki doskonale do niej pasował. – Stracił przytomność w klubie golfowym. Przywieźli go Sam i Miles Mollisonowie, a potem zjawili się Colin i Tessa Wallowie...

Szybkim krokiem wyszła na korytarz, by odwiesić płaszcz, i wróciła w samą porę, żeby odpowiedzieć na zadane podniesionym głosem pytanie Simona:

– Co to jest anawryzm?

– Ane. Anewryzm. To tętniak, wybrzuszenie na tętnicy w mózgu, które grozi pęknięciem.

Przemknęła w stronę czajnika, włączyła go, a potem zaczęła zmiatać okruszki z blatu wokół tostera, opowiadając dalej:

– To musiał być duży wylew krwi do mózgu. Jego żona... biedaczka... jest całkowicie zdruzgotana...

Z nagłym smutkiem Ruth spojrzała przez okno w kuchni na czystą biel pokrytego śniegiem trawnika, na opactwo po drugiej stronie doliny przypominające ponury szkielet na tle bladoróżowego i szarego nieba i na rozległy widok, źródło dumy Hilltop House. Pagford, które nocą było tylko skupiskiem mrugających świateł w ciemnej kotlinie, daleko w dole, wyłaniało się właśnie w chłodnym świetle słońca. Ale Ruth tego nie widziała: myślami nadal była w szpitalu i patrzyła, jak Mary wychodzi z pokoju, w którym leżał Barry i z którego usunięto już wszystkie zbędne urządzenia podtrzymujące życie. Litość Ruth Price płynęła szerokim, szczerym strumieniem ku tym, których Ruth uważała za podobnych do siebie. „Nie, nie, nie, nie" – jęczała Mary i to instynktowne zaprzeczenie rozbrzmiewało w duszy Ruth, która przez moment wyobraziła sobie siebie w identycznej sytuacji...

Nie mogąc znieść tej myśli, odwróciła się w stronę Simona. Jego jasnobrązowe włosy nadal były gęste, sylwetka prawie tak samo sprężysta jak w wieku dwudziestu paru lat, a zmarszczki w kącikach oczu jedynie dodawały mu uroku, ale powrót Ruth do pielęgniarstwa po długiej przerwie na nowo uprzytomnił jej milion możliwych awarii ludzkiego ciała. W młodości miała do tego większy dystans. Teraz rozumiała, jak wielkie mają szczęście, że nadal wszyscy żyją.

– Nie mogli mu jakoś pomóc? – zapytał Simon. – Nie mogli tego zatkać?

Wydawał się sfrustrowany, tak jakby medycy po raz kolejny sknocili sprawę, odmawiając zrobienia prostej i oczywistej rzeczy.

Andrew poczuł dreszcz okrutnej satysfakcji. Ostatnio zauważył, że ojciec nabrał zwyczaju reagowania w prymitywny, prostacki sposób na używaną przez matkę terminologię medyczną. „Wylew krwi do mózgu? Zatkać!" Matka nie wiedziała, do czego to zmierza. Nigdy nie wiedziała. Andrew jadł płatki zbożowe i płonął z nienawiści.

– Kiedy go do nas przywieźli, było już za późno, żeby cokolwiek zrobić – wyjaśniła Ruth, wrzucając do dzbanka torebki z herbatą. – Zmarł w karetce, zanim dojechali.

– Cholera – powiedział Simon. – Ile on miał lat? Ze czterdzieści?

Ale Ruth była rozkojarzona.

– Paul, masz z tyłu okropnie potargane włosy. Czesałeś się w ogóle? Wyjęła z torebki szczotkę i wsadziła ją młodszemu synowi do ręki.

– Nie było żadnych sygnałów ostrzegawczych czy czegoś w tym rodzaju? – zapytał Simon, kiedy Paul rozczesywał swoją gęstą czuprynę.

– Podobno od dwóch dni bardzo bolała go głowa.

– Aha – powiedział Simon, żując grzankę. – I zignorował to?

– No tak, nie zastanawiał się nad tym.

Simon przełknął.

– Tak to jest, prawda? – powiedział złowieszczo. – Trzeba na siebie uważać.

„Co za mądrość – pomyślał Andrew z wściekłą pogardą. – Co za przenikliwość. Więc Barry Fairbrother sam był sobie winien, że eksplodował mu mózg. Ty nadęty pojebie" – powiedział głośno do ojca, tyle że w swojej głowie.

Simon pokazał nożem na starszego syna.

– Aha, tak na marginesie: nasz stary Pryszczak będzie musiał poszukać sobie pracy.

Zdumiona Ruth odwróciła się od męża i spojrzała na syna. Sine i lśniące pryszcze wyraźnie się odcinały na tle pąsowiejącego policzka Andrew, który gapił się na miseczkę z brązową papką.

– Tak – ciągnął Simon. – Ten leniwy gówniarz będzie musiał zacząć zarabiać. Jeśli chce palić, może za to płacić z własnej pensji. Koniec z kieszonkowym.

– Andrew! – zawołała Ruth. – Chyba nie...?

– Tak, tak, palił. Przyłapałem go w szopie na drewno – powiedział Simon z miną, która mogłaby uchodzić za kwintesencję złośliwości.

– Andrew!

– Koniec z pieniędzmi od rodziców. Chcesz fajki, to sam se kup – podsumował Simon.

– Ale ustaliliśmy – jęknęła Ruth – ustaliliśmy, że skoro zbliżają się egzaminy...

– Sądząc po tym, jak spierdolił próbne, będziemy mieli szczęście, jeśli w ogóle zda. Może już teraz iść do McDonalda, zdobyć trochę doświadczenia – powiedział Simon, wstając i zasuwając za sobą krzesło. Delektował się widokiem spuszczonej głowy Andrew i ciemnej, pryszczatej krawędzi jego twarzy. – Bo nie będziemy cię utrzymywali, żebyś mógł się uczyć do poprawki, koleś. Zdasz teraz albo nigdy.

– Och, Simon – powiedziała Ruth z wyrzutem.

– Co?

Simon zrobił dwa ciężkie kroki w stronę żony. Ruth skuliła się przy zlewie. Paulowi wypadła z ręki różowa plastikowa szczotka.

– Nie mam zamiaru płacić za nałogi tego pieprzonego gówniarza! Co za pieprzony cham: jara sobie w najlepsze w mojej pieprzonej szopie!

Przy słowie „mojej" Simon uderzył się w pierś. Głuchy dźwięk sprawił, że Ruth się skrzywiła.

– Ja w wieku tego pryszczatego gówniarza przynosiłem już do domu wypłatę. Jeśli chce fajek, może za nie zapłacić z własnej kieszeni, zrozumiano? Zrozumiano?!

Gwałtownie przysunął twarz do twarzy żony, zatrzymując się w odległości piętnastu centymetrów.

– Tak, Simon – powiedziała bardzo cicho.

Andrew miał wrażenie, że jego wnętrzności przeszły w stan ciekły. Nie minęło dziesięć dni, odkąd złożył sobie przysięgę – czyżby ta chwila nadeszła tak szybko? Ale ojciec odsunął się od matki i wymaszerował z kuchni na korytarz. Ruth, Andrew i Paul zastygli, jakby obiecali, że pod jego nieobecność nie będą się ruszać.

– Zatankowałaś!? – krzyknął Simon jak zawsze, kiedy wracała z nocnego dyżuru.

– Tak! – odkrzyknęła Ruth, siląc się na pogodny ton, na normalność. Drzwi wejściowe skrzypnęły i zamknęły się z hukiem.

Ruth zajęła się dzbankiem z herbatą, czekając, aż napięta atmosfera nieco zelżeje. Odezwała się dopiero wtedy, kiedy Andrew wychodził z kuchni, żeby umyć zęby.

– On się o ciebie martwi, Andrew. Martwi się o twoje zdrowie.

„Jasne, kurwa. Piździelec".

W swojej głowie Andrew odpowiadał na plugawość Simona taką samą plugawością. W swojej głowie mógł z nim stanąć do równej walki.

Na głos, do matki, powiedział:

– Tak. Jasne.

III

Evertree Crescent, ulica w kształcie półksiężyca zabudowana parterowymi domami z lat trzydziestych, była oddalona od pagfordzkiego rynku o dwie minuty. Pod numerem trzydziestym szóstym, wynajmowanym dłużej niż którykolwiek z domów na tej ulicy, Shirley Mollison siedziała wsparta na poduszkach i sączyła herbatę, którą podał jej mąż. Odbicie patrzące na nią z lustrzanych drzwi szafy wnękowej było trochę zamglone, po części dlatego, że nie miała na nosie okularów, a po części z powodu słońca przesączającego się do pokoju przez zasłony w róże. Korzystne, przytłumione światło nadawało różowo-białej twarzy z dołeczkami w policzkach i z krótkimi siwymi włosami wygląd cherubinka.

Sypialnia była akurat na tyle duża, żeby pomieścić wąskie łóżko Shirley i podwójne łóżko Howarda, które stały tam ściśnięte jak bliźnięta dwujajowe. Materac, na którym nadal odznaczało się olbrzymie wgłębienie po ciele Howarda, był już pusty. Cichy szum i syczenie prysznica docierały do Shirley siedzącej naprzeciw swojego różanego odbicia i delektującej się wieścią, która nadal zdawała się musować w powietrzu jak szampan.

Barry Fairbrother umarł. Wykitował. Kopnął w kalendarz. Żadne wydarzenie wagi państwowej, żadna wojna, żaden krach na giełdzie, żaden atak terrorystyczny nie mogłyby wzbudzić w Shirley takiej trwogi, tak żywego zainteresowania i tak gorączkowych domysłów, jakie pochłaniały ją w tej chwili.

Nienawidziła Barry'ego Fairbrothera. Shirley i jej mąż, zazwyczaj jednomyślni we wszystkich sympatiach i antypatiach, w tej sprawie byli trochę niezgrani. Howard czasami wyznawał, że bawi go ten niski brodaty człowiek, który tak uparcie mu się sprzeciwiał przy długich podrapanych stołach w sali przy kościele w Pagford. Ale Shirley nie oddzielała spraw politycznych od osobistych. Barry stał Howardowi na drodze do najważniejszego celu w jego życiu, a to czyniło z Barry'ego Fairbrothera jej znienawidzonego wroga.

Lojalność wobec męża była głównym, ale nie jedynym powodem zaciekłej niechęci Shirley. Jej instynkty towarzyskie były ściśle ukierunkowane, jak u psa wytresowanego do wyszukiwania narkotyków. Wiecznie węszyła w poszukiwaniu protekcjonalności i już dawno wyczuła jej odór w postawie Barry'ego Fairbrothera i jego kumpli z rady gminy. Wszyscy

Fairbrotherowie tego świata uważali, że wyższe wykształcenie czyni z nich kogoś lepszego od takich ludzi jak ona i Howard i że ich opinie mają większą wartość. No cóż, ich arogancja została dziś paskudnie ugodzona. Nagła śmierć Barry'ego utwierdziła Shirley w dawno powziętym przekonaniu, że bez względu na to, co myślą on i jemu podobni, Barry należał do gorszej i słabszej kategorii niż jej mąż, który, pomijając wszystkie inne zalety, siedem lat temu zdołał przeżyć zawał serca.

(Shirley ani przez chwilę nie myślała, że Howard umrze, nawet kiedy leżał na bloku operacyjnym. Dla niej obecność Howarda na ziemi była czymś tak oczywistym jak słońce albo tlen. Powiedziała tak później, kiedy przyjaciele i sąsiedzi mówili o przypadkach cudownego wywinięcia się śmierci, o tym, jakie to szczęście, że oddział kardiologiczny jest tak blisko, w Yarvil, i o tym, jak potwornie musiała się bać.

„Zawsze wiedziałam, że da radę – mówiła Shirley, niewzruszona i pogodna. – Nigdy w to nie wątpiłam".

I rzeczywiście: był zdrów jak ryba. A Fairbrother leżał w kostnicy. Tak to już jest).

W euforycznej radości wczesnego poranka Shirley przypomniała sobie dzień po narodzinach swojego syna Milesa. Te wszystkie lata temu siedziała na łóżku, dokładnie tak jak teraz, przez szpitalne okno wpadało słońce, trzymała w rękach filiżankę herbaty zaparzonej przez kogoś innego niż jej mąż i czekała, aż przyniosą jej ślicznego chłopczyka do karmienia. Narodziny i śmierć: zarówno wtedy, jak i teraz miała świadomość potęgi istnienia i własnej doniosłej roli. Wieść o nagłym zgonie Barry'ego Fairbrothera leżała na jej kolanach jak pulchny noworodek, którym będą się zachwycać wszyscy jej znajomi, a ona stanie się skarbnicą, źródłem, bo pierwsza, albo prawie pierwsza, usłyszała tę wieść. Kiedy w pokoju był Howard, pieniąca się i musująca w Shirley radość pozostawała niewidoczna. Wymienili jedynie uwagi stosowne w wypadku czyjejś nagłej śmierci, a potem Howard poszedł wziąć prysznic. Naturalnie kiedy przesuwali między sobą frazesy jak koraliki liczydła, Shirley wiedziała, że Howard jest tak samo uradowany jak ona. Ale wyrażenie tych emocji na głos, kiedy w powietrzu wisiała jeszcze świeża wieść o śmierci, byłoby czymś takim jak tańczenie na golasa i wykrzykiwanie przekleństw, a Howard i Shirley zawsze byli ubrani w niewidzialną warstwę przyzwoitości, której nigdy nie zdejmowali.

Shirley pomyślała o jeszcze jednej miłej rzeczy. Odstawiła filiżankę i spodeczek na szafkę nocną, wyślizgnęła się z łóżka, narzuciła pluszowy szlafrok, włożyła okulary i cicho stąpając, poszła korytarzem w stronę drzwi do łazienki.

– Howard?

Odpowiedział jej pytający pomruk na tle nieprzerwanego szumu wody.

– Myślisz, że powinnam zamieścić jakąś informację na stronie internetowej? O Fairbrotherze?

– Dobry pomysł! – zawołał zza drzwi po chwili namysłu. – Doskonały!

Popędziła więc do gabinetu. Wcześniej była tam najmniejsza sypialnia w domu, ale już dawno temu zwolniła ją ich córka Patricia, która wyjechała do Londynu i o której rzadko wspominano.

Shirley była niezmiernie dumna ze swoich umiejętności w zakresie obsługi komputera. Dziesięć lat temu poszła na kurs wieczorowy w Yarvil i należała do najstarszych i robiących najwolniejsze postępy uczniów. Mimo to wytrwała, bo postanowiła zostać administratorką nowej ekscytującej strony internetowej Rady Gminy Pagford. Zalogowała się i otworzyła stronę startową.

Krótka informacja powstała z taką łatwością, jakby ułożyły ją palce Shirley.

Radny Barry Fairbrother

Z głębokim żalem zawiadamiamy o śmierci radnego Barry'ego Fairbrothera.

W tych trudnych chwilach wszyscy jesteśmy myślami z jego rodziną.

Przeczytała to uważnie, z impetem wcisnęła klawisz Enter i patrzyła, jak wiadomość ukazuje się na tablicy ogłoszeń.

Po śmierci Diany królowa opuściła flagę na pałacu Buckingham do połowy masztu. Jej Królewska Mość zajmowała bardzo szczególne miejsce w życiu Shirley. Kontemplując stronę internetową, Shirley była zadowolona i szczęśliwa, że postąpiła tak, jak należy. Uczyła się od najlepszych...

Wyszła ze strony rady gminy, otworzyła swój ulubiony serwis medyczny i starannie wpisała w wyszukiwarkę hasła „mózg" i „śmierć".

Pojawiły się niezliczone podpowiedzi. Shirley przewijała te wszystkie możliwości i wodząc łagodnym spojrzeniem w górę i w dół, zastanawiała się, której z tych chorób – o nazwach często niemożliwych do wymówienia – zawdzięcza swoją obecną radość. Shirley udzielała się w szpitalu South West General jako wolontariuszka. Pracując tam, zainteresowała się sprawami medycznymi i czasami stawiała diagnozy przyjaciołom.

Ale tego ranka nie było mowy o skupianiu się na długich słowach i objawach: jej myśli biegły do dalszego roznoszenia wieści. Już tworzyła i zmieniała w głowie listę numerów telefonu. Zastanawiała się, czy Aubrey i Julia wiedzą i co oni na to. Oraz czy Howard pozwoli jej zawiadomić Maureen, czy też zarezerwuje tę przyjemność dla siebie.

To wszystko było n i e z m i e r n i e ekscytujące.

IV

Andrew Price zamknął drzwi małego białego domu i szedł za młodszym bratem po stromej, chrzęszczącej od szronu ścieżce ogrodowej, która prowadziła do oblodzonej metalowej furtki i dalej na uliczkę. Żaden z chłopaków nie rzucił okiem na znajomy widok rozciągający się w dole: malutkie miasteczko Pagford wtulone w dolinę między trzema wzgórzami, z których jedno wieńczyły ruiny dwunastowiecznego opactwa. Wąska rzeka wiła się u stóp wzgórza i przepływała przez miasteczko, gdzie przerzucono nad nią miniaturowy kamienny most. Dla braci ten widok był nudny jak nijakie tło. Andrew nie znosił, kiedy przy tych rzadkich okazjach, gdy ich rodzina podejmowała gości, ojciec zachowywał się tak, jakby ta panorama była jego dziełem, jakby zaprojektował i wybudował całe miasteczko. Ostatnio Andrew doszedł do wniosku, że wolałby patrzeć na asfalt, powybijane okna i graffiti. Marzył o Londynie i o życiu, które ma sens.

Bracia pomaszerowali na koniec uliczki, kierując się w stronę przystanku przy skrzyżowaniu z szerszą ulicą. Andrew włożył rękę w żywopłot, przez chwilę macał, a potem wyjął wypełnioną do połowy paczkę papierosów Benson & Hedges i lekko zawilgotniałe pudełko zapałek. Po kilku nieudanych próbach – główki zapałek kruszyły się przy pocieraniu – udało mu się zapalić papierosa. Wziął kilka machów, a potem ciszę przerwał warkot silnika autobusu. Andrew ostrożnie przygasił rozżarzony koniuszek papierosa i schował go z powrotem do paczki.

Gdy autobus docierał do skrzyżowania obok Hilltop House, był zawsze w dwóch trzecich pełny, bo wcześniej przejeżdżał obok położonych na obrzeżach miasta farm i domów. Bracia jak zwykle usiedli osobno – każdy z nich zajął dwa miejsca – i kiedy autobus zadudnił i ruszył na dół, w stronę Pagford, zaczęli się gapić przez okno.

U stóp ich wzgórza stał dom otoczony trójkątnym ogrodem. Zwykle przed jego bramą czekało czworo dzieci Fairbrotherów, ale dzisiaj nie było tam nikogo. Wszystkie zasłony zostały zaciągnięte. Andrew zastanawiał się, czy gdy ktoś umrze, trzeba siedzieć w ciemnościach.

Kilka tygodni temu Andrew całował się na szkolnej dyskotece z Niamh Fairbrother, jedną z bliźniaczek Barry'ego. Potem przez jakiś czas miała obrzydliwy zwyczaj chodzenia za nim jak cień. Rodzice Andrew ledwie znali Fairbrotherów. Simon i Ruth prawie nie mieli przyjaciół, ale chyba żywili umiarkowaną sympatię do Barry'ego, który kierował maleńkim oddziałem jedynego banku, jaki jeszcze działał w Pagford. Nazwisko Fairbrother padało często, gdy była mowa o takich sprawach, jak rada gminy, dramatyczne wydarzenia w ratuszu i parafialny bieg charytatywny. Takie rzeczy nie interesowały jednak Andrew, a jego rodzice trzymali się od nich z daleka, nie licząc sporadycznych datków albo zakupu biletów na loterię.

Kiedy autobus skręcił w lewo i potoczył się w dół Church Row, mijając przestronne wiktoriańskie wielopiętrowe domy, Andrew zaczął sobie wyobrażać, jak jego ojciec pada martwy, zastrzelony przez niewidzialnego snajpera. W tych marzeniach Andrew poklepywał płaczącą matkę po plecach i dzwonił do grabarza. Z papierosem w ustach zamawiał najtańszą trumnę.

Na końcu Church Row do autobusu wsiadło troje Jawandów: Jaswant, Sukhvinder i Rajpal. Andrew wybrał miejsce tak, by przed nim nikt nie siedział, bo chciał, żeby to puste siedzenie zajęła Sukhvinder – nie ze względu na nią samą (Fats, najlepszy przyjaciel Andrew, nazywał ją WIC, co było skrótem od „wąs i cyc"), ale dlatego że obok Sukhvinder bardzo często siadała Ona. Być może jego telepatyczne zachęty miały tego ranka szczególną moc, bo Sukhvinder rzeczywiście usiadła na miejscu przed nim. Uradowany Andrew skierował niewidzące spojrzenie w stronę brudnego okna i mocniej przycisnął do siebie szkolną torbę, żeby zasłonić erekcję wywołaną silnym wibrowaniem autobusu.

Jego niecierpliwość rosła z każdym nowym dołem i wybojem, gdy ospały pojazd toczył się wąskimi ulicami, pokonywał ostry zakręt, wjeżdżał na rynek i ruszał w stronę skrzyżowania z Jej ulicą.

Andrew nigdy wcześniej nie doświadczył tak intensywnego zainteresowania dziewczyną. Ta sprowadziła się niedawno. Dziwna pora na zmianę szkoły – drugie półrocze. Miała na imię Gaia, co bardzo do niej pasowało, bo nigdy wcześniej nie słyszał takiego imienia i ona też była kimś zupełnie nowym. Pewnego ranka weszła do autobusu jak oczywisty dowód na istnienie cudownych wyżyn, których może sięgnąć natura, i usiadła dwa miejsca przed nim, podczas gdy on gapił się zahipnotyzowany doskonałością jej ramion i tyłu głowy.

Miała miedzianobrązowe włosy, które opadały długimi swobodnymi falami, kończąc się tuż pod łopatkami. Jej nos był idealnie prosty, wąski, niewielki i podkreślał prowokacyjną pełność bladych ust. Miała gęste brwi i szeroko rozstawione oczy koloru mocno nakrapianego zielonkawego orzecha, jak szara reneta. Andrew nigdy nie widział, żeby się malowała – jej skóry nie szpeciła żadna krosta ani skaza. Jej twarz była syntezą doskonałej symetrii i niezwykłej proporcjonalności. Mógłby się w nią wpatrywać godzinami, próbując odkryć źródło tej fascynacji. Zaledwie w ubiegłym tygodniu wrócił do domu po dwóch lekcjach biologii, na których za sprawą boskiego przypadkowego ustawienia ławek i głów mógł na nią patrzeć prawie bez przerwy. Potem w zaciszu swojego pokoju napisał (zaraz po półgodzinnym gapieniu się w ścianę poprzedzonym napadem masturbacji): „Piękno to geometria". Natychmiast podarł tę kartkę i za każdym razem, kiedy sobie o niej przypominał, robiło mu się głupio. Ale mimo wszystko miało to jakiś sens. Jej wspaniałość była wynikiem drobnych modyfikacji wzorca, dzięki którym powstała zapierająca dech w piersiach harmonia.

Lada chwila miała wejść do autobusu, a gdyby usiadła obok kanciastej i ponurej Sukhvinder, co często robiła, znalazłaby się wystarczająco blisko, żeby wyczuć od niego zapach dymu z papierosa. Lubił patrzeć, jak nieożywione przedmioty reagują na jej ciało. Lubił patrzeć, jak siedzenie w autobusie lekko ugina się pod jej ciężarem i jak ta miedzianozłota burza włosów spłaszcza się w zetknięciu ze stalowym drążkiem na oparciu.

Kierowca autobusu zwolnił i Andrew odwrócił twarz od drzwi, udając, że pogrąża się w myślach. Spojrzy, dopiero kiedy ona wejdzie, jakby nagle zdał sobie sprawę, że się zatrzymali. Nawiąże kontakt wzrokowy, może kiwnie głową. Czekał na dźwięk otwieranych drzwi, ale cichego warkotu silnika nie przerwał znajomy huk poprzedzony zgrzytem.

Andrew rozejrzał się i zobaczył tylko krótką, nędzną Hope Street: dwa rzędy małych domów szeregowych. Kierowca autobusu wyciągał szyję, by się upewnić, że nikt nie nadbiega. Andrew chciał mu powiedzieć, żeby zaczekał, bo w ubiegłym tygodniu Gaia wypadła z jednego z tych domków i przybiegła chodnikiem (mógł patrzeć, bo wszyscy patrzyli, a widok jej w biegu wystarczył, by zająć jego myśli na długie godziny), lecz kierowca przekręcił wielką kierownicę i autobus znowu ruszył. Andrew wrócił do kontemplowania brudnego okna, czując ból w sercu i w jajach.

V

Kiedyś w małych domach szeregowych przy Hope Street mieszkali robotnicy. Gavin Hughes golił się powoli i z niepotrzebną pieczołowitością w łazience pod numerem dziesiątym. Miał tak jasny i rzadki zarost, że na dobrą sprawę wystarczyło wykonać tę robotę dwa razy w tygodniu, ale chłodna, nieco obskurna łazienka była jego jedynym schronieniem. Gdyby zamarudził w niej do ósmej, mógłby powiedzieć, że musi natychmiast wyjść do pracy, i zabrzmiałoby to przekonująco. Myśl o rozmowie z Kay napawała go przerażeniem.

Poprzedniego wieczoru udało mu się uniknąć kłótni tylko dzięki temu, że rozpoczął najdłuższą i najbardziej pomysłową kopulację, jaka zdarzyła im się od początku ich związku. Kay zareagowała natychmiast i z wytrącającym z równowagi entuzjazmem: co chwila zmieniała pozycję, podciągała dla niego swoje silne, masywne nogi i wykręcała się jak ta akrobatka, którą tak bardzo przypominała dzięki swojej oliwkowej skórze i króciutkim ciemnym włosom. Zbyt późno zrozumiał, że potraktowała tę nietypową dla niego inicjatywę jako milczące wyznanie tego, o czym z taką determinacją nie wspominał na głos. Całowała go zachłannie. Na początku romansu jej mokre, napastliwe pocałunki wydawały mu się seksowne, ale teraz odkrył, że czuje do nich niewyraźną odrazę. Minęło dużo czasu, zanim doszedł. Przerażenie wywołane tym, co rozpoczął, ciągle groziło sflaczeniem członka.

Jednak nawet to obróciło się przeciwko niemu: najwidoczniej uznała tę niezwykłą wytrzymałość za pokaz wirtuozerii.

Gdy wreszcie było po wszystkim, przytuliła się do niego w ciemności i przez chwilę głaskała go po głowie. Żałośnie gapił się w pustkę świadomy, że na przekór wszystkim swoim niesprecyzowanym planom poluzowania więzów niechcący jeszcze bardziej je zacieśnił. Kiedy zasnęła, leżał na po-wybrzuszanym od starych sprężyn materacu, z jedną ręką uwięzioną pod jej ciałem i z wilgotnym prześcieradłem nieprzyjemnie przyklejonym do uda, żałując, że nie ma odwagi być draniem, wymknąć się i już nigdy nie wrócić.

W łazience Kay czuć było pleśń i wilgotne gąbki. Do boku małej wanny przykleiło się kilka włosów. Farba obłaziła ze ścian.

– Trzeba tu trochę popracować – powiedziała niedawno Kay.

Gavin pilnował się, żeby nie zaproponować żadnej pomocy. Słowa, których nie wypowiedział, były jego talizmanem i zabezpieczeniem. Zebrał je w głowie i przesuwał jak paciorki różańca. Nigdy nie powiedział „kocham". Nigdy nie wspominał o małżeństwie. Nigdy jej nie prosił, żeby przyjechała do Pagford. A jednak przyjechała i jakimś cudem sprawiła, że czuł się za to odpowiedzialny.

Jego odbicie gapiło się na niego ze zmatowiałego lustra. Miał pod oczami sine cienie, a rzednące jasne włosy wyglądały na cienkie i suche. Goła żarówka nad lustrem z zabójczym okrucieństwem oświetlała zmęczoną kozią twarz.

„Mam trzydzieści cztery lata – pomyślał – a wyglądam na co najmniej czterdzieści".

Uniósł maszynkę do golenia i delikatnie ściął dwa grube jasne włosy, które rosły po obu stronach wystającego jabłka Adama.

Czyjeś pięści uderzyły w drzwi łazienki. Gavinowi drgnęła ręka i krew z chudej szyi kapnęła na czystą białą koszulę.

– Mamo! – krzyknął rozwścieczony dziewczęcy głos. – Twój chłopak dalej siedzi w łazience i przez niego się spóźnię!

– Już skończyłem! – zawołał.

Rana piekła, ale czy to ważne? Dzięki niej miał świetną wymówkę: „Zobacz, co zrobiłem przez twoją córkę. Będę musiał pojechać do domu i zmienić koszulę przed wyjściem do pracy". Z niemal lekkim sercem złapał krawat i marynarkę, które wcześniej powiesił na haczyku na drzwiach, i nacisnął klamkę.

Gaia wcisnęła się do łazienki, zatrzasnęła za sobą drzwi i zamknęła je na zamek. Stojąc w małym korytarzu, w którym unosił się gęsty, nieprzyjemny zapach palonej gumy, Gavin przypomniał sobie, jak w nocy wezgłowie uderzało o ścianę, jak skrzypiało tanie sosnowe łóżko, przypomniał sobie jęki i krzyki Kay. Czasami łatwo było zapomnieć, że w domu jest jeszcze jej córka.

Zbiegł po niczym nieprzykrytych schodach. Kay wspomniała, że zamierza je wycyklinować i wypolerować, ale wątpił, czy kiedykolwiek to zrobi. Jej londyńskie mieszkanie było odrapane i domagało się remontu. Podejrzewał, że Kay liczy na szybką przeprowadzkę do niego, ale nie miał zamiaru do tego dopuścić. To był jego ostatni bastion i postanowił, że w razie konieczności będzie go bronić.

– Co ci się stało? – pisnęła Kay, widząc krew na jego kołnierzyku. Miała na sobie tanie szkarłatne kimono, którego nie lubił, a które ona uparcie nosiła.

– Gaia zaczęła walić w drzwi i się zaciąłem. Muszę pojechać do domu, żeby się przebrać.

– Ojej, a ja już ci zrobiłam śniadanie! – powiedziała pospiesznie.

Zrozumiał, że zapach palonej gumy tak naprawdę wydzielała jajecznica. Wyglądała nieapetycznie i była zbyt wysmażona.

– Nie mogę, Kay, muszę zmienić koszulę. Z samego rana mam umówione...

Już nakładała zakrzepłą masę na talerze.

– To tylko pięć minut, na pewno możesz zostać jeszcze pięć...?

Komórka w kieszeni jego marynarki głośno zabrzęczała i wyjął ją, zastanawiając się, czy będzie miał tyle tupetu, by udać, że to jakieś pilne wezwanie.

– Jezu Chryste – powiedział z niekłamanym przerażeniem.

– Co się stało?

– Barry. Barry Fairbrother! On... kurwa, on... on nie żyje! Miles do mnie napisał. Jezu Chryste. Kurwa, Jezu Chryste!

Odłożyła drewnianą łyżkę.

– Kto to jest Barry Fairbrother?

– Gram z nim w squasha. Miał dopiero czterdzieści cztery lata! Jezu Chryste!

Jeszcze raz przeczytał SMS-a. Kay przyglądała mu się zdezorientowana. Wiedziała, że Miles to współpracownik Gavina z kancelarii, ale nigdy go nie poznała. Barry Fairbrother był dla niej tylko nazwiskiem.

Na schodach rozległ się głośny tupot: Gaia zbiegała na dół.

– Jajka – stwierdziła, zatrzymując się na progu kuchni. – Jak co rano. Nie. A dzięki n i e m u – dodała, rzucając wściekłe spojrzenie na tył głowy Gavina – prawdopodobnie spóźniłam się na ten cholerny autobus.

– Trzeba było nie marnować tyle czasu na układanie włosów! – krzyknęła Kay za oddalającą się córką, która bez słowa wypadła z domu jak burza, obijając torbę o ściany korytarza, a potem zatrzasnęła za sobą drzwi.

– Kay, muszę iść – oznajmił Gavin.

– Ale popatrz, już wszystko przygotowałam, mógłbyś zjeść, zanim...

– Muszę się przebrać. Cholera, sporządziłem testament Barry'ego, będę go musiał przejrzeć. Nie, przepraszam, muszę iść. Nie mogę w to uwierzyć – dodał, jeszcze raz czytając SMS-a od Milesa. – Nie mogę w to uwierzyć. W czwartek graliśmy w squasha. Nie mogę... Jezu.

Umarł człowiek. Nie było niczego, co mogłaby powiedzieć, nie narażając się na to, że zabrzmi to niestosownie. Szybko pocałował jej nieruchome usta, a potem wyszedł na ciemny, wąski korytarz.

– Zobaczymy się...?

– Zadzwonię! – zawołał, udając, że nie słyszał pytania.

Gavin szybko przeszedł przez ulicę do swojego samochodu, łapczywie wdychając świeże zimne powietrze, a myśl o śmierci Barry'ego tkwiła w jego umyśle jak fiolka wybuchowej cieczy, którą nie śmiał potrząsnąć. Przekręcając kluczyk w stacyjce, wyobraził sobie, jak bliźniaczki Barry'ego płaczą, leżąc na brzuchach na piętrowym łóżku. Widział je w takiej pozycji, jedną nad drugą, z konsolami Nintendo w rękach, kiedy przechodził obok ich pokoju podczas swojej ostatniej wizyty u Fairbrotherów na kolacji.

Nie znał bardziej zgranego małżeństwa niż Fairbrotherowie. Już nigdy nie zje u nich kolacji. Wielokrotnie mówił Barry'emu, że jest szczęściarzem. Okazało się, że nie do końca.

Ktoś szedł chodnikiem w jego stronę. Gavin wpadł w panikę, bo pomyślał, że to Gaia, która za chwilę krzyknie i zażąda podwiezienia do szkoły, zbyt gwałtownie cofnął i uderzył w samochód stojący z tyłu: w starego vauxhalla corsę Kay. Nadchodząca osoba zrównała się z jego oknem i okazała się wychudłą, trzęsącą się staruszką w kapciach. Spocony Gavin skręcił kierownicę i wydostał się z ciasnej przestrzeni. Przyspieszając, spojrzał we wsteczne lusterko i zobaczył wracającą do domu Gaię.

Oddychał z trudem. Czuł się tak, jakby ktoś zawiązał mu płuca na węzeł. Dopiero teraz zdał sobie sprawę, że Barry Fairbrother był jego najlepszym przyjacielem.

VI

Szkolny autobus dojechał do Fields, rozległego osiedla na peryferiach Yarvil. Brudne szare domy, namalowane gdzieniegdzie sprayem inicjały i wulgarne słowa, tu i tam okno zabite deskami, anteny telewizji satelitarnej i nieskoszona trawa – żaden z tych elementów nie zasługiwał na uwagę Andrew bardziej niż połyskujące od lodu ruiny klasztoru w Pagford. Kiedyś Fields go interesowało i onieśmielało, ale bliskość tego miejsca już dawno sprawiła, że mu spowszedniało.

Na chodnikach roiło się od dzieci i nastolatków idących do szkoły. Pomimo zimna wiele z nich było w koszulkach z krótkim rękawem. Andrew zauważył Krystal Weedon. To imię i nazwisko doskonale do niej pasowało i jednocześnie układało się w świński dowcip: „obsikany kryształ". Szła zamaszystym krokiem w grupie nastolatków i śmiała się na całe gardło. Z uszu zwisały jej rzędy kolczyków, a z nisko opuszczonych spodni od dresu wyraźnie wystawały stringi. Andrew znał ją od podstawówki i występowała w wielu najbarwniejszych wspomnieniach z jego wczesnej młodości. Zaczęli się wyśmiewać z jej nazwiska, ale zamiast płakać, co zrobiłaby większość małych dziewczynek, pięcioletnia Krystal śmiała się razem z nimi, rechocząc i piszcząc: „Obsikaaany! Obsikany kryyyształ!". Potem zdjęła majtki na środku klasy i udawała, że robi siku. Zachował w pamięci wyraziste wspomnienie jej obnażonego różowego sromu. Zupełnie jakby nagle zjawił się wśród nich Święty Mikołaj. I pamiętał, jak czerwona na twarzy pani Oates wyprowadziła Krystal z klasy.

W wieku dwunastu lat, już w państwowej szkole średniej, Krystal stała się najlepiej rozwiniętą dziewczyną wśród swoich rówieśniczek. Marudziła na końcu klasy, kiedy zanosili tam arkusze z wykonanymi zadaniami z matematyki i zamieniali je na następną serię. Andrew (który jak zwykle kończył rozwiązywać zadania z matematyki jako jeden z ostatnich uczniów) nie miał pojęcia, jak to się zaczęło, ale gdy podszedł do plastikowych pudełek na arkusze, równo ustawionych na szafkach na końcu klasy, zobaczył, że Rob Calder i Mark Richards na zmianę obmacują piersi Krystal. Większość pozostałych chłopaków przyglądała się temu zelektryzowana, zasłaniając się przed nauczycielem trzymanymi pionowo podręcznikami, a dziewczyny, z których wiele poczerwieniało jak burak, udawały, że niczego nie widzą. Andrew zdał sobie sprawę, że połowa chłopaków ma to już za sobą i że niedługo przyjdzie jego kolej. Chciał tego i jednocześnie nie chciał. Nie bał się piersi Krystal, ale jej zuchwałej, wyzywającej miny. Bał się, że zrobi to źle. Kiedy niczego nieświadomy i nieudolny pan Simmonds w końcu spojrzał na tył klasy i powiedział: „Sterczysz tam w nieskończoność, Krystal, weź arkusz i usiądź", Andrew poczuł prawie wyłącznie ulgę.

Mimo że już dawno temu przydzielono ich do różnych grup, nadal chodzili do tej samej klasy, więc Andrew wiedział, że Krystal czasami jest w szkole, a często jej nie ma, i że prawie bez przerwy sprawia kłopoty. Nie wiedziała, co to strach, tak jak chłopaki, które przychodziły do szkoły z własnoręcznie zrobionymi tatuażami, z pękniętą wargą, z papierosami, i opowiadali o bójkach z policją, o braniu narkotyków i o łatwym seksie.

Państwowa szkoła średnia Winterdown mieściła się na przedmieściach Yarvil w wielkim, brzydkim trzypiętrowym budynku, w którego fasadzie znajdowały się okna pozabijane gdzieniegdzie panelami pomalowanymi na turkusowo. Kiedy drzwi autobusu otworzyły się ze zgrzytem, Andrew dołączył do rosnących mas w czarnych marynarkach i swetrach, ciągnących przez parking w stronę frontowych drzwi szkoły. Już miał wtopić się w tłum i przecisnąć przez dwuskrzydłowe drzwi, gdy zauważył zatrzymującego się nissana micrę i wycofał się, żeby zaczekać na swego najlepszego przyjaciela.

Gruby, Grubas, Grub, Byku, Wally, Wallah, Fatboy, Fats: Stuart Wall miał więcej przezwisk niż którykolwiek chłopak w szkole. Jego sprężysty krok w połączeniu z chudością, pociągłą ziemistą twarzą, dużymi uszami i wiecznie zbolałą miną tworzył wystarczająco charakterystyczny zestaw, ale tak naprawdę wyróżniały go cięty dowcip, obojętność i opanowanie. Jakimś sposobem umiał się odgrodzić od wszystkiego, co mogłoby wskazywać na mniej odporny charakter, i lekceważyć ewentualne zakłopotanie związane z tym, że był synem wyśmiewanego, nielubianego wicedyrektora i pozbawionej gustu, otyłej szkolnej pedagog. Był nade wszystko i wyłącznie sobą: Fatsem, szkolną znakomitością i punktem odniesienia, i nawet mieszkańcy Fields śmiali się z jego dowcipów, rzadko się odważając – z takim opanowaniem i okrucieństwem odwzajemniał drwiny – na żarty z jego niefortunnych związków rodzinnych.

Tego ranka Fats też był całkowicie opanowany, kiedy wystawiony na widok pozbawionych rodzicielskiego nadzoru hord, musiał wygramolić się z nissana nie tylko razem z matką, ale i z ojcem, który zazwyczaj przyjeżdżał do szkoły osobno. Patrząc, jak przyjaciel zbliża się do niego wielkimi krokami, Andrew znowu pomyślał o Krystal Weedon i jej odsłoniętych stringach.

– Co jest, Arf? – zapytał Fats.

– Cze, Fats.

Wmieszali się w tłum, trzymając torby przewieszone przez ramię, waląc nimi niższe dzieci po twarzy i tworząc za sobą mały korytarz aerodynamiczny.

– Przegródka płacze – powiedział Fats, kiedy szli po zatłoczonych schodach.

– Co?

– Wczoraj wieczorem kipnął Barry Fairbrother.

– A tak, słyszałem – powiedział Andrew.

Fats spojrzał na przyjaciela złośliwie i kpiąco. Zawsze tak patrzył, gdy ktoś się przechwalał albo udawał, że wie więcej, niż naprawdę wiedział, albo zgrywał kogoś, kim wcale nie był.

– Moja mama była w szpitalu, kiedy go przywieźli – wyjaśnił poirytowany Andrew. – Pracuje tam, zapomniałeś?

– A, no tak – powiedział Fats i kpina w jego oczach zniknęła. – Wiesz, lizali się po jajach z Przegródką. I Przegródka zamierza to ogłosić. Kiepska sprawa, Arf.

Rozstali się u szczytu schodów i poszli do swoich klas. Większość klasy Andrew była już w sali. Ludzie siedzieli na ławkach, machali nogami, opierali się o stojące pod ścianami szafki. Plecaki leżały pod krzesłami. W poniedziałek rano rozmowy zawsze były głośniejsze i swobodniejsze, bo apel oznaczał przejście do sali gimnastycznej w sąsiednim budynku. Wychowawczyni siedziała przy biurku, zaznaczając w dzienniku obecność. Nigdy nie zadawała sobie trudu, żeby oficjalnie przeczytać listę. Był to jeden z jej wielu drobnych sposobów na podlizanie się uczniom, a oni nią za to pogardzali.

Krystal weszła, kiedy zadzwonił dzwonek na apel.

– Jestem, psze pani! – zawołała w drzwiach i z powrotem wyszła na korytarz.

Reszta poszła za nią, nadal rozmawiając. Andrew i Fats znowu spotkali się na schodach. Strumień uczniów poniósł ich przez tylne drzwi, a potem przez szerokie, szare, asfaltowe podwórze.

W sali gimnastycznej cuchnęło potem i tenisówkami. Wrzawa tysiąca dwustu zaciekle gadających nastolatków odbijała się echem od ponurych pobielonych ścian. Na podłodze leżała szorstka, bardzo poplamiona wykładzina w kolorze przemysłowej szarości, oznaczona różnokolorowymi liniami kortów do tenisa, boisk do badmintona, hokeja i piłki nożnej. Materiał paskudnie drapał skórę, jeśli upadło się na niego gołą nogą, ale sprawdzał się lepiej niż twarde drewno pod tyłkami tych, którzy musieli na nim wysiedzieć do końca szkolnego apelu. Andrew i Fats dostąpili zaszczytu zajęcia krzeseł z nogami z rurek i z plastikowymi oparciami rozstawionych z tyłu dla szósto- i siódmoklasistów.

Z przodu, naprzeciwko uczniów, stała stara drewniana mównica, przy której siedziała dyrektorka pani Shawcross. Colin „Przegródka" Wall, ojciec Fatsa, podszedł i zajął miejsce obok niej. Był bardzo wysoki, miał wysokie, łysiejące czoło i niezmiernie łatwy do naśladowania sposób chodzenia: trzymał ręce sztywno po bokach i kołysał się w górę i w dół bardziej niż to konieczne do przemieszczania się naprzód. Wszyscy nazywali go Przegródką z powodu jego osławionej obsesji na punkcie utrzymywania porządku w przegródkach na ścianie obok jego gabinetu. Do niektórych z tych schowków trafiały dzienniki z uzupełnionymi listami obecności, a inne były przypisane konkretnym przedmiotom. „Ailso, uważaj, żeby to włożyć do właściwej przegródki!", „Niech to tak nie zwisa, wypadnie z przegródki, Kevin!", „Nie podepcz tego, dziewczyno! Podnieś to i przynieś do mnie, powinno trafić do przegródki!".

Wszyscy pozostali nauczyciele nazywali przegródki skrytkami. Powszechnie zakładano, że chcą się w ten sposób odróżnić od Przegródki.

– Przechodzić, przechodzić – powiedział nauczyciel techniki pan Meacher do Andrew i Fatsa, którzy zostawili puste krzesło między sobą a Kevinem Cooperem.

Przegródka wszedł na mównicę. Uczniowie nie ucichli tak szybko jak wtedy, kiedy przemawiała dyrektorka. Dokładnie w chwili, w której zamilkł ostatni głos, otworzyły się jedne z dwuskrzydłowych drzwi pośrodku ściany z prawej strony i do sali weszła Gaia.

Rozejrzała się (Andrew pozwolił sobie popatrzeć, bo patrzyła na nią połowa sali; dziewczyna się spóźniła, była nowa i piękna, a przemawiał tylko Przegródka) i przeszła pospiesznie, ale bez przesady (bo tak jak Fats była z natury opanowana), na tył sali. Andrew nie mógł odwrócić głowy, żeby na nią patrzeć, lecz z siłą, od której zadzwoniło mu w uszach, uświadomił sobie, że gdy siadali z Fatsem, zostawił obok siebie jedno wolne miejsce.

Słyszał jej ciche, szybkie kroki coraz bliżej, a potem zjawiła się obok niego i usiadła. Uderzyła w jego krzesło i potrąciła go. Wyczuł zapach jej perfum. Cała lewa część jego ciała płonęła od jej bliskości i cieszył się, że policzek znajdujący się po jej stronie jest znacznie mniej zapryszczony niż ten drugi. Jeszcze nigdy nie był tak blisko niej i zastanawiał się, czy będzie miał odwagę na nią spojrzeć, dać jej jakoś do zrozumienia, że ją poznaje, ale natychmiast doszedł do wniosku, że zbyt długo siedział jak sparaliżowany i jest już za późno, by jakikolwiek gest wypadł naturalnie.

Drapiąc się po lewej skroni, żeby zasłonić twarz, spojrzał w stronę jej dłoni, które swobodnie leżały złożone na kolanach. Paznokcie miała krótkie, czyste i niepomalowane. Na małym palcu zauważył zwyczajny srebrny pierścionek.

Fats dyskretnie przesunął łokieć, wbijając go Andrew w bok.

– Na koniec – powiedział Przegródka, a Andrew zdał sobie sprawę, że wicedyrektor wymawia to słowo po raz drugi i że cisza w sali zestaliła się w prawdziwe milczenie, bo wszyscy przestali się wiercić, a powietrze wypełniło się ciekawością, radością i niepokojem. – Na koniec – powtórzył Przegródka, tracąc kontrolę nad drżącym głosem – mam bardzo... bardzo smutną wiadomość. Pan Barry Fairbrother, który od dwóch lat trenował naszą utyłowaną... utyło... utytułowaną żeńską osadę wioślarską...

Na chwilę odebrało mu mowę i przetarł oczy dłonią.

– ... umarł...

Przegródka Wall płakał na oczach wszystkich. Guzowata łysa głowa opadła mu na pierś. Przez patrzący na to tłum przetoczyły się zduszone okrzyki połączone z chichotem i wiele twarzy odwróciło się w stronę Fatsa, który siedział całkowicie obojętny. Trochę zdziwiony, ale poza tym niewzruszony.

– ... umarł... – zaszlochał Przegródka i dyrektorka wstała. Wyglądała na wściekłą. – ... umarł... wczoraj wieczorem.

Gdzieś pośrodku rzędów krzeseł na końcu sali rozległ się głośny pisk.

– Kto się roześmiał!? – zagrzmiał Przegródka i powietrze zaskwierczało od zachwycającego napięcia. – JAK ŚMIESZ! Która dziewczyna się roześmiała? Kto to był?

Pan Meacher zerwał się na równe nogi i z furią pokazywał na kogoś siedzącego pośrodku rzędu krzeseł, tuż za Andrew i Fatsem. Krzesło Andrew znowu zostało potrącone, bo Gaia odwróciła się, żeby popatrzeć jak wszyscy. Andrew miał wrażenie, że całe jego ciało stało się superwrażliwe. Czuł, że ciało Gai pochyliło się w stronę jego ciała. Gdyby się odwrócił w drugą stronę, siedzieliby pierś przy piersi.

– Kto się roześmiał? – powtórzył Przegródka, zabawnie wspinając się na palce, jakby mógł dostrzec winowajczynię z miejsca, gdzie stał.

Meacher mówił coś bezgłośnie do osoby, którą wskazał jako winną, i gorączkowo przywoływał ją ręką.

– Kto to jest, panie Meacher!? – zawołał Przegródka.

Meacher najwidoczniej nie chciał powiedzieć. W dalszym ciągu miał trudności ze zmuszeniem winowajczyni do opuszczenia miejsca, ale gdy Przegródka zaczął dawać niepokojące sygnały świadczące o zamiarze zejścia z mównicy i zbadania sprawy osobiście, Krystal Weedon gwałtownie wstała i czerwona jak burak zaczęła się przepychać wzdłuż rzędu.

– Zobaczymy się w moim gabinecie zaraz po apelu! – zawołał Przegródka. – Co za wstyd, jaki zupełny brak szacunku! Zejdź mi z oczu!

Ale Krystal zatrzymała się na końcu rzędu, pokazała Przegródce środkowy palec i krzyknęła:

– WCALE SIĘ NIE ŚMIAŁAM, CHUJU!

Rozległ się głośny śmiech, a potem wszyscy zaczęli gadać w podnieceniu. Nauczyciele podejmowali bezskuteczne próby uciszenia hałasu, paru nawet wstało z krzeseł i groźbami usiłowało przywrócić porządek w swoich klasach.

Dwuskrzydłowe drzwi zamknęły się za Krystal i panem Meacherem.

– Spokój! – zawołała dyrektorka i na sali znowu zapanowała chwilowa cisza przerywana wierceniem się i szeptami. Fats patrzył prosto przed siebie, ale tym razem w jego obojętności było coś wymuszonego, a jego skóra nabrała ciemniejszego odcienia.

Andrew poczuł, że Gaia z powrotem opadła na krzesło. Zebrał się na odwagę, spojrzał w lewo i uśmiechnął się. Od razu odwzajemniła uśmiech.

VII

Delikatesy w Pagford otwierano dopiero o wpół do dziesiątej, ale Howard Mollison przyjechał do pracy wcześniej. Był potwornie otyłym sześćdziesięcioczterolatkiem. Wielki fartuch brzucha opadał mu tak nisko na uda, że prawie każdy, kto widział go po raz pierwszy, natychmiast myślał o jego penisie, zastanawiając się, kiedy Howard oglądał go po raz ostatni, jak go myje i jak wykonuje wszystkie czynności, do których penis został stworzony. Po części dlatego, że jego budowa ciała wyzwalała takie właśnie myśli, a po części ze względu na swoje zamiłowanie do żarcików, Howard wprawiał ludzi w zakłopotanie, a jednocześnie ich rozbrajał, dzięki czemu podczas pierwszej wizyty w jego sklepie klienci prawie zawsze kupowali więcej, niż mieli zamiar. Pracując, gadał bez przerwy. Jedną krótkopalczastą ręką gładko przesuwał tam i z powrotem ostrze maszyny do krojenia wędlin, a drugą przytrzymywał na dole celofan, łapiąc w niego delikatne jak jedwab, falujące plastry szynki. Jego okrągłe niebieskie oczy były w każdej chwili gotowe do mrugnięcia, a dodatkowe podbródki trzęsły się podczas częstych wybuchów śmiechu.

Howard przywdziewał w pracy specjalny kostium: białą koszulę, sztywny ciemnozielony płócienny fartuch, sztruksowe spodnie i czapkę *à la* Sherlock Holmes, w którą wpiął kilka much wędkarskich. Jeśli kiedyś chciał w ten sposób zażartować, to dawno o tym zapomniał. W dzień pracy zawsze z powagą i starannością wkładał tę czapkę na swoje gęste siwe loki, posiłkując się małym lustrem w toalecie dla personelu.

Howard czerpał nieustanną przyjemność z porannego otwierania sklepu. Uwielbiał się tam krzątać, gdy słychać było tylko cichy szum chłodziarek. Z lubością przywracał wszystko do życia – włączał światło, podnosił rolety, zdejmował pokrywki, odsłaniając skarby w ladzie chłodniczej: blade, szarozielone karczochy, czarne jak onyks oliwki i suszone pomidory zwinięte jak rubinowe koniki morskie w upstrzonym ziołami oleju.

Ale tego ranka radość Howarda była podszyta niecierpliwością. Jego wspólniczka Maureen się spóźniała i Howard, tak jak wcześniej Miles, bał się, że ktoś może go ubiec i przekazać jej sensacyjne wieści. Maureen nie miała telefonu komórkowego.

Przystanął przed nowo wykutym łukowatym przejściem w ścianie między delikatesami a starym sklepem obuwniczym, który wkrótce miał się stać najnowszą pagfordzką kawiarnią, i sprawdził grubą folię zabezpieczającą przed dostawaniem się pyłu do sklepu. Planowali otworzyć tę kawiarnię przed Wielkanocą, zanim do West Country zaczną się zjeżdżać turyści, dla których Howard co roku wypełniał witryny lokalnym cydrem, serem i słomianymi laleczkami.

Za jego plecami brzdęknął dzwonek. Howard odwrócił się i jego załatane, wzmocnione serce zaczęło z podniecenia szybciej pompować krew.

Maureen była drobną sześćdziesięciowulatką o zaokrąglonych ramionach i wdową po dawnym wspólniku Howarda. Przygarbiona sylwetka sprawiała, że wydawała się znacznie starsza, niż naprawdę była, choć pod wieloma względami kurczowo trzymała się młodości: farbowała włosy na kruczoczarny kolor, wybierała jaskrawe ubrania i chwiała się w butach na nieroztropnie wysokich obcasach, które w sklepie zmieniała na sandały dra Scholla.

– Dzień dobry, Mo – powiedział Howard.

Postanowił, że nie popsuje efektu zbytnim pośpiechem, ale wiedział, że wkrótce zjawią się klienci, a miał mnóstwo do powiedzenia.

– Słyszałaś?

Zmarszczyła brwi i spojrzała na niego pytającym wzrokiem.

– Barry Fairbrother nie żyje.

Rozdziawiła usta.

– Nie! Co się stało?

Howard postukał się w bok głowy.

– Coś mu nawaliło. Tutaj. Miles przy tym był, wszystko widział. Na parkingu przed klubem golfowym.

– Nie! – powtórzyła.

– Jest martwy jak kamień – powiedział Howard, jakby martwość była stopniowalna i ta, której nabawił się Barry Fairbrother, okazała się wyjątkowo paskudna.

Jaskrawo umalowane usta Maureen nadal były rozdziawione, kiedy się przeżegnała. Jej katolickie wyznanie zawsze dodawało kolorytu takim chwilom.

– Miles przy tym był? – zaskrzeczała. W jej niskim głosie byłej palaczki usłyszał pragnienie poznania wszystkich szczegółów.

– Nastawisz czajnik, Mo?

Mógł przedłużyć jej męczarnię przynajmniej o kilka minut. Tak się spieszyła, żeby do niego wrócić, że wylała na siebie trochę wrzątku. Poszli za ladę i usiedli na wysokich drewnianych taboretach, które Howard postawił tam z myślą o przestojach w handlu, i Maureen obłożyła poparzoną rękę garścią lodu do chłodzenia pojemników z oliwkami. Obgadali stałe elementy tragedii: wdowę („Musi być zrozpaczona, żyła dla Barry'ego"), dzieci („Czworo nastolatków, co za ciężar, kiedy nie ma ojca"), stosunkowo młody wiek nieboszczyka („Był niewiele starszy od Milesa, prawda?"), a w końcu dotarli do faktycznego celu tej podróży, przy którym wszystkie pozostałe sprawy były tylko czczym ględzeniem.

– Co teraz będzie? – natarczywie zapytała Maureen.

– Ach – zaczął Howard. – No cóż. Dobre pytanie, prawda? Zrobił się nam tymczasowy wakat, Mo, a to może wiele zmienić.

– Zrobił się nam...? – powtórzyła Maureen w obawie, że może jej umknąć coś ważnego.

– Tymczasowy wakat – powiedział Howard. – Tak się nazywa sytuacja, w której z powodu czyjejś śmierci zwalnia się miejsce w radzie. Trafne określenie – wyjaśnił tonem nauczyciela.

Howard był przewodniczącym rady gminy i pierwszym obywatelem Pagford. Tytułom tym towarzyszył pozłacany i emaliowany urzędniczy łańcuch spoczywający teraz w maleńkim sejfie, który Howard i Shirley zainstalowali na dnie szafy w ścianie. Gdyby Pagford uzyskało honorowy status *borough*, Howard mógłby nazywać się burmistrzem. Ale nawet teraz na dobrą sprawę był kimś. Shirley doskonale to zaznaczyła na stronie internetowej rady gminy, gdzie podpis pod zdjęciem przedstawiającym rozpromienionego i rumianego Howarda w łańcuchu pierwszego obywatela mówił o jego gotowości do pełnienia funkcji w lokalnych strukturach obywatelskich i biznesowych. Zaledwie kilka tygodni temu przewodniczący wręczał karty rowerowe uczniom miejscowej podstawówki.

Howard upił łyk herbaty i powiedział z uśmiechem, który miał złagodzić cios:

– Nie zapominaj, Mo, że Fairbrother był dupkiem. Potrafił być prawdziwym dupkiem.

– No tak, wiem – przyznała. – Wiem.

– Gdyby żył, musiałbym mu powiedzieć kilka przykrych słów. Zapytaj Shirley. Potrafił być cholernym krętaczem.

– No tak, wiem.

– No, zobaczymy. Zobaczymy. To powinno zakończyć sprawę. Pamiętaj, że naprawdę nie chciałem wygrać w taki sposób – dodał z głębokim westchnieniem – ale biorąc pod uwagę dobro Pagford... naszej społeczności... wcale nie wyszło tak źle...

Howard spojrzał na zegarek.

– Już prawie wpół do, Mo.

Nigdy się nie spóźniali z otwarciem i nigdy nie zamykali przed czasem. Prowadzili interesy z nabożeństwem i regularnością godnymi świątyni.

Maureen poczłapała otworzyć drzwi i podnieść rolety. Widok na rynek przyrastał skokowo, w miarę jak sunęły w górę: malowniczy i zadbany, w ogromnej mierze dzięki skoordynowanym wysiłkom właścicieli otaczających go nieruchomości. Wszędzie były rozmieszczone skrzynki na kwiaty, wiszące kosze i donice, w których co roku sadzono kwiaty w uzgodnionych wcześniej kolorach. Po drugiej stronie rynku, naprzeciwko delikatesów Mollison and Lowe, mieścił się Black Canon (jeden z najstarszych pubów w Anglii).

Howard poszedł na zaplecze i wrócił z długimi prostokątnymi półmiskami pełnymi świeżych pasztetów. Ułożył je starannie w przeszklonej ladzie razem z połyskującymi jak klejnoty dekoracjami z soczystych cząstek cytrusów i z jagód. Posapując z wysiłku po tak długiej porannej rozmowie, postawił ostatnie półmiski i przez chwilę tkwił w miejscu, patrząc na pomnik ku czci poległych w czasie wojny, umieszczony na środku rynku.

Tego ranka Pagford wyglądało szczególnie uroczo i Howard przeżył wspaniałą chwilę radości z powodu istnienia zarówno siebie samego, jak i miasteczka, do którego przynależał niczym – właśnie tak to widział – bijące serce. Mógł się tym wszystkim upajać – lśniącymi czarnymi ławkami, czerwono-fioletowymi kwiatami, promieniami słońca ślizgającymi się po kamiennym krzyżu – a Barry Fairbrother już nie. Trudno było nie dostrzec jakiegoś głębszego zamysłu w tej nagłej zmianie sytuacji traktowanej przez Howarda jak pole bitwy, na którym od tak dawna ścierał się z Barrym.

– Howard – powiedziała nagle Maureen. – Howard.

Przez rynek przechodziła kobieta. Szczupła, czarnowłosa i brązowoskóra kobieta w trenczu, która z nachmurzoną miną wpatrywała się w swoje buty.

– Myślisz, że ona…? Myślisz, że już słyszała? – szepnęła Maureen.

– Nie wiem – odrzekł Howard.

Maureen, która nie znalazła jeszcze czasu, żeby zmienić wysokie obcasy na dra Scholla, o mało nie skręciła nogi w kostce, kiedy pospiesznie oddalała się od wystawy i pędziła za ladę. Howard powoli, majestatycznie zajął miejsce za kasą niczym artylerzysta szykujący się do oddania strzału.

Brzdęknął dzwonek i doktor Parminder Jawanda, nadal nachmurzona, otworzyła drzwi delikatesów. Nie przywitała się z Howardem ani z Maureen, tylko ruszyła prosto w stronę półki z olejami. Oczy Maureen śledziły ją z żarłoczną, niedopuszczającą mrugania uwagą jastrzębia obserwującego polną mysz.

– Dzień dobry – powiedział Howard, kiedy Parminder podeszła do lady z butelką w dłoni.

– Dzień dobry.

Doktor Jawanda rzadko patrzyła mu w oczy, zarówno podczas posiedzeń rady gminy, jak i poza salą obrad. Howarda zawsze bawiła jej nieumiejętność ukrywania niechęci. Stawał się wtedy jowialny, przesadnie szarmancki i uprzejmy.

– Dzisiaj nie w pracy?

– Nie – powiedziała Parminder, grzebiąc w torebce.

Maureen nie potrafiła się powstrzymać.

– Okropna wiadomość – powiedziała swoim chropawym, skrzeczącym głosem. – Ta o Barrym Fairbrotherze.

– Uhmm – mruknęła Parminder, ale po chwili zapytała: – Co?

– Mówiłam o Barrym Fairbrotherze – powtórzyła Maureen.

– Co z nim?

Parminder szesnaście lat temu przeprowadziła się z Birmingham do Pagford, nadal jednak mówiła z tamtejszym akcentem. Głęboka pionowa bruzda między brwiami nadawała jej twarzy wiecznie skupiony wyraz, czasami rozłoszczony, innym razem tylko zamyślony.

– Umarł – oznajmiła Maureen, wpatrując się natarczywie w zachmurzoną twarz. – Wczoraj wieczorem. Howard właśnie mi powiedział.

Parminder stała nieruchomo z ręką w torebce. Potem spojrzała w bok, na Howarda.

– Stracił przytomność i umarł na parkingu przed klubem golfowym – wyjaśnił Howard. – Miles przy tym był, wszystko widział.

Upłynęły kolejne sekundy.

– To jakiś żart? – zapytała surowo Parminder ostrym i piskliwym głosem.

– Oczywiście, że nie – powiedziała Maureen, delektując się swoim oburzeniem. – Kto by w ten sposób żartował?

Parminder z hukiem odstawiła olej na szklaną ladę i wyszła ze sklepu.

– Też coś! – obruszyła się Maureen w ekstazie dezaprobaty. – „To jakiś żart?" Urocze!

– To szok – stwierdził mądrze Howard, patrząc, jak Parminder pędzi z powrotem przez rynek, łopocząc połami płaszcza. – Będzie rozpaczała jak wdowa. Mówię ci, jestem ciekaw – dodał, drapiąc się leniwie po fałdzie brzucha, która często go swędziała – co ona...

Nie dokończył zdania, ale to nie miało znaczenia: Maureen doskonale wiedziała, do czego zmierzał. Obydwoje patrzyli, jak radna Jawanda znika za rogiem, i rozmyślali o tymczasowym wakacie. Nie był dla nich pustym miejscem, lecz pełną możliwości kieszenią czarodzieja.

VIII

Old Vicarage był ostatnim i zarazem największym z wiktoriańskich domów przy Church Row. Stał na samym końcu, otoczony dużym narożnym ogrodem, a naprzeciwko niego, po drugiej stronie ulicy, wznosił się kościół Świętego Michała i Wszystkich Świętych.

Parminder, która kilka ostatnich metrów ulicy pokonała biegiem, przezwyciężyła opór zamka w drzwiach i weszła do środka. Nie chciała wierzyć w to, co właśnie usłyszała, dopóki nie powie jej tego ktoś inny, ktokolwiek. Ale telefon w kuchni już złowieszczo dzwonił.

– Słucham?

– Tu Vikram.

Mąż Parminder był kardiochirurgiem. Pracował w szpitalu South West General w Yarvil i zazwyczaj nigdy nie dzwonił z pracy. Parminder ścisnęła słuchawkę tak mocno, że zabolały ją palce.

– Dowiedziałem się przez przypadek. Wszystko wskazuje na tętniak. Poprosiłem Huwa Jeffriesa, żeby przesunął sekcję na początek listy. Będzie najlepiej, jeśli Mary dowie się, co to było. Możliwe, że właśnie się nim zajmują.

– Tak – szepnęła Parminder.

– Była tam Tessa Wall – dodał. – Zadzwoń do niej.

– Tak – powtórzyła Parminder. – Dobrze.

Ale po odłożeniu słuchawki opadła na jedno z krzeseł w kuchni i gapiła się przez okno na ogród za domem, tak naprawdę go nie widząc, a przy tym przyciskała palce do ust.

Wszystko runęło. To, że nadal otaczały ją ściany, krzesła i zdjęcia dzieci na ścianach, nie miało żadnego znaczenia. Wszystkie atomy uległy rozerwaniu i błyskawicznie się zrekonstruowały, a pozory trwałości i solidności budziły tylko śmiech. Świat rozpadłby się pod najlżejszym dotykiem, bo nagle stał się cienki jak bibułka i kruchy.

Nie kontrolowała swoich myśli. One też się rozpadły i przypadkowe fragmenty wspomnień wypływały na powierzchnię, by zawirować i znowu zniknąć z oczu: taniec z Barrym na noworocznym przyjęciu u Wallów i głupia rozmowa, którą prowadzili, wracając piechotą z ostatniego posiedzenia rady gminy.

– Twój dom przypomina krowią mordę – powiedziała do niego.

– Krowią mordę? Jak to?

– Jest węższy z przodu niż z tyłu. To przynosi szczęście. Ale okna wychodzą na skrzyżowanie. A to przynosi pecha.

– Więc w kwestii szczęścia i pecha wypadamy neutralnie – podsumował Barry.

Tętnica w jego głowie już wtedy musiała być niebezpiecznie wybrzuszona, ale żadne z nich o tym nie wiedziało.

Parminder przeszła po omacku z kuchni do ponurego salonu, w którym bez względu na pogodę panował wieczny półmrok, bo w ogrodzie przed domem rosła wysoka sosna. Nienawidziła tego drzewa, ale rosło dalej, bo ona i Vikram wiedzieli, ile krzyku narobiliby sąsiedzi, gdyby je ściąć.

Nie mogła się uspokoić. Wyszła na korytarz, a potem z powrotem do kuchni, gdzie sięgnęła po słuchawkę i zadzwoniła do Tessy Wall, która nie odebrała. Pewnie była w pracy. Roztrzęsiona Parminder znowu usiadła na krześle.

Jej smutek był tak wielki i gwałtowny, że przeraził ją niczym wściekła bestia, która wyskoczyła spod drewnianej podłogi. Barry, mały brodaty Barry, jej przyjaciel, jej sprzymierzeniec.

Dokładnie w taki sam sposób umarł jej ojciec. Miała wtedy piętnaście lat i gdy wrócili z miasta do domu, znaleźli go leżącego twarzą do ziemi na trawniku. Obok stała kosiarka, a słońce paliło mu tył głowy. Parminder nienawidziła nagłej śmierci. Długotrwałe opadanie z sił, którego bało się tak wielu ludzi, dla niej było pokrzepiającą perspektywą. Czas, żeby uzgadniać i organizować, czas na pożegnanie...

Nadal mocno przyciskała dłonie do ust. Wpatrywała się w ponure, słodkie oblicze guru Nanaka przypięte do tablicy korkowej.

(Vikram nie lubił tego obrazka.

„Co on tu robi?" – spytał.

„Mnie się podoba" – odparła bezczelnie).

Barry nie żyje.

Wielkie pragnienie gwałtownego rozpłakania się zostało stłumione, co zawsze potępiała jej matka, zwłaszcza po śmierci ojca Parminder, kiedy pozostałe córki, ciotki i kuzynki zawodziły i biły się w piersi. „A przecież byłaś jego ulubienicą!" Ale Parminder trzymała swoje niewypłakane łzy szczelnie zamknięte w środku, gdzie zdawały się przechodzić jakąś alchemiczną przemianę i uzewnętrzniały się jako podobne do lawy strumienie wściekłości wypluwane co jakiś czas na dzieci i recepcjonistki w pracy.

Nadal miała przed oczami Howarda i Maureen za ladą, olbrzyma i chudzinę. W jej wyobraźni spoglądali na nią z wysoka, mówiąc, że jej przyjaciel nie żyje. Z niemal upragnionym przypływem wściekłości i nienawiści pomyślała: „Cieszą się. Myślą, że teraz wygrają".

Znowu zerwała się z krzesła, poszła do salonu i zdjęła z górnej półki jeden tom *Sainchis*, swoją nowiutką świętą księgę. Otworzyła na losowo wybranej stronie i przeczytała – bez zaskoczenia, raczej z poczuciem, że patrzy na swoją zniszczoną twarz w lustrze:

„O, umyśle, świat jest głębokim, ciemnym dołem. Z każdej strony śmierć zarzuca swoją sieć".

IX

Do pomieszczenia przeznaczonego na pokój pedagoga w Winterdown wchodziło się przez szkolną bibliotekę. Brakowało w nim okna i jedynym źródłem światła była samotna jarzeniówka.

Tessa Wall, szefowa zespołu szkolnych pedagogów i żona wicedyrektora, weszła do swojego gabinetu o wpół do jedenastej, sztywna ze zmęczenia, trzymając kubek mocnej kawy rozpuszczalnej przyniesiony z pokoju nauczycielskiego. Była niską, korpulentną kobietą o pospolitej, szerokiej twarzy, sama obcinała sobie siwe włosy – postrzępiona grzywka często bywała krzywa – nosiła proste, szyte w domu ubrania i lubiła biżuterię z koralików i drewna. Dzisiejsza długa spódnica została uszyta chyba z juty, a dla złagodzenia efektu Tessa zestawiła ją z grubym zmechaconym rozpinanym swetrem w kolorze zielonego groszku. Tessa prawie nigdy nie przeglądała się w dużych lustrach i bojkotowała sklepy, w których nie dało się tego uniknąć.

Próbowała zmniejszyć podobieństwo swojego gabinetu do więziennej celi, przypinając do ściany nepalską tkaninę dekoracyjną, którą miała jeszcze z czasów studenckich: tęczową płachtę z jasnożółtym księżycem i słońcem z wystylizowanymi, falującymi promieniami. Pozostałe, pokryte farbą nagie ściany zasłoniła różnymi plakatami, albo udzielającymi rad w sprawie zwiększenia poczucia własnej wartości, albo podającymi numery telefonu, pod którymi można anonimowo uzyskać pomoc w razie problemów zdrowotnych i emocjonalnych. Dyrektorka rzuciła na ich temat lekko sarkastyczną uwagę, kiedy ostatnim razem zajrzała do gabinetu pani pedagog.

– Rozumiem: jeśli wszystko inne zawiedzie, mogą zadzwonić na Child-Line – powiedziała wtedy, wskazując największy plakat.

Tessa z jękiem opadła na krzesło, zdjęła zegarek, który ją uwierał, i położyła go na biurku obok różnych wydruków i broszurek. Wątpiła, czy uda jej się wykonać plan przewidziany na ten dzień. Wątpiła nawet, czy Krystal Weedon się pojawi. W chwilach przygnębienia, złości albo nudy Krystal często wychodziła ze szkoły. Czasami zatrzymywano ją, zanim zdążyła dojść do bramy, i siłą prowadzono z powrotem do szkoły przy akompaniamencie jej przekleństw i krzyków. Kiedy indziej udawało się jej uniknąć pojmania i po ucieczce wagarowała przez kilka dni. Minęła dziesiąta czterdzieści, zabrzęczał dzwonek, a Tessa czekała.

Krystal wpadła jak burza o dziesiątej pięćdziesiąt jeden i zatrzasnęła za sobą drzwi. Opadła na krzesło przed Tessą, splotła ręce na obfitym biuście, a jej tanie kolczyki mocno się zakołysały.

– Możesz powiedzieć mężowi – zaczęła drżącym głosem – że wcale się, kurwa, nie śmiałam, jasne?

– Krystal, proszę, nie przeklinaj – powiedziała Tessa.

– Wcale się nie śmiałam! Jasne!? – krzyknęła Krystal.

Do biblioteki weszła grupa szóstoklasistów niosących jakieś teczki. Uczniowie spojrzeli przez szybę w drzwiach. Jeden z nich szeroko się uśmiechnął na widok tyłu głowy Krystal. Tessa wstała, opuściła roletę i wróciła na swoje miejsce naprzeciwko księżyca i słońca.

– Dobrze, Krystal. Opowiesz mi, co się stało?

– Twój mąż nawijał coś o panu Fairbrotherze, no i nie usłyszałam co, to Nikki mi powiedziała, no i nie mogłam, kurwa...

– Krystal!

– ... no i nie mogłam w to uwierzyć, to się rozdarłam, ale wcale się nie śmiałam! Wcale się, kurwa...

– ... Krystal...

– W c a l e s i ę n i e ś m i a ł a m, j a s n e!? – krzyknęła Krystal, ciaśniej splatając ręce na piersi i zakładając nogę na nogę.

– Jasne, Krystal.

Tessa przywykła do złości uczniów, którą bardzo często widywała w swojej pracy. Wielu z nich nie miało podstawowych, najprostszych zasad moralnych: kłamali, źle się zachowywali i regularnie oszukiwali, a mimo to na niesłuszne oskarżenia reagowali bezgraniczną i szczerą furią. Tessa uznała ten wybuch za autentyczne oburzenie, inne niż to sztuczne, które Krystal okazywała z tak wielką wprawą. W zasadzie pisk, który Tessa usłyszała na apelu, wydał jej się wówczas raczej wyrazem szoku i przerażenia niż wesołości. Zmroziło ją, kiedy Colin publicznie uznał go za śmiech.

– Gadałam z Przegródką...

– Krystal!

– Powiedziałam twojemu pieprzonemu mężowi...

– Krystal, proszę cię po raz ostatni: nie przeklinaj...

– Powiedziałam mu, że wcale się nie śmiałam, powiedziałam mu! Ale i tak mnie, kurwa, posadził po lekcjach.

W mocno umalowanych oczach dziewczyny zalśniły łzy wściekłości. Krew napłynęła jej do twarzy. Krystal, czerwona jak piwonia, rzuciła Tessie wściekłe spojrzenie gotowa uciec, przeklinać, pokazać środkowy palec także jej. Blisko dwuletnia delikatna pajęczyna zaufania, utkana przez nie z takim wysiłkiem, napięła się, grożąc pęknięciem.

– Wierzę ci, Krystal. Wierzę, że się nie śmiałaś, ale proszę cię, nie przeklinaj.

Nagle krótkie palce zaczęły trzeć rozmazane oczy. Tessa wyjęła z szuflady biurka pudełko z chusteczkami i podała je Krystal, która chwyciła chusteczkę bez podziękowania, przycisnęła ją najpierw do jednego, potem do drugiego oka, a następnie wydmuchała nos. Ręce Krystal wydawały się najbardziej poruszającą jej częścią: paznokcie miała krótkie, szerokie i niezdarnie polakierowane, a wszystkie ruchy dłoni – proste i bezpośrednie jak u małego dziecka.

Tessa zaczekała, aż chrapliwy oddech Krystal się uspokoi. Potem powiedziała:

– Widzę, że jesteś smutna z powodu śmierci pana Fairbrothera...

– No, jestem – powiedziała Krystal z wyraźną agresją. – I co?

Nagle Tessa wyobraziła sobie Barry'ego przysłuchującego się tej rozmowie. Zobaczyła jego smutny uśmiech i usłyszała całkiem wyraźne słowa: „Kochana dziewczyna". Tessa zamknęła szczypiące oczy, nie była w stanie nic powiedzieć. Usłyszała, że Krystal wierci się na krześle, powoli policzyła do dziesięciu i znowu otworzyła oczy. Krystal gapiła się na nią, z rękami nadal splecionymi na piersi, zarumieniona i bezczelna.

– Mnie też jest bardzo przykro z powodu śmierci pana Fairbrothera – powiedziała Tessa. – W zasadzie był naszym starym przyjacielem. To dlatego pan Wall jest trochę...

– Mówiłam mu, że wcale...

– Krystal, proszę, pozwól mi dokończyć. Pan Wall jest dzisiaj bardzo przygnębiony i chyba dlatego... dlatego źle odczytał twoje zachowanie. Porozmawiam z nim.

– I tak nic to, kurwa, nie...

– Krystal!

– I tak nic to nie zmieni.

Krystal kopnęła nogę biurka Tessy i zaczęła wybijać stopą gwałtowny rytm. Tessa oderwała łokcie od blatu, żeby nie czuć wibracji, i powiedziała:

– Porozmawiam z panem Wallem.

Przybrała wyraz twarzy, który jej zdaniem wyglądał neutralnie, i cierpliwie czekała, aż Krystal się uspokoi. Krystal milczała z zaczepną miną, kopała nogę biurka i miarowo przełykała ślinę.

– Co się stało panu Fairbrotherowi? – zapytała w końcu.

– Podejrzewają, że pękła mu tętnica w mózgu.

– Dlaczego miałaby pęknąć?

– Urodził się z wadą, o której nie wiedział – wyjaśniła Tessa.

Tessa wiedziała, że Krystal miała w życiu więcej styczności z nagłą śmiercią niż ona. Ludzie z kręgu matki Krystal umierali przedwcześnie z taką częstotliwością, że równie dobrze mogliby brać udział w jakiejś tajnej wojnie, o której reszta świata nie miała pojęcia. Krystal opowiedziała Tessie o tym, jak w wieku sześciu lat znalazła u matki w łazience zwłoki obcego młodego mężczyzny. To wydarzenie stało się przyczyną jednej z licznych przeprowadzek Krystal do babci Cath. Babcia Cath odgrywała ważną rolę w wielu historiach z dzieciństwa Krystal – dziwne połączenie wybawicielki i bicza bożego.

– No to osada poszła się jebać – powiedziała Krystal.

– Nie, nieprawda – zaprzeczyła Tessa. – I proszę, Krystal, nie przeklinaj.

– Bo poszła – upierała się Krystal.

Tessa chciała znowu zaprzeczyć, ale ten odruch został zduszony przez wyczerpanie. Zresztą Krystal I tak ma rację, mówiła niesforna, racjonalna część mózgu Tessy. To n a p r a w d ę będzie koniec wioślarskiej ósemki. Nikt oprócz Barry'ego nie był w stanie włączyć Krystal Weedon do jakiejś grupy i sprawić, żeby w niej została. Tessa wiedziała, że Krystal odejdzie. Krystal chyba też o tym wiedziała. Przez chwilę siedziały w milczeniu, a Tessa była zbyt zmęczona, żeby szukać słów, które mogłyby poprawić atmosferę. Była roztrzęsiona, zagrożona, obnażona do kości. Nie spała od ponad dwudziestu czterech godzin.

(Samantha Mollison zadzwoniła ze szpitala o dziesiątej wieczorem, kiedy Tessa wychodziła z łazienki po długiej kąpieli, żeby obejrzeć wiadomości w BBC. Tessa trzęsącymi się rękami z powrotem wkładała ubranie, a Colin wydawał nieartykułowane dźwięki i wpadał na meble. Krzyknęli do siedzącego na górze syna, że jadą do szpitala, a potem pobiegli do samochodu. Colin jechał do Yarvil zdecydowanie za szybko, jakby pokonanie tego odcinka w rekordowym czasie mogło przywrócić Barry'emu życie, prześcignąć rzeczywistość i podstępem zmusić ją do ułożenia się w inny wzór).

– Jak nie chcesz ze mną gadać, to idę – oznajmiła Krystal.

– Proszę, Krystal, nie bądź niegrzeczna – powiedziała Tessa. – Jestem dziś bardzo zmęczona. Wczoraj wieczorem ja i pan Wall byliśmy w szpitalu przy żonie pana Fairbrothera. To nasi bliscy przyjaciele.

(Na widok Tessy Mary kompletnie się rozkleiła, objęła ją i wtuliła twarz w jej szyję, wydając z siebie przeraźliwy, płaczliwy pisk. Kiedy łzy Tessy zaczęły kapać na wąskie plecy Mary, Tessa całkiem przytomnie pomyślała, że dźwięki, które właśnie wydaje Mary, nazywa się lamentem. Ciało, którego Tessa tak często zazdrościła, szczupłe i drobne, trzęsło się w jej ramionach, ledwie mogąc pomieścić smutek, jaki na nie spadł.

Tessa nie pamiętała, kiedy Miles i Samantha opuścili szpital. Nie znała ich zbyt dobrze. Przypuszczała, że wyszli stamtąd z ulgą).

– Widziałam jego żonę – powiedziała Krystal. – Blondynka, przyszła na zawody.

– Tak – potwierdziła Tessa.

Krystal gryzła koniuszki palców.

– Ustawiał mnie na wywiad do gazety – oznajmiła nagle.

– Słucham? – spytała zaskoczona Tessa.

– Pan Fairbrother. Załatwiał mi wywiad. Tylko mi.

Lokalna gazeta napisała kiedyś o zwycięstwie wioślarskiej ósemki z Winterdown w finale mistrzostw regionu. Krystal, która miała kłopoty z czytaniem, przyniosła gazetę, żeby pokazać artykuł Tessie i Tessa przeczytała jej go na głos, dodając okrzyki radości i podziwu. To była najweselsza rozmowa w jej karierze pedagoga szkolnego.

– Mieli z tobą rozmawiać o wioślarstwie? – zapytała Tessa. – O osadzie?

– Nie – powiedziała Krystal. – O takich tam sprawach.

Po chwili dodała:

– Kiedy pogrzeb?

– Jeszcze nie wiemy – odparła Tessa.

Krystal zaczęła obgryzać paznokcie, a Tessa nie potrafiła się zdobyć na przełamanie krzepnącej wokół nich ciszy.

X

Informacja o śmierci Barry'ego umieszczona na stronie internetowej rady gminy zatonęła, ledwie marszcząc powierzchnię, jak kamyczek w bezkresnym oceanie. Mimo to w poniedziałek linie telefoniczne w Pagford były obciążone bardziej niż zwykle, a małe grupki przechodniów ciągle przystawały na wąskich chodnikach, żeby wzburzonym tonem sprawdzać prawdziwość swoich informacji.

W miarę jak wieść się roznosiła, zachodziła dziwna zmiana. Dotyczyła ona podpisów złożonych na dokumentach w gabinecie Barry'ego i e-maili zapełniających skrzynki odbiorcze olbrzymiej rzeszy jego znajomych – zaczynały one nabierać patosu okruszków, którymi znaczył drogę chłopczyk zagubiony w lesie. Te pospieszne gryzmoły, te piksele ułożone palcami, które już na zawsze znieruchomiały, nabrały martwego wyglądu plew. Gavin już teraz czuł, że trochę go odpycha widok SMS-ów od zmarłego przyjaciela w telefonie, a jedna z ośmiu wioślarek, która wracając z apelu, nadal płakała, o mało nie wpadła w histerię, kiedy znalazła w swojej szkolnej torbie formularz podpisany przez Barry'ego.

Dwudziestotrzyletnia dziennikarka z „Yarvil and District Gazette" nie miała pojęcia, że pracujący niegdyś na wysokich obrotach mózg Barry'ego jest już ciężką masą gąbczastej tkanki leżącą na metalowej tacy w South West General. Przeczytała e-mail od Barry'ego na godzinę przed jego śmiercią, a potem zadzwoniła do niego na komórkę, ale nie odebrał. Telefon Barry'ego, który został wyłączony na żądanie Mary przed ich wyjściem do klubu golfowego, tkwił milcząco obok mikrofalówki w kuchni razem z resztą jego rzeczy osobistych, które Mary przywiozła ze szpitala do domu. Nikt ich nie dotykał. Te znajome przedmioty – jego breloczek na klucze, telefon, stary sfatygowany portfel – wydawały się kawałkami zmarłego mężczyzny. Równie dobrze mogłyby być jego palcami, jego płucami.

Wieść o śmierci Barry'ego rozchodziła się, promieniując niczym aureola od tych, którzy tamtego wieczoru byli w szpitalu. Docierała coraz dalej, aż do Yarvil, do tych, którzy znali go tylko z widzenia, słyszeli o nim albo kojarzyli jego nazwisko. Fakty stopniowo traciły kształt i ostrość. Czasem ulegały zniekształceniu. Zdarzało się, że Barry'ego przysłaniał sposób jego odejścia, że stawał się on jedynie kałużą wymiocin i moczu, drgającą kupką nieszczęścia, i wydawało się dziwne, wręcz groteskowo komiczne, że umierając obok eleganckiego klubu golfowego, można aż tak nabrudzić.

Simon Price dowiedział się o śmierci Barry'ego jako jeden z pierwszych, siedząc rano w swoim położonym na wzgórzu domu z widokiem na Pagford, ale traf chciał, że później, w drukarni Harcourt-Walsh w Yarvil, gdzie pracował od ukończenia szkoły, zetknął się ze zniekszałconą wersją wydarzeń. Usłyszał ją z ust młodego, żującego gumę operatora wózka widłowego, który czatował na niego pod drzwiami biura, gdy Simon wracał z popołudniowej wizyty w toalecie.

Oczywiście chłopak wcale nie przyszedł rozmawiać o Barrym.

– Jeśli chodzi o to, czego szukasz – mruknął, wchodząc za Simonem do biura – sprawa da się załatwić w środę, jeśli ci pasuje.

Simon szybko zamknął drzwi.

– Tak? – zapytał, siadając za biurkiem. – Wcześniej mówiłeś, że wszystko jest już gotowe.

– Bo jest, ale nie dam rady zorganizować odbioru wcześniej niż w środę.

– Mówiłeś, że ile to będzie kosztowało?

– Osiem dych, gotówką.

Chłopak energicznie żuł. Simon słyszał, jak w jego ustach pracuje ślina. Żucie gumy było jedną z tych wielu rzeczy, których Simon szczególnie nie znosił.

– Załatwiłeś to, co trzeba, tak? – upewnił się. – Nie jakieś gówniane odrzuty?

– Prosto z magazynu – odrzekł chłopak, poruszając stopami i ramionami. – Oryginał, nawet nierozpakowany.

– No to w porządku – powiedział Simon. – Przynieś go w środę.

– Jak to, tutaj? – Chłopak przewrócił oczami. – Nie, nie do roboty, facet... Gdzie mieszkasz?

– W Pagford.

– A dokładnie?

Niechęć Simona do podawania swojego adresu graniczyła z fobią. Nie tylko nie lubił gości – intruzów naruszających jego prywatność i być może nawet złodziei czyhających na jego mienie – lecz traktował Hilltop House jak coś nienaruszalnego, nieskażonego, coś z zupełnie innego świata niż Yarvil i dudniąca, zgrzytająca drukarnia.

– Odbiorę to po pracy – oznajmił Simon, ignorując pytanie. – Gdzie to trzymasz?

Chłopak nie wyglądał na zadowolonego. Simon zmierzył go wściekłym spojrzeniem.

– W takim razie będziesz musiał zapłacić z góry – targował się operator wózka widłowego.

– Dostaniesz forsę, kiedy ja dostanę towar.

– To tak nie działa, koleś.

Simon miał wrażenie, że zaczyna go boleć głowa. Nie umiał się pozbyć przerażającej myśli, którą rano nieopatrznie zaszczepiła mu żona: że w ludzkim mózgu przez lata może tykać niewykryta bomba zegarowa. Miarowe stukanie i burczenie prasy drukarskiej za drzwiami z pewnością mu nie służyło. Jej niestrudzony napęd mógł od lat zwężać ścianki jego tętnic.

– W porządku – mruknął i przechylił się na krześle, żeby wyjąć portfel z tylnej kieszeni spodni.

Chłopak podszedł do biurka i wyciągnął rękę.

– Mieszkasz gdzieś w pobliżu pola golfowego? – zapytał, kiedy Simon odliczał dziesięciofuntowe banknoty i kładł mu je na rękę. – Jeden koleś był tam wczoraj wieczorem i widział, jak umiera jakiś facet. Gość, normalnie, kurwa, puścił pawia, zaliczył glebę i wykitował na parkingu.

– Tak, słyszałem – powiedział Simon i potarł palcami ostatni banknot, chcąc się upewnić, że nie przylgnął do niego drugi.

– Facet był przekupnym radnym. Ten, który umarł. Brał łapówki. Grays płacił mu za ustawianie przetargów.

– Tak? – rzucił Simon, ukrywając ogromne zainteresowanie.

„Barry Fairbrother, kto by pomyślał?"

– W takim razie niedługo się odezwę – powiedział chłopak, wkładając osiemdziesiąt funtów głęboko do tylnej kieszeni. – W środę pójdziemy po towar.

Zamknął za sobą drzwi. Simon zapomniał o bólu głowy – który tak naprawdę był tylko lekkim kłuciem – bo pochłonęła go wieść o przekrętach

Barry'ego Fairbrothera. Barry Fairbrother był taki pracowity i towarzyski, taki lubiany i wesoły, a przez cały czas inkasował łapówki od Graysa.

Wiadomość nie wstrząsnęła Simonem aż tak, jak wstrząsnęłaby prawie wszystkimi innymi ludźmi, którzy znali Barry'ego, ani nie umniejszyła Barry'ego w jego oczach. Przeciwnie, poczuł większy szacunek dla zmarłego. Każdy, kto miał choć trochę oleju w głowie, starał się, bez przerwy i po cichu, zgarnąć najwięcej, jak się da. Simon dobrze o tym wiedział. Wpatrywał się niewidzącym wzrokiem w arkusz kalkulacyjny na monitorze komputera znów głuchy na zgrzytanie prasy drukarskiej za zakurzonym oknem.

Jeśli miało się rodzinę, nie było innego wyjścia – trzeba było pracować od dziewiątej do piątej. Ale Simon zawsze wiedział, że istnieją inne, lepsze sposoby, że wygodne, dostatnie życie dynda mu nad głową jak wielka pękata *piñata*, którą mógłby rozbić, gdyby tylko miał wystarczająco długi kij i gdyby wiedział, kiedy uderzyć. Simon wierzył jak dziecko, że reszta świata istnieje tylko jako scena dla jego osobistego przedstawienia, że czuwa nad nim opatrzność, która rzuca na jego ścieżkę wskazówki i znaki. Nie mógł się pozbyć wrażenia, że właśnie zaszczycono go takim znakiem, okiem puszczonym z nieba.

Tego rodzaju nadprzyrodzone poufne informacje skłoniły Simona do podjęcia kilku z pozoru donkiszotowskich decyzji w przeszłości. Wiele lat temu, gdy był jeszcze skromnym praktykantem w drukarni, obciążonym kredytem, który z trudem spłacał, i ciężarną żoną, postawił sto funtów na faworyta w gonitwie Grand National. Koń nazywał się Ruthie's Baby i przewrócił się na przedostatniej prostej. Tuż po tym, jak kupili Hilltop House, utopił dwieście funtów, które Ruth zamierzała wydać na zasłony i dywany, w podejrzanej firmie zajmującej się sprzedażą domów letniskowych na współwłasność, kierowanej przez starego znajomego z Yarvil, szpanera i krętacza. Inwestycja wyparowała razem z dyrektorem firmy, ale choć Simon wpadł w szał i klął, a kiedy młodszy syn wszedł mu w drogę, dał mu kopa, po którym dzieciak wylądował w połowie schodów, nie zadzwonił na policję. Wiedział o pewnych nieprawidłowościach w działaniu firmy, zanim ulokował w niej pieniądze, i przewidywał, że padłyby kłopotliwe pytania.

Wśród tych wszystkich klęsk były jednak także uśmiechy losu, sztuczki, które się udały, przeczucia, które się opłaciły, i robiąc bilans, Simon przywiązywał do nich ogromną wagę. To z ich powodu nadal wierzył w swoją szczęśliwą gwiazdę, to one utwierdzały go w przekonaniu, że świat ma dla niego w zanadrzu coś więcej niż frajerską pracę za skromną pensję do emerytury albo śmierci. Przekręty i lewizny, układy i przysługi za przysługę. Wszyscy tak robili – nawet, jak się okazało, mały Barry Fairbrother.

Siedząc w swoim ciasnym biurze, Simon Price patrzył pożądliwie na zwolnione miejsce w szeregach wybrańców, gdzie teraz gotówka kapała na puste krzesło, nie natrafiając na niczyje kolana.

(Dawne czasy)

Intruzi

12.43. W kwestii intruzów (którzy, co do zasady, nie powinni wkraczać na teren cudzej nieruchomości, nawet jeśli nie wiedzą, że jest cudza)...

Charles Arnold-Baker
Administracja samorządowa (wyd. 7)

I

Rada Gminy Pagford miała, jak na swoją wielkość, imponującą siłę. Zbierała się raz w miesiącu w ładnej wiktoriańskiej sali przy kościele i od dziesięcioleci uparcie i skutecznie opierała się próbom okrojenia swojego budżetu, odebrania jej któregoś z uprawnień albo wchłonięcia jej przez jakiś tam nowy powiat grodzki. Pagford szczyciło się tym, że ma najbardziej kłótliwą, głośną i niezależną radę z wszystkich rad lokalnych podlegających Radzie Okręgu Yarvil.

Do niedzieli wieczorem w skład rady wchodziło szesnaścioro mężczyzn i kobiet. Jako że miejski elektorat zazwyczaj zakładał, iż wola służenia w strukturze rady gminy implikuje posiadanie odpowiednich kompetencji, wszyscy członkowie rady zdobyli status radnych, nie budząc niczyjego sprzeciwu.

Obecnie ten wybrany w przyjaznej atmosferze organ znajdował się jednak w stanie wojny domowej. Problem, który budził wściekłość i rozżalenie w Pagford od przeszło sześćdziesięciu lat, wszedł w decydującą fazę i rada podzieliła się na dwie frakcje skupione wokół dwóch charyzmatycznych liderów.

Aby w pełni zrozumieć przyczynę sporu, trzeba by dokładnie poznać głębię pagfordzkiej niechęci i nieufności do leżącego na północy miasta Yarvil.

Sklepy, przedsiębiorstwa, fabryki i szpital South West General w Yarvil dawały zatrudnienie wielu mieszkańcom Pagford. Młodzież z miasteczka zazwyczaj spędzała sobotnie wieczory w yarvilskich kinach i klubach. W mieście była katedra, kilka parków i ogromne centra handlowe, a to wszystko stawało się dość przyjemnym celem wycieczek, kiedy człowiek już się nasycił wspaniałymi urokami Pagford. Niemniej jednak prawdziwi pagfordczycy uważali Yarvil za zło konieczne. Ich postawę symbolizowało wysokie wzgórze z opactwem Pargetter, które zasłaniało mieszkańcom Pagford widok na Yarvil i pozwalało im się łudzić, że sąsiednie miasto jest położone o wiele dalej, niż naprawdę było.

II

Tak się złożyło, że wzgórze Pargetter zasłaniało też inne miejsce, które dla odmiany pagfordczycy zawsze uważali za swoją własność. Mowa o Sweet-love House, pięknej rezydencji w stylu królowej Anny, o barwie miodu, otoczonej wieloma akrami parku i pól uprawnych. Leżała ona w granicach administracyjnych gminy Pagford, w połowie drogi do Yarvil.

Przez blisko dwieście lat dom gładko przechodził z pokolenia na pokolenie Sweetlove'ów, aż w końcu, na początku dwudziestego wieku, ten arystokratyczny ród wygasł. O odwiecznych związkach rodziny Sweetlove z Pagford przypominał tylko największy grobowiec na cmentarzu przy kościele Świętego Michała i Wszystkich Świętych, a także kilka herbów i monogramów w rejestrach i na budynkach. Były one jak odciski stóp i koprolity wymarłych istot.

Po śmierci ostatniego Sweetlove'a rezydencja zmieniała właściciela z niepokojącą częstotliwością. W Pagford panował nieustanny strach, że jakiś deweloper kupi i okaleczy ukochaną budowlę. W latach pięćdziesiątych nabył ją niejaki Aubrey Fawley. Szybko rozeszła się wieść, że jest on posiadaczem znacznej fortuny, którą w tajemniczy sposób pomnaża w City. Miał czworo dzieci i pragnął osiąść tu na stałe. Ale poparcie pagfordczyków wzrosło wprost niebotycznie, gdy po mieście lotem błyskawicy rozeszła się poufna wiadomość, że Fawley jest potomkiem w linii bocznej rodu Sweetlove'ów. Pagfordczycy natychmiast uznali, że już jest jednym z nich, i zakładali, że w naturalny sposób poczuje się związany z Pagford, a nie z Yarvil. Starzy mieszkańcy wierzyli, że przybycie Aubreya Fawleya oznacza powrót wspaniałej epoki. Fawley miał być dla miasteczka kimś w rodzaju ojca chrzestnego z bajki, tak jak wcześniej jego przodkowie, dzięki którym na brukowane uliczki Pagford spływały łaski i splendor.

Howard Mollison dobrze pamiętał, jak jego matka wpadła do małej kuchni przy Hope Street z wiadomością, że Aubreya poproszono o sędziowanie podczas lokalnej wystawy kwiatów. Jej fasola wielokwiatowa zdobywała główną nagrodę w kategorii warzyw przez trzy lata z rzędu i matka pragnęła przyjąć posrebrzany puchar z rąk mężczyzny, którego już traktowała jak postać ze starego, romantycznego świata.

III

Lecz wtedy, jak głosiła miejscowa legenda, nagle zapadły ciemności zwiastujące przybycie złej czarownicy.

Gdy Pagford się cieszyło, że Sweetlove House trafił w tak dobre ręce, Yarvil zajmowało się budową domów komunalnych przy swoich południowych rogatkach. Zaniepokojeni pagfordczycy dowiedzieli się wkrótce, że nowe ulice zajmą część obszaru oddzielającego dwa miasta.

Wszyscy wiedzieli, że po wojnie wzrósł popyt na tanie mieszkania, ale miasteczko, przez chwilę pochłonięte przybyciem Aubreya Fawleya, nieufnym okiem patrzyło na poczynania Yarvil. Naturalne przeszkody w postaci rzeki i wzgórza, które kiedyś gwarantowały Pagford suwerenność, jakby traciły swą moc w zetknięciu z tempem mnożenia się domów z czerwonej cegły. Yarvil zabudowało każdy centymetr ziemi, którą miało do dyspozycji, i zatrzymało się dopiero przy północnej granicy gminy Pagford.

Miasteczko odetchnęło z ulgą, która szybko okazała się przedwczesna. Cantermill Estate natychmiast uznano za niewystarczające do zaspokojenia potrzeb mieszkańców i Yarvil zaczęło szukać innych ziem, które mogłoby skolonizować.

Właśnie wtedy Aubrey Fawley (dla mieszkańców Pagford nadal bardziej mit niż człowiek) podjął decyzję, która stała się zarzewiem jątrzącego się od sześćdziesięciu lat konfliktu.

Nie mając żadnego pożytku z kilku pokrytych zaroślami pól, które leżały przed nowym osiedlem, sprzedał je radzie Yarvil za dobrą cenę, a za uzyskaną w ten sposób gotówkę wymienił spaczoną boazerię w holu Sweetlove House.

Furia Pagford nie miała granic. Pola Sweetlove'ów były ważną częścią zapory odgradzającej miasteczko od zbliżającego się sąsiada. Teraz dawna granica gminy miała zostać naruszona przez nadwyżkę ubogich yarvilczyków. Kłótnie w ratuszu, kipiące złością listy do gazety i rady Yarvil, osobiste protesty u przedstawicieli władz – nic nie zdołało zawrócić fali.

Znowu zaczęły powstawać budynki komunalne, tyle że nieco inne. W czasie krótkiej przerwy, która nastąpiła po ukończeniu pierwszego osiedla, władze Yarvil zdały sobie sprawę, że można budować taniej. Teraz nie było już czerwonej cegły, lecz beton i stal. Okoliczni mieszkańcy nazwali nowe osiedle Fields, czyli Pola, nawiązując do terenów, na których powstało. Od Cantermill Estate odróżniały je kiepskie materiały i równie kiepski projekt.

To właśnie w jednym z tych betonowo-stalowych domów w Fields, które już pod koniec lat sześćdziesiątych pękały i zaczynały się sypać, urodził się Barry Fairbrother.

IV

Mimo ogólnikowych zapewnień rady Yarvil, że weźmie ona na siebie odpowiedzialność za utrzymanie nowego osiedla, Pagford – jak od początku przewidywali jego wzburzeni mieszkańcy – wkrótce zalała fala nowych rachunków. Obowiązek świadczenia większości usług i utrzymania budynków Fields rzeczywiście spoczywał na radzie Yarvil, ale wiele innych spraw powierzyła ona w swojej wyniosłości gminie: utrzymanie chodników, oświetlenia, ławek, przystanków autobusowych i terenów ogólnodostępnych.

Na wiaduktach nad drogą łączącą Pagford z Yarvil kwitło graffiti, przystanki autobusowe były notorycznie dewastowane. Nastolatki z Fields zaśmiecały plac zabaw butelkami po piwie i rzucały kamieniami w uliczne latarnie. Miejscowy deptak, lubiany przez turystów i miłośników pieszych wędrówek, stał się dla młodzieży z Fields ulubionym miejscem spotkań i „Bóg wie, czego jeszcze", jak mawiała ponuro matka Howarda Mollisona.

To Radzie Gminy Pagford przypadło w udziale sprzątanie, a także naprawa i wymiana sprzętów, tymczasem fundusze przeznaczane na te cele przez Yarvil od początku wydawały się nieadekwatne do czasu i kosztów, jakich to wszystko wymagało.

Żadne z następstw obarczenia Pagford tym niechcianym brzemieniem nie wzbudzało jednak większej wściekłości i goryczy niż to, że Fields znalazło się w rejonie Anglikańskiej Szkoły Podstawowej imienia Świętego Tomasza. Młodzi mieszkańcy Fields mieli prawo do noszenia upragnionych niebiesko-białych mundurków, zabawy na dziedzińcu szkoły, tuż obok kamienia węgielnego wmurowanego przez lady Charlotte Sweetlove, i do wypełniania maleńkich klas prostackim akcentem z Yarvil.

Mieszkańcy Pagford szybko zaczęli mówić, że domy w Fields staną się łakomym kąskiem dla każdej żyjącej z zasiłku rodziny w Yarvil, która wychowuje dzieci w wieku szkolnym, i że Cantermill Estate przeżyje *exodus* na miarę emigracji Meksykanów do Teksasu, bo jego mieszkańcy masowo zaczną się osiedlać po drugiej stronie granicy z Fields. Pagfordczycy obawiali się, że ich piękna szkoła Świętego Tomasza – przyciągająca jak magnes zatrudnionych w Yarvil rodziców, których zachwycały maleńkie klasy, przypominające sekretarzyki ławki, wiekowy budynek z kamienia i bujna zieleń wokół szkolnego boiska – zostanie zalana przez potomstwo pasożytów, narkomanów i kobiet wychowujących dzieci spłodzone przez różnych mężczyzn.

Ten czarny scenariusz nigdy się całkowicie nie ziścił, bo mimo niewątpliwych korzyści posyłanie dzieci do szkoły Świętego Tomasza miało również swoje złe strony. Trzeba było kupić mundurek lub wypełnić masę formularzy niezbędnych, aby otrzymać dofinansowanie na ten zakup. Do tego dochodziła konieczność zakupu biletów miesięcznych na autobus i wcześniejszego wstawania, żeby dzieci zdążyły dojechać do szkoły. Dla niektórych rodzin w Fields to wszystko okazało się na tyle dużym utrudnieniem, że pozwalały, aby ich dzieci zostały wchłonięte przez wielką, zbudowaną na potrzeby Cantermill Estate szkołę podstawową, w której nie obowiązywały mundurki. Większość uczniów z Fields dobrze odnajdowała się wśród chodzących do Świętego Tomasza rówieśników z Pagford. Przyznawano, że część z nich to w gruncie rzeczy całkiem miłe dzieciaki. Tak było również w wypadku Barry'ego Fairbrothera, który wspinał się po kolejnych szczeblach szkolnej edukacji jako lubiany i inteligentny klasowy błazen. Tylko od czasu do czasu zauważał, że gdy mówi, gdzie mieszka, uśmiech na twarzach rodziców jego kolegów z Pagford nagle zastyga.

Czasem jednak szkoła Świętego Tomasza musiała przyjąć dziecko z Fields, które miało niezaprzeczalnie destrukcyjny wpływ na otoczenie. Jednym z takich dzieci była Krystal Weedon. Kiedy osiągnęła wiek szkolny, mieszkała ze swoją prababką przy Hope Street, więc właściwie nie było sposobu, żeby zabronić jej uczęszczania do Świętego Tomasza. Jej przeprowadzka w wieku ośmiu lat z powrotem do Fields, do matki, wzbudziła w lokalnej społeczności ogromne nadzieje, że dziewczyna opuści szkołę na dobre.

Mozolna wędrówka Krystal przez kolejne etapy szkolnej edukacji przypominała podróż kozy przez układ trawienny boa dusiciela – była boleśnie widoczna i nieprzyjemna dla obu stron. Nie żeby Krystal często bywała na lekcjach: większość kariery w Świętym Tomaszu upłynęła jej na indywidualnych zajęciach wyrównawczych.

Za sprawą fatalnego zrządzenia losu Krystal chodziła do klasy z najstarszą wnuczką Howarda i Shirley, Lexie. Kiedyś Krystal uderzyła Lexie Mollison w twarz z taką siłą, że wybiła jej dwa zęby. To, że już wcześniej się ruszały, nie zostało uznane za okoliczność łagodzącą ani przez rodziców, ani przez dziadków Lexie.

Przekonanie, że w państwowej szkole średniej Winterdown na ich córki czekają klasy pełne uczennic w rodzaju Krystal, zaważyło na decyzji Milesa i Samanthy Mollisonów o posłaniu obu córek do liceum Świętej Anny, prywatnej szkoły dla dziewcząt z internatem w Yarvil. Argument, że jego wnuczki zostały pozbawione należnego im miejsca przez kogoś takiego jak Krystal Weedon, szybko stał się jednym z ulubionych przykładów Howarda dowodzących zgubnego wpływu osiedla na życie Pagford.

V

Pierwsza fala gniewu Pagford opadła, przeradzając się w coś w rodzaju cichej, lecz nadal niezwykle głębokiej urazy. Fields zanieczyszczało i deprawowało ich piękny i spokojny zakątek, więc wciąż rozżaleni mieszkańcy

Pagford z niesłabnącą determinacją usiłowali się od niego odciąć. Jednak przeprowadzane przesunięcia granic, podobnie jak przetaczające się przez okolicę reformy samorządów lokalnych nie doprowadziły do żadnych zmian: Fields pozostało dzielnicą Pagford. Nowi przybysze szybko się uczyli, że manifestowanie odrazy do tego osiedla jest warunkiem zaskarbienia sobie życzliwości rodowitych mieszkańców Pagford, którzy mieli w mieście coś do powiedzenia.

Jednak teraz – po ponad sześćdziesięciu latach od dnia, w którym stary Aubrey Fawley oddał tę nieszczęsną działkę miastu Yarvil i po kilku dekadach wysiłków, obmyślania strategii, pisania petycji, gromadzenia informacji i przemawiania na posiedzeniach różnego rodzaju komitetów – przed przeciwnikami Fields wreszcie otworzyły się widoki na zwycięstwo.

Recesja zmuszała lokalne władze do redukcji kadr, cięć i reorganizacji. W wyższej izbie Rady Okręgu Yarvil znaleźli się tacy, którzy uważali, że dla ich kariery w samorządzie byłoby korzystnie, gdyby przyłączyli do miasta małe, podupadające osiedle zagrożone dalszymi rządowymi oszczędnościami i powitali jego niezadowolonych mieszkańców w gronie swoich wyborców.

Pagford miało w Yarvil swojego przedstawiciela: radnego Aubreya Fawleya. Nie był to jednak ten sam człowiek, który umożliwił zbudowanie Fields, lecz jego syn, „młody Aubrey", który odziedziczył Sweetlove House. Młody Aubrey był bankowcem inwestycyjnym w Londynie. Zaangażowanie Aubreya w sprawy lokalnej społeczności nosiło znamiona pokuty. Jakby żył z poczuciem, że jego powinnością jest naprawić zło, które tak nierozważnie wyrządził miasteczku jego ojciec. On i jego żona Julia sponsorowali wystawy rolnicze i wręczali nagrody na nich, zasiadali w niezliczonych lokalnych komitetach i wydawali bożonarodzeniowe przyjęcia, na które wszyscy chcieli być zapraszani.

Howard odczuwał dumę i radość na myśl, że on i Aubrey są bliskimi sprzymierzeńcami w nieustannych dążeniach do przyłączenia Fields do miasta Yarvil, gdyż Aubrey działał w sferze wyrafinowanego handlu, która budziła w Howardzie pełen fascynacji respekt. Każdego wieczoru po zamknięciu delikatesów Howard wyjmował ze staromodnej kasy sklepowej kasetkę z pieniędzmi, by przeliczyć monety i brudne banknoty przed włożeniem ich do sejfu. Tymczasem Aubrey, choć w godzinach pracy nawet nie dotykał pieniędzy, sprawiał, że ich niewyobrażalne sumy przemieszczały się między kontynentami. Zarządzał tą gotówką i mnożył ją, a w mniej sprzyjających okolicznościach z godnością patrzył, jak znika. Otaczała go aura tajemniczości, której nie mógł zaszkodzić nawet światowy krach finansowy. Właściciela delikatesów irytował każdy, kto obwiniał ludzi w rodzaju Aubreya za bałagan, w jakim pogrążył się kraj. „Nikt nie narzekał, kiedy sprawy układały się pomyślnie", powtarzał często Howard i darzył Aubreya szacunkiem należnym generałowi rannemu w niepopularnej wojnie.

Tymczasem Aubrey jako członek rady okręgu miał dostęp do wszelkiego rodzaju interesujących danych statystycznych i dzielił się z Howardem sporą ilością informacji na temat kłopotliwego osiedla na obrzeżach Pagford. Obaj mężczyźni dobrze wiedzieli, ile środków z lokalnego budżetu pakuje się bez zysku, a nawet bez widocznych korzyści, w zdewastowane ulice Fields. Zdawali sobie sprawę, że w Fields nikt nie jest właścicielem domu, w którym mieszka (podczas gdy niemal wszystkie domy z czerwonej cegły w Cantermill Estate były w prywatnych rękach, odmienione prawie nie do poznania dzięki skrzynkom z kwiatami, werandom i dobrze utrzymanym trawnikom), że prawie dwie trzecie mieszkańców Fields żyje wyłącznie na koszt państwa i że wielu z nich regularnie odwiedza Ośrodek Leczenia Uzależnień Bellchapel.

VI

Howard zawsze miał przed oczami obraz Fields jak wspomnienie sennego koszmaru: zabite deskami okna oszpecone wulgarnymi napisami, nastolatki z papierosami sterczące na pokrytych graffiti przystankach autobusowych, wszędobylskie, zwrócone ku niebu anteny satelitarne, które wyglądały jak obnażone wnętrza ponurych metalowych kwiatów. Często pytał retorycznie, dlaczego ci ludzie nie mogą się zorganizować i sami zmienić tego miejsca. Dlaczego nie zrobią jakiejś zrzutki ze swoich skromnych środków i nie kupią na spółkę kosiarki do trawy? Nic takiego nigdy się nie działo. Fields czekało, aż samorządy, władze okręgu i gminy posprzątają, naprawią, odnowią – samo chciało tylko brać, brać i brać.

Howard przypominał sobie wtedy Hope Street ze swoich chłopięcych lat, z jej maleńkimi ogródkami na tyłach domów. Te ogródki były niewiele większe od obrusa, ale zazwyczaj, tak jak w tym należącym do jego matki, rosło w nich mnóstwo fasoli i ziemniaków. Howard nie rozumiał, dlaczego mieszkańcy Fields nie uprawiają świeżych warzyw, dlaczego nie potrafią okiełznać swojego rozwydrzonego, zakapturzonego, mażącego sprayem potomstwa ani dlaczego nie chcą się zmobilizować jako społeczność, żeby stawić czoło brudowi i zaniedbaniu; nie rozumiał, dlaczego nie umyją się i nie pójdą do jakiejś pracy. Przecież nic nie stało im na przeszkodzie. Ostatecznie Howard doszedł do wniosku, że mieszkańcy Fields sami wybrali sobie życie, które prowadzą, i że panująca na osiedlu atmosfera trochę groźnego upodlenia nie jest niczym więcej, jak tylko fizycznym przejawem rządzącej tam ignorancji i gnuśności.

Dla odmiany Pagford jaśniało w umyśle Howarda pewnego rodzaju moralnym blaskiem, jak gdyby w brukowanych ulicach, wzgórzach i malowniczych domach miasteczka objawiała się zbiorowa dusza lokalnej społeczności. Miejsce, w którym Howard przyszedł na świat, było dla niego czymś znacznie więcej niż tylko skupiskiem starych budynków, wartką, okoloną drzewami rzeką, majestatyczną sylwetką opactwa górującego nad miasteczkiem czy koszami pełnymi kwiatów na rynku. Dla niego to miasto było doskonałą formą istnienia, mikrocywilizacją, która trwała niewzruszona pośród ogólnonarodowego upadku.

„Jestem pagfordczykiem – mawiał latem do turystów – tu się urodziłem i tu się wychowałem". Mówiąc tak, składał sobie wyrazy najgłębszego uznania w formie niewinnego banału. Urodził się w Pagford i tutaj miał umrzeć, nigdy nie marzył o tym, żeby stąd wyjechać, ani nie czuł potrzeby zmiany otoczenia, która wykraczałaby poza przyglądanie się, jak pory roku przeobrażają okoliczne lasy i rzekę, jak rynek rozkwita na wiosnę albo skrzy się na Boże Narodzenie.

Barry Fairbrother doskonale o tym wiedział, a nawet głośno to komentował. Śmiał się z drugiego końca stołu w sali posiedzeń, śmiał się Howardowi prosto w twarz. „Wiesz, Howardzie, dla mnie ty jesteś Pagford" – mówił. A Howard, który nigdy nie pozostawał Barry'emu dłużny, odpowiadał bez cienia zakłopotania: „Uważam to za wielki komplement, Barry, niezależnie od twoich intencji".

Teraz Howard mógł sobie pozwolić na śmiech. Spełnienie jego jedynej niezrealizowanej życiowej ambicji było w zasięgu ręki. Przerzucenie Fields do Yarvil wydawało się bliskie i pewne.

Aż tu nagle, dwa dni przed tym, jak Barry Fairbrother padł martwy na parkingu, Howard dowiedział się z wiarygodnego źródła, że jego przeciwnik złamał wszelkie zasady rywalizacji i poszedł do lokalnej gazety, żeby opowiedzieć o tym, jakim błogosławieństwem dla Krystal Weedon było uczęszczanie do szkoły Świętego Tomasza.

Pomysł, że Krystal Weedon mogłaby być dla czytelników przykładem udanej integracji Fields z Pagford, byłby (zdaniem Howarda) nawet zabawny, gdyby nie to, że sprawa wyglądała naprawdę poważnie. Fairbrother bez wątpienia tak przygotował dziewczynę do wywiadu, aby prawda o jej wulgarnym zachowaniu, wiecznym przeszkadzaniu na lekcjach, doprowadzaniu innych dzieci do łez, ciągłych przeniesieniach z klasy do klasy i o bezskutecznych próbach zintegrowania jej z rówieśnikami utonęła w morzu kłamstw.

Howard ufał zdrowemu rozsądkowi mieszkańców miasteczka, ale bał się dziennikarskiego przeinaczania rzeczywistości i ingerencji różnych ignorantów chcących uszczęśliwiać innych na siłę. U podłoża jego sprzeciwu leżała wierność zasadom oraz przyczyny osobiste. Nadal miał w pamięci dwie krwawiące rany po wybitych zębach swojej wnuczki, która szlochała mu w ramionach, gdy on próbował ją pocieszyć obietnicą potrójnej nagrody od Wróżki Zębuszki.

WTOREK

I

Dwa dni po śmierci męża Mary Fairbrother obudziła się o piątej rano. Spała w małżeńskim łóżku ze swoim dwunastoletnim synem Declanem, który wczołgał się do niego tuż po północy, zanosząc się płaczem. Teraz spał twardym snem, więc Mary na palcach wyszła z pokoju i zeszła do kuchni, żeby swobodnie sobie popłakać. Każda mijająca godzina pogłębiała jej żal, oddalając ją od żywego Barry'ego, a zarazem dając jej przedsmak wieczności, którą miała przeżyć bez niego. Od czasu do czasu, na chwilę krótką jak uderzenie serca, Mary zapominała, że jej mąż odszedł na zawsze i że już nigdy nie będzie mógł być dla niej podporą.

Kiedy jej siostra i szwagier przyszli, żeby zrobić śniadanie, Mary wzięła telefon Barry'ego i zamknęła się w gabinecie, by poszukać numerów do licznych znajomych męża. Nagle telefon zadzwonił w jej ręce.

– Tak? – wyszeptała.

– Och, dzień dobry. Szukam Barry'ego Fairbrothera. Mówi Alison Jenkins z „Yarvil and District Gazette".

Energiczny głos młodej kobiety brzmiał w uchu Mary głośno i koszmarnie niczym triumfalne fanfary. Jego natarczywy ton przesłaniał znaczenie słów.

– Słucham?

– Tu Alison Jenkins z „Yarvil and District Gazette". Czy mogłabym rozmawiać z Barrym Fairbrotherem? Chodzi o jego artykuł na temat Fields.

– Artykuł?

– Tak. Nie załączył danych kontaktowych tej dziewczyny, o której pisze. Mieliśmy z nią przeprowadzić wywiad. Krystal Weedon.

Każde słowo dziennikarki było dla Mary jak uderzenie w twarz. Mimo to siedziała nieruchomo na starym obrotowym krześle Barry'ego i w milczeniu pozwalała zadawać sobie kolejne ciosy.

– Słyszy mnie pani?

– Tak – odrzekła Mary łamiącym się głosem. – Słyszę.

– Wiem, że pan Fairbrother bardzo chciał być obecny przy wywiadzie z Krystal, ale czas nagli...

– Nie będzie obecny przy tym wywiadzie – powiedziała Mary, a jej głos stopniowo przechodził w krzyk. – Już nigdy nie będzie mógł z nikim rozmawiać o tym durnym Fields! Ani o niczym innym!

– Słucham? – zdziwiła się dziewczyna.

– Mój mąż nie żyje. Tak. Nie żyje, więc Fields będzie musiało sobie radzić bez niego.

Ręce Mary tak się trzęsły, że komórka wyślizgnęła jej się z palców. Wiedziała, że przez chwilę, zanim udało się jej przerwać połączenie, dziennikarka słuchała jej urywanego szlochu. Potem Mary przypomniała sobie, że większą część ostatniego dnia swojego życia, a zarazem ich rocznicy ślubu, Barry poświęcił swojej obsesji na punkcie Fields i Krystal Weedon. Wpadła w furię. Rzuciła telefonem, który trafił w ramkę ze zdjęciem czwórki ich dzieci i strącił je na podłogę. Krzyczała i płakała, aż przybiegli jej siostra i szwagier.

– Fields, to przeklęte, przeklęte Fields... – powtarzała w kółko.

– To osiedle, na którym dorastaliśmy z Barrym – wymamrotał jej szwagier, ale nie ośmielił się powiedzieć nic więcej w obawie, że Mary wpadnie w jeszcze większą histerię.

II

Pracowniczka opieki społecznej Kay Bawden i jej córka Gaia były najnowszymi mieszkankami Pagford. Sprowadziły się z Londynu zaledwie przed czterema tygodniami. Kay nie znała kontrowersyjnej historii Fields. Dla niej było to po prostu osiedle, na którym mieszkało wielu jej podopiecznych. O Barrym Fairbrotherze wiedziała jedynie tyle, że jego śmierć poprzedziła tę nieszczęsną scenę w kuchni, kiedy to jej kochanek Gavin uciekł od niej i od jej jajecznicy, przekreślając tym samym wszelkie nadzieje, jakie rozbudziło w niej ich ostatnie zbliżenie.

Kay zatrzymała się na lunch w przydrożnej zatoczce między Pagford a Yarvil i jedząc w samochodzie kanapkę, przeglądała stertę notatek. Jedna z jej koleżanek poszła na zwolnienie z powodu rozstroju nerwowego, więc Kay została natychmiast zawalona jedną trzecią prowadzonych przez nią spraw. Tuż przed pierwszą pojechała do Fields.

Już kilka razy odwiedzała to osiedle, ale nie zdążyła jeszcze dobrze poznać labiryntu uliczek. W końcu znalazła Foley Road i z daleka dostrzegła dom, który, jak sądziła, należał do Weedonów. Kartoteka wyraźnie wskazywała, czego należy się tam spodziewać, a rzut oka na dom potwierdzał zasadność ostrzeżeń.

Pod frontową ścianą piętrzyła się sterta śmieci – reklamówek pełnych odpadków, starych szmat i niezapakowanych do worków brudnych pieluch. Śmieci walały się po całym zarośniętym krzakami ogródku, ale najwięcej piętrzyło się pod jednym z dwóch okien na parterze. Na środku trawnika leżała stara łysa opona, która jakiś czas temu musiała zostać przesunięta – świadczył o tym spłaszczony, żółtawobrązowy krąg wyschniętej trawy kawałek dalej. Dzwoniąc do drzwi, Kay zauważyła zużyty kondom, który połyskiwał w trawie obok jej stóp jak cienki kokon jakiejś wielkiej larwy.

Odczuwała ten lekki niepokój, którego nigdy do końca nie udało jej się przezwyciężyć, chociaż teraz był on niczym w porównaniu z lękiem, jakiego doświadczała, stojąc przed drzwiami obcych ludzi w pierwszych dniach pracy. Wtedy, mimo przebytego szkolenia, mimo że zwykle towarzyszyła jej koleżanka, czasami naprawdę się bała. Złe psy, wymachujący nożami mężczyźni, makabrycznie okaleczone dzieci. Przekraczając przez lata progi domów obcych ludzi, stykała się z tym wszystkim, a nawet z jeszcze gorszymi rzeczami.

Nikt nie zareagował na dzwonek, ale przez otwarte na oścież okno po lewej stronie na parterze dobiegał płacz małego dziecka. Spróbowała więc zapukać do drzwi. Odpadł od nich maleńki płatek kremowej farby, który wylądował na czubku jej buta. Ten widok przypomniał jej o stanie, w jakim znajdował się jej własny nowy dom. Byłoby miło, gdyby Gavin zaproponował pomoc przy remoncie, ale on nawet się na ten temat nie zająknął. Czasem Kay liczyła rzeczy, których nie powiedział albo nie zrobił – jak skąpiec przeglądający listę dłużników: rozgoryczony, zły i zdecydowany odzyskać należność.

Zapukała jeszcze raz, po krótszej niż zwykle przerwie, bo chciała odsunąć nieprzyjemne myśli, i tym razem w oddali dał się słyszeć czyjś głos:

– Idę, kurwa, idę.

Drzwi się otworzyły i oczom Kay ukazała się kobieta, która wyglądała staro i zarazem dziecinnie, ubrana w brudny, bladoniebieski T-shirt i męskie spodnie od piżamy. Była tego samego wzrostu co Kay, ale sprawiała wrażenie, jakby się skurczyła. Kości jej twarzy i mostek wyraźnie się odznaczały pod cienką białą skórą. Jej włosy, farbowane domowym sposobem, matowe i jaskraworude, wyglądały jak peruka, źrenice były maleńkie, a pierś zupełnie płaska.

– Dzień dobry. Pani Terri, prawda? Jestem Kay Bawden z opieki społecznej. Zastępuję Mattie Knox.

Całą powierzchnię chudych ziemistych ramion kobiety pokrywały srebrzyste ospowate ślady, a na wewnętrznej stronie jej przedramienia ziała wściekle czerwona otwarta rana. Na prawym ramieniu i pod szyją widać było spore plamy bliznowatej tkanki nadającej skórze lśniący, plastikowy wygląd. Kay znała w Londynie narkomankę, która niechcący podpaliła swój dom i za późno się zorientowała, co się dzieje.

– Taaa – powiedziała Terri po przedłużającej się chwili milczenia.

Kiedy mówiła, wydawała się dużo starsza, bo brakowało jej kilku zębów. Odwróciła się plecami do Kay i zrobiła parę chwiejnych kroków w stronę ciemnego korytarza. Kay poszła za nią. W domu cuchnęło zepsutym jedzeniem, potem i brudem. Terri weszła w pierwsze drzwi na lewo, do maleńkiego salonu.

Nie było tu książek, obrazów, zdjęć ani telewizora, tylko dwa brudne stare fotele i połamany regał. Po podłodze walały się śmieci. Poukładane jedne na drugich pod ścianą nowiutkie kartonowe pudła dziwnie nie pasowały do tego wnętrza.

Na środku pokoju stał mały bosy chłopczyk. Miał na sobie koszulkę i pełną pieluchę. Kay przeczytała w kartotece, że dziecko ma trzy i pół roku. Odnosiło się wrażenie, że jego płacz jest nieświadomym i pozbawionym przekonania sygnałem informującym o obecności, czymś w rodzaju warkotu silnika. Chłopczyk ściskał w rączce maleńką paczuszkę płatków śniadaniowych.

– A to pewnie Robbie – powiedziała Kay.

Chłopczyk spojrzał na nią, kiedy wymieniła jego imię, ale nie przestał się mazać.

Terri odłożyła na bok starą podrapaną puszkę po ciastkach, która leżała na jednym z brudnych obszarpanych foteli, i usiadła na nim skulona, obserwując Kay spod opadających powiek. Kay zajęła drugi fotel. Na jego oparciu stała przepełniona popielniczka. Niedopałki wysypały się na fotel i Kay czuła je teraz pod swoimi udami.

– Cześć, Robbie – powiedziała Kay, otwierając kartotekę Terri.

Chłopczyk dalej popłakiwał, potrząsając paczką płatków, w której coś grzechotało.

– A co ty tam masz? – zapytała Kay.

Nie odpowiedział, ale energiczniej potrząsnął paczką, wyrzucając z niej małą plastikową figurkę, która zatoczyła łuk i wpadła za kartonowe pudła. Robbie zaczął głośno płakać. Kay obserwowała Terri wpatrującą się w synka z twarzą bez wyrazu. Wreszcie Terri wymamrotała:

– Co jest, Robbie?

– Zobaczymy, czy uda nam się to wyjąć? – zaproponowała Kay, zadowolona, że może wstać i otrzepać nogi z tyłu. – Spróbujmy.

Przysunęła głowę do samej ściany, żeby zajrzeć za pudła. Figurka utknęła niezbyt głęboko. Kay wepchnęła rękę w szparę. Pudła były ciężkie i trudno je było poruszyć. Kay udało się złapać zgubę, która okazała się przysadzistym, przypominającym Buddę grubym ludzikiem jaskrawofioletowego koloru.

– Proszę – powiedziała do chłopczyka.

Płacz Robbiego ustał. Dziecko wzięło figurkę i z powrotem włożyło ją do torebki, którą znowu zaczęło potrząsać.

Kay się rozejrzała. Pod połamanym regałem leżały do góry kołami dwa małe samochodziki.

– Lubisz samochody? – zapytała Robbiego, pokazując na nie.

Nie spojrzał w tamtą stronę, tylko przyglądał się jej, mrużąc oczy, z namysłem pomieszanym z ciekawością. Potem podbiegł, podniósł samochodzik i zbliżył go do jej twarzy, żeby mogła zobaczyć.

– Brum – powiedział. – Ato.

– Tak jest – potwierdziła Kay. – Bardzo dobrze. Auto. Brum, brum.

Usiadła z powrotem i wyjęła z torby notatnik.

– No dobrze, Terri. Co u ciebie słychać?

Minęła dłuższa chwila, zanim Terri odpowiedziała:

– Wporzo.

– Dla wyjaśnienia: Mattie jest chora, dlatego ją zastępuję. Będę musiała sprawdzić informacje, które mi zostawiła, żeby się przekonać, czy od jej ostatniej wizyty w zeszłym tygodniu coś się zmieniło, dobrze? Zobaczmy: Robbie chodzi teraz do żłobka, zgadza się? Cztery razy w tygodniu rano i dwa razy po południu?

Terri zachowywała się tak, jakby głos Kay docierał do niej z wielkiej odległości. Przypominało to mówienie do kogoś siedzącego na dnie studni.

– Taaa – powiedziała po chwili.

– Jak mu tam jest? Podoba mu się?

Robbie wepchnął autko do paczki z płatkami. Podniósł jeden z niedopałków, który spadł ze spodni Kay, po czym dorzucił go do samochodziku i fioletowego Buddy.

– Taaa – powiedziała ospale Terri.

Kay przeglądała ostatnie, mało staranne notatki, które zrobiła Mattie przed pójściem na zwolnienie.

– Nie powinien tam dzisiaj być, Terri? Wtorek to chyba jeden z tych dni, kiedy Robbie chodzi do żłobka?

Terri wyglądała tak, jakby walczyła z sennością. Kilka razy jej głowa zakołysała się lekko na ramionach.

– Krystal miała go podrzucić, ale nie dała rady – odparła wreszcie.

– Krystal to twoja córka, prawda? Ile ma lat?

– Czternaście – powiedziała Terri jak we śnie. – I pół.

Kay wiedziała z notatek, że Krystal ma szesnaście lat. Zapadła dłuższa cisza.

Na podłodze obok fotela Terri stały dwa wyszczerbione kubki. Mętna ciecz w jednym z nich przywodziła na myśl krew. Terri siedziała z ramionami założonymi na piersi.

– Kazałam jej go ubrać – dodała, wyciągając słowa z głębin swojej świadomości.

– Przepraszam, Terri, ale muszę o to zapytać – powiedziała Kay. – Brałaś
dzisiaj?

Terri przesunęła po ustach palcami przypominającymi ptasie szpony.

– Nieee.

– Chcekupe – powiedział Robbie i pobiegł w stronę drzwi.

– Trzeba mu pomóc? – zapytała Kay, kiedy Robbie zniknął z ich pola
widzenia i usłyszały, jak drepcze na górę.

– Eee, da se radę – wymamrotała Terri.

Oparła opadającą głowę na zaciśniętej w pięść dłoni, a łokieć na poręczy fotela.

– Drzwi! Drzwi! – krzyknął Robbie z góry.

Usłyszały, jak wali w drzwi pięściami. Terri ani drgnęła.

– Może mu jednak pomogę? – zaproponowała Kay.

– Taaa – odparła Terri.

Kay weszła po schodach i nacisnęła zacinającą się klamkę. W łazience
obrzydliwie śmierdziało. Wanna była szara, poznaczona czarnymi obwód-
kami, a w toalecie od dłuższego czasu nie spuszczano wody. Kay nacisnęła spłuczkę i dopiero potem pozwoliła Robbiemu wspiąć się na muszlę.
Skrzywił się i głośno stęknął, nie przejmując się jej obecnością. Rozległ
się głośny plusk, a i tak już ohydne powietrze wzbogaciło się o nową
cuchnącą nutę. Robbie zszedł z ubikacji i podciągnął pełną pieluchę bez
podcierania pupy. Kay próbowała go przekonać, żeby wrócił i jednak to
zrobił, ale najwyraźniej ta czynność była mu zupełnie nieznana. W końcu Kay go wyręczyła. Pupa chłopca była w okropnym stanie: pokryta
strupkami, zaczerwieniona i odparzona. Pielucha cuchnęła amoniakiem.
Kay próbowała ją zdjąć, ale on krzyknął, rzucił się na nią, a potem uciekł
i z ciężką pieluchą pobiegł z powrotem na dół. Chciała umyć ręce, ale
w łazience nie było mydła. Wstrzymując oddech, wyszła i zamknęła za
sobą drzwi.

Przed zejściem na dół zajrzała do sypialni. Zawartość trzech pokoi wylewała się na zagracony korytarz. Wszyscy domownicy spali na materacach.
Wyglądało na to, że Robbie dzieli pokój z matką. Wśród rozrzuconych
po podłodze brudnych ubrań leżało kilka zabawek: tanich, plastikowych
i przeznaczonych dla młodszych dzieci. Ku zaskoczeniu Kay kołdra i po-
duszka były obleczone w powłoczki.

W pokoju na dole Robbie znowu zaczął popłakiwać, waląc piąstką w stos kartonowych pudeł. Terri obserwowała go spod przymkniętych powiek. Kay otrzepała siedzisko fotela i dopiero potem znowu na nim usiadła.

– Terri, przechodzisz terapię metadonową w Bellchapel, zgadza się?

– Mmm – mruknęła ospale Terri.

– I jak idzie leczenie?

Kay czekała z długopisem zastygłym w powietrzu, tak jakby nie siedziała przed nią żywa odpowiedź na zadane pytanie.

– Chodzisz jeszcze do ośrodka?

– Tydzień temu. Chodzę w piątki.

Robbie walił w pudła piąstkami.

– Czy możesz mi powiedzieć, jaką dawkę metadonu teraz bierzesz?

– Sto piętnaście miligramów.

Kay wcale nie była zaskoczona, że Terri, która nie pamiętała, ile lat ma jej córka, potrafiła podać dawkę z taką dokładnością.

– Mattie mówiła, że przy Robbiem i Krystal pomaga ci matka. Czy to prawda?

Robbie rzucił się całym swoim twardym, krępym ciałkiem na stos pudeł. Konstrukcja niebezpiecznie się zakołysała.

– Ostrożnie, Robbie – powiedziała Kay.

A Terri dodała:

– Zostaw. – Tym razem w jej martwym głosie dało się słyszeć coś, co odrobinę przypominało czujność.

Robbie wrócił do walenia w pudła piąstkami. Najwyraźniej słuchanie głuchego odgłosu uderzeń sprawiało mu przyjemność.

– Terri, czy matka nadal ci pomaga w opiece nad Robbiem?

– Nie matka, babka.

– Babcia Robbiego?

– Moja babka. Nie... kiepsko z nią.

Kay znowu zerknęła na Robbiego, trzymając długopis w pełnej gotowości. Nie był niedożywiony: zauważyła to, kiedy rozebrał się w łazience i podcierała mu pupę. Koszulkę miał brudną, ale kiedy się nad nim pochyliła, poczuła ze zdziwieniem, że jego włosy pachną szamponem. Na mlecznobiałych rączkach i nóżkach nie było siniaków, ale za to z pupy zwisała przemoczona, pełna pielucha. A przecież miał już trzy i pół roku.

– Jeść! – krzyknął, wymierzając pudłom ostatni, bezcelowy cios. – Jeść!

– Weź se ciastko – wymamrotała Terri, ale się nie poruszyła.

Wycie Robbiego przeszło w głośne szlochanie i krzyki. Terri nawet nie próbowała podnieść się z fotela. Hałas uniemożliwiał rozmowę.

– Dać mu jedno!? – krzyknęła Kay.

– Taaa.

Robbie minął Kay i pobiegł do kuchni, która była prawie tak samo brudna jak łazienka. Poza lodówką, kuchenką i pralką nie było tu żadnych urządzeń. Na blatach leżały brudne talerze i kolejna przepełniona popielniczka, walały się jakieś reklamówki i spleśniały chleb. Linoleum było lepkie i przywierało do podeszew butów Kay. Śmieci wysypywały się z kosza, na którego szczycie kołysało się pudełko po pizzy.

– Tam – powiedział Robbie. Nie patrząc na Kay, pokazywał palcem szafkę na ścianie. – Tam.

W szafce znajdowało się więcej jedzenia, niż można by się spodziewać: jakieś konserwy, paczka ciastek, słoik kawy rozpuszczalnej. Kay wyjęła z paczki dwa ciastka i podała je Robbiemu. Złapał je i pobiegł z powrotem do matki.

– To co, Robbie, lubisz chodzić do żłobka? – zapytała go, kiedy pochłaniał ciastka, siedząc na podłodze.

Nie odpowiedział.

– Lubi, lubi – powiedziała Terri, trochę bardziej przytomna. – Tak, Robbie? Lubi.

– Kiedy tam ostatnio był?

– Ostatnio. Wczoraj.

– Wczoraj był poniedziałek i nie mógł tam być – powiedziała Kay, notując.   W poniedziałki nie chodzi do żłobka.

– Co?

– Pytam o żłobek. Dzisiaj Robbie powinien tam być. Muszę wiedzieć, kiedy po raz ostatni był w żłobku.

– Poedziałam, no nie?

Jej oczy były teraz szeroko otwarte – po raz pierwszy, odkąd Kay tu przyszła. Głos Terri nadal brzmiał bezbarwnie, ale zaczynała w nim przebijać wrogość.

– Jesteś lesba? – spytała.

– Nie – odparła Kay, nie przerywając pisania.

– Wyglądasz na lesbę.

Kay nadal pisała.

– Sok! – krzyknął Robbie z brodą wysmarowaną czekoladą.

Tym razem Kay się nie ruszyła. Po dłuższej chwili Terri chwiejnie wstała z fotela i zataczając się, poszła do przedpokoju. Kay pochyliła się i podniosła luźne wieczko puszki po ciastkach, którą Terri zdjęła wcześniej z fotela. W środku była strzykawka, trochę brudnej waty, łyżka, która wyglądała na zardzewiałą, i zakurzona plastikowa torebka. Kay mocno zatrzasnęła wieczko. Robbie cały czas ją obserwował. Z kuchni dobiegł brzęk naczyń, a po chwili Terri wróciła z kubkiem soku i podała go chłopcu.

– Masz – powiedziała bardziej do Kay niż do synka i z powrotem usiadła. Nie trafiła na siedzisko i wpadła na oparcie.

Kay usłyszała odgłos uderzenia kości o drewnianą poręcz, ale Terri wyglądała tak, jakby nie poczuła bólu. Zapadła się z powrotem w wysiedzianym meblu i lustrowała pracowniczkę socjalną obojętnym spojrzeniem przekrwionych oczu.

Kay przeczytała kartotekę Terri od deski do deski. Wiedziała, że prawie wszystko, co miało w życiu tej kobiety jakąś wartość, zostało wchłonięte przez czarną dziurę jej nałogu. Że straciła dwoje dzieci i z trudem udaje się jej utrzymać dwoje następnych, że prostytuuje się, żeby zapłacić za heroinę, że popełnia różnego rodzaju drobne przestępstwa i że obecnie po raz enty jest na odwyku.

A jednak gdyby tak nic nie czuć, niczym się nie przejmować... „W tej chwili – pomyślała Kay – ona jest szczęśliwsza ode mnie".

III

Na początku drugiej godziny lekcyjnej po lunchu Stuart „Fats" Wall opuścił szkołę. Jego eksperyment z wagarami nie był powodowany nagłym impulsem. Już poprzedniego wieczoru Fats postanowił zwiać z dwóch lekcji informatyki – ostatnich tego dnia. Mógł opuścić którąkolwiek lekcję, ale tak się złożyło, że jego najlepszy przyjaciel Andrew Price (znany również jako Arf) chodził na informatykę z inną grupą, a Fatsowi, mimo wielu wysiłków, nie udało się przenieść na niższy poziom, żeby do niego dołączyć.

Obaj przyjaciele byli chyba w równym stopniu przekonani, że to Fats jest obiektem podziwu w ich relacji, ale sam Fats przypuszczał, że potrzebuje Andrew bardziej niż Andrew jego. Ostatnio zaczął postrzegać tę zależność jako słabość, ale niezależnie od tego uznał, że skoro jego upodobanie do towarzystwa Andrew nie słabnie, to równie dobrze może uciec z dwóch lekcji, na których musiałby się obejść bez niego.

Fats dowiedział się z wiarygodnego źródła, że jedynym bezpiecznym sposobem, żeby opuścić teren szkoły Winterdown, nie będąc dostrzeżonym z okna, jest wdrapanie się na mur biegnący wzdłuż bocznej ściany budynku, obok wiaty na rowery. Tak też zrobił – zwisając na palcach, opuścił się na wąską uliczkę po drugiej stronie. Wylądował bez problemu i oddalił się wąskim chodnikiem, po czym skręcił w lewo, w brudną, ruchliwą, główną ulicę.

Już bezpieczny zapalił papierosa i szedł dalej, mijając małe zapuszczone sklepiki. Pokonał pięć przecznic i znowu skręcił w lewo, w pierwszą ulicę, która należała do Fields. Idąc, jedną ręką poluzował swój szkolny krawat, ale go nie zdjął. Nie przejmował się tym, że jego szkolny mundurek rzuca się w oczy. Fats nigdy nie starał się nadać mu indywidualnego charakteru – nie przypinał znaczków do klap marynarki ani nie wiązał krawata według aktualnej mody. Nosił swoje szkolne ubranie z pogardą skazańca.

Fats uważał, że dziewięćdziesiąt dziewięć procent ludzkości popełnia błąd, który polega na wstydzeniu się tego, kim się jest: ludzie kłamali w tej kwestii – kłamali i udawali kogoś innego. Dla Fatsa uczciwość była walutą, jego bronią i sposobem na życie. Innych bycie uczciwym przerażało albo szokowało. Fats odkrył, że pozostali śmiertelnicy wikłają się w kłopotliwe sytuacje i grę pozorów, skazując się na życie w ciągłym strachu, że prawda o nich wyjdzie na jaw. Jego natomiast pociągała naturalność, wszystko, co, choćby nawet brzydkie, było szczere – włączając w to najróżniejsze brudy, które w ludziach w rodzaju jego ojca budziły niesmak i gorycz. Fats dużo rozmyślał o różnych mesjaszach i pariasach, o ludziach zaszufladkowanych jako szaleńcy albo kryminaliści, o szlachetnych odmieńcach odrzuconych przez ospałe masy.

Prawdziwa trudność, a zarazem wielkość, polegała na tym, żeby być tym, kim się jest naprawdę, nawet jeśli – a raczej zwłaszcza gdy – oznaczałoby to bycie okrutnym czy niebezpiecznym. Odwaga polegała na tym, żeby nie starać się ukryć zwierzęcia, którym się jest. Z drugiej jednak strony należało unikać bycia zwierzęciem w większym stopniu, niż było się nim w rzeczywistości. Jeśli pójdziesz tą drogą i zaczniesz przesadzać albo udawać, staniesz się po prostu jeszcze jednym Przegródką, jeszcze jednym kłamcą i hipokrytą. „Autentyczny" i „nieautentyczny" to słowa, których Fats często używał w myślach. Kiedy stosował je w odniesieniu do siebie i do innych, ich znaczenie było precyzyjne jak cięcie lasera.

Uznał, że ma cechy, które są autentyczne, a zatem należy je pielęgnować i kultywować. Natomiast niektóre z jego schematów myślowych były nienaturalnym produktem niefortunnego wychowania i w konsekwencji, jako nieautentyczne, zasługiwały na wyeliminowanie. Ostatnio eksperymentował z postępowaniem w zgodzie z tym, co uważał za swoje naturalne odruchy, oraz z ignorowaniem lub tłumieniem w sobie poczucia winy i strachu (nieautentycznych), których źródłem, jak się wydawało, były takie właśnie eksperymenty. W miarę jak nabierał wprawy, niewątpliwie stawało się to coraz łatwiejsze. Chciał być twardszy, wyzbyć się wrażliwości i uwolnić od lęku przed konsekwencjami: chciał odrzucić nieuzasadnione pojęcia dobra i zła.

Jedną z rzeczy, które zaczęły go irytować w jego nowym uzależnieniu od Andrew, było to, że czasem obecność przyjaciela ograniczała możliwość wyrażania przez Fatsa jego autentycznego „ja". Andrew stworzył sobie wewnętrzny obraz świata, który rządził się zasadami *fair play*, i ostatnio Fats dostrzegał na twarzy starego przyjaciela źle ukrywane niezadowolenie, dezorientację i rozczarowanie. Andrew wzdragał się przed skrajnościami, takimi jak drażnienie się z ludźmi i natrząsanie się z nich. Fats nie miał mu tego za złe, wiedział, że dla Andrew branie udziału w czymś takim byłoby nieautentyczne, chyba że Andrew naprawdę i szczerze by tego chciał. Kłopot polegał na tym, że Andrew zdradzał przywiązanie do tego rodzaju moralności, przeciwko której Fats prowadził coraz bardziej zaciekłą wojnę. Fats przypuszczał, że właściwą rzeczą, naprawdę pozbawionym sentymentów zrywem w pogoni za autentyzmem, byłoby odcięcie się od Andrew. Sęk w tym, że przedkładał jego towarzystwo nad czyjekolwiek inne.

Fats był przekonany, że poznał samego siebie wyjątkowo dobrze. Spenetrował zakamarki i szczeliny swojej psychiki z uwagą, jakiej ostatnimi czasy nie poświęcał niczemu innemu. Spędzał długie godziny, zadając sobie pytania o własne odruchy, pragnienia i lęki, próbując odróżnić te, które były naprawdę jego własne, od tych, które nauczono go odczuwać. Analizował swoje związki z innymi ludźmi (uważał, że nikt inny nigdy nie był wobec siebie tak szczery jak on, że inni ludzie płyną przez życie w półśnie) i wyciągnął następujące wnioski: po pierwsze, osobą, którą darzył rzeczywiście niekłamaną sympatią, był Andrew, którego znał, odkąd skończył pięć lat; po drugie, choć był już dostatecznie dorosły, żeby przejrzeć na wylot własną matkę, zachował do niej przywiązanie, za które trudno go było winić; i po trzecie, szczerze pogardzał Przegródką, który w jego odczuciu wspiął się na szczyt szczytów nieautentyczności.

Na swoim profilu na Facebooku, pielęgnowanym z troską, jakiej nie okazywał niemal niczemu innemu, Fats umieścił cytat z książki znalezionej na półce rodziców:

Nie chcę „wiernych", sądzę, że jestem za złośliwy, by w samego siebie wierzyć (...). Straszliwy lęk mnie zbiera, że pewnego dnia ogłoszą mnie świętym (...). Nie chcę być świętym, raczej jeszcze błaznem jarmarcznym... Może jestem błaznem...*

Cytat bardzo podobał się Andrew, a Fatsowi podobało się to, że zrobił na koledze takie wrażenie.

Gdy Fats mijał punkt bukmachera, jego myśli na kilka sekund odpłynęły do zmarłego przyjaciela ojca, Barry'ego Fairbrothera. Robiąc trzy długie, sprężyste kroki wzdłuż wizerunków koni wyścigowych za brudną szybą, Fats miał przed oczami obraz wesołej, brodatej twarzy Barry'ego, a w uszach brzmiał mu wymuszony śmiech Przegródki, często rozlegający się, jeszcze zanim Barry zdążył dokończyć któryś ze swoich kiepskich żartów. Zupełnie jakby ojcu Fatsa wystarczała do śmiechu sama obecność Barry'ego. Fats nie miał ochoty dalej analizować tych wspomnień, nie zadał sobie pytania o powody, dla których instynktownie go od nich odrzucało, nie

---

* F. Nietzsche, *Ecce Homo*, tłum. L. Staff, Warszawa – Lwów 1911, s. 114.

zastanowił się, czy zmarły był autentyczny, czy nieautentyczny. Odrzucił wizję Barry'ego Fairbrothera i absurdalnej rozpaczy swego ojca i poszedł dalej.

Fats był ostatnio dziwnie ponury, choć jak zawsze doprowadzał do śmiechu wszystkich wkoło. Jego dążenie do wyzbycia się moralnych ograniczeń przypominało próbę odzyskania czegoś, co, jak uważał, zostało w nim zduszone, czegoś, co stracił, zostawiając za sobą dzieciństwo. To, do czego pragnął wrócić, było w istocie jakimś rodzajem niewinności, a obrany przez niego szlak wiódł przez te wszystkie rzeczy, które rzekomo były szkodliwe, ale paradoksalnie wydawały się Fatsowi jedyną słuszną drogą do autentyczności. Do pewnego rodzaju czystości. To ciekawe, jak często wszystko wydawało się wywrócone do góry nogami, sprawiało wrażenie, że jest przeciwieństwem tego, co człowiekowi wmawiano. Fats zaczynał myśleć, że stawiając na głowie każdą otrzymaną porcję życiowej mądrości, otrzymuje się prawdę. Chciał przemierzać ciemne labirynty i mocować się z przyczajonymi w nich osobliwościami. Chciał rozbijać skorupę pobożności, obnażając hipokryzję. Chciał łamać tabu i wyciskać mądrość z krwawiących serc. Chciał osiągnąć stan amoralnej łaski, odchrzcić się, żeby znowu żyć w ignorancji i prostocie.

Właśnie dlatego postanowił złamać jedną z niewielu szkolnych reguł, których dotąd jeszcze nie naruszył. Dlatego poszedł w stronę Fields. Nie chodziło wyłącznie o to, że nieokrzesany puls rzeczywistości wydawał mu się tu lepiej wyczuwalny niż w jakimkolwiek innym miejscu, które znał. Miał także niejasną nadzieję, że natknie się na jakieś podejrzane typy, które go intrygowały. Ponadto, choć sam przed sobą niechętnie się do tego przyznawał (ponieważ była to jedna z niewielu tęsknot, których nie potrafił opisać słowami), szukał otwartych drzwi, chciał zostać rozpoznany i powitany w domu, który miał, choć jeszcze o tym nie wiedział.

Mijając szarobure budynki na piechotę, a nie jak zwykle w samochodzie matki, zauważył, że na wielu z nich nie ma graffiti, że niektóre trawniki nie są zaśmiecone, a część domów naśladuje (tak to odbierał) pretensjonalność Pagford: firanki w oknach i ozdoby na parapetach. Te szczegóły nie rzucały się w oczy z okien jadącego auta, kiedy wzrok Fatsa nieodparcie przyciągały zabite deskami okna i zaśmiecone trawniki. Domy w lepszym stanie nie budziły jego zainteresowania. Przyciągały go te miejsca, od których biły anarchia i bezprawie, nawet jeśli tylko w infantylnej postaci zamkniętej w puszkach farby w sprayu.

Gdzieś w okolicy (nie wiedział dokładnie gdzie) mieszkał Dane Tully. Rodzina Tullych cieszyła się złą sławą. Dwaj starsi bracia Dane'a i jego ojciec spędzili mnóstwo czasu w więzieniu. Podobno ostatnim razem, gdy Dane się bił (jak wieść niosła, z dziewiętnastolatkiem z Cantermill Estate), jego ojciec eskortował go na miejsce spotkania i stanął do walki przeciwko starszym braciom przeciwnika Dane'a. Tully pojawił się potem w szkole z pokaleczoną twarzą, spuchniętą wargą i podbitym okiem. Wszyscy zgodnie uznali, że ta jedna z jego rzadkich wizyt służyła przede wszystkim do popisania się odniesionymi obrażeniami.

Właściwie Fats był pewien, że sam rozegrałby to inaczej. Przejmowanie się tym, co inni myślą o twojej pokiereszowanej twarzy, było nieautentyczne. Fats wolałby stoczyć bójkę, a potem wrócić do normalnego życia, i jeśli w ogóle ktoś miałby się dowiedzieć, co zaszło, to tylko przypadkowy świadek zdarzenia.

Fatsa nikt nigdy nie uderzył, mimo że coraz bardziej prowokował ludzi. Ostatnio często rozmyślał o tym, jak by to było – wdać się w bójkę. Przypuszczał, że jego upragniony poziom autentyzmu powinien uwzględniać przemoc, a w każdym razie nie powinien jej wykluczać. Być gotowym uderzyć i przyjąć cios wydawało mu się to formą odwagi, do której powinien aspirować. Dotąd nie potrzebował używać pięści – wystarczał mu język – ale kształtujący się właśnie nowy Fats zaczynał gardzić swoją elokwencją i podziwiać autentyczną brutalność. W kwestii noży Fats był ostrożniejszy. Kupić teraz nóż i pozwolić, żeby inni wiedzieli, że go nosi, byłoby aktem skończonego nieautentyzmu, żałosnym małpowaniem typów w rodzaju Dane'a Tully'ego. Na samą myśl o tym Fatsowi wywracał się żołądek. Jeśli kiedyś zajdzie potrzeba, żeby nosić nóż, sprawa będzie wyglądała inaczej. Fats nie wykluczał możliwości, że taki czas nadejdzie, choć przyznawał, że ta perspektywa go przeraża. Bał się przedmiotów, które mogły przebić skórę, igieł i ostrzy. Jako jedyny uczeń zemdlał podczas szczepienia przeciwko zapaleniu opon mózgowych, które im robiono jeszcze u Świętego Tomasza. Jednym ze sposobów Andrew na wyprowadzenie Fatsa z równowagi było wyjęcie w jego obecności ampułkostrzykawki z adrenaliną, którą musiał nosić cały czas przy sobie z powodu niebezpiecznej alergii na orzechy.

Fatsowi robiło się słabo, kiedy Andrew zaczynał nią przed nim wymachiwać albo udawał, że go nią dźga.

Włócząc się bez celu, Fats zauważył tabliczkę z napisem „Foley Road". To tu mieszkała Krystal Weedon. Nie był pewien, czy jest tego dnia w szkole, i nie chciał, żeby pomyślała, że jej szuka.

Uzgodnili, że spotkają się w piątek wieczorem. Fats powiedział rodzicom, że wybiera się do Andrew, bo pracują nad wspólnym zadaniem z angielskiego. Wyglądało na to, że Krystal rozumie, na co się zanosi, że jest gotowa na wszystko. Miał już okazję wsunąć dwa palce w jej gorące, jędrne i śliskie ciało, odpiąć jej biustonosz i położyć ręce na jej ciepłych, ciężkich piersiach. Z premedytacją odszukał ją na świątecznej dyskotece i odprowadzany pełnymi niedowierzania spojrzeniami Andrew i innych uczniów poszedł z nią na tyły sali teatralnej. Krystal wydawała się równie zaskoczona jak pozostali, ale właściwie nie stawiała oporu. Wybór Fatsa był przemyślany, poza tym chłopak przygotował sobie chłodną, bezwstydną ripostę, żeby pognębić drwiących i szydzących z niego kumpli.

– Nie idę do pieprzonego baru sałatkowego, kiedy mam ochotę na frytki.

Wymyślił tę analogię zawczasu, wiedząc, że będzie ją musiał wyjaśnić.

– Wy możecie dalej walić konia. Ja chcę rżnąć.

Wtedy ich uśmiechy zbladły. Widział, że wszyscy, łącznie z Andrew, przełknęli drwiny w podziwie dla jego niezważającej na nic pogoni za tym jednym, jedynym prawdziwym celem. Fats niewątpliwie podążał do niego najprostszą drogą. Nikt nie śmiał polemizować z jego rozsądkiem i praktycznym podejściem. Fats wiedział, że każdy z jego kolegów zadaje sobie pytanie, dlaczego sam nie miał jaj i nie wziął pod uwagę tej metody, prowadzącej przecież do najbardziej satysfakcjonującego finału.

– Nie wspominaj o tym mojej matce, okej? – wymamrotał Fats do Krystal, łapiąc powietrze pomiędzy dwiema długimi, mokrymi rundami wzajemnego eksplorowania swoich ust. Jednocześnie pocierał kciukami jej sutki.

Wydała z siebie stłumiony chichot, po czym zaczęła natarczywiej go całować. Nie pytała, dlaczego wybrał właśnie ją, w zasadzie o nic go nie pytała. Wyglądało na to, że podobnie jak on jest zadowolona z reakcji całkowicie różnych plemion, do których należeli. Upajała się dezorientacją obserwatorów, a nawet gestami obrzydzenia jego kolegów. Podczas trzech następnych spotkań obfitujących w cielesne odkrycia i eksperymenty Fats i Krystal prawie z sobą nie rozmawiali. To on je wszystkie ukartował, ale ona okazywała większą gotowość niż zwykle, przebywając w miejscach, w których mógł ją łatwo znaleźć. Piątkowy wieczór miał być ich pierwszym spotkaniem zaplanowanym z wyprzedzeniem. Kupił kondomy.

Perspektywa pójścia wreszcie na całość miała coś wspólnego z jego dzisiejszymi wagarami i przyjściem do Fields, chociaż nie myślał o samej Krystal (w przeciwieństwie do jej świetnych piersi i jakże łatwo dostępnej pochwy), dopóki nie zobaczył nazwy jej ulicy.

Fats zawrócił, odpalając kolejnego papierosa. Widok nazwy „Foley Road" wywołał u niego dziwne poczucie, że pojawił się nie w porę. Fields wydawało mu się dzisiaj nieciekawe i skryte, a to, czego szukał, co miał nadzieję rozpoznać, kiedy już to znajdzie, zwinęło się gdzieś w kłębck, poza zasięgiem jego wzroku. Dlatego ruszył z powrotem w kierunku szkoły.

IV

Nikt nie odbierał telefonów. Siedząc w biurze pogotowia opiekuńczego, Kay od prawie dwóch godzin wystukiwała numery, zostawiała wiadomości, prosiła wszystkich o oddzwonienie. Pielęgniarkę środowiskową Weedonów, ich lekarza rodzinnego, żłobek Cantermill i Ośrodek Leczenia Uzależnień Bellchapel. Na biurku Kay leżała gruba i zniszczona teczka Terri Weedon.

– Znowu bierze, co? – zagadnęła Alex, jedna z kobiet, z którymi Kay dzieliła biuro. – Tym razem na dobre wykopią ją z Bellchapel. Twierdzi, że jest przerażona, że odbiorą jej Robbiego, ale nie potrafi trzymać się z daleka od hery.

– To już jej trzeci odwyk – dorzuciła Una.

Na podstawie tego, co widziała dziś po południu, Kay uznała, że pora zebrać specjalistów odpowiedzialnych za poszczególne sfery życia Terri Weedon i ponownie przyjrzeć się jej przypadkowi. W przerwach między innymi zajęciami raz po raz wciskała klawisz ponownego wybierania numeru, a w kącie bez przerwy dzwonił telefon stacjonarny, uruchamiając od razu automatyczną sekretarkę. Biuro pogotowia opiekuńczego było ciasne, zagracone i unosił się w nim zapach skisłego mleka, bo Alex i Una miały zwyczaj wylewania resztek kawy do stojącej w kącie doniczki z przywiędłą juką.

Ostatnie notatki Mattie były nieporządne i chaotyczne, roiło się w nich od skreśleń, brakowało dat i informacji. Kay nie znalazła w kartotece kilku ważnych dokumentów, łącznie z pismem przysłanym przez ośrodek odwykowy przed dwoma tygodniami. Szybciej i łatwiej było wypytać o niektóre rzeczy Alex i Unę.

– A ostatnia ocena jej przypadku – mówiła z namysłem Alex, stojąc przy juce i marszcząc czoło – była, zdaje się, ponad rok temu.

– I jak rozumiem, uznano, że Robbie może zostać z matką – powiedziała Kay, przytrzymując ramieniem słuchawkę telefonu i bezskutecznie szukając w opasłej teczce notatek z tej oceny.

– Nie chodziło o to, czy może z nią zostać, tylko o to, czy może do niej wrócić. To było po tym, jak go umieszczono w rodzinie zastępczej, bo Terri została pobita przez klienta i wylądowała w szpitalu. Odtruli ją, wyszła ze szpitala i desperacko walczyła o odzyskanie prawa do opieki nad Robbiem. Wróciła na odwyk do Bellchapel, zerwała z nałogiem i zaczęła się starać. Jej matka obiecała pomóc. Więc Robbie wrócił do domu. A po kilku miesiącach Terri znowu zaczęła się szprycować.

– Ale to podobno nie matka pomaga Terri? – spytała Kay, którą od odcyfrowywania bazgrołów Mattie rozbolała głowa. – To jej babka, prababka dzieci. Musi już być jedną nogą w grobie. Dziś rano Terri wspominała, że staruszka jest chora. Jeżeli Terri jest teraz jedyną opiekunką Robbiego...

– Jej córka ma szesnaście lat – powiedziała Una. – To głównie ona zajmuje się Robbiem.

– No to słabo jej idzie – skwitowała Kay. – Był w kiepskim stanie, kiedy dzisiaj tam zajrzałam.

Widywała znacznie gorsze rzeczy: ślady uderzeń, rany, skaleczenia i oparzenia, smoliście czarne siniaki, świerzb i wszy, niemowlęta leżące na dywanie w psich gównach, dzieci czołgające się ze złamanymi kończynami, a raz nawet (wciąż jej się to śniło) dziecko, które ojczym psychopata trzymał zamknięte w szafce przez pięć dni. Ten przypadek trafił do mediów w całym kraju. Najbardziej bezpośrednim zagrożeniem dla Robbiego był stos ciężkich pudeł w salonie. Kiedy mały zdał sobie sprawę, że może w ten sposób przyciągnąć uwagę Kay, próbował się na nie wspinać. Przed wyjściem Kay ostrożnie poustawiała pudła w niższe stosy. Terri się nie spodobało, że pracowniczka opieki społecznej ich dotyka – podobnie jak sugestia, żeby zdjąć Robbiemu przemoczoną pieluchę. Właściwie doprowadziło to Terri do furii, nie wyrywając jej jednak całkowicie z zamroczenia. Kazała Kay wypierdalać i trzymać się od nich z daleka.

Zadzwoniła komórka i Kay odebrała. To była pracowniczka socjalna odpowiedzialna za leczenie odwykowe Terri.

– Od kilku dni próbuję się z tobą skontaktować – powiedziała kobieta ze złością.

Kay straciła kilka minut, tłumacząc jej, że nie jest Mattie, ale wrogość kobiety nie zmalała.

– Owszem, regularnie się zgłasza, ale w zeszłym tygodniu jej test na obecność był pozytywny. Jeżeli znowu weźmie, wylatuje. Na jej miejsce czeka w tej chwili dwadzieścia osób, które mogłyby skorzystać z programu. Ona jest u nas po raz trzeci.

Kay nie przyznała się, że wie o porannej działce Terri.

– Czy któraś z was ma paracetamol? – zapytała Kay Alex i Unę po tym, jak jej rozmówczyni zdała szczegółową relację z frekwencji i braku postępów w leczeniu Terri, a następnie się rozłączyła.

Kay popiła tabletki letnią herbatą, bo nie miała siły się ruszyć, żeby przynieść sobie wody z dystrybutora na korytarzu. W biurze było duszno, grzejnik był odkręcony na ful. Im bardziej ściemniało się na zewnątrz, tym jaskrawsze wydawało się jarzeniowe oświetlenie nad biurkiem, nadające piętrzącym się na blacie papierom jasnożółtą barwę i ożywiające niezliczone rzędy czarnych słów, które maszerowały po ich powierzchni.

– Zobaczycie, że zamkną Bellchapel – powiedziała Una, która pracowała na swoim komputerze odwrócona plecami do Kay. – Będą cięcia. Rada opłaca jednego pracownika. Budynek jest własnością Pagford. Słyszałam, że chcą go odpicować i wynająć komuś, kto lepiej zapłaci. Planują to od lat.

Kay czuła pulsowanie w skroni. Nazwa jej nowego miejsca zamieszkania napełniała ją smutkiem. Kay bez zastanowienia zrobiła to, czego przysięgła sobie nie robić, po tym jak Gavin nie zadzwonił do niej poprzedniego wieczoru: wzięła do ręki komórkę i wybrała numer jego biura.

– Edward Collins i wspólnicy – powiedział kobiecy głos po trzecim dzwonku.

Tam, w sektorze prywatnym, od razu odbierają telefony. Każdy z nich może oznaczać pieniądze.

– Czy mogę rozmawiać z Gavinem Hughesem? – spytała Kay, wpatrując się w kartotekę Terri.

– Kto mówi?

– Kay Bawden.

Nie podnosiła wzroku. Nie miała ochoty napotkać spojrzeń Alex ani Uny. Wydawało jej się, że cisza trwa w nieskończoność.

(Poznali się z Gavinem w Londynie na przyjęciu urodzinowym jego brata. Kay nie znała tam nikogo poza przyjaciółką, która przywlokła ją z sobą, żeby się pewniej czuć. Gavin właśnie rozstał się z Lisą, był trochę podpity, ale wyglądał na przyzwoitego gościa, zwyczajnego i solidnego – całkiem innego od facetów, którzy zwykle podobali się Kay. Opowiedział jej historię swego nieudanego związku, a potem pojechał z nią do jej mieszkania w Hackney. Zależało mu, dopóki chodziło o romans na odległość – wtedy przyjeżdżał w weekendy i regularnie dzwonił – ale kiedy jakimś cudem dostała pracę w Yarvil, zresztą gorzej płatną, i wystawiła mieszkanie w Hackney na sprzedaż, najwyraźniej wpadł w panikę...)

– Jego linia jest ciągle zajęta. Czy chce pani jeszcze chwilę poczekać?

– Tak, proszę – powiedziała żałośnie Kay.

(Jeśli jej nie wyjdzie z Gavinem... ale przecież musi im się udać. Przeprowadziła się tutaj dla niego, dla niego zmieniła pracę, dla niego wyrwała córkę z jej środowiska. Gavin nie pozwoliłby jej tego zrobić, gdyby nie miał poważnych zamiarów, prawda? Na pewno wiedział, jakie byłyby skutki ich rozstania: jakie okropne i niezręczne byłoby ciągłe wpadanie na siebie w takim małym mieście jak Pagford).

– Łączę – oznajmiła sekretarka, a w Kay wstąpiła nowa nadzieja.

– Cześć – powiedział Gavin. – Jak tam?

– W porządku – skłamała Kay, bo Alex i Una słuchały. – Co słychać w pracy?

– Spory ruch – powiedział Gavin. – A u ciebie?

– Podobnie.

Siedziała ze słuchawką mocno przyciśniętą do ucha i udając, że Gavin coś do niej mówi, wsłuchiwała się w ciszę.

– Może spotkalibyśmy się wieczorem? – zapytała wreszcie, czując mdłości.

– Hmm... Zdaje mi się, że nie bardzo mogę – odparł.

„Jak to »zdaje ci się«? Co innego masz do roboty?"

– Możliwe, że będę musiał się zająć pewną sprawą... Chodzi o Mary. Żonę Barry'ego. Chce, żebym niósł trumnę. Więc możliwe, że będę musiał... Pewnie będę musiał się zorientować, z czym to się wiąże i w ogóle.

Czasem, kiedy Kay po prostu się nie odzywała i pozwalała, żeby czczość jego wymówek wyraźnie wybrzmiała w przestrzeni, Gavina ogarniał wstyd i szybko się wycofywał.

– Ale to nie powinno zająć całego wieczoru – dodał. – Moglibyśmy się zobaczyć później, jeśli masz ochotę.

– W porządku. U mnie? Gaia będzie wieczorem w szkole.

– Eee... tak, dobrze.

– O której? – zapytała, chcąc, żeby on też o czymś zdecydował.

– No nie wiem... Koło dziewiątej?

Kiedy się rozłączył, Kay jeszcze przez chwilę trzymała słuchawkę przyciśniętą do ucha, a potem, z myślą o Alex i Unie, powiedziała:

– Ja ciebie też. Do zobaczenia, kochanie.

V

Jako szkolny pedagog Tessa nie miała tak stałych godzin pracy jak jej mąż. Na ogół czekała do końca lekcji, żeby odwieźć syna do domu nissanem, a Colin (którego Tessa nigdy nie nazywała Przegródką, choć doskonale wiedziała, jak go nazywa reszta świata, łącznie z prawie wszystkimi rodzicami, którzy przejęli ten zwyczaj od swoich dzieci) wracał do domu toyotą parę godzin później. Jednak dzisiaj Colin spotkał się z Tessą na parkingu dwadzieścia po czwartej, kiedy strumień dzieci wciąż jeszcze wylewał się przez frontową bramę, a uczniowie szli do samochodów swoich rodziców i do darmowych autobusów.

Niebo miało zimny stalowoszary kolor, jak spód tarczy. Porywy wiatru unosiły brzegi spódnic i szarpały liście na małych drzewach. Był to złośliwy, chłodny wiatr. Wyszukiwał u swoich ofiar najsłabsze punkty, takie jak kark albo kolana, wyrywając ludzi ze snu na jawie i pozbawiając ich pociechy, jaką jest ucieczka od rzeczywistości. Nawet kiedy Tessa odgrodziła się od niego drzwiami samochodu, wciąż czuła się potargana i zirytowana, jakby ktoś na nią wpadł i nie przeprosił.

Obok niej na siedzeniu pasażera siedział Colin i powtarzał to, co usłyszał od nauczyciela informatyki, który przyszedł do jego gabinetu przed dwudziestoma minutami.

– Nie ma go. Nie pojawił się na dwóch ostatnich godzinach. Nauczyciel uznał, że będzie najlepiej, jeśli przyjdzie prosto do mnie i mi o tym powie. Więc jutro zacznie o tym gadać cały pokój nauczycielski. Ale jemu właśnie o to chodzi – powiedział wściekły Colin do Tessy, która wiedziała, że jej mąż nie mówi już o informatyku. – Gra mi na nosie, jak zwykle.

Mąż Tessy był blady z wyczerpania, pod zaczerwienionymi oczami miał cienie, a dłonie drżały mu lekko na aktówce. Dorodne dłonie o dużych knykciach i długich szczupłych palcach – całkiem podobne do dłoni ich syna. Ostatnio Tessa zwróciła im na to uwagę, ale żaden z nich nie okazał najmniejszego entuzjazmu na wzmiankę o łączącym ich fizycznym podobieństwie.

– Nie sądzę, żeby... – zaczęła Tessa, ale Colin dalej mówił.

– Więc zostanie po lekcjach, jak każdy. A w domu będzie miał taką karę, że mu się odechce. Zobaczymy, jak mu się to spodoba. Zobaczymy, czy będzie mu do śmiechu. Na początek dostanie szlaban na tydzień, przekonamy się, czy to takie zabawne.

Powstrzymując się od odpowiedzi, Tessa obserwowała morze odzianych w czerń uczniów, którzy szli przez boisko z pochylonymi głowami, drżeli i ciaśniej się otulali cienkimi płaszczami, podczas gdy rozwiane włosy wpadały im do ust. Pucołowaty i lekko oszołomiony pierwszoklasista rozglądał się za kimś, kto miał go odwieźć do domu. Kiedy tłum się przerzedził, ich oczom ukazał się Fats. Szedł długimi krokami, jak zwykle w towarzystwie Arfa Price'a. Wiatr odgarniał mu włosy z chudej twarzy. Czasami, patrząc pod pewnym kątem i przy pewnym oświetleniu, można było zobaczyć, jak Fats będzie wyglądał na starość. Przez chwilę, gdy Tessa patrzyła na niego z głębin swojego zmęczenia, syn wydał jej się zupełnie obcym człowiekiem, i pomyślała, jakie to dziwne, że za chwilę ten ktoś podejdzie do jej samochodu, a ona będzie musiała wyjść na tę koszmarną, hiperrealistyczną wichurę, żeby go wpuścić na tylne siedzenie. Ale kiedy do nich podszedł i uśmiechnął się niewyraźnie, udało się jej odtworzyć obraz chłopca, którego mimo wszystko kochała, więc wysiadła z samochodu i stała niewzruszona na ostrym jak brzytwa wietrze, czekając, aż on wsiądzie do samochodu i dołączy do swojego ojca, który nie ruszył się, żeby go wpuścić.

Wyjechali z parkingu przed szkolnymi autobusami i ruszyli ulicami Yarvil. Mijali brzydkie, zaniedbane domy Fields, kierując się w stronę obwodnicy, która miała ich szybko zaprowadzić do Pagford. Tessa obserwowała Fatsa we wstecznym lusterku. Siedział rozparty na tylnym siedzeniu i wyglądał przez okno, jakby rodzice byli zaledwie dwojgiem ludzi, którzy zatrzymali się, gdy łapał okazję, jakby łączył go z nimi jedynie przypadek i to, że siedzą niedaleko siebie.

Colin zaczekał, aż wyjadą na obwodnicę. Potem zapytał:

– Gdzie byłeś, kiedy powinieneś był być na informatyce?

Tessa nie zdołała się powstrzymać i znowu zerknęła w lusterko. Zobaczyła, że syn ziewa. Chociaż rozmawiając z Colinem, stanowczo temu zaprzeczała, czasami w duchu myślała, że być może Fats rzeczywiście prowadzi jakąś wstrętną, osobistą wojnę ze swoim ojcem, traktując całą szkołę jako widownię. Wiedziała o swoim synu rzeczy, o których nie miałaby pojęcia, gdyby nie pracowała jako szkolny pedagog. Uczniowie mówili jej to i owo, czasem z głupoty, a czasem złośliwie.

„Nie przeszkadza pani, że Fats pali? Pozwala mu pani to robić w domu?"

Zamykała swój mały skład nielegalnych, pozyskanych wbrew własnej woli łupów, nie pokazując ich ani mężowi, ani synowi, choć wlokły się za nią i okropnie jej ciążyły.

– Poszedłem na spacer – odparł spokojnie Fats. – Pomyślałem sobie, że rozprostuję stare kości.

Colin obrócił się na siedzeniu i spojrzał na Fatsa, naciągając pas bezpieczeństwa, krzycząc i gestykulując, na ile pozwalały mu płaszcz i aktówka. Kiedy Colin był wytrącony z równowagi, jego głos robił się coraz bardziej piskliwy, aż w końcu mąż Tessy krzyczał prawie falsetem. Fats cały czas siedział w milczeniu, z wąskimi ustami wykrzywionymi w bezczelnym półuśmiechu, podczas gdy ojciec wykrzykiwał pod jego adresem obelgi stępione przez wrodzoną niechęć do przeklinania.

– Ty pewny siebie, samolubny, mały... mały gówniarzu! – krzyczał, a Tessa, która przez łzy prawie nie widziała drogi, była pewna, że jutro Fats będzie naśladował nieśmiałe, rzucane falsetem przekleństwa Colina ku uciesze Andrew Price'a.

„Fats potrafi świetnie naśladować chód Przegródki, prawda, proszę pani?"

– Jak śmiesz tak się do mnie odzywać? Jak śmiesz opuszczać lekcje?

Colin krzyczał i miotał się, a Tessa musiała powstrzymywać łzy, kiedy zjeżdżała z obwodnicy w stronę Pagford, mijała rynek, delikatesy Mollison and Lowe, pomnik ofiar wojny i pub Black Canon. Przy kościele Świętego Michała i Wszystkich Świętych skręciła w lewo, w Church Row, i wreszcie zaparkowała na podjeździe swojego domu. Colin zdążył już do tego czasu ochrypnąć, a policzki Tessy były lśniące i słone. Kiedy wszyscy wysiedli, Fats, którego wyraz twarzy nie zmienił się ani odrobinę podczas długiej diatryby ojca, otworzył frontowe drzwi własnym kluczem i bez pośpiechu poszedł na górę, nie oglądając się za siebie.

Colin rzucił teczkę w ciemnym przedpokoju na dole i przypuścił atak na Tessę. Do przedpokoju dostawało się światło jedynie przez witrażowe okienko w drzwiach wejściowych, zabarwiając łysiejącą głowę Przegródki o wypukłym czole na dziwne kolory – na wpół krwiste, na wpół trupio sine.

– Widzisz!? – krzyczał wzburzony, wymachując długimi rękami. – Widzisz, z czym muszę się męczyć!?

– Tak – powiedziała, biorąc garść chusteczek z pudełka na stoliku w przedpokoju, wycierając twarz i wydmuchując nos. – Tak, widzę.

– Nie ma pojęcia, przez co my przechodzimy! – powiedział Colin i zaczął płakać, zanosząc się głośnym, suchym szlochem, jak dziecko z objawami zapalenia krtani.

Tessa czym prędzej objęła go na wysokości klatki piersiowej, trochę powyżej pasa, bo była niska i korpulentna i nie sięgała mu nawet do ramion. Colin przygarbił się, ściskając ją kurczowo. Czuła jego drżenie i falowanie klatki piersiowej pod jego płaszczem.

Po kilku minutach łagodnie się od niego uwolniła, zaprowadziła go do kuchni i zaparzyła dzbanek herbaty.

– Zawiozę Mary zapiekankę – powiedziała, kiedy już chwilę posiedziała, głaszcząc jego dłoń. – Ma teraz u siebie pół rodziny. Jak wrócę, pójdziemy wcześnie spać.

Pokiwał głową, pociągnął nosem, a ona pocałowała go w bok głowy i ruszyła do zamrażarki. Kiedy wróciła, niosąc ciężkie oszronione naczynie, on siedział przy stole z zamkniętymi oczami, tuląc kubek w swoich wielkich dłoniach.

Tessa położyła wsadzoną do plastikowego worka zapiekankę na podłodze przy frontowych drzwiach. Włożyła zielony zmechacony sweter, który często nosiła zamiast kurtki, i boso, na palcach weszła po schodach na pierwsze piętro, a potem, nie starając się już być cicho, na drugie – na poddasze.

Gdy stanęła pod drzwiami pokoju Fatsa, usłyszała gwałtowne szuranie. Zapukała, dając synowi czas na ukrycie tego, co akurat oglądał w internecie, czy może na schowanie papierosów. Bo przecież nie wiedział, że ona o nich wie.

– Tak?

Pchnęła drzwi. Jej syn kucał, ostentacyjnie pochylony nad szkolnym plecakiem.

– Dlaczego z wszystkich możliwych dni musiałeś pójść na wagary akurat dzisiaj?

Fats wyprostował się. Wysoki i żylasty górował nad matką.

– Byłem na informatyce. Spóźniłem się. Bennett nie zauważył. Jest do niczego.

– Stuart, proszę cię. Proszę.

W pracy też czasami miała ochotę krzyknąć na dzieci. Miała ochotę wrzasnąć: „Przyjmij wreszcie do wiadomości istnienie innych ludzi! Wydaje ci się, że rzeczywistość podlega negocjacji!? Że będzie dla nas taka, jak zechcesz!? Przyjmij do wiadomości, że jesteśmy równie realni jak ty. Przyjmij do wiadomości, że nie jesteś Bogiem!".

– Stu, ojciec jest dzisiaj kompletnie wytrącony z równowagi. Z powodu Barry'ego. Nie możesz tego zrozumieć?

– Mogę.

– On czuje się teraz tak, jak ty byś się czuł po śmierci Arfa.

Nie odpowiedział ani nie zmienił się zbytnio wyraz jego twarzy, a jednak Tessa wyczuła lekceważenie i rozbawienie syna.

– Wiem, uważasz, że ty i Arf jesteście ulepieni z innej gliny niż tacy ludzie jak twój ojciec i Barry...

– Nie – odparł Fats, ale zdawała sobie sprawę, że powiedział to w nadziei na szybkie zakończenie rozmowy.

– Jadę zawieźć Mary zapiekankę. Błagam cię, Stuart, nie denerwuj już ojca. Proszę, Stu.

– Dobrze – powiedział z lekkim uśmiechem i lekkim wzruszeniem ramion. Czuła, że jego uwaga pikuje jak jaskółka, kierując się z powrotem ku jego własnym sprawom, zanim jeszcze Tessa zdążyła zamknąć drzwi.

VI

Złośliwy wiatr rozwiał ciężką chmurę, która zawisła na niebie późnym popołudniem, i o zachodzie słońca ucichł. Trzy domy od domu Wallów Samantha Mollison siedziała przed toaletką i przyjrzawszy się w świetle lampy swojemu odbiciu, doszła do wniosku, że cisza i spokój są przygnębiające.

Ostatnie dni ją rozczarowały. Nie sprzedała praktycznie nic. Przedstawiciel handlowy z Champêtre miał obwisłe policzki, szorstkie maniery i torbę pełną brzydkich staników. Najwyraźniej cały swój urok wyczerpywał podczas wstępnych rozmów przez telefon, bo w bezpośrednim kontakcie zachowywał się sztywno i protekcjonalnie, krytykował jej towar i naciskał, żeby złożyła zamówienie. Samantha, która wyobrażała go sobie jako kogoś młodszego, wyższego i seksowniejszego, chciała czym prędzej pozbyć się ze swojego butiku i jego, i tej krzykliwej bielizny, którą przywiózł.

W przerwie na lunch kupiła dla Mary kartkę ze słowami „Najszczersze wyrazy współczucia", ale nie przychodziło jej do głowy nic, co mogłaby na niej napisać, a po ich koszmarnej wspólnej podróży do szpitala zwykły podpis wydawał się niewystarczający. Nigdy nie były sobie bliskie. Choć w tak małym miasteczku jak Pagford ludzie bez przerwy na siebie wpadali, ona i Miles właściwie nie znali Barry'ego i Mary. Można było najwyżej powiedzieć, że byli w przeciwnych obozach, jeśli wziąć pod uwagę niekończące się potyczki Howarda i Barry'ego o Fields... Nie żeby ona, Samantha, w ogóle zawracała sobie tym głowę. Nie zniżała się do roztrząsania drobnych kwestii lokalnej polityki.

Zmęczona, nie w humorze i wzdęta po całym dniu podjadania byle czego żałowała, że musi iść z Milesem na kolację do teściów. Patrząc na swoje odbicie, przyłożyła dłonie do policzków i delikatnie odciągnęła skórę w stronę uszu. Milimetr po milimetrze z lustra wyłaniała się młodsza Samantha. Obracając powoli głowę na boki, obejrzała tę napiętą maskę. Lepiej, znacznie lepiej. Zastanawiała się, ile by to kosztowało, jak bardzo by bolało i czyby się odważyła. Próbowała sobie wyobrażać, co powiedziałaby jej teściowa, gdyby Samantha pojawiła się u niej z nową, jędrną twarzą. Shirley i Howard współfinansowali edukację wnuczek, a Shirley uwielbiała o tym przypominać Milesowi i Samancie.

Do pokoju wszedł Miles. Samantha uwolniła skórę twarzy, sięgnęła po korektor, żeby zatuszować cienie pod oczami, i odchyliła głowę, jak zwykle kiedy robiła makijaż. W tej pozycji napinała się jej nieco luźna skóra pod brodą i zmniejszały się worki pod oczami. W kącikach ust miała krótkie zmarszczki grubości igły. Czytała, że można je wypełnić syntetyczną substancją wstrzykiwaną pod skórę. Zastanawiała się, jaki byłby efekt. Z pewnością wyszłoby taniej niż lifting i może Shirley nic by nie zauważyła. W lusterku nad swoim ramieniem zobaczyła, jak Miles zdejmuje krawat i koszulę, a jego wielki brzuch wylewa się ze spodni, które nosił w pracy.

– Zdaje się, że miałaś dzisiaj jakieś spotkanie? Z przedstawicielem handlowym? – zagadnął. Podrapał się leniwie po włochatym pępku, wpatrując się we wnętrze szafy.

– Tak, ale nic z tego nie wyszło – powiedziała Samantha. – Gówniany towar.

Milesowi podobało się jej zajęcie. Dorastał w domu, w którym sprzedaż detaliczna była jedyną liczącą się branżą. Nigdy nie stracił szacunku dla handlu, który zaszczepił mu Howard. Poza tym było mnóstwo okazji do żartów i wszelkich mniej subtelnych sposobów okazywania zadowolenia z tego, że wybrana przez Samanthę kategoria produktów przynosiła zysk. Milesowi nigdy się nie nudziło powtarzanie starych dowcipów i wciąż tych samych figlarnych aluzji.

– Źle leżały? – wypytywał ze znawstwem.

– Były brzydkie. Koszmarne kolory.

Samantha wyszczotkowała i związała gęste, przesuszone brązowe włosy, obserwując w lusterku, jak Miles przebiera się w drelichowe spodnie i koszulkę polo. Była zdenerwowana, czuła, że może stracić panowanie nad sobą albo rozpłakać się z najbłahszego powodu.

Evertree Crescent znajdowało się tylko kilka minut piechotą od ich domu, ale Church Row pięła się stromo w górę, więc pojechali samochodem. Zapadał już mrok. Niedaleko szczytu wzgórza minęli słabo widocznego mężczyznę o sylwetce i chodzie Barry'ego Fairbrothera. Samantha była wstrząśnięta. Obejrzała się za tym człowiekiem i zaczęła się zastanawiać, kto to może być. Na szczycie wzgórza Miles skręcił w lewo, a minutę później w prawo, w wygiętą w łuk uliczkę z niskimi domami z lat trzydziestych.

Dom Howarda i Shirley, niski budynek z czerwonej cegły, o szerokich oknach, szczycił się ogromnymi połaciami zielonego trawnika od frontu i z tyłu. Latem Miles kosił je równymi pasami. W ciągu tych długich lat, gdy tutaj mieszkali, Howard i Shirley zawiesili przed domem stylowe lampy od powozu, dodali białą bramę z kutego żelaza i pełne geranium doniczki z terakoty po obu stronach drzwi wejściowych. Przy dzwonku umieścili ponadto okrągłą tabliczkę z polerowanego drewna, na której czarnymi gotyckimi literami wypisano zaopatrzone w cudzysłów słowo „Ambleside".

Samantha czasem okrutnie żartowała z domu teściów. Miles tolerował jej kpiny, akceptując tym samym sugestię, że on i Samantha mają lepszy gust. Podłogi i drzwi ich domu były zrobione z surowego drewna, na gołych deskach leżały dywaniki, na ścianach wisiały oprawione w ramki grafiki. W salonie stała stylowa, niewygodna sofa. Jednak w głębi duszy Miles wolał dom, w którym dorastał. Prawie wszystko było tam wyścielone czymś pluszowym i miękkim, nie było przeciągów, a fotele z odchylanymi oparciami były rozkosznie wygodne. Latem po skoszeniu trawnika rozsiadał się czasami w jednym z nich, oglądając w panoramicznym telewizorze mecz krykieta, a Shirley przynosiła mu zimne piwo. Nieraz przyprowadzał z sobą którąś córkę, a ona siadała obok i jadła lody z polewą czekoladową przygotowane przez Shirley specjalnie dla wnuczek.

– Cześć, kochanie – powiedziała Shirley do Milesa, otworzywszy drzwi.

Jej niska, krępa sylwetka przepasana fartuchem w roślinne wzory przywodziła na myśl małą, zgrabną pieprzniczkę. Stanęła na palcach przed swoim wysokim synem, nadstawiając policzek do pocałunku, a potem dodała:

– Cześć, Sam. – I natychmiast się odwróciła. – Kolacja prawie gotowa. Howard! Miles i Sam przyszli!

Dom pachniał mleczkiem do czyszczenia mebli i dobrym jedzeniem. Z kuchni wyłonił się Howard z butelką wina w jednej ręce i korkociągiem w drugiej. Shirley zgrabnie wycofała się do jadalni, robiąc miejsce mężowi, który zajmował prawie całą szerokość korytarza, a potem podreptała do kuchni.

– Są nasi miłosierni samarytanie! – zagrzmiał Howard tubalnym głosem. – Jak tam interes z biustonoszami, Sammy? Kroczycie przez kryzys z wypiętą piersią?

– Nadal jesteśmy piersi na rynku – powiedziała Samantha.

Howard ryknął śmiechem, a Samantha była przekonana, że gdyby nie trzymał w rękach butelki i korkociągu, poklepałby ją po pupie. Tolerowała uściski i poklepywania teścia, traktując je jak nieszkodliwe zboczenie mężczyzny, który jest zbyt spasiony i stary, żeby móc zrobić coś więcej. W każdym razie takie zachowanie Howarda irytowało Shirley, więc Samantha była szczęśliwa. Jej teściowa nigdy nie okazywała niezadowolenia otwarcie. Uśmiech nawet na moment nie znikał z jej twarzy, rozsądna nuta w jej głosie nie słabła ani na chwilę, ale po każdym drobnym przejawie lubieżności Howarda zawsze wbijała synowej ukrytą szpilę. Mogła to być wzmianka o podwyżce czesnego dziewczynek, pełne troski zainteresowanie jadłospisem Samanthy albo wypytywanie Milesa, czy nie uważa, że Mary Fairbrother ma niewybaczalnie ładną figurę. Samantha znosiła to wszystko z uśmiechem, a później karała Milesa.

– Cześć, Mo! – przywitał się Miles, wchodząc przed Samanthą do pokoju zwanego przez Howarda i Shirley wypoczynkowym. – Nie wiedziałem, że tu będziesz!

– Cześć, przystojniaku – powiedziała Maureen swoim głębokim, chropawym głosem. – Daj buziaka.

Wspólniczka Howarda siedziała na końcu sofy, ściskając w ręce szklaneczkę sherry. Miała na sobie sukienkę w kolorze fuksji, ciemne rajstopy i szpilki z lakierowanej skóry. Jej czarne jak agat włosy były natapirowane i obficie spryskane lakierem. Twarz w tej oprawie wydawała się blada i przypominała małpi pyszczek. Gruba smuga szminki w szokująco różowym kolorze ułożyła się w ciup, kiedy Miles się pochylił, żeby pocałować Maureen w policzek.

– Gadaliśmy trochę o interesach. Mamy w planach nową kawiarnię. Sam, cześć, kochanie – dodała Maureen, poklepując miejsce obok siebie. – Ślicznie wyglądasz, jaka opalona, to jeszcze po Ibizie? Chodź, siadaj koło mnie. Co za koszmarna historia wam się zdarzyła przy tym klubie golfowym. To musiało być upiorne.

– Nie da się ukryć – powiedziała Samantha.

I zdała sobie sprawę, że po raz pierwszy opowiada komuś historię śmierci Barry'ego, a Miles tylko sterczy, czekając na okazję, żeby dorzucić swoje trzy grosze. Howard rozdawał duże kieliszki pinot grigio i uważnie słuchał relacji Samanthy. Teraz, będąc w centrum zainteresowania Howarda i Maureen, z alkoholem rozniecającym w niej krzepiący ogień, Samantha poczuła, że napięcie, które nosiła w sobie od dwóch dni, wreszcie stopniowo ją opuszcza, ustępując miejsca kruchemu dobremu samopoczuciu.

W pokoju było ciepło i nieskazitelnie czysto. Półki po obu stronach gazowego kominka zajmowała bogata kolekcja zdobionej porcelany, w której prawie każdy przedmiot upamiętniał jakiś doniosły moment lub rocznicę związane z panowaniem Elżbiety II. Niewielki regał na książki w rogu pokoju mieścił mieszaninę królewskich biografii i połyskujących książek kucharskich. Półki i ściany ozdobiono zdjęciami członków rodziny. Z podwójnej ramki uśmiechali się promiennie Miles i jego młodsza siostra Patricia w jednakowych szkolnych mundurkach. Pozostałe zdjęcia dokumentowały niemowlęctwo, dzieciństwo i okres dorastania dwóch nastoletnich córek Milesa i Samanthy – Lexie i Libby. Samantha pojawiała się w tej rodzinnej galerii tylko raz, choć trzeba przyznać, że na jednym z największych i najbardziej rzucających się w oczy zdjęć. Była to ślubna fotografia jej i Milesa sprzed szesnastu lat. Młody i przystojny Miles mrużył wlepione w fotografa błękitne oczy, podczas gdy Samantha miała przymknięte powieki i twarz odwróconą bokiem, z podwójnym podbródkiem uwydatnionym przez uśmiech skierowany w stronę innego obiektywu. Biała satyna jej sukni opinała się na biuście nabrzmiałym już wtedy z powodu wczesnej ciąży, sprawiając, że panna młoda wydawała się olbrzymia.

Jedna ze szczupłych szponiastych dłoni Maureen bawiła się łańcuszkiem, który Mo zawsze miała na szyi. Wisiały na nim krzyżyk i obrączka jej zmarłego męża. Kiedy Samantha doszła w swojej opowieści do miejsca, w którym lekarka powiedziała Mary, że nic nie można zrobić, Maureen położyła drugą rękę na kolanie Samanthy i lekko je ścisnęła.

– Podano do stołu! – zawołała Shirley.

Chociaż Samantha wcale nie miała ochoty przychodzić do teściów, zdała sobie sprawę, że od dwóch dni nie czuła się lepiej. Maureen i Howard traktowali ją trochę jak bohaterkę, a trochę jak osobę niepełnosprawną, oboje poklepywali ją delikatnie po plecach, kiedy wszyscy razem szli do jadalni.

Shirley przygasiła światło i zapaliła długie różowe świece dopasowane kolorem do tapet i jej najlepszych serwetek. W półmroku para unosząca się znad talerzy z zupą sprawiała, że nawet szeroka, rumiana twarz Howarda wyglądała nieziemsko. Samantha, która już prawie opróżniła duży kieliszek wina, pomyślała, jak by to było zabawnie, gdyby nagle Howard oznajmił, że zamierzają przeprowadzić seans spirytystyczny i poprosić Barry'ego o opowiedzenie jego wersji wydarzeń przed klubem golfowym.

– No – powiedział Howard niskim głosem – wypijmy za pamięć Barry'ego Fairbrothera.

Samantha szybko przechyliła kieliszek, żeby Shirley nie zauważyła, jak niewiele w nim zostało.

– To prawie na pewno był tętniak – oświadczył Miles, gdy kieliszki wylądowały z powrotem na obrusie. Nie podzielił się wcześniej tą informacją nawet z Samanthą i cieszył się z tego, bo w przeciwnym razie jego żona na pewno zdążyłaby już puścić ją w obieg podczas rozmowy z Maureen i Howardem. – Gavin dzwonił do Mary, żeby jej złożyć kondolencje w imieniu pracowników kancelarii i pogadać o testamencie, i wtedy Mary potwierdziła te przypuszczenia. Mówiąc w skrócie, jakieś naczynie krwionośne w jego głowie nabrzmiało i pękło. – Po rozmowie z Gavinem poszedł do swojego gabinetu i wyszukał w internecie hasło „anewryzm", oczywiście kiedy już doszedł do tego, jak się je pisze. – To mogło nastąpić w każdej chwili. Taka wrodzona wada.

– Straszne – powiedział Howard i w tej samej chwili zauważył, że kieliszek Samanthy jest pusty, więc podniósł się z krzesła, żeby go napełnić.

Shirley przez chwilę jadła zupę, wysoko unosząc brwi. Samantha ostentacyjnie pociągnęła kolejny łyk wina.

– Wiecie co? – zaczęła. Trochę plątał jej się język. – Kiedy do was jechaliśmy, wydawało mi się, że go widzę. W ciemności. Barry'ego.

– To musiał być jeden z jego braci – powiedziała Shirley lekceważącym tonem. – Oni wszyscy są do siebie podobni.

– Wieczorem po śmierci Kena wydawało mi się, że go widzę. – Skrzekliwy głos Maureen zagłuszył słowa Shirley. – Stał w ogrodzie, między swoimi różami, jak żywy i obserwował mnie przez kuchenne okno.

Nikt nie odpowiedział – wszyscy dobrze znali tę historię. Minęła minuta wypełniona tylko cichym siorbaniem, a potem Maureen znowu zaskrzeczała:

– Gavin dobrze zna Fairbrotherów, prawda, Miles? Zdaje się, że grywa w squasha z Barrym. Chciałam powiedzieć: g r y w a ł.

– Tak, raz w tygodniu Barry dawał mu baty. Widocznie Gavin słabo gra. Barry był od niego dziesięć lat starszy.

Na oświetlonych blaskiem świec twarzach kobiet pojawił się prawie identyczny błogi uśmiech. Jeśli w ogóle miały z sobą coś wspólnego, to nieco perwersyjne zainteresowanie młodszym, szczupłym współpracownikiem Milesa. W wypadku Maureen był to tylko przejaw jej nienasyconego apetytu na wszystkie plotki, jakie krążyły po Pagford. Poczynania młodego kawalera były szczególnie łakomym kąskiem. Shirley z kolei czerpała prawdziwą przyjemność ze słuchania o słabościach i rozterkach Gavina, wspaniale uwydatniających osiągnięcia i asertywność dwóch bogów jej życia: Howarda i Milesa. Natomiast w Samancie bierność i ostrożność Gavina budziły dzikie okrucieństwo. Odczuwała przemożne pragnienie, żeby zobaczyć, jak jakaś kobieta wymierza mu policzek, by wreszcie się obudził, przywołuje go do porządku czy w jakiś inny sposób daje mu w kość. Sama przy każdej sposobności trochę się nad nim znęcała, delektując się świadomością, że Gavin czuje się w jej towarzystwie skrępowany i nie wie, jak się zachować.

– Jak mu się układa z tą jego przyjaciółką z Londynu? – zapytała Maureen.

– Ona już nie mieszka w Londynie, Mo. Przeprowadziła się na Hope Street – powiedział Miles. – I jeżeli chcecie znać moje zdanie, to Gavin żałuje, że w ogóle się do niej zbliżył. Znacie go. Od małego był cykorem.

Miles był w szkole kilka klas wyżej od Gavina i zawsze mówił o swoim współpracowniku trochę jak uczeń ostatniej klasy o pierwszaku.

– Brunetka? Bardzo krótko ostrzyżona?

– Zgadza się – potwierdził Miles. – Pracowniczka socjalna. Buty na płaskich obcasach.

– Była u nas w sklepie, prawda, How? – powiedziała podekscytowana Maureen. – Ale nie wygląda na kogoś, kto umie gotować.

Po zupie przyszła kolej na pieczony schab. Za cichym przyzwoleniem Howarda Samantha gładko wślizgiwała się w błogi stan upojenia alkoholowego, choć coś w niej stawiało daremny opór, jak człowiek zmywany z pokładu do morza. Próbowała utopić te skrupuły w większej ilości wina.

Przy stole zapadła cisza przypominająca świeżo rozłożony obrus: sztywna i wyczekująca. Wszyscy czuli, że to Howard powinien rozpocząć kolejny temat. On tymczasem jadł przez dłuższą chwilę i pił wino ogromnymi łykami, udając, że nie zauważa utkwionych w sobie spojrzeń. Wreszcie, kiedy już opróżnił pół talerza, wytarł usta serwetką i przemówił:

– Tak, ciekawe, co się teraz stanie na zebraniu rady. – Zamilkł na moment, żeby stłumić gwałtowne beknięcie. Przez chwilę wyglądał tak, jakby chciał zwymiotować. Uderzył się w pierś. – Przepraszam. Tak. To naprawdę będzie bardzo ciekawe. Bez Fairbrothera... – Howard wrócił do oficjalnego tonu, mówiąc o Barrym po nazwisku, jak to miał w zwyczaju. – Wygląda na to, że z artykułem do gazety mu nie wyszło. Chyba że teraz zajmie się tym Jawanda Propaganda.

Odkąd Parminder Jawanda pierwszy raz pojawiła się na zebraniu rady gminy, Howard nazywał ją Jawandą Propagandą. Przezwisko szybko się przyjęło wśród przeciwników Fields.

– Ta jej mina – powiedziała Maureen do Shirley. – Ta jej mina, kiedy jej powiedzieliśmy. No, ale cóż... Zawsze uważałam, że... no, w i e c i e...

Samantha nadstawiła uszu, lecz sugestia Maureen była po prostu śmieszna. Parminder miała za męża najfantastyczniejszego mężczyznę w Pagford: wysokiego, dobrze zbudowanego Vikrama o orlim nosie, oczach okolonych gęstymi czarnymi rzęsami i leniwym, sugestywnym uśmiechu. Samantha latami poprawiała włosy i śmiała się więcej, niż należało, za każdym razem, kiedy zatrzymywała się na ulicy, żeby zamienić z nim kilka słów. Miles miał podobną sylwetkę, zanim przestał grać w rugby i zrobił się miękki i brzuchaty.

Niedługo po tym, jak Vikram i Parminder wprowadzili się do Old Vicarage, Samancie obiło się o uszy, że ich małżeństwo było zaaranżowane.

Uważała, że to niezwykle seksowne. Pomyśleć tylko – gdyby j e j ktoś k a z a ł poślubić Vikrama, z m u s i ł ją do tego... Fantazjowała o tym, wyobrażając sobie, jak wprowadzają ją z zasłoniętą twarzą do pokoju, dziewicę skazaną na tego mężczyznę... Pomyśleć tylko – podnosi wzrok i okazuje się, że czeka ją coś t a k i e g o... Nie wspominając o tym, że jego praca też działała jak afrodyzjak: taka odpowiedzialna funkcja dodałaby seksapilu nawet znacznie brzydszemu mężczyźnie.

(Przed siedmioma laty Vikram założył Howardowi cztery by-pas-sy. W rezultacie podczas każdej wizyty kardiochirurga w delikatesach Mollison and Lowe sklepikarz próbował wciągnąć go w żartobliwe pogaduszki.

– Panie doktorze, zapraszam na początek kolejki! Proszę zrobić miejsce, miłe panie. Nie, nie, szanowny panie doktorze, nalegam. Ten człowiek uratował mi życie, załatał moje stare serce. Czym mogę panu służyć?

Howard zawsze wciskał Vikramowi darmowe próbki towarów i dorzucał trochę więcej wszystkiego, co ten kupował. Samantha podejrzewała, że właśnie z powodu tej całej błazenady Vikram tak rzadko przychodził do delikatesów).

Straciła wątek, ale to nie miało już znaczenia. Wszyscy ględzili o czymś, co Barry Fairbrother napisał dla lokalnej gazety.

– ... miałem z nim o tym pogadać – grzmiał Howard. – Postąpił bardzo nie w porządku, idąc do dziennikarzy. Ale cóż, było, minęło. Teraz powin-niśmy pomyśleć o tym, kto go zastąpi w radzie. Nie można lekceważyć Jawandy Propagandy, bez względu na to, jak bardzo jest zdruzgotana. To byłby duży błąd. Pewnie już kogoś szykuje na jego miejsce, więc my też powinniśmy zacząć szukać godnego następcy. Im szybciej, tym lepiej. To kwestia dobrego zarządzania.

– Czego możemy się teraz spodziewać? – zapytał Miles. – Wyborów?

– Możliwe – powiedział Howard z poważną miną. – Ale wątpię. To tylko tymczasowy wakat. Jeśli nie będzie wystarczającego zainteresowania wyborami... Chociaż, tak jak mówię, nie można lekceważyć Jawandy Pro-pagandy. Ale jeśli nie uda jej się zebrać dziewięciu osób i zaproponować powszechnego głosowania, to wystarczy powołać nowego radnego. Potrze-bowalibyśmy wtedy dziewięciu głosów, żeby usankcjonować jego przyjęcie. Dziewięć to kworum. Do końca kadencji Fairbrothera zostały trzy lata. Jest o co się starać. Umieszczenie na miejscu Fairbrothera jednego z naszych mogłoby wiele zmienić.

Howard bębnił grubymi palcami o kieliszek, wpatrując się w syna ponad stołem. Shirley i Maureen też obserwowały Milesa.

„A on gapi się na swojego ojca jak wielki tłusty labrador, który niecierpliwie czeka na smakołyk" – pomyślała Samantha.

Sekundę później, niż gdyby była trzeźwa, Samantha zdała sobie sprawę, do czego oni wszyscy zmierzają, skąd się wzięła ta dziwnie podniosła atmosfera przy stole. Dotąd odurzenie alkoholem wydawało jej się wyzwalające, teraz nagle okazało się przeszkodą. Nie miała pewności, czy po wypiciu więcej niż jednej butelki wina i po tak długim milczeniu język nie odmówi jej posłuszeństwa, dlatego zamiast się odezwać, tylko pomyślała: „Miles, do cholery, lepiej im powiedz, że najpierw musisz to przedyskutować ze mną".

VII

Tessa Wall nie zamierzała długo zabawić u Mary – nigdy nie czuła się dobrze, zostawiając męża i Fatsa samych w domu – ale jakimś sposobem jej wizyta przeciągnęła się do kilku godzin. Dom Fairbrotherów był zapchany łóżkami polowymi i śpiworami. Ich wielka rodzina zgromadziła się wokół ziejącej pustki pozostawionej przez śmierć. Żaden zgiełk ani krzątanina nie mogły jednak zasłonić otchłani, w której zniknął Barry.

Tessa po raz pierwszy od śmierci przyjaciela była sam na sam ze swoimi myślami. Wracała do domu ciemną Church Row. Bolały ją nogi, a sweter nie chronił dostatecznie przed zimnem. W ciszy słyszała postukiwanie drewnianych korali na szyi i stłumione dźwięki telewizorów w mijanych domach.

Ni stąd, ni zowąd pomyślała: „Ciekawe, czy Barry wiedział".

Nigdy wcześniej nie przyszło jej do głowy, że jej mąż mógł zdradzić Barry'emu jej największą tajemnicę, powiedzieć mu o robaku toczącym od środka ich małżeństwo. Ona i Colin nigdy o niej nie wspominali (chociaż nadawała przykry posmak wielu ich rozmowom, szczególnie ostatnio...).

Dzisiaj Tessa odniosła jednak wrażenie, że na wzmiankę o Fatsie Mary ukradkiem spojrzała w jej stronę...

„Jesteś zmęczona i coś ci się przywidziało" – powiedziała sobie stanowczo w duchu. Dyskrecja Colina była tak daleko posunięta, tak głęboko zakorzeniona, że nigdy by się przed nikim nie wygadał. Nawet przed Barrym, którego wprost uwielbiał. Tessa poczuła się okropnie na myśl, że Barry mógł wiedzieć... że jego życzliwość dla Colina była wywołana współczuciem z powodu tego, co zrobiła ona, Tessa...

Kiedy weszła do salonu, zobaczyła, że mąż siedzi w okularach przed telewizorem, oglądając jednym okiem wiadomości. Na kolanach miał plik zadrukowanych kartek, a w ręce długopis. Tessa poczuła ulgę, że Fatsa nie ma w pobliżu.

– Jak ona się trzyma? – zapytał Colin.

– No wiesz... nie najlepiej. – Z cichym westchnieniem ulgi osunęła się na jeden ze starych foteli i zdjęła znoszone buty. – Ale brat Barry'ego zachowuje się cudownie.

– W jakim sensie?

– No wiesz... pomaga.

Zamknęła oczy. Palcem wskazującym i kciukiem zaczęła masować grzbiet nosa i powieki.

– Zawsze mi się wydawało, że raczej nie można na nim polegać – rozległ się głos Colina.

– Naprawdę? – zapytała Tessa z głębi ciemności, w którą się wycofała.

– Tak. Pamiętasz, jak obiecał sędziować w meczu z liceum Paxton? A potem na pół godziny przed rozpoczęciem imprezy powiedział, że nie przyjedzie, i musiał go zastąpić Bateman?

Tessa zwalczyła odruch, żeby coś odburknąć. Colin miał zwyczaj wygłaszania radykalnych sądów o ludziach, opartych na pierwszym wrażeniu albo na pojedynczym zachowaniu. Nigdy się nie porywał na zrozumienie złożoności ludzkiej natury ani nie brał pod uwagę, że za każdą nieodgadnioną twarzą, podobnie jak za jego własną, kryje się niezbadany, niepowtarzalny ląd.

– Cóż, ma świetny kontakt z dziećmi – powiedziała ostrożnie. – Muszę się położyć.

Ale zamiast wstać, skupiła się na bólu poszczególnych części ciała: stóp, pleców, ramion.

– Tess, tak sobie myślę...

– Mmm?

Okulary upodabniały Colina do kreta, jeszcze bardziej uwydatniając wysokie, guzowate, łysiejące czoło.

– To, co Barry próbował zrobić w radzie gminy... Wszystko, o co walczył. Fields. Ośrodek leczenia uzależnień. Myślałem o tym cały dzień. – Nabrał powietrza w płuca. – Właściwie już postanowiłem, że będę to kontynuował.

Złe przeczucia runęły na Tessę, wbijając ją w fotel i odbierając jej mowę. Starała się zrobić obojętną minę, taką jak w pracy.

– Jestem przekonany, że Barry by tego chciał – ciągnął Colin. Jego dziwne podniecenie było zabarwione jakąś zaczepnością.

„Nigdy – pomyślała Tessa z okrutną szczerością – nigdy, ani przez sekundę Barry by nie chciał, żebyś to robił. Wiedziałby, że jesteś ostatnią osobą, która powinna się tym zająć".

– O rany – powiedziała. – Cóż, wiem, że Barry był bardzo... Ale to przecież ogromne zobowiązanie. Poza tym nie zapominaj o Parminder. Ona wciąż jest w radzie i będzie chciała zrealizować wszystkie zamierzenia Barry'ego.

„Powinnam była zadzwonić do Parminder. – Ogarnęło ją poczucie winy i poczuła ucisk w żołądku. – O Boże, czemu nie pomyślałam, żeby zadzwonić do Parminder?"

– Parminder będzie potrzebowała wsparcia. Sama sobie z nimi nie poradzi – odrzekł Colin. – I gwarantuję ci, że Howard Mollison ma już upatrzoną jakąś marionetkę na miejsce Barry'ego. Pewnie już...

– Och, Colin...

– Założę się, że ma! Wiesz, jaki on jest!

Zapomniane papiery zsunęły mu się z kolan na podłogę gładką białą kaskadą.

– Chcę to zrobić dla Barry'ego. Przejmę od niego pałeczkę, dokończę to, co zaczął. Dopilnuję, żeby jego praca nie poszła na marne. Znam jego argumenty. Zawsze powtarzał, że miejsce w radzie dało mu możliwości, których inaczej by nie miał. Popatrz, ile mu zawdzięcza nasza społeczność. Zdecydowanie zamierzam kandydować. Jutro się zorientuję, co muszę zrobić.

– No dobrze.

Po tylu latach wiedziała z doświadczenia, że nie należy się sprzeciwiać Colinowi ogarniętemu pierwszą falą entuzjazmu, bo to tylko zwiększa jego determinację. Colina zaś wspólnie przeżyte lata nauczyły, że Tessa często udaje, że się z nim zgadza, a dopiero potem zaczyna protestować. Tego rodzaju dyskusje zawsze były podszyte wspomnieniem tamtej dawno pogrzebanej tajemnicy. Tessa czuła, że jest mu coś winna. On czuł, że coś mu się należy.

– Naprawdę tego chcę, Tesso.

– Rozumiem cię.

Wstała z fotela, zastanawiając się, czy ma dość sił, żeby wejść na górę.

– Idziesz spać? – spytała.

– Za chwilę. Chcę to przejrzeć do końca.

Zaczął zbierać kartki z podłogi. Wyglądało na to, że ten zuchwały nowy pomysł dodał mu jakiejś gorączkowej energii.

Tessa rozebrała się powoli w sypialni. Miała wrażenie, że grawitacja jest większa niż zwykle. Podniesienie rąk, żeby zmusić do posłuszeństwa krnąbrny suwak, wymagało nadludzkiego wysiłku. Włożyła szlafrok i poszła do łazienki. Nad głową słyszała odgłos kroków Fatsa. Ostatnio często czuła się samotna i wyczerpana kursowaniem tam i z powrotem między mężem a synem, którzy sprawiali wrażenie, że egzystują zupełnie niezależnie od siebie, jak obcy sobie ludzie, jak właściciel domu i lokator.

Tessa chciała odpiąć zegarek i wtedy zdała sobie sprawę, że gdzieś go wczoraj zapodziała. Była taka zmęczona... ciągle coś gubiła... i jak mogła zapomnieć zadzwonić do Parminder? Bliska płaczu, niespokojna i spięta powlokła się do łóżka.

ŚRODA

I

Po szczególnie ostrej kłótni z matką Krystal Weedon spędziła noc z poniedziałku na wtorek i z wtorku na środę na podłodze w sypialni swojej koleżanki Nikki. Wszystko zaczęło się od tego, że Krystal wróciła do domu z centrum handlowego, po którym włóczyła się z koleżankami, i zastała Terri na schodach w towarzystwie Obbo. Wszyscy w Fields znali Obbo: jego napuchniętą twarz, szczerbaty uśmiech, okulary jak denka od słoików, starą, brudną skórzaną kurtkę.

– Trzymaj to dla mnie, Ter. Parę dni, dobra? Coś ci skapnie.

– Co ma trzymać? – zapytała Krystal.

Robbie przecisnął się między nogami Terri i kurczowo chwycił się kolan siostry. Nie lubił mężczyzn, którzy przychodzili do ich domu. Miał powody.

– Nic. Kompy.

– Nie – powiedziała Krystal do Terri.

Nie chciała, żeby matka miała dodatkową gotówkę. Poza tym można się było spodziewać, że Obbo pójdzie na skróty i zapłaci za przysługę dużą działką hery.

– Nie bierz tego.

Ale Terri już się zgodziła. Odkąd Krystal sięgała pamięcią, jej matka zawsze zgadzała się na wszystko i z wszystkimi: godziła się, kiwała głową, wiecznie ulegała: „Taaa, dobra, dawaj, jasne, nie ma sprawy".

Ściemniało się. Krystal poszła posiedzieć z koleżankami na huśtawkach. Była spięta i rozdrażniona. Nie docierało do niej, że pan Fairbrother nie żyje, ale ciągle czuła bolesne skurcze w żołądku. Miała ochotę się na kogoś rzucić. Poza tym była niespokojna i gnębiły ją wyrzuty sumienia, bo ukradła zegarek Tessie Wall. Po co ta głupia krowa położyła go przed Krystal i zamknęła oczy? Sama się prosiła.

Towarzystwo nie poprawiło jej humoru. Jemma nie przestawała jej dokuczać z powodu Fatsa Walla. Wreszcie Krystal nie wytrzymała i ją popchnęła. Gdyby nie Nikki i Leanne, doszłoby do bójki. Wściekła Krystal pobiegła do domu. A tam zobaczyła komputery Obbo. W pokoju na dole Robbie próbował się wspinać na pudła, półprzytomna Terri siedziała obok, a na podłodze walał się jej sprzęt. Tak jak Krystal się obawiała, Obbo zapłacił Terri działką heroiny.

– Ty głupia, pierdolona, zaćpana suko, znowu cię wywalą z tej jebanej kliniki!

Ale heroina zabrała matkę Krystal tam, gdzie nic nie mogło jej dosięgnąć. Wprawdzie w odpowiedzi Terri nazwała córkę zdzirą i kurwą, ale wydawała się przy tym nieobecna i obojętna. Krystal dała jej w twarz, a matka kazała jej spierdalać.

– Może byś się, kurwa, zajęła dzieckiem, ty pierdolona beznadziejna, zaćpana krowo! – krzyknęła Krystal.

Robbie z rykiem pobiegł za nią do przedpokoju, ale Krystal zatrzasnęła mu drzwi przed nosem.

Krystal lubiła dom Nikki bardziej niż inne. Nie był tak czysty jak dom babci Cath, ale za to bardziej przyjazny, krzepiąco gwarny i pełen ludzi. Nikki miała dwóch braci i siostrę, więc Krystal spała na kołdrze ułożonej między łóżkami sióstr. Ściany ich pokoju były poobklejane zdjęciami z czasopism ułożonymi w kolaż pociągających chłopaków i pięknych dziewczyn. Krystal nigdy nie przyszło do głowy, żeby ozdobić ściany swojej sypialni.

Powoli jednak chwyciło ją w szpony poczucie winy. Nie mogła zapomnieć przerażenia na twarzy Robbiego, zanim zamknęła mu drzwi przed nosem, więc w środę rano wróciła do domu. Poza tym rodzina Nikki nie byłaby zachwycona, gdyby Krystal nocowała u nich dłużej niż dwie noce z rzędu. Kiedyś Nikki z typową dla siebie szczerością powiedziała, że jej mama nie ma nic przeciwko nocowaniu Krystal, byleby nie zdarzało się to za często, ale ogólnie rzecz biorąc, wolałaby, żeby Krystal przestała traktować ich dom jak schronisko, a w szczególności nie powinna się u nich zjawiać po północy.

Terri, jak zawsze, wydawała się zadowolona z powrotu córki. Opowiadała o wizycie nowej pracowniczki socjalnej, a zdenerwowana Krystal zastanawiała się, co ta obca kobieta pomyślała o ich domu, który, nawet jak na rynsztokowe standardy, ostatnio był w strasznym stanie. Krystal martwiła się przede wszystkim tym, że Kay zastała Robbiego w domu, kiedy powinien być w żłobku. Odprowadzanie Robbiego do żłobka, do którego zaczął chodzić, kiedy przebywał w rodzinie zastępczej, było jednym z warunków jego ubiegłorocznego powrotu do domu. Poza tym Krystal była wściekła, że mimo wszystkich wysiłków, jakie podjęła, żeby nauczyć brata korzystania z toalety, pracowniczka socjalna zobaczyła Robbiego w pieluszce.

– No i co gadała? – dopytywała się.

– Że jeszcze przyjdzie – odparła Terri.

Krystal miała złe przeczucia. Pod opieką poprzedniej pracowniczki socjalnej rodzina Weedonów miała dość dużo swobody. Roztargniona i źle zorganizowana kobieta często myliła ich imiona, szczegóły dotyczące ich sytuacji mieszały jej się z problemami innych podopiecznych, pojawiała się raz na dwa tygodnie bez żadnego konkretnego celu, chyba tylko po to, żeby się upewnić, że Robbie żyje.

To nowe zagrożenie jeszcze bardziej popsuło Krystal humor. Kiedy Terri była czysta, bała się gniewu córki i pozwalała jej sobą dyrygować. Starając się jak najlepiej wykorzystać tę chwilową władzę, Krystal kazała matce przebrać się w coś porządnego, zmusiła Robbiego do włożenia czystych majtek, przypomniała mu, że w takie majtki się nie sika, i zaprowadziła go do żłobka. Chłopczyk się rozpłakał, kiedy chciała stamtąd wyjść. Krystal najpierw się rozzłościła, ale po chwili przykucnęła i obiecała bratu, że wróci po niego o pierwszej, a wtedy ją puścił.

Potem Krystal nie poszła do szkoły, chociaż środa była jej ulubionym dniem, bo miała wuef i spotkanie z pedagogiem. Wróciła do domu i wzięła się do sprzątania. Rozlała po kuchni płyn dezynfekujący o sosnowym zapachu, zeskrobała z blatów zaschnięte resztki jedzenia i wyrzuciła je razem z niedopałkami do worka na śmieci. Ukryła puszkę ze sprzętem Terri i przeniosła pozostałe komputery (trzy już zostały odebrane) do szafy w przedpokoju.

Kiedy Krystal zeskrobywała resztki z talerzy, jej myśli cały czas krążyły wokół osady wioślarskiej. Gdyby pan Fairbrother żył, następnego wieczoru miałaby z nim trening. Zwykle zawoził ją nad kanał w Yarvil i zabierał z powrotem, bo inaczej nie miałaby jak się tam dostać. Jeździły z nimi jeszcze jego córki bliźniaczki – Niamh i Siobhan – oraz Sukhvinder Jawanda. W szkole Krystal raczej nie miała z nimi kontaktu, ale odkąd trenowały w jednej osadzie, zawsze mówiły sobie „siemasz", kiedy mijały się na korytarzu. Krystal się bała, że będą zadzierały nosa, ale gdy je bliżej poznała, okazały się w porządku. Śmiały się z jej dowcipów. Używały niektórych z jej ulubionych powiedzonek. W jakimś sensie czuła się kapitanem zespołu.

W rodzinie Krystal nikt nigdy nie miał samochodu. Skupiła się i odniosła wrażenie, że mimo smrodu panującego w kuchni Terri czuje zapach wnętrza samochodu pana Fairbrothera. Uwielbiała tę ciepłą woń plastiku. Ale już nigdy nie wsiądzie do tego samochodu. Czasem cała osada jeździła na zawody wynajętym minibusem, z panem Fairbrotherem za kółkiem, a kiedy zawody były w dalej położonych szkołach, dziewczyny nawet nocowały poza domem. Po drodze śpiewały piosenkę *Umbrella* Rihanny. To był ich rytuał przynoszący szczęście, coś w rodzaju ich hymnu. Krystal wykonywała solówkę Jaya-Z na początku piosenki. Kiedy pan Fairbrother po raz pierwszy usłyszał jej rapowanie, o mało się nie posikał.

Rihanna...
Good girl gone bad –
Take three –
Action.
No clouds in my storms...
Let it rain, I hydroplane into fame
Comin' down with the Dow Jones...*

Krystal nigdy nie rozumiała tych słów.

Przegródka Wall napisał w liście do całej osady, że nie będzie treningów, dopóki nie znajdą nowego trenera. Ale one i tak wiedziały, że to same bzdety. Nigdy nie znajdą nowego trenera.

---

* Rihanna... / Dobra dziewczyna zeszła na złą drogę – / Trzecie ujęcie – / Akcja. / Burza, choć nade mną niebo bez chmur ... / Niech pada, a ja wpadam w poślizg sławy / Zaliczam spadek z indeksem Dow Jones...

To była drużyna pana Fairbrothera, jego małe przedsięwzięcie. Nikki i inne dziewczyny nie dawały Krystal żyć, kiedy się dowiedziały, że zaczęła chodzić na treningi. Ich szyderstwa z początku maskowały niedowierzanie, a potem podziw, bo drużyna zaczęła zdobywać medale (Krystal trzymała swój w pudełku ukradzionym z domu Nikki. Miała skłonność do podwędzania rzeczy należących do osób, które lubiła. Plastikowe pudełko z różanym wzorkiem było zwyczajną szkatułką na dziecięcą biżuterię. Zegarek Tessy też do niego trafił).

Najfajniej było, kiedy pokonały te małe zarozumiałe zdziry ze Świętej Anny. Był to najpiękniejszy dzień w życiu Krystal. Na apelu dyrektorka wywołała drużynę przed całą szkołę. Krystal czuła się trochę zażenowana, bo Nikki i Leanne się z niej wyśmiewały, ale potem wszyscy bili brawo... To było coś: Winterdown zmiażdżyło liceum Świętej Anny.

Tylko że teraz to już była przeszłość, wszystko się skończyło: jeżdżenie samochodem, wioślarstwo i planowany wywiad dla lokalnej gazety. Jeszcze niedawno Krystal cieszyła się, że znowu będzie w gazecie. Pan Fairbrother obiecał, że przyjdzie, kiedy będą z nią rozmawiali, że będą tam razem, ona i on.

– A o czym chcą ze mną gadać?

– O twoim życiu. Interesuje ich twoje życie.

Jak gwiazda. Krystal nie miała pieniędzy na gazety, ale przeglądała je w domu Nikki albo kiedy była z Robbiem u lekarza. Taki indywidualny wywiad byłby jeszcze lepszy niż artykuł o całej osadzie wioślarskiej. Na myśl o tym Krystal czuła przypływ niespotykanej radości, ale jakoś udało się jej utrzymać język za zębami i nie pochwaliła się nawet Nikki i Leanne. Chciała je zaskoczyć. I całe szczęście, że nikomu nie pisnęła słowa. Już nigdy nie będzie w gazecie.

Krystal czuła wewnętrzną pustkę. Próbowała nie myśleć już więcej o panu Fairbrotherze. Chodziła po domu, sprzątając niewprawnie, ale zawzięcie, podczas gdy jej matka siedziała w kuchni, paliła papierosy i gapiła się przez okno wychodzące na ogródek za domem.

Dochodziło południe, gdy przed domem zatrzymał się stary niebieski vauxhall. Wysiadła z niego jakaś kobieta. Krystal dojrzała ją z okna pokoju Robbiego. Kobieta miała bardzo krótkie ciemne włosy i naszyjnik z paciorków. Ubrana była w czarne spodnie, a na ramieniu taszczyła dużą torbę na zakupy, z której wystawały pliki papierów.

Krystal zbiegła na dół.

– To chyba ona! – zawołała do Terri, która siedziała w kuchni. – Ta z opieki.

Kobieta zapukała i Krystal otworzyła drzwi.

– Dzień dobry, mam na imię Kay. Zastępuję Mattie. Ty pewnie jesteś Krystal.

– No – odpowiedziała Krystal i nie starając się nawet odwzajemnić uśmiechu Kay, zaprowadziła ją do pokoju na parterze.

Zauważyła, że kobieta przygląda się nieudolnie posprzątanemu pomieszczeniu: opróżnionej popielniczce, poupychanym na półkach rzeczom, które wcześniej walały się po podłodze. Dywan nadal był brudny, bo odkurzacz nie działał, a na podłodze leżał ręcznik i maść cynkowa w plastikowej tubce, na której stał jeden z resoraków Robbiego. Wcześniej Krystal próbowała za pomocą autka odwrócić uwagę małego, kiedy smarowała mu pupę.

– Robbie jest w żłobku – powiedziała Krystal do Kay. – Zaprowadziłam go. Ubrałam mu znowu majtki. Ona ciągle mu zakłada pieluchy. Mówiłam, żeby przestała. Posmarowałam mu tyłek maścią. Nic się nie dzieje, tylko się odparzył.

Kay znowu się do niej uśmiechnęła. Krystal wyjrzała z pokoju i zawołała:

– Mamo!

Z kuchni wynurzyła się Terri. Miała na sobie brudną sportową bluzę i dżinsy. Wyglądała lepiej niż ostatnio, bo ubranie zakrywało większą część ciała.

– Cześć, Terri – powiedziała Kay.

– Co tam? – zapytała Terri, zaciągając się papierosem.

– Siadaj – poinstruowała matkę Krystal.

Terri posłuchała, kuląc się w tym samym fotelu co ostatnio.

– Herbaty czy coś? – zapytała Krystal, zwracając się do Kay.

– Bardzo chętnie – powiedziała Kay, siadając i otwierając teczkę. – Dziękuję.

Krystal popędziła do kuchni, nadstawiając uszu, ciekawa, co Kay powie jej matce.

– Pewnie nie spodziewałaś się tak szybko mnie zobaczyć, Terri – usłyszała głos Kay (kobieta miała dziwny akcent, jakby londyński, jak ta odpicowana nowa suka w szkole; połowie chłopaków stawał na jej widok) – ale wczoraj zaczęłam się martwić o Robbiego. Krystal mówi, że dzisiaj znowu jest w żłobku, tak?

– No – powiedziała Terri. – Zaprowadziła go. Wróciła rano.

– Wróciła? Gdzie była?

– Ja tylko... nocowałam u kumpeli – powiedziała Krystal, czym prędzej wracając do pokoju, żeby osobiście odpowiedzieć na pytanie.

– Taaa, wróciła dziś rano – potwierdziła Terri.

Krystal z powrotem poszła do kuchni. Kiedy woda zaczęła się gotować, czajnik narobił tyle hałasu, że przez chwilę nic nie rozumiała z rozmowy matki z opiekunką. Żeby przyspieszyć sprawę, nalała mleka do kubków, w których nadal były torebki z herbatą. Wnosząc trzy gorące naczynia do pokoju, usłyszała, jak Kay mówi:

– ... czoraj rozmawiałam z panią Harper ze żłobka...

– Suka – skomentowała Terri.

– Proszę – powiedziała Krystal, stawiając herbatę na podłodze i obracając jeden z kubków uchem w stronę Kay.

– Bardzo dziękuję, Terri, pani Harper mówiła, że w ciągu ostatnich trzech miesięcy Robbie często był nieobecny. Od jakiegoś czasu nie było tygodnia, żeby nie opuścił jakiegoś dnia w żłobku, czy tak?

– Co? – powiedziała Terri. – Taa. Niee. Tylko wczoraj go nie było. I jak miał chore gardło.

– Czyli kiedy?

– Że co? Gdzieś z miesiąc temu... półtora...

Krystal przysiadła na poręczy fotela matki i podobnie jak ona splotła ręce na piersi. Wbiła wzrok w gościa, energicznie żując gumę. Kay trzymała na kolanach grubą otwartą teczkę. Krystal nienawidziła teczek i wszystkich rzeczy, które tacy ludzie jak Kay w nich zapisują i przechowują, żeby potem móc je wykorzystać przeciwko niej.

– Ja biorę Robbiego do żłobka – powiedziała. – Po drodze do szkoły.

– Cóż, według pani Harper frekwencja Robbiego znacznie się pogorszyła – powiedziała Kay, zaglądając do notatek zrobionych podczas rozmowy z kierowniczką żłobka. – Sęk w tym, Terri, że w zeszłym roku, kiedy Robbie do ciebie wrócił, obiecałaś, że będzie chodził do żłobka.

– Niczego, kurwa... – zaczęła Terri.

– Zamknij się, dobra? – warknęła Krystal do matki.

A potem zwróciła się do Kay:

– Był chory, miał powiększone migdałki, lekarka dała mu antybiotyk.

– Kiedy to było?

– Ze trzy tygodnie temu... Ale...

– Kiedy byłam tu wczoraj – przerwała jej Kay, ponownie zwracając się do matki Robbiego (Krystal zawzięcie żuła gumę, trzymając ręce na klatce piersiowej jak podwójne zasieki) – odniosłam wrażenie, że zaspokajanie potrzeb Robbiego przychodzi ci z wielkim trudem.

Krystal zerknęła z góry na matkę. Rozpłaszczone udo dziewczyny było dwa razy grubsze niż udo jej matki.

– Ja n-nie... No nigdy... – jąkała się Terri. – Ma dobrze.

W głowie Krystal pojawiło się pewne podejrzenie, jak cień krążącego sępa.

– Terri, brałaś wczoraj, zanim tu przyszłam, prawda?

– Nie, kurwa, skąd! To pierdolone... ty pierdolona... nie brałam, jasne?

Piersi Krystal przygniatał jakiś ciężar, dzwoniło jej w uszach. Obbo musiał dać jej matce nie jedną działkę, lecz całą paczkę. Pracowniczka socjalna widziała ją nawaloną. Test w Bellchapel znowu będzie pozytywny i Terri po raz kolejny wyleci...

(... a bez metadonu koszmar zacznie się od nowa: Terri znowu zdziczeje i będzie brać do szczerbatych ust kutasy obcych kolesi, żeby móc dać sobie w żyłę. Znowu zabiorą Robbiego i tym razem mogą im go już nie oddać. W plastikowym serduszku na kółku do kluczy Krystal było maleńkie zdjęcie Robbiego zrobione, kiedy mały miał roczek. Prawdziwe serce Krystal zaczęło walić tak mocno jak wtedy, kiedy wiosłowała do utraty tchu, pokonywała opór wody, jej mięśnie grały i widziała, jak druga osada zostaje w tyle...).

– Ty jebana...! – krzyknęła, ale nikt jej nie usłyszał, bo Terri wciąż wrzeszczała na Kay, która siedziała bez słowa, z kubkiem w dłoniach.

– Nic, kurwa, nie brałam, nie masz żadnych dowodów!

– Jesteś pierdolnięta! – zawołała Krystal jeszcze głośniej.

– Nic, kurwa, nie brałam, to pierdolone kłamstwo! – krzyczała Terri, miotając się jak zwierzę schwytane w sidła. Wymachiwała rękami, a pętla zaciskała się coraz mocniej. – Nic, kurwa, nie brałam, nic!

– Znów cię wypierdolą z tej jebanej kliniki, ty głupia, pierdolona suko!

– Kurwa mać! Nie waż się tak do mnie mówić!

– Wystarczy! – zawołała Kay, przekrzykując obie. Odstawiła kubek z powrotem na podłogę i wstała przerażona chaosem, który rozpętała. – Terri! – krzyknęła naprawdę wystraszona, kiedy ta podźwignęła się z fotela i przysiadła na oparciu twarzą do córki, tak że prawie zetknęły się nosami. Wyglądały jak dwa wrzeszczące gargulce. – Krystal! – zawołała, kiedy dziewczyna podniosła pięść.

Krystal gwałtownie zerwała się z fotela, odwracając się od matki. Zaskoczyła ją ciepła wilgoć, którą poczuła na policzkach, i zdezorientowana pomyślała, że to krew, ale to były łzy, tylko łzy, czyste i lśniące na opuszkach palców, którymi je otarła.

– No dobrze – powiedziała Kay kompletnie wytrącona z równowagi. – Proszę o spokój.

– Sama się, kurwa, uspokój – odparła Krystal.

Drżąc, wytarła twarz przedramieniem, a potem znowu podeszła do fotela matki. Terri się wzdrygnęła, ale Krystal tylko chwyciła paczkę papierosów. Wytrząsnęła z niej ostatniego papierosa i zapalniczkę. Zaciągnęła się, podeszła do okna, a po chwili się do nich odwróciła. Próbowała powstrzymać łzy.

– Dobrze – powiedziała Kay, nadal stojąc. – Porozmawiajmy spokojnie...

– Pierdol się – mruknęła Terri słabym głosem.

– Chodzi mi o Robbiego – rzekła Kay. Cały czas stała, bo strach nie pozwalał jej się odprężyć. – Jestem tu po to, żeby sprawdzić, czy niczego mu nie brakuje.

– Parę razy nie był w tym pierdolonym żłobku – rzuciła Krystal spod okna. – Przecież to, kurwa, nie zbrodnia.

– ... to, kurwa, nie zbrodnia – powtórzyła Terri jak niewyraźne echo.

– Chodzi nie tylko o żłobek – powiedziała Kay. – Robbie wyglądał wczoraj na zaniedbanego, miał podrażnioną pupę. Jest o wiele za duży, żeby nosić pieluchę.

– Zdjęłam mu tę jebaną pieluchę, ma teraz majtki, już mówiłam! – wrzasnęła z furią Krystal.

– Przykro mi, Terri – powiedziała Kay – ale wczoraj nie byłaś w stanie sprawować opieki nad małym dzieckiem.

– Ja nie...

– Możesz mi wmawiać, że nie brałaś – przerwała jej Kay, a Krystal po raz pierwszy usłyszała w jej głosie coś szczerego i ludzkiego: złość, irytację. – Ale w ośrodku zrobią ci test. Obie wiemy, że będzie pozytywny. Oni mówią, że to jest twoja ostatnia szansa, grożą, że znowu cię wyrzucą.

Terri wytarła usta wierzchem dłoni.

– Posłuchaj, widzę, że nie chcecie stracić Robbiego...

– To nam go, kurwa, nie zabierajcie! – krzyknęła Krystal.

– To nie takie proste – powiedziała Kay. Usiadła, podniosła ciężką teczkę, która przed chwilą spadła na podłogę, i z powrotem położyła ją sobie na kolanach. – Terri. W zeszłym roku, kiedy Robbie do ciebie wrócił, odstawiłaś heroinę. Zobowiązałaś się, że będziesz czysta, zgodziłaś się iść na terapię, zaakceptowałaś też inne warunki, takie jak oddawanie Robbiego do żłobka...

– No i chodzi...

– ... czasami – przyznała Kay. – Czasami tak, Terri, ale symboliczny wysiłek to za mało. Po tym, co wczoraj zobaczyłam, po rozmowie z twoją terapeutką z Bellchapel i z panią Harper ze żłobka obawiam się, że będziemy musieli przyjrzeć się sprawie.

– Czyli co? – zapytała Krystal. – Znowu jebana ocena przypadku, tak? Po co wam to? Po co? Nic mu nie jest, zajmuję się nim, c i c h o b ą d ź, k u r w a! – wrzasnęła na Terri, która próbowała coś wtrącić ze swojego fotela. – Ona nie... Ja się nim zajmuję, jasne!? – ryknęła do Kay, dźgając się palcem w pierś. Była czerwona na twarzy, a jej mocno umalowane oczy napełniły się gniewnymi łzami.

Krystal regularnie odwiedzała Robbiego w rodzinie zastępczej przez cały miesiąc, który tam spędził. Czepiał się jej kurczowo, wołał, żeby została na herbatę, płakał, kiedy wychodziła. Krystal czuła się tak, jakby jej wycięto połowę wnętrzności i wzięto je w zastaw. Chciała, żeby Robbie trafił do babci Cath, u której sama lądowała w dzieciństwie za każdym razem, kiedy Terri zaczynała ćpać. Ale babcia Cath była już stara i słaba i nie mogła się zajmować Robbiem.

– Rozumiem, że kochasz swojego brata i robisz dla niego wszystko, co w twojej mocy, Krystal – zaczęła Kay – ale nie jesteś jego prawną...

– Czemu nie? Jestem, kurwa, jego siostrą, tak?

– W porządku – powiedziała stanowczo Kay. – Terri, musimy spojrzeć prawdzie w oczy. Bellchapel z pewnością wyrzuci cię z programu, jeżeli pojawisz się tam, twierdząc, że nie brałaś, a test wypadnie pozytywnie. Twoja terapeutka rozmawiała o tym ze mną przez telefon i postawiła sprawę jasno.

Terri – dziwne połączenie staruszki i szczerbatego dziecka – znowu siedziała skulona w fotelu. Miała nieobecną, zrozpaczoną minę.

– Myślę, że tylko w jeden sposób możesz uniknąć wyrzucenia z ośrodka – ciągnęła Kay. – Powinnaś od razu się przyznać, że brałaś, wziąć odpowiedzialność za swój błąd i pokazać, że ci zależy, że chcesz zacząć od nowa.

Terri wciąż patrzyła przed siebie. Kłamstwo było jedynym znanym jej sposobem reagowania na wszelkie zarzuty. Najpierw: „Taaa, spoko, dalej, dawaj", a potem: „Skąd, w życiu, wcale nie, właśnie że nie, kurwa".

– Czy był jakiś szczególny powód, że w tym tygodniu brałaś heroinę, chociaż przyjmujesz już dużą dawkę metadonu? – zapytała Kay.

– No był – wtrąciła się Krystal. – Był. Przylazł Obbo, a ona mu nigdy, kurwa, nie odmówi!

– Zamknij się – powiedziała Terri, ale bez przekonania.

Wyglądała tak, jakby usiłowała pojąć słowa Kay: tę jej cudaczną, niebezpieczną radę, żeby powiedzieć prawdę.

– Obbo – powtórzyła Kay. – Kto to jest Obbo?

– Jebany walikoń – wyjaśniła Krystal.

– Twój diler? – zapytała Kay.

– Zamknij się – powiedziała Terri do Krystal.

– Czemu nie kazałaś mu spierdalać!? – krzyknęła Krystal.

– No dobrze – przerwała im Kay. – Terri, zadzwonię do twojej terapeutki z Bellchapel. Spróbuję ją przekonać, że kontynuacja twojego leczenia korzystnie wpłynęłaby na rodzinę.

– Taa? – Krystal była zaskoczona. Uważała Kay za straszną zdzirę, gorszą nawet od matki zastępczej Robbiego z tą jej nieskazitelną kuchnią i uprzejmą gadką, przez którą Krystal czuła się jak śmieć.

– Tak – potwierdziła Kay. – Tak. Ale z naszego punktu widzenia, to znaczy z perspektywy pogotowia opiekuńczego, sprawa jest poważna. Będziemy bacznie obserwowali sytuację rodzinną Robbiego. Liczę na poprawę, Terri.

– Dobra, zrobi się – zgodziła się Terri, tak jak zgadzała się z wszystkim i z wszystkimi.

Ale Krystal dodała:

– No pewno. Da radę. Pomogę jej. Da radę.

II

Shirley Mollison wraz z kilkunastoma innymi wolontariuszami zasilała szeregi personelu niemedycznego szpitala South West General w Yarvil. Co tydzień w środę chodziła od sali do sali, pchając wózek z książkami, dbała o rośliny i przynosiła ze sklepiku w holu to, o co prosili przykuci do łóżek pacjenci, których nikt nie odwiedzał. Ulubionym zajęciem Shirley było zbieranie zamówień na posiłki. Kiedyś, gdy szła ze swoją podkładką do pisania w ręce i z laminowanym identyfikatorem na szyi, przechodząca obok lekarka wzięła ją za pracowniczkę szpitalnego działu administracji.

Pomysł zostania wolontariuszką przyszedł Shirley do głowy podczas najdłuższej rozmowy, jaką kiedykolwiek odbyła z Julią Fawley. Było to na jednym z tych cudownych przyjęć bożonarodzeniowych w Sweetlove House. Właśnie tam Shirley się dowiedziała, że Julia jest zaangażowana w zbiórkę funduszy na rzecz skrzydła pediatrycznego lokalnego szpitala.

– Przydałaby się nam wizyta królowej – powiedziała Julia, spoglądając nad ramieniem Shirley na drzwi. – Poproszę Aubreya, żeby porozmawiał z Normanem Baileyem. Wybacz, muszę się przywitać z Lawrence'em...

Shirley została sama. Stojąc obok wielkiego fortepianu, powtarzała pod nosem:

– Och, oczywiście, oczywiście.

Nie miała pojęcia, kim jest Norman Bailey, ale czuła lekki zawrót głowy. Zaraz następnego dnia, nawet nie wspominając o swoich zamiarach Howardowi, zadzwoniła do szpitala w Yarvil i zapytała o wolontariat. Upewniwszy się, że wymagania ograniczają się do nieskazitelnej reputacji, zdrowia psychicznego i silnych nóg, poprosiła o formularz zgłoszeniowy.

Praca wolontariuszki otworzyła przed Shirley zupełnie nowy, wspaniały świat. Przy wielkim fortepianie Julia Fawley nieświadomie podsunęła jej pomysł mogący doprowadzić do spełnienia największego marzenia

Shirley. Shirley oczyma duszy widziała, jak stoi ze skromnie splecionymi dłońmi, z laminowanym identyfikatorem na szyi, podczas gdy królowa przesuwa się wolno wzdłuż szeregu promiennie uśmiechniętych wolontariuszy. Wyobraziła sobie swój idealny ukłon i reakcję monarchini, która zwracała na nią uwagę, przystawała, żeby zamienić słówko, gratulowała Shirley, że zechciała tak hojnie podzielić się z innymi swoim wolnym czasem... Błysk flesza i zdjęcie, a następnego dnia... „Królowa gawędzi ze szpitalną wolontariuszką panią Shirley Mollison..." Czasem, kiedy Shirley mocno się skupiła na tej wyimaginowanej scenie, czuła się niemal błogosławiona.

Wolontariat w szpitalu wyposażył Shirley w lśniący nowy oręż przeciwko nadęciu Maureen. Kiedy wdowa po Kenie, niczym Kopciuszek, przemieniła się ze sprzedawczyni we wspólniczkę, zaczęła zadzierać nosa, doprowadzając Shirley do furii (ukrytej pod fałszywym uśmiechem). Teraz Shirley znowu mogła patrzeć na nią z góry. Pracowała nie dla pieniędzy, lecz z dobroci serca. Wolontariat oznaczał klasę – zajmowały się nim kobiety, które nie musiały zarabiać, takie jak ona i Julia Fawley. Co więcej, szpital był dla Shirley niewyczerpaną kopalnią plotek, którymi mogła zagłuszyć nużące trajkotanie Maureen na temat nowej kafejki.

Tego ranka Shirley stanowczym tonem oznajmiła szefowej wolontariuszy, że chciałaby pracować na oddziale dwudziestym ósmym, i zgodnie z życzeniem została skierowana na onkologię. Była tam zatrudniona jedyna osoba, z którą zdołała się zaprzyjaźnić. Część młodszych pielęgniarek bywała oschła i traktowała wolontariuszy protekcjonalnie, ale Ruth Price, która po szesnastu latach przerwy niedawno wróciła do pracy w zawodzie, od początku okazała się urocza. Obie były „kobietami z Pagford", jak mawiała Shirley, więc od razu się zaprzyjaźniły.

(Prawdę mówiąc, Shirley nie urodziła się w Pagford. Ona i jej młodsza siostra dorastały w ciasnym, niechlujnym mieszkaniu matki w Yarvil. Matka Shirley dużo piła i choć nigdy się nie rozwiodła z ojcem dziewczynek, siostry go nie widywały. Mężczyźni z sąsiedztwa zachowywali się tak, jakby dobrze znali matkę Shirley, i uśmiechali się znacząco, kiedy padało jej imię... Ale to było dawno temu, a Shirley wychodziła z założenia, że przeszłość można wymazać, jeśli się o niej nigdy nie wspomina. Wyparła ją zatem z pamięci).

Shirley i Ruth przywitały się serdecznie, jednak ze względu na nawał pracy nie miały czasu na nic więcej poza wymianą najbardziej podstawowych informacji na temat nagłej śmierci Barry'ego Fairbrothera. Umówiły się na lunch o wpół do pierwszej i Shirley poszła po wózek z książkami. Była w szampańskim nastroju. Widziała przyszłość tak wyraźnie, jakby miała ją już za sobą. Howard, Miles i Aubrey Fawley zjednoczą się i na zawsze odsuną Fields od swojego miasta, a potem uczczą to uroczystym obiadem w Sweetlove House...

Shirley uważała, że posiadłość Fawleyów jest olśniewająca. Ogromny ogród z zegarem słonecznym, strzyżone żywopłoty, stawy, szeroki, wyłożony boazerią hol, a na wielkim fortepianie oprawione w srebrną ramkę zdjęcie, na którym pani domu gawędzi z księżniczką Anną. Shirley nigdy nie wyczuła protekcjonalnego tonu w zachowaniu Fawleyów wobec niej i Howarda. Z drugiej strony, kiedy znajdowała się w pobliżu Fawleyów, ledwie mogła się skupić. Bez trudu potrafiła sobie wyobrazić ich pięcioro, jak siedzą podczas kameralnego obiadu w jednym z tych uroczych niewielkich bocznych pokoi: Howard obok Julii, ona po prawicy Aubreya, a między nimi Miles. (W fantazjach Shirley przybycie Samanthy zawsze udaremniały jakieś nieprzewidziane okoliczności).

Shirley i Ruth spotkały się o wpół do pierwszej przy jogurtach. W hałaśliwej szpitalnej stołówce nie panował jeszcze taki tłok, jak to zwykle bywało pół godziny później, więc pielęgniarka i wolontariuszka bez większego trudu znalazły pod ścianą lepki, zaśmiecony stolik dla dwóch osób. Ruth wytarła blat, postawiły na nim tace i usiadły naprzeciwko siebie, gotowe do pogaduszek.

– Co u Simona? Jak chłopcy? – zapytała Shirley.

– U Misia wszystko dobrze, dziękuję. Dziś przywozi do domu nowy komputer. Chłopcy oczywiście nie mogą się doczekać.

To nie do końca była prawda. Andrew i Paul mieli już tanie laptopy. W rogu maleńkiego salonu stał pecet, ale żaden z chłopców z niego nie korzystał. Rezygnowali z wszystkiego, co wymagało przebywania w pobliżu ojca. W rozmowach z Shirley Ruth często mówiła o synach, jakby byli o wiele młodsi niż w rzeczywistości: mniejsi, bardziej ulegli i skłonni do zabawy. Może chodziło jej o to, żeby się odmłodzić, podkreślić wynoszącą prawie dwadzieścia lat różnicę wieku między nią a Shirley, by jeszcze bardziej upodobniły się do matki i córki. Matka Ruth umarła przed dziesięcioma laty i Ruth bardzo jej brakowało, a Shirley nie ukrywała, że jej relacje z córką są dalekie od ideału.

– Miles i ja zawsze byliśmy sobie bliscy. Patricia natomiast od początku miała trudny charakter. Teraz jest w Londynie.

Ruth marzyła o tym, żeby podrążyć temat, ale podobnie jak Shirley, miała pewną cechę, którą obie kobiety podziwiały u siebie nawzajem: dystyngowaną powściągliwość. Dumnie prezentowały światu niewzruszoną twarz. Dlatego Ruth tłumiła swoją niezaspokojoną ciekawość, nie porzucając przy tym skrytej nadziei, że w swoim czasie dowie się, jak się przejawia trudny charakter Patricii.

Wzajemna sympatia Shirley i Ruth wyrastała z ich wspólnego przekonania, że są do siebie podobne: największą dumą napawało je zdobycie i utrzymanie męża. Niczym masoni miały identyczny kodeks podstawowych wartości i dlatego czuły się bezpieczniej we dwie niż w towarzystwie innych kobiet. Ich komitywę uprzyjemniało poczucie wyższości, ponieważ każda w głębi ducha współczuła tej drugiej wyboru męża. Ruth intrygowało to, że jej przyjaciółka, która mimo nieco pulchnej figury zachowała subtelną urodę, mogła wyjść za Howarda – mężczyznę o tak groteskowym wyglądzie. Z kolei Shirley nie przypominała sobie, żeby kiedyś widziała Simona albo słyszała, jak pada jego nazwisko, gdy mowa o życiu wyższych warstw Pagford. Na tej podstawie domyślała się, że Ruth nie prowadzi życia towarzyskiego nawet w szczątkowej formie, i wyobrażała sobie jej męża jako niedorastającego jej do pięt odludka.

– Widziałam, jak Miles i Samantha przywieźli Barry'ego – powiedziała Ruth, bez wstępów przechodząc do sedna. Nie umiała prowadzić rozmowy z taką finezją jak Shirley, trudniej też było jej ukryć apetyt na miejscowe plotki, bo z powodu nietowarzyskiego Simona tkwiła odcięta od świata w swoim domu wysoko na wzgórzu. – Byli przy Fairbrotherze, kiedy to się stało?

– A, tak – potwierdziła Shirley. – Jedli kolację w klubie golfowym. Niedziela wieczór, wiesz, dziewczynki wróciły już do szkoły, a Sam woli jadać na mieście. Marna z niej kucharka...

Powoli, podczas wspólnych przerw na kawę, Ruth dowiadywała się tego i owego o małżeństwie Milesa i Samanthy. Shirley opowiedziała jej, jak Miles był zmuszony ożenić się z Samanthą, gdy ta zaszła w ciążę z Lexie.

– Zrobili, co mogli, żeby małżeństwo było udane – westchnęła Shirley z pełną pogody dzielnością. – Miles zachował się, jak należy. Nie wyobrażam sobie, żeby mógł postąpić inaczej. Dziewczynki są cudowne. Szkoda, że Miles nie ma syna, byłby wspaniałym ojcem dla chłopca. Ale Sam nie chciała trzeciego dziecka.

Ruth zachowywała w pamięci każdą zawoalowaną krytykę synowej wygłaszaną przez Shirley. Już przed laty zapałała do Samanthy odruchową niechęcią, kiedy natknęła się na nią i jej córkę Lexie, odprowadzając czteroletniego wówczas Andrew do przedszkola przy szkole Świętego Tomasza. Samantha, ze swoim głośnym śmiechem, dekoltem do pępka i z pokaźnym zestawem sprośnych dowcipów serwowanych matkom na szkolnym dziedzińcu, wydała jej się wówczas niebezpiecznie drapieżna. Ruth latami przyglądała się z pogardą, jak Samantha wypina swój obfity biust, rozmawiając z Vikramem Jawandą na wieczornych spotkaniach dla rodziców. Zawsze przy takich okazjach omijali ją z Simonem szerokim łukiem.

Shirley relacjonowała Ruth historię podróży Barry'ego do szpitala, choć sama znała ją z drugiej ręki. Podkreślała przytomność umysłu, którą wykazał się Miles, wzywając pogotowie, to, jakim oparciem był w tych ciężkich chwilach dla Mary Fairbrother, jak nalegał, żeby zostać z nią w szpitalu do przyjazdu Wallów. Ruth słuchała uważnie, choć z lekkim zniecierpliwieniem. Shirley była znacznie bardziej zabawna, kiedy wyliczała słabości Samanthy, niż wtedy gdy wychwalała zalety Milesa. Ponadto Ruth chciała jak najszybciej podzielić się z Shirley fascynującą nowiną.

– No to teraz mamy w radzie gminy wolny stołek – powiedziała Ruth, kiedy Shirley doszła w swej opowieści do miejsca, w którym Miles i Samantha zeszli ze sceny, a wkroczyli na nią Colin i Tessa Wallowie.

– To się nazywa tymczasowy wakat – podsunęła Shirley uprzejmie.

Ruth wzięła głęboki oddech.

– Simon zamierza kandydować! – powiedziała podekscytowana samym faktem, że to mówi.

Shirley uśmiechnęła się odruchowo, po czym uniosła brwi w geście uprzejmego zdziwienia i szybko upiła łyk herbaty, żeby zasłonić twarz. Ruth nie miała pojęcia, że powiedziała coś, co mogło wprawić przyjaciółkę w zakłopotanie. Sądziła, że Shirley ucieszy perspektywa wspólnego zasiadania ich mężów w radzie, a nawet przyszła jej do głowy nieśmiała myśl, że wstawiennictwo Shirley mogłoby pomóc Simonowi.

– Powiedział mi wczoraj wieczorem – ciągnęła Ruth z powagą. – Zastanawiał się nad tym od jakiegoś czasu.

Ruth wyparła ze świadomości to, co Simon powiedział o łapówkach od Graysa w zamian za przedłużenie mu umowy z gminą. Nie chciała pamiętać o nadziejach męża na związane z tym stanowiskiem lewe dochody i starała się wymazać z pamięci wszystkie przejawy kombinatorstwa Simona, wszystkie jego drobne przestępstwa.

– Nie miałam pojęcia, że Simon interesuje się lokalną polityką – powiedziała Shirley swobodnym, uprzejmym tonem.

– No, tak – potwierdziła Ruth, która również nie miała o tym pojęcia. – Jest bardzo zaangażowany.

– Czy rozmawiał o tym z doktor Jawandą? – zapytała Shirley, sącząc herbatę. – To ona mu zasugerowała, żeby kandydował?

Te pytania zaskoczyły Ruth. Widać było, że jest zdziwiona.

– Nie... Simon od lat nie był u lekarza. Cieszy się dobrym zdrowiem.

Shirley się uśmiechnęła. Jeśli Simon działał sam, bez wsparcia frakcji Jawandy, to nie stanowił prawdziwego zagrożenia. Było jej nawet żal Ruth, którą czekał paskudny zawód. Ona, Shirley, znała przecież wszystkich, którzy liczyli się w Pagford, a miałaby trudności z rozpoznaniem jej męża, gdyby przyszedł do delikatesów. Kto według biednej Ruth mógłby na niego głosować? Z drugiej strony Shirley wiedziała, że Howard i Aubrey chcieliby, żeby zadała Ruth pewne oczywiste pytanie.

– Simon zawsze mieszkał w Pagford, prawda?

– Nie, urodził się w Fields – odparła Ruth.

– Aaa.

Shirley oderwała wieczko jogurtu, wzięła do ręki łyżeczkę i w zamyśleniu zaczęła jeść. Niezależnie od wyborczych szans Simona, dobrze wiedzieć, że w razie czego będzie popierał Fields.

– Czy na stronie będzie napisane, jak należy zgłosić kandydaturę? – zapytała Ruth z nadzieją, że jednak ujrzy spóźniony wybuch entuzjazmu Shirley i usłyszy od niej deklarację pomocy.

– O tak – wymijająco odparła Shirley. – Tak sądzę.

III

Andrew, Fats i dwadzieścioro siedmioro innych uczniów spędzili ostatnią godzinę lekcyjną środowego popołudnia na czymś, co Fats nazywał „spazmatyką". Byli prawie najsłabszą grupą z matematyki, której uczyła ich najmniej kompetentna nauczycielka w szkole: młoda kobieta, świeżo po kursie pedagogicznym, niezdolna do utrzymania dyscypliny na lekcji. Często wyglądała tak, jakby za chwilę miała wybuchnąć płaczem, albo na jej twarzy wykwitały nerwowe plamy. Fats, który rok wcześniej postanowił zejść poniżej swoich możliwości, trafił na spazmatykę zdegradowany z najlepszej grupy. Natomiast jego przyjaciel Andrew całe życie czuł awersję do liczb i żył w ciągłym strachu, że wyląduje w najsłabszej grupie, razem z Krystal Weedon i jej kuzynem Danem Tullym.

Andrew i Fats siedzieli w ostatnich ławkach. Fats od czasu do czasu, kiedy zmęczył się zabawianiem klasy albo wprowadzaniem jeszcze większego zamętu, pomagał Andrew w rachunkach. Poziom hałasu na lekcjach był ogłuszający. Pani Harvey przekrzykiwała ich wszystkich, błagając o ciszę. Arkusze z zadaniami były upstrzone nieprzyzwoitymi komentarzami, wszyscy ciągle wstawali i chodzili po klasie, szurali krzesłami, a za każdym razem, kiedy pani Harvey odwracała wzrok, w powietrzu fruwały małe pociski. Czasami Fats szukał pretekstu, żeby przejść się tam i z powrotem, naśladując dziwaczny, podrygujący krok Przegródki, który zawsze chodził z rękami sztywno przyklejonymi do boków. Na spazmatyce Fats serwował klasie całą gamę swoich niewybrednych dowcipów, podczas gdy na angielskim (on i Andrew byli w grupie dla zaawansowanych) nie zawracał sobie głowy strojeniem żartów z Przegródki.

Andrew siedział zaraz za Sukhvinder Jawandą. Dawno temu, w podstawówce, Andrew, Fats i inni chłopcy lubili ciągnąć Sukhvinder za jej długi, kruczoczarny warkocz. Przy zabawie w berka wygodnie było za niego złapać, a poza tym sam w sobie stanowił pokusę nie do odparcia, kiedy zwisał tak jak teraz na jej plecach, ukryty przed wzrokiem nauczycielki. Andrew jednak nie odczuwał już najmniejszego pragnienia, żeby za niego ciągnąć czy w ogóle dotykać Sukhvinder. Należała ona do tych nielicznych dziewcząt, po których jego wzrok prześlizgiwał się bez najmniejszego zainteresowania. Zawdzięczał to Fatsowi, który zwrócił mu uwagę na miękki ciemny meszek nad jej górną wargą. Starsza siostra Sukhvinder, Jaswant, miała smukłą figurę o krągłych kształtach, wąską talię i twarz, która przed pojawieniem się Gai wydawała się Andrew piękna. Podziwiał jej wydatne kości policzkowe, gładką złocistą cerę i jasnobrązowe oczy w kształcie migdałów. Oczywiście Jaswant zawsze pozostawała poza jego zasięgiem jako o dwa lata starsza, najinteligentniejsza dziewczyna z szóstej klasy, w dodatku świadoma swych wdzięków i wszystkich wzwodów, jakie te wdzięki powodowały.

Sukhvinder była jedyną osobą w klasie, która nie robiła absolutnie żadnego hałasu. Przygarbiona, z głową pochyloną nad zadaniami, wydawała się całkowicie na nich skupiona. Naciągnęła lewy rękaw swetra tak, żeby całkowicie zakrył jej dłoń, i przytrzymywała go jak wełnianą pięść. Jej całkowity bezruch był niemal ostentacyjny.

– Wielki hermafrodyta siedzi cicho i spokojnie – wymamrotał Fats wpatrzony w tył głowy Sukhvinder. – Obojnak. Wąsaty, a zarazem piersiasty. Naukowcy są zaszokowani sprzecznościami ukrytymi w tym porośniętym sierścią stworzeniu.

Andrew zachichotał, choć niezupełnie swobodnie. Bawiłby się lepiej, gdyby wiedział, że Sukhvinder nie słyszy tego, co mówi Fats. Ostatnim razem, kiedy był u Fatsa w domu, ten pokazał mu wiadomości, które regularnie wysyłał do Sukhvinder na Facebooku. Przeczesywał internet w poszukiwaniu materiałów związanych z hirsutyzmem i codziennie posyłał jej jakiś cytat lub zdjęcie.

To było dość zabawne, ale Andrew czuł się z tego powodu nieswojo. Mówiąc wprost, Sukhvinder niczym im się nie naraziła. Była bardzo łatwym celem. Andrew wolał, kiedy Fats używał swojego ostrego języka przeciwko autorytetom, osobom zachowującym się pretensjonalnie lub zadowolonym z siebie.

– Odcięte od swego brodatego, przyodzianego w staniki stada stworzenie – ciągnął Fats – siedzi pogrążone w myślach, zastanawiając się, czy nie zapuścić koziej bródki.

Andrew się roześmiał, a potem poczuł wyrzuty sumienia, tymczasem Fats szybko stracił zainteresowanie zabawą i zajął się przeobrażaniem wszystkich zer na swoim arkuszu z zadaniami w pomarszczone odbyty. Andrew wrócił do zgadywania, gdzie przesunąć przecinek, i rozmyślań o powrocie szkolnym autobusem razem z Gaią. W drodze do domu zawsze było mu trudniej znaleźć takie miejsce, żeby mieć ją w zasięgu wzroku, bo zanim wsiadł, ktoś już ją zasłonił albo siedziała za daleko. Ich wspólne rozbawienie na poniedziałkowym porannym apelu nie miało dalszego ciągu. Od tamtej chwili ani razu nie nawiązała z nim kontaktu wzrokowego w czasie porannej jazdy autobusem i w żaden inny sposób nie okazała, że wie o jego istnieniu. W ciągu czterech tygodni trwania tego zauroczenia Andrew właściwie ani razu z nią nie rozmawiał. Teraz, wśród zgiełku panującego na spazmatyce, zastanawiał się, jak mógłby ją zagadnąć. „W poniedziałek na apelu były niezłe jaja..."

– Sukhvinder, wszystko w porządku?

Pani Harvey, która pochyliła się nad pracą Sukhvinder, żeby ją ocenić, gapiła się teraz na twarz dziewczyny. Andrew widział, jak Sukhvinder kiwa głową i przyciąga ręce, zasłaniając twarz, wciąż pochylona nad kartką.

– Wallah! – zawołał scenicznym szeptem Kevin Cooper, który siedział dwie ławki przed nimi. – Wallah! Fistaszek!

Cooper próbował zwrócić ich uwagę na to, co już wiedzieli: Sukhvinder, sądząc po delikatnym drżeniu jej ramion, płakała, a pani Harvey podejmowała beznadziejne, nerwowe próby dowiedzenia się, co się stało. Klasa, wyczuwając jeszcze większe osłabienie czujności nauczycielki, szalała bardziej niż zazwyczaj.

– Fistaszek! Wallah!

Andrew nie mógł się zdecydować, czy Kevin Cooper drażni się z nimi celowo, czy przez przypadek. Koleś miał niezwykły talent do działania ludziom na nerwy. Przezwisko Fistaszek było bardzo stare i przylgnęło do Andrew jeszcze w podstawówce. Zawsze go nienawidził. Wyszło z mody dzięki Fatsowi, który nigdy go nie używał. Fats zawsze był w takich sprawach ostatecznym arbitrem. Cooperowi myliły się nawet przezwiska Fatsa: Wallah cieszyło się tylko krótką popularnością w ubiegłym roku.

– Fistaszek! Wallah!

– Odwal się, Cooper, ty debilny fiucie – powiedział Fats pod nosem.

Cooper przechylał się przez oparcie krzesła, gapiąc się na Sukhvinder, która skuliła się tak, że prawie dotykała twarzą blatu. Pani Harvey kucała obok niej, komicznie trzepocząc rękami. Nie wolno jej było dotknąć dziewczyny i nie potrafiła dowiedzieć się, dlaczego płacze. Kilka innych osób dostrzegło tę niecodzienną sytuację i zaczęło się gapić, jednak w pierwszych ławkach paru chłopaków nadal szalało, nie zwracając uwagi na nic oprócz własnej zabawy. Jeden z nich chwycił leżącą na opuszczonym biurku pani Harvey gąbkę z drewnianym uchwytem i rzucił nią.

Gąbka przeleciała przez klasę i uderzyła w zegar na tylnej ścianie, strącając go na podłogę. Zegar roztrzaskał się na kawałki, metalowe części prysnęły na boki, a kilka dziewczyn, łącznie z panią Harvey, krzyknęło ze strachu.

Drzwi klasy otworzyły się gwałtownie i z hukiem odbiły się od ściany. Zapadła cisza. W drzwiach stał Przegródka, czerwony i wściekły.

– Co się tutaj dzieje? Co to za hałas?

Przestraszona pani Harvey wyprostowała się gwałtownie i wyskoczyła zza ławki Sukhvinder jak diabeł z pudełka. Miała minę winowajczyni.

– Pani Harvey! W pani klasie panuje potworny harmider. Co się tutaj dzieje?

Pani Harvey wyglądała tak, jakby straciła mowę. Kevin Cooper wisiał na oparciu krzesła i z szerokim uśmiechem patrzył to na nią, to na Przegródkę, to na Fatsa.

Odezwał się Fats:

– No, szczerze mówiąc, ojcze, weszliśmy tej biednej kobiecie na głowę.

Klasa wybuchnęła śmiechem. Na szyi pani Harvey pojawiała się szpecąca rdzawoczerwona wysypka. Fats huśtał się nonszalancko na krześle, patrząc na Przegródkę z całkowitą powagą i wyzywającą obojętnością.

– Dość – powiedział Przegródka. – Jeżeli jeszcze raz usłyszę w tej sali taki hałas, wszyscy zostaniecie po lekcjach. Zrozumiano? Wszyscy.

Trzasnął drzwiami, zza których natychmiast dobiegł go śmiech.

– Słyszeliście, co powiedział pan wicedyrektor! – krzyknęła pani Harvey, gnając w stronę tablicy. – Cisza! Proszę o ciszę! Ty, Andrew, i ty, Stuart, posprzątajcie ten bałagan! Pozbierajcie wszystkie części zegara!

Obaj chłopcy wznieśli odruchowy okrzyk protestu wobec takiej niesprawiedliwości wspierani donośnie przez kilka dziewczyn. Faktyczni sprawcy zniszczeń, których jak wszyscy wiedzieli, pani Harvey się bała, siedzieli na swoich miejscach ze znaczącymi uśmieszkami. Ponieważ do końca ostatniej lekcji zostało tylko pięć minut, Andrew i Fats grali na zwłokę, czekając, aż dzwonek wybawi ich od konieczności sprzątania. Fats prowokował dalsze śmiechy, podskakując tam i z powrotem ze sztywnymi rękami w parodii chodu Przegródki. Wszyscy zapomnieli o Sukhvinder ukradkiem ocierającej oczy owiniętą swetrem ręką.

Kiedy zadzwonił dzwonek, pani Harvey nawet nie podjęła próby odzyskania kontroli nad uczniami ani powstrzymania ogłuszającego zgiełku połączonego z pędem w kierunku drzwi. Andrew i Fats kopnęli parę części zegara pod szafki na tyłach sali i przerzucili torby przez ramię.

– Wallah! Wallah! – wołał Kevin Cooper, pędząc korytarzem za Andrew i Fatsem. – W domu też mówisz do Przegródki „ojcze"? Serio? Naprawdę?

Myślał, że może się ponabijać z Fatsa, wydawało mu się, że go zawstydzi.

– Ale z ciebie ciul, Cooper – powiedział ze znużeniem Fats, a Andrew się roześmiał.

IV

– Doktor Jawanda ma piętnastominutowe opóźnienie – powiedziała Tessie recepcjonistka.

– Och, nie szkodzi – odparła Tessa. – Nie spieszy mi się.

Był wczesny wieczór. Światło wpadające przez okna w poczekalni tworzyło na ścianie szafirowe plamy. W środku czekały jeszcze tylko dwie osoby: powykręcana, oddychająca ze świstem starsza kobieta w kapciach i młoda matka, która czytała jakieś pismo, podczas gdy jej dziecko grzebało w stojącym w rogu pudle z zabawkami. Tessa wzięła stary, sfatygowany egzemplarz „Heat" ze stolika na środku, usiadła i zaczęła przerzucać strony, przyglądając się zdjęciom. Opóźnienie dało jej więcej czasu na przygotowanie się do rozmowy z Parminder.

Tego ranka rozmawiały krótko przez telefon. Tessa była skruszona, ponieważ nie zadzwoniła od razu, żeby powiedzieć Parminder o Barrym. Parminder powiedziała, że wszystko w porządku, żeby Tessa się nie wygłupiała, że wcale nie jest na nią zła. Ale Tessa, jako osoba delikatna i nadwrażliwa, potrafiła wyczuć, że mimo swego kolczastego pancerza Parminder czuje się dotknięta. Dlatego nie przestawała się tłumaczyć, mówiąc, że przez kilka ostatnich dni była skrajnie wyczerpana, że miała na głowie Mary, Colina,

Fatsa i Krystal Weedon, że czuła się przytłoczona, zagubiona i niezdolna do myślenia o niczym poza najpilniejszymi sprawami. W końcu Parminder przerwała jej długie wyjaśnienia i powiedziała spokojnie, że zobaczą się później, w przychodni.

Z gabinetu obok wychylił się siwy, niedźwiedziowaty doktor Crawford, pomachał wesoło do Tessy i wywołał następną pacjentkę:

– Maisie Lawford.

Młoda matka miała kłopoty z namówieniem córeczki do porzucenia starego telefonu na kółkach, który mała znalazła w pudle z zabawkami. Dziewczynka, ciągnięta łagodnie za rękę do gabinetu, oglądała się tęsknie przez ramię na telefon, którego sekretów nie dane jej było poznać.

Kiedy drzwi się za nimi zamknęły, Tessa zdała sobie sprawę, że uśmiecha się głupkowato, i czym prędzej przywołała się do porządku. Miała zadatki na jedną z tych okropnych bezkrytycznych starszych pań, które przemawiają pieszczotliwie do małych dzieci i niechcący je tym straszą. Marzyła o małej, pucołowatej, jasnowłosej siostrzyczce dla swojego chudego ciemnowłosego chłopca. Jakie to straszne, pomyślała Tessa, wspominając Fatsa jako rocznego chłopczyka, że prześladują nas zjawy naszych dzieci z czasów, kiedy były małe. Nie mają pojęcia, że ich dorastanie oznacza dla rodziców niepowetowaną stratę. A gdyby się o tym dowiedziały, byłyby wściekłe.

Drzwi gabinetu Parminder się otworzyły. Tessa podniosła wzrok.

– Pani Weedon – powiedziała Parminder.

Popatrzyła Tessie w oczy i uśmiechnęła się, choć przypominało to raczej zaciśnięcie ust. Mała starsza pani w kapciach wstała z trudem i pokuśtykała za lekarką za przepierzenie. Tessa usłyszała trzaśnięcie drzwi gabinetu Parminder.

Przeczytała podpisy pod serią zdjęć przedstawiających żonę jakiegoś piłkarza we wszystkich strojach, które miała ona na sobie w ciągu ostatnich pięciu dni. Przyglądając się długim szczupłym nogom młodej kobiety, Tessa myślała, jak bardzo jej życie różniłoby się od obecnego, gdyby też miała takie nogi. Na pewno wyglądałoby zupełnie inaczej. Nogi Tessy były grube, niezgrabne i krótkie. Od zawsze ukrywała je w wysokich butach, choć trudno było znaleźć takie, które dopinałyby się na jej łydkach. Przypomniała sobie, jak mówiła pewnej niskiej, solidnie zbudowanej dziewczynce, że wygląd nie ma znaczenia, że osobowość jest znacznie ważniejsza. „Opowiadamy dzieciom okropne bzdury" – pomyślała, przewracając stronę czasopisma.

Jakieś niewidoczne drzwi otworzyły się z hukiem. Ktoś krzyczał łamiącym się głosem:

– Przez panią czuję się coraz gorzej, do cholery! Coś tu nie gra! Przyszłam tu po pomoc! To pani obowiązek... to pani...

Tessa i recepcjonistka wymieniły spojrzenia, a potem popatrzyły w stronę, z której dochodziły krzyki. Tessa słyszała głos Parminder z akcentem z Birmingham, który mimo wielu lat spędzonych w Pagford nadal był wyraźny.

– Pani Weedon, nadal pani pali, a to ma wpływ na dawkę, którą muszę pani przepisać. Gdyby rzuciła pani palenie... Palacze szybciej przetwarzają teofilinę, więc papierosy nie tylko pogarszają pani rozedmę, ale w dodatku wpływają na skuteczność działania leku...

– Nie krzycz na mnie! Mam cię dość! Złożę na ciebie skargę! Przepisałaś mi, kurwa, złe tabletki! Chcę, żeby mnie zbadał ktoś inny! Chcę doktora Crawforda!

Starsza pani wyłoniła się zza ściany, kuśtykając i oddychając chrapliwie. Jej twarz była czerwona jak burak.

– Ta brudaska wpędzi mnie do grobu! Nie zbliżaj się do niej! – krzyknęła do Tessy. – Ona cię zabije tymi swoimi pierdolonymi prochami, pakistańska suka!

Chwiejnym krokiem, na trzęsących się patykowatych nogach w kapciach, staruszka skierowała się do wyjścia. Rzęziła przy tym i przeklinała ile sił w schorowanych płucach. Drzwi zatrzasnęły się za nią. Recepcjonistka znowu popatrzyła na Tessę. Usłyszały, jak ponownie zamykają się drzwi gabinetu Parminder.

Zanim doktor Jawanda pojawiła się ponownie, upłynęło pięć minut. Recepcjonistka ostentacyjnie wpatrywała się w monitor.

– Pani Wall – powiedziała Parminder z nowym sztywnym niby-uśmiechem.

– O co poszło? – zapytała Tessa, kiedy już usiadła obok biurka Parminder.

– Nowe pigułki pani Weedon powodują u niej rozstrój żołądka – spokojnie wyjaśniła Parminder. – To co? Dzisiaj badamy krew?

– Tak – potwierdziła Tessa onieśmielona i zarazem urażona chłodnym, profesjonalnym zachowaniem Parminder. – Jak sobie radzisz?

– Ja? Dobrze. Dlaczego pytasz?

– No... Barry... Wiem, ile dla ciebie znaczył i ile ty znaczyłaś dla niego.

Oczy Parminder wypełniły się łzami, które starała się powstrzymać, ale było już za późno. Tessa je zauważyła.

– Mindo – powiedziała, kładąc na szczupłej ręce przyjaciółki pulchną dłoń, którą Parminder natychmiast strząsnęła, jakby Tessa ją ukłuła.

A potem, zdradzona przez własny odruch, rozpłakała się na dobre. Nie mogąc się ukryć w maleńkim gabinecie, odwróciła się, na ile jej na to pozwalał fotel obrotowy.

– Kiedy zdałam sobie sprawę, że do ciebie nie zadzwoniłam, zrobiło mi się słabo – wyznała Tessa, nie zważając na desperackie próby zduszenia płaczu podejmowane przez Parminder. – Chciałam się zapaść pod ziemię. Miałam zadzwonić – skłamała – ale nie spaliśmy całą noc, prawie do rana siedzieliśmy w szpitalu, a potem musieliśmy iść do pracy. Colin załamał się na apelu, kiedy ogłosił, że Barry nie żyje, a w dodatku na oczach całej szkoły zrobił bezsensowną, okropną scenę Krystal Weedon. Potem Stuart postanowił iść na wagary. Do tego Mary... jest zdruzgotana... ale naprawdę okropnie mi przykro, Mindo, powinnam była zadzwonić.

– ... e wygłupiaj się – wymamrotała Parminder z twarzą ukrytą w chusteczce, którą wyciągnęła z rękawa. – ... Mary... najważniejsza.

– Byłabyś jedną z pierwszych osób, do których zadzwoniłby sam Barry – powiedziała smutno Tessa i ku swojemu przerażeniu sama się rozpłakała. – Mindo, tak mi przykro – szlochała – ale musiałam dojść do ładu z Colinem i z nimi wszystkimi.

– Nie wygłupiaj się – powtórzyła Parminder, tłumiąc łkanie i wycierając szczupłą twarz. – Obie zachowujemy się niedorzecznie.

„A właśnie że nie. Parminder, chociaż raz mogłabyś sobie odpuścić..."

Ale lekarka wyprostowała szczupłe ramiona, wydmuchała nos i znów usiadła prosto na fotelu.

– Dowiedziałaś się od Vikrama? – zapytała nieśmiało Tessa, wyszarpując garść chusteczek z pudełka na biurku.

– Nie – odpowiedziała Parminder. – Od Howarda Mollisona. W sklepie.

– O Boże, Mindo, tak mi przykro.

– Nie bądź niemądra. Nic się nie stało.

Płacz sprawił, że Parminder poczuła się nieco lepiej i zachowywała się przyjaźniej w stosunku do Tessy, która też wycierała swoją nieładną, ale pełną współczucia twarz. Lekarka czuła ulgę, bo teraz, kiedy zabrakło Barry'ego, Tessa była jej jedyną prawdziwą przyjaciółką w Pagford. (Zawsze dodawała „w Pagford", udając, że gdzieś poza tym małym miasteczkiem ma setkę lojalnych przyjaciół. Nigdy się nie przyznawała, nawet sama przed sobą, że pozostało jej tylko wspomnienie szkolnej paczki z Birmingham, z którego życie przed laty rzuciło ją tak daleko. Koledzy po fachu ze studiów i szkoleń wciąż jeszcze przysyłali jej kartki świąteczne, ale nigdy do niej nie przyjeżdżali, a ona nigdy ich nie odwiedzała).

– Jak tam Colin?

Tessa jęknęła.

– Och, Mindo... Boże. On mówi, że chce się ubiegać o stanowisko Barry'ego w radzie gminy.

Wyraźna pionowa bruzda między gęstymi ciemnymi brwiami Parminder jeszcze się pogłębiła.

– Możesz sobie wyobrazić, że Colin startuje w wyborach? – zapytała Tessa, ściskając w ręce mokre wymiętoszone chusteczki. – Że stawia czoło takim ludziom, jak Aubrey Fawley i Howard Mollison? Że próbuje zająć miejsce Barry'ego, wmawia sobie, że musi wygrać tę bitwę przez wzgląd na niego? To taka odpowiedzialność...

– Przecież w pracy jakoś sobie radzi z odpowiedzialnością – zauważyła Parminder.

– Z trudem – powiedziała Tessa bez zastanowienia. Od razu poczuła się nielojalna i znowu zaczęła płakać. Dziwne. Weszła do gabinetu z zamiarem pocieszenia Parminder, a zamiast tego zwierzała jej się z własnych trosk. – Wiesz, jaki jest Colin: za bardzo bierze sobie wszystko do serca, traktuje wszystko tak o s o b i ś c i e...

– Radzi sobie bardzo dobrze, no wiesz, biorąc pod uwagę całokształt.

– Och, wiem, że sobie radzi – przyznała Tessa ze znużeniem. Czuła, że zupełnie opuszcza ją wola walki. – Wiem.

Colin był chyba jedyną osobą, której surowa, pełna rezerwy Parminder gotowa była okazać współczucie. Dlatego nigdy nie chciał słuchać żadnych niepochlebnych słów pod jej adresem i był jej gorącym orędownikiem w Pagford. „Doskonały lekarz pierwszego kontaktu – mówił każdemu, kto ośmielił się ją skrytykować w jego obecności. – Najlepszy, jakiego miałem". Parminder nie narzekała na nadmiar obrońców, bo nie cieszyła się sympatią miejscowej starej gwardii. Mówiono, że żałuje antybiotyków i nie chce przepisywać recept.

– Jeżeli Howard Mollison postawi na swoim, to nie będzie żadnych wyborów – powiedziała Parminder.

– Jak to?

– Właśnie rozesłał e-maila. Dostałam go pół godziny temu.

Parminder odwróciła się do monitora, wstukała hasło i weszła do skrzynki odbiorczej. Przekręciła monitor, żeby Tessa mogła przeczytać wiadomość od Howarda. W pierwszym akapicie przewodniczący rady wyrażał żal z powodu śmierci Barry'ego. W drugim sugerował, że ponieważ minął już rok kadencji Barry'ego, powołanie kogoś na jego miejsce byłoby lepsze niż przechodzenie przez całą uciążliwą procedurę wyborów.

– Ma już kogoś na oku – skwitowała Parminder. – Próbuje wkręcić do rady jakiegoś kolesia, zanim ktoś zdąży go powstrzymać. Nie zdziwiłabym się, gdyby to był Miles.

– Och, na pewno nie – odrzekła natychmiast Tessa. – Miles był przy Barrym w szpitalu... Wydawał się bardzo przejęty tym, co...

– Jesteś taka cholernie naiwna, Tesso – powiedziała Parminder, szokując przyjaciółkę brutalnością tych słów. – Nie masz pojęcia, jaki jest Howard Mollison. To nikczemny człowiek, nikczemny. Nie słyszałaś, co powiedział, kiedy się dowiedział, że Barry napisał do gazety artykuł o Fields. Nie wiesz, co chce zrobić z kliniką odwykową. Tylko zaczekaj. Przekonasz się.

Parminder tak mocno drżała ręka, że dopiero po kilku próbach udało jej się zamknąć e-maila od Mollisona.

– Przekonasz się – powtórzyła. – No dobrze, lepiej bierzmy się do roboty, Laura musi za chwilę iść. Najpierw zmierzę ci ciśnienie.

Parminder robiła Tessie przysługę, przyjmując ją o tak późnej porze, po jej powrocie ze szkoły. Pielęgniarka, która mieszkała w Yarvil, miała zawieźć próbkę krwi Tessy do szpitalnego laboratorium po drodze do domu. Tessa była zdenerwowana i czuła się dziwnie bezbronna, kiedy podciągała rękaw starego zielonego swetra. Lekarka owinęła opaskę uciskową wokół jej ramienia i zapięła ją na rzep. Z bliska widać było, jak bardzo Parminder i jej młodsza córka są do siebie podobne. Ponieważ Parminder była szczupła, a Sukhvinder pulchna, podobieństwo rysów twarzy ujawniało się tylko wtedy, gdy nie zauważało się różnic w budowie ciała. Orli nos, szerokie usta z pełną dolną wargą i duże, okrągłe, ciemne oczy. Opaska zacisnęła się boleśnie na zwiotczałym ramieniu Tessy, a Parminder utkwiła wzrok we wskazówce ciśnieniomierza.

– Sto sześćdziesiąt pięć na osiemdziesiąt osiem – powiedziała Parminder, marszcząc brwi. – To dużo, Tesso, za dużo.

Zręcznymi, wprawnymi ruchami odpakowała sterylną strzykawkę, rozprostowała bladą, piegowatą rękę Tessy i wbiła igłę w zgięcie łokciowe.

– Jutro wieczorem zabieram Stuarta do Yarvil – powiedziała Tessa, patrząc w sufit. – Chcę mu kupić garnitur na pogrzeb. Jeśli będzie chciał iść w dżinsach, Colin wpadnie w szał, a ja tego nie zniosę.

Próbowała nie patrzeć na ciemny tajemniczy płyn wpływający do małej plastikowej rurki. Bała się, że on ją zdradzi – pokaże, że wcale nie jest taka zdrowa, jak powinna, i że wszystkie zjedzone przez nią czekoladowe batoniki i muffiny dadzą o sobie znać podwyższonym poziomem cukru.

A potem pomyślała z goryczą, że o wiele łatwiej byłoby jej się oprzeć pokusie jedzenia czekolady, gdyby miała mniej stresujące życie. Prawie cały czas poświęcała na próby pomocy innym, więc trudno było uznać muffiny za jakiś wielki grzech. Kiedy obserwowała, jak Parminder nakleja etykietki na fiolki z jej krwią, zdała sobie sprawę, że życzy Howardowi Mollisonowi, by udało mu się zapobiec przeprowadzeniu wyborów. Choć oczywiście wiedziała, że jej mąż i przyjaciółka uznaliby to za herezję.

V

Simon Price codziennie opuszczał drukarnię punktualnie o piątej. Pracował tylko tyle godzin, ile musiał. Czekał na niego dom, czysty i chłodny, wysoko na wzgórzu, oddalony o lata świetlne od wiecznego hałasu i huczenia zakładu w Yarvil. Zostawanie w pracy po godzinach mogłoby się okazać fatalne w skutkach, gdyby zostało odebrane jako przyznanie się, że jego życiu prywatnemu czegoś brakuje, albo co gorsza, potraktowane jako próba podlizania się przełożonym. Choć Simon sam zajmował kierownicze stanowisko, zachował sposób myślenia praktykanta.

Niestety dzisiaj Simon musiał pojechać do domu okrężną drogą. Spotkał się na parkingu z żującym gumę kierowcą wózka widłowego i w zapadającym zmierzchu pojechali do Fields, zgodnie ze wskazówkami chłopaka. Minęli nawet dom, w którym dorastał Simon. Od lat nie był w tej okolicy, bo jego matka nie żyła, a ojca nie widział, odkąd skończył czternaście lat. Nie wiedział nawet, co się z nim dzieje. Widok rodzinnego domu z jednym oknem zabitym deskami i z trawą sięgającą do kostek zdenerwował i przygnębił Simona. Jego matka pedantycznie dbała o porządek, choć kiedy go urodziła, nie była już młoda.

Chłopak kazał Simonowi zaparkować na końcu Foley Road i zaczekać, a potem wysiadł i skierował się do jakiegoś wyjątkowo zapuszczonego domu. Simon w świetle pobliskiej latarni widział, że pod oknem na parterze piętrzą się śmieci. Dopiero teraz zadał sobie pytanie, czy to rozsądne odbierać kradziony komputer własnym samochodem. W dzisiejszych czasach osiedle z pewnością jest monitorowane dla ochrony przed różnymi oprychami i menelami. Rozejrzał się, ale nie zauważył żadnych kamer. Wydawało mu się, że poza grubą kobietą, która ostentacyjnie gapiła się przez jedno z małych, brzydkich, kwadratowych okienek, nikt go nie obserwuje. Simon spiorunował ją wzrokiem, ale nie przestała mu się przyglądać i dalej paliła papierosa. Zasłonił twarz ręką, łypiąc na babsko przez przednią szybę.

Jego pasażer już wychodził z domu i szeroko rozstawiając nogi, niósł w stronę samochodu sporej wielkości pudło. W drzwiach, z których chłopak wyszedł, Simon dostrzegł nastolatkę, a obok niej małego chłopczyka. Dziewczyna szybko wróciła do środka, ciągnąc za sobą dziecko.

Kiedy miłośnik gumy do żucia podszedł do samochodu, Simon przekręcił kluczyk w stacyjce i zapalił silnik.

– Ostrożnie – powiedział, wychylając się, żeby odblokować drzwi od strony pasażera. – Po prostu połóż to tutaj.

Chłopak postawił pudło na jeszcze ciepłym siedzeniu. Simon miał zamiar otworzyć karton i sprawdzić, czy w środku jest to, za co zapłacił, ale świadomość własnej nieostrożności zwyciężyła. Zadowolił się popchnięciem pudła. Było ciężkie. Chciał już jechać.

– Zostawię cię tutaj, dobra!? – zawołał głośno do chłopaka, jakby już oddalał się ulicą.

– Podrzucisz mnie do hotelu Crannock?

– Przykro mi, stary, ale to nie po drodze – powiedział Simon. – Dzięki.

Ruszył. We wstecznym lusterku zobaczył wściekłą minę chłopaka i ruch jego ust, gdy bezgłośnie powiedział: „Wal się!". Ale miał to gdzieś. Szybko się stamtąd ulotnił z nadzieją, że nikt nie zdoła odczytać numeru rejestracyjnego na którymś z tych czarno-białych ziarnistych filmów pokazywanych w wiadomościach.

Dziesięć minut później wyjechał na obwodnicę, ale nawet kiedy zostawił Yarvil za sobą, zjechał z drogi szybkiego ruchu i piął się pod górę w stronę zrujnowanego opactwa, nadal był spięty i rozdrażniony. Nie czuł tej satysfakcji, która zwykle mu towarzyszyła, kiedy pod wieczór wjeżdżał na szczyt i daleko, po drugiej stronie kotliny, w której leżało Pagford, dostrzegał swój dom – niewielką białą plamkę na przeciwległym zboczu wzgórza.

Choć Ruth była w domu zaledwie od dziesięciu minut, już zdążyła podszykować obiad i kiedy Simon wnosił do domu komputer, nakrywała do stołu. Zgodnie ze zwyczajem wprowadzonym przez Simona, w Hilltop House wcześnie chodziło się spać i wcześnie wstawało. Radosne okrzyki Ruth na widok pudła zirytowały jej męża. Nie miała pojęcia, przez co musiał przejść. Nigdy nie mogła zrozumieć, że kupowanie rzeczy tanio wiąże się z ryzykiem. Ruth od razu wyczuła, że Simon jest w jednym z tych wybuchowych nastrojów, które często poprzedzały eksplozję, więc radziła sobie z zagrożeniem w jedyny sposób, jaki znała. Paplała radośnie o tym, jak minął jej dzień, w nadziei, że napięcie męża minie, kiedy będzie miał pełny żołądek. Oczywiście zakładając, że nie stanie się nic, co mogłoby jeszcze bardziej wyprowadzić go z równowagi.

Punkt szósta rodzina usiadła do kolacji. Simon zdążył już wyjąć komputer z pudła i odkryć, że nie ma w nim instrukcji obsługi.

Andrew zorientował się, że jego matka jest spięta, bo plotła trzy po trzy, a w jej głosie pobrzmiewał dobrze mu znany sztucznie radosny ton. Zachowywała się tak, jakby sądziła, że jeśli stworzy wystarczająco miłą atmosferę, to jego ojciec jej nie zrujnuje. Jakby całe lata doświadczeń dowodzących błędności takiego podejścia niczego jej nie nauczyły. Unikając kontaktu wzrokowego z Simonem, Andrew nałożył sobie zapiekanki pasterskiej (przygotowywanej wcześniej przez Ruth i rozmrażanej w dni powszednie). Nie chciał rozmyślać o rodzicach, były ciekawsze tematy. Gaia Bawden powiedziała mu „cześć", kiedy natknął się na nią przed salą od biologii. Rzuciła to jak gdyby nigdy nic, swobodnie, ale przez całą lekcję na niego nie spojrzała.

Andrew żałował, że nie wie więcej o dziewczynach. Nigdy nie poznał żadnej z nich dostatecznie dobrze, żeby zrozumieć zasadę działania ich mózgów. Ta zionąca dziura w jego wiedzy na temat życia nie miała znaczenia, dopóki Gaia nie wsiadła po raz pierwszy do szkolnego autobusu, wzbudzając w nim ostre jak wiązka lasera zainteresowanie swoją osobą. Było to zupełnie inne uczucie niż nieokreślona, bezosobowa fascynacja, która narastała w nim w ciągu ostatnich kilku lat na widok rosnących piersi dziewczyn i ramiączek od staników prześwitujących przez ich białe szkolne bluzki. W niczym nie przypominało tego przyprawiającego o lekkie mdłości zaciekawienia, jakie budziła w nim menstruacja.

Do Fatsa czasem przyjeżdżały kuzynki. Kiedyś poszedł do łazienki w domu Wallów zaraz po tym, jak skorzystała z niej najładniejsza z nich. Na podłodze obok kosza na śmieci znalazł przezroczysty celofan po tamponie. Ten fizyczny dowód na to, że znajdująca się w pobliżu dziewczyna właśnie ma okres, tu i teraz, był dla trzynastoletniego Andrew czymś w rodzaju widoku rzadkiej komety. Miał na tyle rozsądku, żeby nie wspominać Fatsowi o tym, co zobaczył i jak ekscytujące było to znalezisko. Zamiast tego podniósł kawałek celofanu dwoma palcami i szybko wrzucił go do kosza, a potem umył ręce energiczniej niż kiedykolwiek w życiu.

Andrew spędzał mnóstwo czasu przed laptopem, wpatrując się w profil Gai na Facebooku. To, co tam zobaczył, onieśmieliło go chyba jeszcze bardziej niż ona sama. Przez długie godziny studiował zdjęcia przyjaciół, których zostawiła w stolicy. Przybywała z innego świata: przyjaźniła się z czarnymi, z Azjatami, z ludźmi o imionach, których nie umiał wymówić. Znalazł tam też jej zdjęcie w kostiumie kąpielowym, które wypaliło mu ślad w mózgu. Było i inne, na którym opierała się o przystojnego chłopaka o kawowej skórze i niechlujnym wyglądzie. Ten chłopak nie miał pryszczy, a na jego twarzy można było dostrzec kilkudniowy zarost. Z informacji dostępnych na profilu Gai Andrew wydedukował, że to musi być osiemnastolatek Marco de Luca. Lecz choć ze skupieniem godnym hakera wpatrywał się w wymianę wiadomości między Markiem i Gaią, nie udało mu się ustalić, czy oznaczają one aktualny związek.

Przeglądaniu Facebooka często towarzyszył niepokój, bo Simon, ze swoim ograniczonym rozumieniem działania internetu i instynktownym brakiem zaufania do dziedzin, w których jego synowie poruszali się z większą swobodą i łatwością niż on, czasem wpadał niespodziewanie do ich pokoi, żeby sprawdzić, co oglądają. Twierdził, że chce się w ten sposób upewnić, że nie nabijają ogromnych rachunków, ale Andrew wiedział, że to tylko jeszcze jeden przejaw jego potrzeby sprawowania nad nimi kontroli. Dlatego zgłębiając online szczegóły z życia Gai, na wszelki wypadek zawsze trzymał kursor przygotowany do zamknięcia strony.

Ruth nadal trajkotała, przeskakując z tematu na temat. Bezskutecznie usiłowała nakłonić Simona, by wydał z siebie jakiś inny dźwięk niż tylko gburowate monosylaby.

– Aaa – powiedziała nagle. – Byłabym zapomniała: rozmawiałam dzisiaj z Shirley o twoim kandydowaniu do rady gminy.

Te słowa uderzyły Andrew jak cios pięścią.

– Kandydujesz do rady? – wykrztusił.

Simon powoli uniósł brwi. Jeden z mięśni jego szczęki drżał.

– Jakiś problem? – zapytał głosem naładowanym agresją.

– Nie – skłamał Andrew.

„Chyba, kurwa, żartujesz. Ty? Chcesz kandydować w wyborach? Kurwa, tylko nie to".

– To zabrzmiało tak, jakbyś miał z tym jakiś problem – powiedział Simon, wciąż patrząc Andrew prosto w oczy.

– Nie mam – powtórzył Andrew, spuszczając wzrok na talerz.

– Co w tym złego, że kandyduję do rady? – drążył Simon.

Nie zamierzał odpuścić. Chciał dać ujście swojemu napięciu w oczyszczającym wybuchu wściekłości.

– Nic. Po prostu byłem zaskoczony.

– Powinienem był to najpierw z tobą skonsultować? – zapytał Simon.

– Nie.

– Och, d z i ę k u j ę. – Szczęka Simona wysunęła się do przodu, jak często w chwilach, gdy był bliski utraty panowania nad sobą. – Znalazłeś już pracę, ty leniwy, przemądrzały gównojadzie?

– Nie.

Simon patrzył gniewnie na Andrew, trzymając w powietrzu widelec ze stygnącą porcją zapiekanki. Andrew z powrotem skupił się na jedzeniu, zdecydowany go więcej nie prowokować. Wydawało się, że w kuchni wzrosło ciśnienie. Nóż Paula brzęknął o talerz.

– Shirley mówi – szczebiotała dalej Ruth piskliwym głosem, zdecydowana udawać, że wszystko jest w porządku, dopóki nie okaże się to zupełnie niemożliwe – że napiszą o tym na stronie rady. O tym, jak zgłosić kandydaturę.

Simon nie odpowiedział.

Ostatnia próba Ruth się nie powiodła i zapadło milczenie. Bała się, że wie, co jest źródłem złego humoru Simona. Dręczył ją niepokój: jak zawsze zamartwiała się z byle powodu, nic jednak nie mogła na to poradzić. Wiedziała, że doprowadza Simona do szału, kiedy błagała go o jakieś zapewnienia. Czuła, że nie powinna się odzywać.

– Misiu?

– Co?

– Wszystko w porządku, prawda? Z tym komputerem?

Była beznadziejną aktorką. Próbowała powiedzieć to spokojnie i od niechcenia, ale jej głos był drżący i piskliwy.

Nie po raz pierwszy kradziony towar trafiał do ich domu. Simon znalazł też sposób na licznik prądu, a w drukarni dorabiał na boku, za gotówkę. To wszystko przyprawiało Ruth o ból żołądka i bezsenność. Ale Simon był pełen pogardy dla ludzi, którzy nie ośmielają się chodzić na skróty (między innymi właśnie za to go pokochała: za to, że ten nieokrzesany, szalony chłopak, który prawie do każdego odnosił się z pogardą, prostacko i agresywnie, zadał sobie trud, żeby ją zdobyć; że człowiek, którego tak trudno było zadowolić, uznał, że właśnie ona zasługuje na jego uwagę).

– O czym ty mówisz? – zapytał cicho Simon.

Skupiał uwagę to na Andrew, to na Ruth, patrząc na nich nieruchomym, jadowitym wzrokiem.

– No... chyba nie będzie przez to żadnych... żadnych problemów, prawda?

Simona ogarnęło pragnienie brutalnego ukarania jej za to, że wyczuła jego obawy i podsyciła je własnym niepokojem.

– Taa, no cóż, miałem nic nie mówić – powiedział wolno, dając sobie czas na wymyślenie jakiejś bajeczki – ale okazało się, że podczas kradzieży pojawił się mały problem.

Andrew i Paul przestali jeść i wpatrywali się w niego.

– Oberwał jakiś ochroniarz. Dowiedziałem się o tym, kiedy już było za późno. Mogę tylko mieć nadzieję, że nie będziemy mieli żadnych kłopotów.

Ruth oddychała z trudem. Nie mogła uwierzyć, że Simon z takim spokojem, z takim opanowaniem mówi o brutalnym rabunku. To wyjaśniało jego nastrój, kiedy przyszedł do domu. To wyjaśniało wszystko.

– Dlatego żadne z was nie może nikomu wspominać, że go mamy – powiedział Simon.

Poddał każde z nich działaniu świdrującego spojrzenia, żeby siłą swojej osobowości uświadomić im zagrożenie.

– Nie wspomnimy – wyszeptała Ruth.

Wyobraźnia już jej podsuwała obrazy, na których policjanci pukali do drzwi, oglądali komputer, aresztowali Simona pod niesprawiedliwym zarzutem czynnej napaści. Już widziała Simona w więzieniu.

– Słyszeliście, co powiedział tata? – zapytała synów głosem niewiele głośniejszym niż szept. – Nie wolno nikomu mówić, że mamy nowy komputer.

– Wszystko powinno być w porządku – powiedział Simon. – Powinno być dobrze. Pod warunkiem że wszyscy będą trzymali gębę na kłódkę.

Z powrotem skupił się na zapiekance. Wzrok Ruth przeskakiwał kolejno po twarzach Simona i obu synów. Paul przesuwał jedzenie po talerzu, milczący i przerażony.

Tylko Andrew nie wierzył w ani jedno słowo ojca.

„Kłamiesz, sukinsynu. Po prostu lubisz ją straszyć".

Po kolacji Simon wstał i powiedział:

– No, to zobaczmy chociaż, czy to dziadostwo działa. Ty – wskazał na Paula – idź, wyjmij komputer z pudła i ostrożnie, podkreślam: o s t r o ż n i e, ustaw go na stoliku. Ty – wskazał na Andrew – masz informatykę, no nie? Powiesz mi, co robić.

Simon ruszył przodem do salonu. Andrew wiedział, że ojciec próbuje ich przyłapać na jakimś błędzie, że chce, żeby powinęła im się noga. Paul był za mały i zbyt zdenerwowany i mógł upuścić komputer, a on, Andrew, na pewno czymś się narazi. Za nimi, w kuchni, Ruth pobrzękiwała naczyniami, sprzątając po kolacji. Przynajmniej ona znalazła się poza zasięgiem rażenia.

Andrew poszedł pomóc Paulowi przenieść komputer.

– Poradzi sobie, nie jest aż taką cipą! – warknął Simon.

Jakimś cudem Paulowi udało się drżącymi rękami postawić komputer na stoliku i uniknąć przewrócenia się. Teraz stał z bezwładnie zwieszonymi dłońmi, zagradzając ojcu dostęp do urządzenia.

– Z drogi, głupi mały kutasie! – krzyknął Simon.

Paul czmychnął za kanapę, żeby stamtąd obserwować, co się stanie. Simon wybrał na chybił trafił jakiś kabel i zwrócił się do Andrew.

– Gdzie mam to włożyć?

„Wsadź se w dupę, sukinsynu".

– Najlepiej mi to daj...

– Pytam się, gdzie mam to, kurwa, włożyć! – ryknął Simon. – Chodzisz na informatykę, to mi powiedz, gdzie to idzie!

Andrew nachylił się nad obudową komputera. Za pierwszym razem źle poinstruował Simona, ale potem, przypadkiem, wskazał właściwe gniazdo.

Ruth dołączyła do nich, kiedy już prawie kończyli. Andrew spojrzał na nią z ukosa i domyślił się, że matka wcale nie chce, żeby urządzenie działało. Chciała, żeby Simon gdzieś je wyrzucił, i niech szlag trafi te osiemdziesiąt funtów.

Simon usiadł przed monitorem. Po kilku bezowocnych próbach zdał sobie sprawę, że w bezprzewodowej myszce nie ma baterii. Paul został wysłany po nie do kuchni, biegiem. Kiedy podawał je ojcu, ten wyrwał mu baterie z ręki, jakby Paul mógł mu je sprzątnąć sprzed nosa.

Z języczkiem wsuniętym między dolne zęby i usta, a przez to z głupkowato wybrzuszoną wargą, Simon robił wielkie przedstawienie z wkładania baterii. Zawsze przybierał tę wściekłą, prymitywną minę jako ostrzeżenie, że jest u kresu wytrzymałości, że dotarł do miejsca, w którym nie może dłużej brać odpowiedzialności za swoje czyny. Andrew wyobrażał sobie, że wychodzi, pozbawiając ojca publiczności, którą ten lubił mieć, kiedy się wściekał. Prawie czuł, jak odwróciwszy się, obrywa myszką w głowę, tuż za uchem.

– No WCHODŹ, kurwa!

Simon zaczął wydawać swój popisowy niski, zwierzęcy pomruk, który pasował do jego gniewnie wykrzywionej twarzy.

– Uuuyy... uuuyy... co za PIŹDZIELSTWO! Sam to, kurwa, zrób! Do ciebie mówię, Paul! Masz szczylowate śmierdzące paluszki, jak dziewucha!

Simon wepchnął Paulowi do ręki mysz i baterie. Paul drżącymi palcami umieścił małe metalowe walce na właściwym miejscu. Zatrzasnął plastikową klapkę i podał myszkę ojcu.

– Dziękuję, P a u l i n k o.

Żuchwa Simona nadal wystawała jak u neandertalczyka. Ojciec Andrew często zachowywał się tak, jakby przedmioty nieożywione spiskowały przeciwko niemu, żeby go zirytować. Ponownie położył myszkę na podkładce.

„Żeby tylko zadziałała".

Mała biała strzałka pojawiła się na ekranie i zaczęła wesoło fruwać pod dyktando Simona.

Utkana ze strachu opaska uciskowa poluźniła się, troje obserwatorów odetchnęło z ulgą. Simon przestał stroić miny neandertalczyka. Andrew wyobraził sobie szereg Japończyków i Japonek w białych fartuchach – ludzi, którzy złożyli tę niezawodną maszynę, ludzi o delikatnych, zręcznych palcach, podobnych do palców Paula. Kłaniali mu się cudownie uprzejmi i łagodni. Andrew w skrytości ducha błogosławił im i ich rodzinom. Nigdy się nie dowiedzą, jak wiele zależało od działania tego konkretnego urządzenia.

Ruth, Andrew i Paul czekali w napięciu, aż Simon wypróbuje komputer. Otwierał różne pozycje z menu, których później nie potrafił zamknąć, klikał na ikony, których funkcji nie rozumiał, i był zaskoczony wynikami tych działań, ale opuścił już płaskowyż niebezpiecznej furii. Kiedy ochłonął, spojrzał na Ruth i powiedział:

– Chyba w porządku, co?

– Świetnie! – wykrzyknęła od razu z wymuszonym uśmiechem, jak gdyby ostatnie pół godziny w ogóle się nie wydarzyło, jakby Simon kupił komputer u Dixona i podłączył go, nie grożąc nikomu użyciem przemocy. – Jest szybszy, dużo szybszy od poprzedniego.

„On jeszcze nawet nie wszedł do internetu, głupia kobieto".

– Taaa, też to zauważyłem.

Simon popatrzył gniewnie na synów.

– Jest całkiem nowy i drogi, więc go szanujcie, jasne? Tylko nikomu nie mówcie, że go mamy – dodał i w pokoju znów powiało chłodem złości. – W porządku? Zrozumiano?

Znowu pokiwali głowami. Twarz Paula była spięta i wymęczona. Poza zasięgiem wzroku ojca rysował ósemki na nodze swoim szczupłym palcem wskazującym.

– I niech ktoś zasłoni okno. Dlaczego jeszcze nie jest zasłonięte?

„Bo wszyscy staliśmy i patrzyliśmy, jak zachowujesz się jak kutas".

Andrew zaciągnął zasłony i wyszedł z salonu.

Nawet kiedy znalazł się w swoim pokoju i rzucił się na łóżko, nie był w stanie wrócić do przyjemnych myśli o Gai Bawden. Wieść, że ojciec będzie kandydował do rady gminy, wyrosła przed nim niespodziewanie jak gigantyczna góra lodowa, rzucając cień na wszystko, nawet na Gaię.

Przez całe życie Andrew jego ojciec był zadowolonym niewolnikiem własnej pogardy dla innych ludzi. Uczynił z domu fortecę, w której chronił się przed światem. W Hilltop House jego wola była prawem, a jego nastrój kształtował rodzinną pogodę. W miarę jak Andrew dorastał, coraz wyraźniej zdawał sobie sprawę, że całkowita izolacja jego rodziny nie jest czymś normalnym, i zaczął się jej trochę wstydzić. Rodzice przyjaciół chcieli wiedzieć, gdzie mieszka, bo nie mogli skojarzyć jego rodziny. Pytali, czy jego matka albo ojciec wybierają się na jakieś spotkania towarzyskie lub kwesty. Czasami przypominali sobie Ruth z czasów podstawówki, kiedy przyszłe matki nawiązywały znajomości na placu zabaw. Była znacznie bardziej towarzyska od Simona. Może gdyby nie wyszła za tak aspołecznego faceta, bardziej przypominałaby matkę Fatsa, umawiałaby się z przyjaciółmi na lunch albo kolacje, uczestniczyłaby w życiu miasta.

Przy bardzo rzadkich okazjach, kiedy Simon osobiście stykał się z kimś, o czyje względy warto było, jak sądził, zabiegać, przybierał maskę człowieka będącego solą ziemi. Na jej widok Andrew odruchowo się krzywił. Simon przekonywał rozmówcę do swoich racji, rzucał toporne dowcipy i często bezwiednie nadeptywał komuś na odcisk, bo ani nie wiedział nic o ludziach, których był zmuszony widywać, ani go oni nie obchodzili. Ostatnio Andrew zadawał sobie pytanie, czy Simon w ogóle wierzy, że inni ludzie istnieją naprawdę.

Andrew nie mógł pojąć, skąd u jego ojca aspiracje do służby publicznej, ale katastrofa wydawała się nieunikniona. Andrew znał rodziców swoich kolegów. Tych, którzy brali udział w dobroczynnych rajdach rowerowych, żeby zebrać pieniądze na nowe bożonarodzeniowe oświetlenie rynku, prowadzili drużynę zuchów albo zakładali kluby książki. Simon nie robił nic, co wymagałoby współpracy z innymi, i nigdy nie przejawiał najmniejszego zainteresowania niczym, co nie przynosiło mu bezpośredniej korzyści.

We wzburzonym umyśle chłopca pojawiały się koszmarne wizje: Simon wygłasza przemówienie naszpikowane oczywistymi kłamstwami, w które jego żona wierzyła bez zastrzeżeń, Simon próbuje zastraszyć przeciwnika swoją miną neandertalczyka, Simon traci panowanie nad sobą i przez mikrofon zaczyna rzucać swoimi ulubionymi przymiotnikami: „pizdowaty, pierdolony, śmierdzący, gówniany"...

Andrew przyciągnął laptop, ale zaraz go odepchnął. Nie wykonał żadnego ruchu w kierunku leżącej na biurku komórki. Ogromu jego niepokoju i wstydu nie dałoby się zawrzeć w wiadomości wysłanej komunikatorem internetowym czy w SMS-ie. Był z tym sam, nawet Fats by tego nie zrozumiał i nie wiedziałby, co z tym zrobić.

PIĄTEK

Zwłoki Barry'ego Fairbrothera zostały przeniesione do zakładu pogrzebowego. Przypominające ślady łyżew na lodzie głębokie czarne nacięcia na białej skórze jego głowy zniknęły w gąszczu bujnych włosów. W słabym świetle ciało zmarłego wydawało się zimne, woskowe i puste. Ponownie ubrane w koszulę i spodnie, które włożył przed wyjściem na rocznicową kolację, spoczywało w sali, gdzie grała łagodna muzyka. Dyskretny makijaż przywrócił jego skórze blask życia. Było prawie tak, jakby spał. Tyle że niezupełnie.

W przeddzień pogrzebu dwaj bracia Barry'ego, jego żona i czworo dzieci poszli się z nim pożegnać. Mary prawie do ostatniej chwili nie mogła się zdecydować, czy powinna pozwolić dzieciom zobaczyć zwłoki ojca. Declan był wrażliwym chłopcem, często miewał koszmary. W piątkowe popołudnie, kiedy ona wciąż była w rozterce, pojawił się niespodziewany problem.

Colin „Przegródka" Wall stwierdził, że też chce się pożegnać z Barrym. Mary, zwykle zgodna i uległa, uznała to za przesadę. Kiedy zadzwoniła do Tessy, jej głos w słuchawce brzmiał ostro i przenikliwie, a potem znowu zaczęła płakać i powiedziała, że po prostu nie planowała żadnej defilady przed Barrym, że to sprawa rodzinna... Tessa przeprosiła ją najdelikatniej, jak umiała, zapewniła, że rozumie, po czym została sam na sam z zadaniem wyjaśnienia tego Colinowi, który zażenowany i zraniony pogrążył się w milczeniu.

Chciał tylko przez chwilę postać przy ciele Barry'ego i złożyć milczący hołd człowiekowi, który zajmował w jego życiu wyjątkowe miejsce. Colin powierzał mu prawdy i tajemnice, którymi nie podzieliłby się z nikim innym, a małe brązowe oczy Barry'ego, błyszczące jak u rudzika, zawsze patrzyły na niego ciepło i życzliwie. Barry był najbliższym przyjacielem

Colina. To jemu Colin zawdzięczał doświadczenie męskiego braterstwa, jakiego nie zaznał przed wprowadzeniem się do Pagford i z pewnością nie miał zaznać już nigdy więcej. Colin zawsze uznawał to za mały cud: oto on – wieczny outsider i dziwak, dla którego życie oznaczało codzienną szamotaninę – zdołał się zaprzyjaźnić z tym wesołym, lubianym i zawsze pełnym optymizmu Barrym. Chroniąc resztki godności, postanowił nie chować do Mary urazy, a jednak spędził resztę dnia, medytując nad tym, jaki zaskoczony i zraniony byłby Barry, gdyby usłyszał o decyzji swojej żony.

Pięć kilometrów od Pagford, w ładnym wiejskim domku zwanym Smithy Gavin Hughes próbował zwalczyć ogarniające go przygnębienie. Jakiś czas temu dzwoniła Mary. Drżącym, płaczliwym głosem opowiedziała mu o pomysłach dzieci związanych z jutrzejszym pogrzebem. Siobhan wyhodowała słonecznik, który zamierzała ściąć i położyć na wieku trumny. Cała czwórka napisała listy, które miały zostać pogrzebane razem z ojcem. Mary też napisała list i zamierzała go włożyć do kieszeni koszuli Barry'ego, na jego sercu.

Kiedy Gavin odkładał słuchawkę, czuł mdłości. Nie chciał myśleć o listach dzieci ani o długo hodowanym słoneczniku, ale gdy samotnie jadł lazanie przy kuchennym stole, jego umysł uparcie powracał do tych wieści. Za nic w świecie nie chciałby czytać tego, co Mary napisała w swoim liście, lecz nie przestawał sobie tego wyobrażać.

W jego sypialni, jak nieproszony gość, wisiał czarny garnitur w folii z pralni. Wdzięczność Gavina za zaszczyt, jaki go spotkał, gdy Mary postanowiła publicznie uznać go za jedną z najbliższych osób bardzo lubianego Barry'ego, już dawno została wyparta przez strach. Kiedy mył nad zlewem talerz i sztućce, poczuł, że najchętniej w ogóle nie szedłby na pogrzeb. Myśl o tym, żeby pożegnać się z ciałem zmarłego przyjaciela, nawet nie zaświtała mu w głowie.

Poprzedniego wieczoru paskudnie pokłócił się z Kay i od tamtej pory z sobą nie rozmawiali. Wszystko zaczęło się od tego, że Kay zapytała Gavina, czy chce, żeby poszła z nim na pogrzeb.

– Jezu, nie – powiedział Gavin, zanim zdążył się powstrzymać.

Kiedy zobaczył wyraz jej twarzy, od razu się zorientował, jak to zabrzmiało. „Jezu, nie, jeszcze ktoś pomyśli, że jesteśmy parą. Jezu, nie, dlaczego miałbym chcieć cię tam zabrać?" I chociaż właśnie tak się przedstawiały jego odczucia, próbował się wykręcić kłamstwami.

– Chodzi mi o to, że nawet go nie znałaś! To by dość dziwnie wyglądało, nie?

Ale Kay się wściekła. Przyparła go do muru, chciała, żeby jej wyjaśnił, co naprawdę czuje, czego chce, jak wyobraża sobie przyszłość ich obojga. Odpierał jej ataki, używając wszelkiej broni, jaką miał w swoim arsenale: na przemian udawał głupiego, odpowiadał wymijająco i nazbyt drobiazgowo. Jak cudownie można przesłonić problem uczuciowy, udając, że dąży się do precyzji. W końcu Kay kazała mu się wynosić, a on jej posłuchał. Wiedział jednak, że to nie koniec. Nie miał złudzeń. Zobaczył swoje odbicie w kuchennej szybie: wyglądał na wyczerpanego i nieszczęśliwego. Miał wrażenie, że przyszłość skradziona Barry'emu wisi nad jego własnym życiem jak niebezpieczny klif. Czuł, że dał plamę, i miał wyrzuty sumienia, ale i tak liczył na to, że Kay wróci do Londynu.

Nad Pagford zapadał zmierzch, gdy Parminder Jawanda przeglądała swoją garderobę, zastanawiając się, co włożyć na pożegnanie Barry'ego. Miała kilka ciemnych sukienek i kostiumów, z których każdy byłby odpowiedni, jednak wciąż patrzyła na ubrania na wieszakach i nie mogła się zdecydować.

„Włóż sari. To zdenerwuje Shirley Mollison. No dalej, włóż sari".

Okropnie głupio było tak myśleć – to było idiotyczne i nie na miejscu – a jeszcze gorzej było tak myśleć, wkładając te słowa w usta Barry'ego. Barry nie żył. Parminder rozpaczała po jego stracie przez prawie pięć dni, a jutro miał spocząć w ziemi. Ta perspektywa była dla niej szczególnie niemiła. Nie znosiła tej formy pochówku: tego, że ciało miało leżeć w całości pod ziemią i powoli gnić pożerane przez robactwo. Sikhowie poddawali zwłoki kremacji i rozrzucali prochy nad płynącą wodą.

Wodziła wzrokiem po wiszących częściach garderoby, ale miała wrażenie, że cały czas woła ją sari wkładane na wesela i rodzinne spotkania w Birmingham. Skąd się wzięło to dziwne pragnienie, żeby włożyć sari? Byłby to nietypowy dla niej ekshibicjonizm. Wyciągnęła rękę, żeby dotknąć fałdów swojego ulubionego, granatowo-złotego. Po raz ostatni miała je na sobie na przyjęciu noworocznym u Fairbrotherów, gdy Barry próbował ją nauczyć tańczyć jive'a. Próba zakończyła się fiaskiem, głównie dlatego że nauczyciel sam nie bardzo wiedział, co robi, ale pamiętała, że śmiała się jak rzadko kiedy, histerycznie, jak szalona, jak pijane kobiety, które czasami widywała.

Sari jest eleganckie i kobiece, łaskawe dla ciał rozrastających się w wieku średnim. Matka Parminder, która miała osiemdziesiąt dwa lata, nosiła je codziennie. Sama Parminder nie potrzebowała jego kamuflujących właściwości: była równie szczupła jak w wieku dwudziestu lat. Mimo to wyjęła długi pas miękkiego materiału i przyłożyła go do szlafroka, pozwalając, by sari opadło i popieściło jej bose stopy. Przesunęła wzrok w dół i spojrzała na delikatny haft. Włożenie sari byłoby jak dowcip zrozumiały tylko dla niej i Barry'ego, jak dom w kształcie krowiej mordy i wszystkie zabawne rzeczy, które Barry mówił o Howardzie, kiedy wracali piechotą z ciągnących się niemiłosiernie, ponurych posiedzeń rady.

Parminder czuła okropny ciężar na piersi, ale czyż księga *Sri Guru Granth Sahib* nie nawoływała przyjaciół i krewnych zmarłego, aby nie okazywali smutku, lecz cieszyli się z ponownego zjednoczenia się człowieka, którego kochali, z Bogiem? Starając się powstrzymać zdradzieckie łzy, Parminder cicho zaintonowała wieczorną modlitwę *kirtan sohila*:

Mój przyjacielu, nadeszła pora, byś służył świętym.
Obyś na tym świecie zasłużył na boską nagrodę, a na tamtym żył w pokoju i radości.
Życie skraca się dniem i nocą.
O, umyśle, spotkaj guru i uporządkuj swoje sprawy...

Leżąc na łóżku w swoim pokoju, przy zgaszonym świetle, Sukhvinder słyszała, co robi każdy z członków jej rodziny. Pod podłogą rozlegało się niewyraźne szemranie telewizora przerywane stłumionym śmiechem jej brata i ojca, którzy oglądali nadawaną w piątkowy wieczór komedię. Z drugiej strony korytarza dobiegał głos starszej siostry rozmawiającej przez komórkę z którąś z licznych przyjaciółek. Najbliżej była matka, postukująca i szurająca w szafie wnękowej za ścianą.

Sukhvinder zaciągnęła zasłony, a pod drzwi podłożyła chroniący przed przeciągami wałek w kształcie długiego jamnika. W drzwiach nie było zamka, więc szmaciany pies utrudniał otwarcie drzwi, ostrzegał ją. Ale i tak miała pewność, że nikt nie przyjdzie. Była tam, gdzie powinna, i robiła to, co powinna. A przynajmniej wszyscy tak myśleli.

Właśnie odprawiła jeden ze swoich okropnych codziennych rytuałów: otworzyła swój profil na Facebooku i usunęła kolejny wpis zamieszczony tam przez nieznanego nadawcę. Za każdym razem, gdy blokowała użytkownika bombardującego ją wiadomościami, ten ktoś zakładał nowy profil i przesyłał ich jeszcze więcej. Nigdy nie wiedziała, kiedy znowu coś się pojawi. Dziś znalazła czarno-biały obrazek, kopię dziewiętnastowiecznego plakatu cyrkowego.

„La Véritable Femme à Barbe, Miss Anne Jones Elliot".

Widniało na nim zdjęcie kobiety w koronkowej sukni, z długimi włosami oraz bujną brodą i wąsami.

Sukhvinder była przekonana, że nadawcą jest Fats Wall, choć równie dobrze mógł to być ktoś inny. Na przykład Dane Tully i jego przyjaciele, którzy wydawali ciche małpie pomruki, ilekroć odzywała się na angielskim. Gnębiliby tak każdego o jej kolorze skóry, a w Winterdown prawie nie było brązowych twarzy. Czuła się upokorzona i głupia, zwłaszcza że pan Garry nigdy ich za to nie zganił. Udawał, że niczego nie słyszy albo że to tylko jakaś bezsensowna gadanina. Może on też uważał, że Sukhvinder Kaur Jawanda to małpa, włochata małpa.

Sukhvinder leżała na plecach na narzucie i całym sercem pragnęła umrzeć. Gdyby mogła się zabić wyłącznie dzięki pragnieniu śmierci, zrobiłaby to bez wahania. Pana Fairbrothera spotkała śmierć – dlaczego nie miałaby się przydarzyć także jej? Albo lepiej: czemu nie mogli się zamienić miejscami? Niamh i Siobhan odzyskałyby ojca, a ona, Sukhvinder, mogłaby po prostu osunąć się w niebyt. Zniknąć z powierzchni ziemi. Bez śladu.

Jej odraza do samej siebie przypominała ubranie z pokrzyw – całe ciało kłuło ją od niej i piekło. Bez przerwy musiała się powstrzymywać, żeby wytrwać i pozostać w bezruchu. Żeby nie zerwać się z miejsca, by zrobić jedną jedyną rzecz, która przynosiła ulgę. Zanim to nastąpi, cała rodzina musiała pójść spać. Ale Sukhvinder przeżywała katusze, leżąc tak i słuchając swojego oddechu, świadoma bezużytecznego ciężaru swego brzydkiego, odrażającego ciała na łóżku. Lubiła rozmyślać o utopieniu się, o utonięciu w chłodnej zielonej wodzie, i wyobrażać sobie, jak powoli wtula się w nicość...

„Wielki hermafrodyta siedzi cicho i spokojnie...”

Leżała w ciemności i wstyd ogarniał jej ciało jak swędząca wysypka. Wcześniej nie znała tego słowa, usłyszała je po raz pierwszy w środę na matematyce, z ust Fatsa Walla. Nie umiała sprawdzić tego w słowniku, bo miała dysleksję. Ale Fats był na tyle miły, że dorzucił definicję, więc nie musiała się męczyć.

„Owłosiony obojnak”.

Był gorszy niż Dane Tully, który nie urozmaicał swoich drwin. Diabelski język Fatsa Walla za każdym razem tworzył świeże, przygotowane specjalnie dla niej tortury, a ona nie mogła zatkać uszu. Wszystkie jego obraźliwe słowa, wszystkie kpiny zapadały jej głęboko w pamięć i tkwiły tam dłużej niż jakakolwiek użyteczna informacja. Gdyby Sukhvinder zdawała egzamin z wyzwisk, którymi ją obrzucał, dostałaby pierwszą szóstkę w swoim życiu. „Wąs i cyc. Hermafrodyta. Brodaty tuman”.

Włochata, ciężka i brzydka. Pospolita i niezdarna. Leniwa według matki, która codziennie zasypywała ją krytycznymi uwagami i była na nią zła. Trochę powolna według ojca, który mówił to z czułością, niezmniejszającą jednak jego braku zainteresowania. Mógł sobie pozwolić na wyrozumiałość dla jej złych stopni. Miał Jaswant i Rajpala, którzy zbierali najlepsze oceny z wszystkich przedmiotów.

– Nasza biedna Jolly – mawiał beztrosko Vikram po przejrzeniu jej świadectwa.

Ale wolała obojętność ojca niż złość matki. Parminder najwidoczniej nie była w stanie pojąć ani zaakceptować, że wydała na świat nieutalentowane dziecko. Jeśli któryś z nauczycieli choćby mimochodem zasugerował, że Sukhvinder mogłaby się bardziej starać, Parminder czepiała się jego słów i triumfowała.

– „Sukhvinder łatwo się zniechęca i powinna mieć więcej wiary w swoje umiejętności”. Otóż to! Widzisz? Twój nauczyciel twierdzi, że za słabo się starasz, Sukhvinder.

O jedynym przedmiocie, w którym Sukhvinder doszła do poziomu dla średnio zaawansowanych, czyli o informatyce – Fatsa Walla nie było w jej grupie, więc czasami odważała się podnieść rękę i odpowiadać na pytania – Parminder wyrażała się lekceważąco: „Wy, dzieci, spędzacie w internecie tyle czasu, że każde z was powinno być w grupie dla zaawansowanych".

Sukhvinder nigdy nie przyszłoby do głowy, żeby powiedzieć ojcu lub matce o małpich pomrukach albo o niekończącym się strumieniu podłości Stuarta Walla. To oznaczałoby przyznanie się, że ludzie spoza rodziny też uważają ją za gorszą i bezwartościową. Poza tym Parminder przyjaźniła się z matką Stuarta Walla. Czasami Sukhvinder zastanawiała się, czy Stuart Wall się nie boi, że Sukhvinder na niego naskarży, ale najwidoczniej wiedział, że nigdy by tego nie zrobiła. Przejrzał ją. Widział jej tchórzostwo, podobnie jak znał jej wszystkie najgorsze myśli o sobie samej i umiał je wyartykułować ku uciesze Andrew Price'a. Kiedyś Andrew Price się jej podobał – zanim zrozumiała, że zupełnie się nie nadaje na dziewczynę, której ktoś może się podobać. Zanim zdała sobie sprawę, że jest śmieszna i dziwaczna.

Sukhvinder usłyszała głosy ojca i Rajpala, które coraz bardziej przybierały na sile, bo ci dwaj właśnie wchodzili po schodach. Śmiech brata osiągnął apogeum pod jej drzwiami.

– Jest już późno – rozległ się głos matki z sypialni. – Vikram, on powinien iść spać.

Zza drzwi Sukhvinder, z bliska, dobiegł donośny i ciepły głos ojca:

– Śpisz już, Jolly?

Użył jej ironicznego przezwiska z dzieciństwa. „Śmieszka". Jaswant była Jazzy – „Krzykaczką", a Sukhvinder, mażące się, nieszczęśliwe i rzadko uśmiechnięte dziecko, została przezwana Jolly.

– Nie! – odkrzyknęła Sukhvinder. – Dopiero się położyłam.

– No więc może cię zainteresuje, że twój brat...

Ale to, co zrobił Rajpal, zginęło wśród jego głośnych protestów i śmiechu. Sukhvinder usłyszała, jak Vikram się oddala, nadal drocząc się z Rajpalem.

Sukhvinder zaczekała, aż w domu zapadnie cisza. Kurczowo trzymała się wizji swojego jedynego pocieszenia, tak jakby ściskała koło ratunkowe, i czekała, czekała, aż wszyscy położą się spać...

(A kiedy tak czekała, przypomniała sobie tamten nie tak odległy wieczór, kiedy po treningu wioślarskim szli w ciemności w stronę parkingu nad kanałem. Po wiosłowaniu człowiek był taki zmęczony. Bolały ją ręce i mięśnie brzucha, ale ten ból był dobry, czysty. Po wiosłowaniu zawsze dobrze jej się spało. I nagle Krystal, która szła obok Sukhvinder na końcu grupy, nazwała ją głupią, brudną suką.

Te słowa padły zupełnie niespodziewanie. Wszystkie dziewczyny z osady wygłupiały się z panem Fairbrotherem. Krystal myślała, że powiedziała coś śmiesznego. Używała słowa „zajebiście" zamiennie z „bardzo" i chyba nie zauważała między nimi żadnej różnicy. Teraz powiedziała „brudna", tak jakby powiedziała „tępa" albo „ciemna". Sukhvinder poczuła, że uśmiech zastyga jej na twarzy, i doświadczyła znajomego piekącego ucisku w żołądku.

„Coś ty powiedziała?" – Pan Fairbrother odwrócił się gwałtownie i spojrzał na Krystal.

Nigdy wcześniej żadna z nich nie widziała go naprawdę rozzłoszczonego.

„Nie chciałam źle – powiedziała Krystal, trochę zaskoczona, a trochę bezczelna. – Tylko żartowałam. Ona wie, że tylko żartowałam. No nie?" – zapytała Sukhvinder ostrym tonem, a ta tchórzliwie bąknęła, że tak, wie.

„Nigdy więcej nie chcę od ciebie słyszeć tego słowa".

Wszystkie wiedziały, jak bardzo pan Fairbrother lubi Krystal. Wiedziały, że zapłacił z własnej kieszeni, żeby mogła z nimi pojechać na dwie wycieczki. Nikt nie śmiał się głośniej niż pan Fairbrother z dowcipów Krystal. Krystal potrafiła być bardzo zabawna.

Poszli dalej i wszyscy byli zakłopotani. Sukhvinder bała się spojrzeć na Krystal. Czuła się winna, jak zawsze.

Kiedy zbliżyli się do samochodu, Krystal – tak cicho, że nie usłyszał nawet pan Fairbrother – powiedziała:

„Żartowałam".

A Sukhvinder odparła pospiesznie:

„Wiem".

„No to... *sorry*".

Przeprosiny były zwięzłe i ciche, a Sukhvinder uznała, że najtaktowniej będzie je zbyć milczeniem. Mimo to poczuła się oczyszczona. To jedno słowo przywróciło jej godność. W drodze powrotnej do Pagford po raz pierwszy w życiu zaintonowała szczęśliwą piosenkę osady, prosząc Krystal, żeby zaczęła rapowy fragment Jaya-Z).

Powoli, bardzo powoli, rodzina Sukhvinder w końcu kładła się spać. Jaswant spędziła dużo czasu w łazience, pobrzękując i postukując. Sukhvinder zaczekała, aż Jaz skończy się pindrzyć, aż rodzice w sypialni przestaną rozmawiać, aż w domu zapadnie cisza.

Wreszcie mogła bezpiecznie działać. Usiadła i z dziury w uchu swojego starego pluszowego królika wyjęła żyletkę. Podkradła ją z zapasów Vikrama w szafce w łazience. Wstała z łóżka, po omacku znalazła na półce latarkę i garść chusteczek, a potem przeszła do najdalej wysuniętej części swojego pokoju, do małej okrągłej wieżyczki w rogu. Wiedziała, że tam światło latarki będzie niewidoczne i nie wypłynie przez szparę pod drzwiami. Usiadła plecami do ściany, podciągnęła rękaw koszuli nocnej i w świetle latarki obejrzała ślady pozostawione podczas poprzedniej sesji, nadal widoczne, krzyżujące się i ciemne na tle skóry, ale już podgojone. Z lekkim dreszczem strachu, który dzięki towarzyszącemu mu natychmiastowemu skupieniu przynosił jej błyskawiczną ulgę, przyłożyła ostrze w połowie przedramienia i przecięła skórę. W jednej chwili pojawił się ostry, piekący ból i popłynęła krew.

Następnie przeciągnęła żyletką aż do łokcia, a potem przycisnęła do długiej rany chusteczki, uważając, żeby nic nie kapnęło na koszulę nocną ani na dywan. Po paru minutach ciachnęła jeszcze raz, poziomo, przecinając pierwszą ranę i tworząc drabinkę. Przerwała na chwilę, żeby przycisnąć chusteczki i wytrzeć krew. Ostrze odciągało ból od jej krzyczących myśli i przemieniało go w zwierzęce pieczenie nerwów i skóry: każda rana przynosiła ulgę i wyzwolenie.

W końcu Sukhvinder wytarła żyletkę i przyjrzała się ranom, które sobie zadała: przecinającym się, krwawym, wywołującym tak wielki ból, że po twarzy płynęły jej łzy. Ten ból odpędzał senność, ale i tak nie mogłaby od razu pójść spać, bo musiała zaczekać z dziesięć, dwadzieścia minut, aż w świeżych ranach zakrzepnie krew. Usiadła, podciągnęła wysoko kolana, zamknęła mokre oczy i oparła się o ścianę pod oknem.

Część jej nienawiści do siebie wysączyła się razem z krwią. Jej myśli popłynęły w stronę Gai Bawden, nowej dziewczyny, która z jakiegoś niewiadomego powodu ją polubiła. Z takim wyglądem i z tym londyńskim akcentem Gaia mogła się zadawać, z kim tylko chciała, a mimo to podczas przerw na lunch i w autobusie ciągle szukała towarzystwa Sukhvinder.

Sukhvinder tego nie rozumiała. Miała ochotę zapytać Gaię, w co ona właściwie pogrywa. Codziennie czuła, że nowa koleżanka wreszcie zda sobie sprawę, że ona, Sukhvinder, jest włochata i wygląda jak małpa, że jest powolna i głupia, że zasługuje tylko na pogardę, prychanie i wyzwiska. Bez wątpienia już wkrótce Gaia zrozumie swój błąd i Sukhvinder jak zwykle wróci do podszytej znudzeniem litości swoich najstarszych przyjaciółek, bliźniaczek Fairbrotherów.

SOBOTA

I

O dziewiątej rano wszystkie miejsca parkingowe przy Church Row były zajęte. Ubrani na czarno żałobnicy nadchodzili pojedynczo, parami albo w grupach, spotykając się, jak strumień żelaznych opiłków przyciągany przez magnes, w kościele Świętego Michała i Wszystkich Świętych. Na ścieżce prowadzącej do drzwi kościoła zrobiło się tłoczno, a potem tłum wylał się na cmentarz. Ci, którzy musieli zejść ze ścieżki, rozeszli się wśród grobów, szukając dobrego miejsca między nagrobkami, bojąc się podeptać zmarłych, a mimo to nie chcąc się za bardzo oddalać od wejścia do kościoła. Było jasne, że miejsc w ławkach nie wystarczy dla wszystkich, którzy przyszli pożegnać Barry'ego Fairbrothera.

Jego współpracownicy z banku, którzy zgromadzili się wokół najokazalszego z grobowców Sweetlove'ów, marzyli o tym, żeby czcigodny przedstawiciel centrali już sobie poszedł, razem ze swą bezmyślną gadaniną i drętwymi dowcipami. Lauren, Holly i Jennifer z osady wioślarskiej odłączyły się od rodziców i zbiły się w gromadkę w cieniu cisu o igłach miękkich jak mech. Członkowie rady gminy, istna menażeria, ponuro rozmawiali na środku ścieżki: zbiorowisko łysiejących głów i okularów o grubych szkłach, kilka czarnych słomianych kapeluszy i gustowne perły. Mężczyźni z klubu squasha i klubu golfa pozdrawiali się powściągliwie. Dawni przyjaciele ze studiów rozpoznawali się z daleka i podchodzili do siebie. A pomiędzy nimi wszystkimi tłoczyli się ludzie tworzący pagfordzką śmietankę towarzyską, odziani w swoje najelegantsze i najbardziej posępne ubrania. Powietrze wibrowało od cichych rozmów, tu i tam przesuwały się twarze, skupione i wyczekujące.

Najlepszy płaszcz Tessy Wall uszyty z szarej wełny był tak ciasny w ramionach, że mogła podnieść ręce najwyżej na wysokość klatki piersiowej. Stojąc z synem obok przykościelnej ścieżki, wymieniała ze znajomymi smutne, powściągliwe uśmiechy i machała im na powitanie, jednocześnie kłócąc się z Fatsem i starając się nie ruszać przy tym za bardzo ustami.

– Na litość boską, Stu. To był najlepszy przyjaciel twojego ojca. Okaż trochę szacunku, chociaż ten jeden raz.

– Nikt mi nie powiedział, że to będzie tak cholernie długo trwało. Mówiłaś, że o wpół do dwunastej będzie po wszystkim.

– Nie przeklinaj. Powiedziałam, że mniej więcej o wpół do dwunastej wyjdziemy z kościoła...

– ... więc pomyślałem, że wtedy będzie po wszystkim. I umówiłem się z Arfem.

– Ale powinieneś być na pogrzebie. Twój ojciec niesie trumnę! Zadzwoń do Arfa i powiedz, że musicie to przełożyć na jutro.

– On jutro nie może. Zresztą nie mam przy sobie komórki. Przegródka zabronił mi ją wziąć do kościoła.

– Nie mów na ojca Przegródka! Możesz zadzwonić do Arfa z mojej – powiedziała Tessa, wkładając rękę do kieszeni.

– Nie znam jego numeru na pamięć – skłamał Fats bez mrugnięcia okiem.

Poprzedniego wieczoru Tessa i Colin zjedli kolację sami, bo Fats pojechał rowerem do Andrew, żeby popracować nad ich wspólnym zadaniem z angielskiego. W każdym razie tak brzmiała historyjka, którą Fats opowiedział matce, a Tessa udawała, że mu wierzy. Pozbycie się Fatsa z domu było jej bardzo na rękę, bo wtedy Colin nie miał powodów do zdenerwowania.

Przynajmniej włożył nowy garnitur, który mu kupiła w Yarvil. W trzecim sklepie straciła cierpliwość, bo we wszystkim, co przymierzał, wyglądał jak strach na wróble, niezdarnie i pokracznie, i pomyślała ze złością, że Fats robi to specjalnie, że gdyby chciał, mógłby wypełnić garnitur wrażeniem sprawności fizycznej.

– Cii! – syknęła ostrzegawczo.

Fats wcale się nie odzywał, ale zbliżał się do nich Colin, prowadząc Jawandów. Był tak wyczerpany nerwowo, że zdawał się mylić rolę niosącego trumnę z funkcją kamerdynera: wystawał przy bramie, witał ludzi.

Parminder w sari wyglądała ponuro i mizernie. Tuż za nią szły jej dzieci. Vikram, w ciemnym garniturze, przypominał gwiazdora filmowego.

Kilka metrów od drzwi kościoła Samantha Mollison stała obok męża, patrząc na jasne niebo w kolorze złamanej bieli i rozmyślając o tym, ile słońca marnuje się w zderzeniu z górną powierzchnią sufitu z chmur. Nie zamierzała dać się zepchnąć z utwardzonej ścieżki, bez względu na to, ile staruszek musiało przez nią brodzić po kostki w trawie. Jej lakierowane szpilki mogłyby ugrzęznąć w miękkiej ziemi i ubłocić się.

Miles i Samantha uprzejmie odpowiadali na pozdrowienia znajomych, lecz z sobą nie rozmawiali. Poprzedniego wieczoru się pokłócili. Kilka osób zapytało o Lexie i Libby, które zazwyczaj przyjeżdżały do domu na weekend, ale obie dziewczynki zostały u przyjaciółek. Samantha wiedziała, że Miles boleje z powodu ich nieobecności: uwielbiał odgrywać publicznie głowę rodziny. Z niezwykle przyjemnym przypływem wściekłości pomyślała, że może niedługo poprosi, by ona i dziewczynki pozowały z nim do zdjęcia na ulotki wyborcze. Z przyjemnością by mu powiedziała, co sądzi o takim pomyśle.

Wiedziała, że zaskoczył go rozwój wydarzeń. Bez wątpienia żałował, że nie odegra jakiejś ważnej roli w zbliżającym się nabożeństwie. Byłoby idealnie rozpocząć dyskretną kampanię o miejsce Barry'ego w radzie, pokazując się tak dużej publiczności złożonej z wyborców mimo woli. Samantha zanotowała w myślach, żeby rzucić jakąś sarkastyczną aluzję do zmarnowanej szansy, kiedy nadarzy się ku temu okazja.

– Gavin! – zawołał Miles na widok znajomej jasnowłosej i wąskiej głowy.

– O, cześć, Miles. Cześć, Sam.

Nowy czarny krawat Gavina lśnił na tle białej koszuli. Pod jasnymi oczami widać było fioletowe sińce. Samantha stanęła na palcach, żeby nie mógł uniknąć cmoknięcia jej w policzek i wciągnięcia piżmowego zapachu jej perfum.

– Ale tłum, co? – powiedział Gavin, rozglądając się.

– Gavin niesie trumnę – wyjaśnił Miles żonie takim tonem, jakiego by użył, oznajmiając, że małe i niezbyt rozgarnięte dziecko dostało talon na książki w nagrodę za wysiłek.

Prawdę mówiąc, był trochę zaskoczony, kiedy Gavin powiedział, że dostąpił tego zaszczytu. Miles niejasno sobie wyobrażał, że będą z Samanthą gośćmi honorowymi, otoczonymi pewną aurą tajemnicy i ważności, bo przecież byli obecni przy łożu śmierci. To byłby miły gest, gdyby Mary lub ktoś z jej bliskich poprosił go o przeczytanie fragmentu Biblii albo gdyby powiedziano kilka słów, podkreślając rolę, jaką odegrał w ostatnich chwilach Barry'ego.

Samantha specjalnie ukryła zaskoczenie tym, że Gavina spotkało takie wyróżnienie.

– Przyjaźniłeś się z Barrym, prawda, Gav?

Gavin przytaknął. Był roztrzęsiony i czuł lekkie mdłości. W nocy bardzo źle spał, a nad ranem męczyły go koszmary. W pierwszym upuścił trumnę i ciało Barry'ego wypadło na podłogę w kościele, a w drugim zaspał i spóźnił się na pogrzeb, i kiedy w końcu dotarł do kościoła Świętego Michała i Wszystkich Świętych, zastał Mary samą na cmentarzu, bladą i wściekłą, krzyczącą na niego, że wszystko popsuł.

– Nie jestem pewien, gdzie powinienem stanąć – powiedział, rozglądając się. – Nigdy wcześniej tego nie robiłem.

– To nic wielkiego, stary – uspokoił go Miles. – W zasadzie jest tylko jeden wymóg. Niczego nie upuścić, he, he, he.

Dziewczęcy śmiech Milesa dziwnie kontrastował z głębokim głosem, którego używał w rozmowie. Ani Gavin, ani Samantha nie roześmiali się razem z nim.

Z tłumu wyłonił się Colin Wall. Duży i niezdarny, z wysokim guzowatym czołem, zawsze przywodził Samancie na myśl Frankensteina.

– Gavin – powiedział. – Tutaj jesteś. Chyba powinniśmy się ustawić na chodniku, bo będą tu za kilka minut.

– Jasne – przytaknął Gavin, czując ulgę, że ktoś mu mówi, co ma robić.

– Witaj, Colin – odezwał się Miles i skinął głową.

– No tak, witajcie – powiedział zaczerwieniony Colin, a potem odwrócił się i zaczął się przeciskać z powrotem przez tłum żałobników.

Po chwili nastąpiło kolejne małe poruszenie i Samantha usłyszała tubalny głos Howarda:

– Przepraszam... o, proszę mi wybaczyć... próbuję dołączyć do rodziny...

Tłum się rozstąpił, żeby uniknąć kontaktu z jego brzuszyskiem, i ich oczom ukazał się Howard, który w aksamitnym płaszczu wyglądał jak olbrzym. Tuż za nim widać było podrygujące głowy Shirley i Maureen.

Shirley dobrze wyglądała w gustownym granacie, a Maureen, w kapeluszu z małą czarną woalką, przypominała chudą wronę.

– Dzień dobry, dzień dobry – przywitał się Howard, mocno całując Samanthę w oba policzki. – Co słychać, Sammy?

Jej odpowiedź utonęła w zbiorowym niezręcznym szuraniu, bo wszyscy zaczęli schodzić ze ścieżki: trwała dyskretna walka o miejsce. Nikt nie chciał się zrzec swojego kawałka ziemi niedaleko wejścia do kościoła. W tym rozdzielonym tłumie znajome osoby ukazały się jak pestki rozsiane w przekrojonym na pół owocu. Samantha zauważyła Jawandów – brązowe jak kawa twarze pośród serwatki: Vikrama absurdalnie przystojnego w ciemnym garniturze, Parminder ubraną w sari (Po co to zrobiła? Czyżby nie wiedziała, że to woda na młyn takich ludzi jak Howard i Shirley?), a obok niej małą przysadzistą Tessę Wall w szarym płaszczu, który opinał ją, grożąc wyrwaniem guzików.

Mary Fairbrother powoli szła z dziećmi ścieżką do kościoła. Była potwornie blada i wyglądała tak, jakby straciła kilka kilogramów. Można tak schudnąć w ciągu sześciu dni? Trzymała za rękę jedną z bliźniaczek, a drugą ręką obejmowała najmłodszego syna, podczas gdy najstarszy, Fergus, maszerował z tyłu. Mary szła, patrząc prosto przed siebie i mocno zaciskając miękkie usta. Za Mary i dziećmi podążali inni członkowie rodziny. Procesja dotarła do drzwi i pochłonęło ją ciemne wnętrze kościoła.

Wszyscy inni od razu ruszyli do drzwi, co doprowadziło do powstania absurdalnego zatoru. Mollisonowie utknęli obok Jawandów.

– Pan pierwszy, panie doktorze, pan pierwszy... – zagrzmiał Howard, wyciągając rękę, żeby przepuścić Jawandę.

Potem użył swojego cielska, by nikt inny nie zdołał się przed niego wcisnąć, i od razu wszedł do kościoła za Vikramem, zostawiając ich rodziny z tyłu.

Przez całą nawę kościoła Świętego Michała i Wszystkich Świętych biegł szafirowy chodnik. Na sklepionym suficie połyskiwały złote gwiazdy. W mosiężnych tablicach pamiątkowych odbijał się blask wiszących lamp. Witraże były misternie wykonane i olśniewająco kolorowe. W połowie nawy po prawej stronie z największego okna spoglądał sam święty Michał w srebrnej zbroi. Z ramion wyrastały mu błękitne skrzydła. W jednej ręce trzymał uniesiony miecz, a w drugiej złotą wagę. Obuta w sandał stopa spoczywała na plecach bezsilnie się wijącego szarego Szatana o skrzydłach nietoperza. Na twarzy świętego malował się spokój.

Howard zatrzymał się na wysokości świętego Michała i skierował rodzinę do ławki po lewej. Vikram skręcił w prawo, wybierając ławkę po drugiej stronie.

Kiedy pozostali Mollisonowie i Maureen zajmowali miejsca, Howard, który nadal stał na szafirowym chodniku, zwrócił się do przechodzącej obok Parminder:

– To okropne. Barry nie żyje. Potworny szok.

– Tak – powiedziała, nienawidząc go.

– Zawsze myślałem, że te sukienki muszą być wygodne. Są? – dodał, wskazując głową w stronę jej sari.

Nie odpowiedziała i usiadła obok Jaswant. Howard też usiadł, robiąc z siebie ogromną zatyczkę na końcu ławki, chroniącą ich wszystkich przed napływem innych chętnych.

Shirley skromnie spuściła wzrok na kolana i złożyła dłonie, jakby się modliła, ale tak naprawdę rozmyślała o tym, co Howard powiedział do Parminder na temat jej sari. Shirley należała do tej części Pagford, która po cichu ubolewała nad tym, że Old Vicarage, dom wybudowany dawno temu dla pastora noszącego bokobrody i zatrudniającego służące w wykrochmalonych fartuszkach, należy teraz do wyznawców hinduizmu (Shirley nigdy do końca nie zrozumiała, jaką właściwie religię wyznają Jawandowie). Myślała, że gdyby kiedyś trafili z Howardem do świątyni, meczetu czy jak tam się zwało miejsce, w którym Jawandowie czcili swojego Boga, bez wątpienia kazano by im nakryć głowy, zdjąć buty i kto wie, co jeszcze, bo w przeciwnym razie wybuchłby skandal. A tymczasem Parminder wolno było się obnosić ze swoim sari w kościele. Nie chodziło przecież o to, że Parminder nie ma normalnych ubrań, bo codziennie wkładała je do pracy. Shirley bolały właśnie te podwójne standardy: żadnego zastanowienia nad brakiem szacunku, jaki Parminder okazuje w ten sposób ich religii, a co za tym idzie, samemu Barry'emu Fairbrotherowi, którego podobno tak bardzo lubiła.

Shirley rozsunęła dłonie, podniosła głowę i skupiła się na ubraniach przechodzących ludzi oraz na wielkości i liczbie przynoszonych bukietów i wieńców. Część z nich została oparta o balustradę przy ołtarzu. Shirley zauważyła wieniec od rady gminy, na który zorganizowali z Howardem składkę. Wieniec był ogromny, tradycyjnie okrągły, zrobiony z białych i niebieskich kwiatów, czyli utrzymany w barwach herbu Pagford. Ich wieniec i wszystkie inne zostały jednak przyćmione przez naturalnych rozmiarów wiosło z brązowych chryzantem przyniesione przez dziewczyny z osady wioślarskiej.

Sukhvinder odwróciła się w ławce, szukając wzrokiem Lauren, której matka była kwiaciarką i zrobiła to wiosło. Sukhvinder chciała pokazać koleżance na migi, że je widziała i że jej się spodobało, ale w kościele było bardzo tłoczno i nigdzie nie widziała Lauren. Sukhvinder czuła ponurą dumę, że się na to zdecydowały, zwłaszcza kiedy zobaczyła, jakie zainteresowanie budzi wiosło z kwiatów wśród ludzi siadających w ławkach. Na wieniec zrzuciło się pięć z ośmiu dziewczyn z osady. Wcześniej Lauren opowiedziała Sukhvinder, jak w przerwie na lunch znalazła Krystal Weedon i naraziła się na szyderstwa jej przyjaciół, którzy siedzieli i palili papierosy na murku koło kiosku. Lauren zapytała Krystal, czy chce się zrzucić. „Jasne, chcę, spoko" – odpowiedziała Krystal. Ale się nie zrzuciła, więc nie wpisały jej imienia na kartce. Zresztą, jak zauważyła Sukhvinder, Krystal nie przyszła na pogrzeb.

Wnętrzności Sukhvinder ciążyły jej jak ołów, alc ból lcwcgo przedramienia połączony z ostrym kłuciem przy poruszaniu ręką odwracał jej uwagę i na szczęście nigdzie w pobliżu nie widziała patrzącego spode łba Fatsa Walla w czarnym garniturze. Nie spojrzał jej w oczy, kiedy ich rodziny na chwilę spotkały się przed kościołem. Hamowała go obecność rodziców, tak jak czasami hamowała go obecność Andrew Price'a.

Dzień wcześniej późnym wieczorem jej anonimowy cyberoprawca przesłał czarno-białe zdjęcie nagiego dziecka z epoki wiktoriańskiej porośniętego miękkimi ciemnymi włosami. Zobaczyła je i usunęła, ubierając się na pogrzeb.

Kiedy po raz ostatni była szczęśliwa? Wiedziała, że w innym życiu, na długo zanim ktokolwiek zaczął przy niej wydawać małpie pomruki, siedziała w tym kościele i przez lata była całkiem zadowolona. Śpiewała na całe gardło pieśni z okazji Bożego Narodzenia, Wielkanocy i dożynek. Zawsze lubiła świętego Michała z jego ładną, kobiecą, prerafaelicką twarzą, złotymi kręconymi włosami... ale tego ranka po raz pierwszy spojrzała inaczej na świętego, który niemal od niechcenia przydeptywał wijącego się mrocznego diabła: jego pogodna twarz wydała jej się zła i arogancka. Wszystkie ławki były zajęte. Stłumiony stukot, echo kroków i ciche szelesty ożywiały ciężkie powietrze, kiedy do kościoła wchodzili kolejni pechowcy, dla których zostały tylko miejsca stojące wzdłuż lewej ściany. Niektórzy z nadzieją szli przez nawę na palcach, licząc na jakieś przeoczone miejsce w wypełnionych ławkach. Howard pozostał niewzruszony i twardy, dopóki Shirley nie poklepała go po ramieniu i nie szepnęła:

– Aubrey i Julia!

Wtedy obrócił masywne ciało i pomachał pamiątkową kartą pogrzebową, żeby zwrócić uwagę Fawleyów. Ci szybko podeszli: Aubrey wysoki, chudy i łysiejący, w ciemnym garniturze, Julia z jasnorudymi włosami upiętymi w kok. Podziękowali Howardowi uśmiechem, a on się przesunął, spychając pozostałych i upewniając się, że Fawleyom nie zabraknie miejsca.

Samantha była tak ściśnięta między Milesem a Maureen, że czuła, jak z jednej strony wbija się w nią ostry staw biodrowy wspólniczki teścia, a z drugiej kluczyki w kieszeni męża. Wściekła, próbowała sobie zapewnić choć centymetr miejsca więcej, ale ani Miles, ani Maureen nie mieli gdzie się przesunąć, więc tylko wbiła wzrok prosto przed siebie i mściwie skierowała myśli w stronę Vikrama, który w ciągu mniej więcej miesiąca, odkąd go widziała po raz ostatni, nie stracił nic ze swojego uroku. Był tak jawnie, niezaprzeczalnie przystojny, że aż wydało się jej to niemądre. Że aż chciało jej się śmiać. Z długimi nogami, szerokimi ramionami, płaskim brzuchem w miejscu, w którym koszula wchodziła w spodnie, i z tymi ciemnymi oczami okolonymi gęstymi czarnymi rzęsami wyglądał jak młody bóg w porównaniu z innymi mężczyznami z Pagford, którzy byli okropnie sflaczali, bladzi i spasieni jak świnie. Kiedy Miles się pochylił, żeby wymienić uprzejmości z Julią Fawley, kluczyki w jego kieszeni boleśnie wbiły się Samancie w udo i wtedy wyobraziła sobie, jak Vikram zdziera z niej granatową sukienkę, którą właśnie miała na sobie. Pominęła w tej fantazji krótką haleczkę na ramiączkach zakrywającą głęboki kanion między jej piersiami...

Zgrzytnęły registry organów i zapadła cisza, w której było słychać tylko cichy uporczywy szmer. Głowy zebranych się odwróciły: nawą wnoszono trumnę.

Niosący ją mężczyźni byli niemal komicznie niedobrani: obaj bracia Barry'ego mieli po metr siedemdziesiąt pięć, a idący z tyłu Colin Wall mierzył metr osiemdziesiąt pięć, przez co tył trumny znajdował się znacznie wyżej niż jej przód. Sama trumna nie była z polerowanego mahoniu, lecz z wikliny.

„To przecież jakiś cholerny kosz piknikowy!" – pomyślał oburzony Howard.

Zdziwienie malowało się na twarzach wielu ludzi, obok których niesiono wiklinową trumnę, niektórzy jednak wiedzieli o niej już wcześniej. Mary powiedziała Tessie (która powtórzyła to Parminder), że wyboru materiału dokonał Fergus, najstarszy syn Barry'ego. Chłopiec zażyczył sobie wikliny będącej materiałem sprzyjającym równowadze ekologicznej, odnawialnym i dlatego przyjaznym środowisku. Fergus był wielkim entuzjastą wszystkich naturalnych, ekologicznych materiałów.

Trumna z wikliny podobała się Parminder bardziej, o wiele bardziej niż grube drewniane pudła, w których większość Anglików chowała swoich bliskich. Jej babka zawsze żywiła przesądny strach przed uwięzieniem duszy w czymś ciężkim i twardym i potępiała przybijanie wieka gwoździami przez brytyjskich grabarzy. Mężczyźni postawili trumnę na katafalku udrapowanym brokatem i wycofali się: syn, bracia i szwagier Barry'ego skierowali się ku ławkom z przodu, a Colin podrygującym krokiem podszedł do Tessy i Fatsa.

Przez dwie drżące sekundy Gavin się wahał. Parminder widziała, że nie jest pewien, dokąd pójść, pozostawało mu jedynie wrócić pod drzwi wśród spojrzeń trzystu osób. Ale Mary widocznie dała mu jakiś znak, bo wściekle czerwony na twarzy przemknął do pierwszej ławki i usiadł obok matki Barry'ego. Parminder rozmawiała z Gavinem, tylko kiedy robiła mu badania na obecność chlamydii, z których potem go leczyła. Od tamtej pory nigdy nie patrzył jej w oczy.

Rzekł jej Jezus: Jam jest zmartwychwstanie i żywot; kto we mnie wierzy, choćby i umarł, żyć będzie. A kto żyje i wierzy we mnie, nie umrze na wieki*.

* Biblia Warszawska, J 11, 25–26.

Głos pastora brzmiał tak, jakby nie myślał on o sensie słów wydobywających się z jego ust, lecz tylko o sposobie ich przekazania, który był śpiewny i rytmiczny. Parminder znała jego styl. Od lat chodziła na nabożeństwa połączone ze śpiewaniem kolęd razem z wszystkimi innymi rodzicami dzieci ze Świętego Tomasza. Długa znajomość nie pojednała jej z bladym, wojowniczym świętym gapiącym się na nią z góry ani z ciemnym drewnem, twardymi ławkami i obcym ołtarzem z wysadzanym klejnotami złotym krzyżem, ani z ponurymi pieśniami, które uważała za zimne i niepokojące.

Dlatego zamiast słuchać modulowanego monotonnego głosu pastora, znowu pomyślała o swoim ojcu. Zobaczyła go przez okno w kuchni, leżącego twarzą do ziemi. Postawione obok, na klatce z królikami, radio głośno grało. Leżał tam przez dwie godziny, podczas gdy ona, jej matka i siostry buszowały w Topshopie. Nadal czuła nagrzaną koszulę na ramieniu ojca, kiedy nim potrząsała. „Tatusiu. Tatusiu".

Rozrzuciły prochy Darshana nad małą smutną rzeką Reą w Birmingham. Parminder pamiętała mętną, gliniastą powierzchnię wody, zachmurzony czerwcowy dzień oraz oddalające się od niej maleńkie białe i szare płatki.

Organy brzęknęły i ze świstem obudziły się do życia, a ona wstała razem z wszystkimi. Mignęły jej widziane z tyłu rudozłote głowy Niamh i Siobhan. Bliźniaczki Barry'ego były dokładnie w tym samym wieku co ona, kiedy odebrano jej Darshana. Parminder poczuła przypływ czułości i okropny ból oraz krępujące pragnienie przytulenia tych dziewczynek i powiedzenia im, że ona wie, że wie, że rozumie...

Morning has broken, like the first morning...*

Gavin słyszał przenikliwy wysoki głos rozbrzmiewający w ławce, w której siedział: młodszy syn Barry'ego nie przeszedł jeszcze mutacji. Wiedział, że to właśnie Declan wybrał tę pieśń. Był to jeden z wielu upiornych szczegółów nabożeństwa żałobnego, którymi Mary postanowiła się z nim podzielić.

Pogrzeb okazał się jeszcze większą męczarnią, niż Gavin się spodziewał. Uważał, że drewniana trumna byłaby lepsza. Miał okropną, instynktowną

---

* Świt się wyłonił, jak pierwszy świt...

świadomość, że w tej lekkiej wiklinowej skrzyni znajduje się ciało Barry'ego. Jego ciężar był szokujący. Czy ci wszyscy ludzie, którzy patrzyli bezmyślnie, jak Gavin idzie wzdłuż nawy, nie rozumieli, co on właściwie niesie?

Potem nastąpiła ta upiorna chwila, w której zdał sobie sprawę, że nikt nie zajął dla niego miejsca i że będzie musiał wrócić nawą, odprowadzany wzrokiem wszystkich ludzi w kościele, by schować się wśród stojących z tyłu... Zamiast tego został jednak zmuszony do zajęcia miejsca w pierwszej ławce, gdzie był przeraźliwie widoczny. Czuł się jak w pierwszym wagoniku kolejki górskiej mknącej z impetem po wszystkich okropnych zakrętach i zjazdach.

Siedząc tam, zaledwie parę kroków od wielkiego jak pokrywka patelni słonecznika Siobhan, w samym środku wielkiej powodzi żółtych frezji i lilii, szczerze żałował, że nie wziął z sobą Kay. Nie mógł w to uwierzyć, ale naprawdę mu jej brakowało. Czyjaś obecność u jego boku – obecność kogoś, kto zwyczajnie zająłby dla niego miejsce – podniosłaby go na duchu. Nie wziął pod uwagę, że zjawiając się w kościele sam, może wyjść na żałosnego drania.

Pieśń dobiegła końca. Starszy brat Barry'ego wyszedł na środek, żeby przemówić. Gavin nie miał pojęcia, jak ten człowiek może to robić, kiedy tuż przed nim, pod słonecznikiem (który rósł miesiącami, wyhodowany z nasiona) leżą zwłoki Barry'ego, ani jak Mary może siedzieć tak spokojnie, ze spuszczoną głową, najwidoczniej wpatrzona w swoje złożone na kolanach ręce. Gavin z całych sił próbował się skupić na własnych myślach, żeby osłabić siłę uderzenia mowy pogrzebowej.

„Opowie historyjkę o tym, jak Barry poznał Mary, ale zacznie od początku... szczęśliwe dzieciństwo, szaleństwa młodości, bla, bla... No, streszczaj się..."

Wiedział, że potem będą musieli wsadzić Barry'ego z powrotem do samochodu i pojechać aż do Yarvil, żeby go pochować na tamtejszym cmentarzu, bo maleńki cmentarzyk przy kościele Świętego Michała i Wszystkich Świętych uznano za pełny już dwadzieścia lat temu. Gavin wyobraził sobie opuszczanie wiklinowej trumny do grobu na oczach tego tłumu. W porównaniu z tym zaniesienie jej pod ołtarz i wyniesienie z kościoła będzie niczym...

Jedna z bliźniaczek płakała. Kątem oka Gavin zobaczył, jak Mary bierze córkę za rękę.

„Miejmy to już za sobą, do kurwy nędzy. Proszę".

– Chyba mogę powiedzieć, że Barry zawsze miał zdecydowane poglądy – zaczął brat Barry'ego zachrypniętym głosem.

Wzbudził śmiech kilku osób opowieściami o tarapatach, w które Barry pakował się jako dziecko. W jego głosie wyraźnie wyczuwało się napięcie.

– Miał dwadzieścia cztery lata, kiedy wybraliśmy się do Liverpoolu na mój weekend kawalerski. Pierwszego wieczoru poszliśmy z pola namiotowego do pubu, a tam zobaczyliśmy za barem córkę właściciela, piękną jasnowłosą studentkę, która pomagała ojcu w sobotni wieczór. Barry spędził całe godziny przy barze, zagadując ją, narażając ją na gniew ojca i udając, że nie ma pojęcia, kim są ci hałaśliwi faceci w rogu.

Słaby śmiech. Głowa Mary coraz bardziej opadała. Obie dłonie kurczowo zacisnęła na dłoniach siedzących po obu stronach dzieci.

– Tamtej nocy, już w namiocie, powiedział mi, że zamierza ją poślubić. Pomyślałem: „Hola, to ja powinienem być pijany". – Znów cichy chichot. – Następnego wieczoru Baz zmusił nas do pójścia do tego samego pubu. Po powrocie do domu od razu kupił pocztówkę, którą wysłał tej dziewczynie, zapowiadając, że przyjedzie w następny weekend. Wzięli ślub w rocznicę swojego pierwszego spotkania i chyba każdy, kto ich znał, zgodzi się ze mną, że Barry zawsze wiedział, co dobre. Urodziło im się czworo cudownych dzieci: Fergus, Niamh, Siobhan i Declan...

Gavin ostrożnie oddychał, wdech i wydech, wdech i wydech, próbując nie słuchać i zastanawiając się, co w takich okolicznościach powiedziałby o nim jego brat. Gavin nie miał tyle szczęścia co Barry. Jego życie miłosne nie układało się w ładną historię. Nigdy nie zdarzyło mu się wejść do pubu i znaleźć w nim idealną żonę: uśmiechniętą, jasnowłosą i gotową mu podać kufel piwa. Nie, jemu trafiła się Lisa, której chyba nigdy nie umiał zadowolić. Narastający przez siedem lat konflikt osiągnął punkt kulminacyjny w postaci trypra. A potem, prawie od razu, zjawiła się Kay i uczepiła się go jak agresywny, groźny rzep...

Mimo to zamierzał do niej później zadzwonić, bo wątpił, czy po pogrzebie będzie w stanie znieść powrót do swojego pustego domu. Zamierzał być szczery i powiedzieć jej, jaki potworny i stresujący okazał się ten pogrzeb i jak żałuje, że nie miał jej przy sobie. To z pewnością rozwieje wszelkie urazy pozostałe po ich kłótni. Tego wieczoru nie chciał być sam.

Z tyłu, dwie ławki dalej, pochlipywał Colin Wall, łkając cicho, ale dosłyszalnie w ogromną mokrą chustkę. Dłoń Tessy spoczywała na jego udzie, wywierając delikatny nacisk. Tessa myślała o Barrym, o tym, jak zwracała się do niego po pomoc, gdy miała kłopoty z Colinem, o pociesze płynącej ze wspólnego śmiechu, o bezgranicznej wielkoduszności tego człowieka. Widziała go wyraźnie, niskiego i rumianego, tańczącego jive'a z Parminder na ich ostatnim przyjęciu, parodiującego ostrą krytykę, jakiej Howard Mollison poddawał Fields, doradzającego Colinowi taktownie, tak jak nie potrafiłby nikt inny, żeby traktował zachowanie Fatsa jak wybryki nastolatka, a nie socjopaty.

Tessa bała się tego, co śmierć Barry'ego Fairbrothera będzie oznaczać dla siedzącego obok niej mężczyzny. Bała się, czy zdołają jakoś wypełnić tę wielką ziejącą pustkę. Bała się, że Colin złożył zmarłemu przysięgę, której nie będzie w stanie dotrzymać, i że jej mąż nie zdaje sobie sprawy, jaką sympatią darzy go mała Mary, z którą ciągle chciał rozmawiać. A przez wszystkie lęki i smutki Tessy przewijało się jej wieczne zmartwienie przypominające małego, wywołującego swędzenie robaka: Fats i to, czy uda jej się uniknąć eksplozji, czy zdoła go nakłonić, żeby pojechał z nimi na cmentarz, albo zataić jego nieobecność przed Colinem – co w sumie mogło się okazać łatwiejsze.

– Zakończymy dzisiejsze nabożeństwo piosenką wybraną przez córki Barry'ego Niamh i Siobhan, piosenką, która wiele znaczyła dla nich i dla ich ojca – powiedział pastor. Za pomocą tonu swojego głosu zdołał się odciąć od tego, co miało za chwilę nastąpić.

Rytm bębna huknął z ukrytych głośników z taką mocą, że żałobnicy aż podskoczyli. Donośny amerykański głos postękiwał *„uh huh, uh huh"*, a po chwili zarapował Jay-Z:

> *Good girl gone bad –*
> *Take three –*
> *Action.*
> *No clouds in my storms...*
> *Let it rain, I hydroplane into fame*
> *Comin' down with the Dow Jones...*

Niektórzy myśleli, że to jakaś pomyłka: Howard i Shirley spojrzeli na siebie z oburzeniem, ale nikt nie wcisnął klawisza Stop ani nie pobiegł nawą z przeprosinami. Po chwili mocny, zmysłowy kobiecy głos zaczął śpiewać:

> You had my heart
> And we'll never be worlds apart
> Maybe in magazines
> But you'll still be my star...*

Mężczyźni wynosili z kościoła wiklinową trumnę, za którą szła Mary z dziećmi.

> ... Now that it's raining more than ever
> Know that we'll still have each other
> You can stand under my umbuh-rella
> You can stand under my umbuh-rella**

Żałobnicy powoli opuszczali kościół, starając się nie stąpać w takt muzyki.

II

Andrew Price złapał kierownicę kolarzówki ojca i ostrożnie wyprowadził rower z garażu, uważając, żeby nie porysować samochodu. Potem zniósł kolarzówkę po kamiennych schodach i wyszedł za metalową bramę. Na uliczce postawił stopę na jednym pedale, odepchnął się i przejechał tak kawałek, po czym przerzucił drugą nogę nad siodełkiem. Skręcił w lewo,

---

* Zdobyłeś moje serce / Nigdy się od siebie nie oddalimy / Może tylko w kolorowej prasie / Ale ty i tak będziesz moim światłem...
** ... Teraz, kiedy pada coraz bardziej / Wiemy, że mamy siebie / Możesz schronić się pod moim parasolem / Możesz schronić się pod moim parasolem

w przyprawiającą o zawrót głowy stromą ulicę, i nie dotykając hamulców, pognał w dół, w stronę Pagford.

Żywopłoty i niebo rozmazały mu się przed oczami. Andrew wyobrażał sobie, że jest na welodromie, a wiatr rozwiewał mu czyste włosy i szczypał w wyszorowaną przed chwilą twarz. Gdy Andrew zrównał się z trójkątnym ogrodem Fairbrotherów, nacisnął hamulec, bo kilka miesięcy wcześniej wszedł w ten ostry zakręt ze zbyt dużą prędkością i się przewrócił. Potem musiał natychmiast wracać do domu w porwanych dżinsach i z mocno podrapanym policzkiem...

Siłą rozpędu, trzymając kierownicę tylko jedną ręką, wtoczył się na Church Row, gdzie delektował się drugim, trochę mniejszym przyspieszeniem, znowu jadąc z górki. Trochę jednak przyhamował, kiedy zobaczył, jak ładują trumnę na karawan przed kościołem i jak przez ciężkie drewniane drzwi wylewa się tłum. Andrew energicznie nacisnął na pedały, skręcił za rogiem i zniknął im wszystkim z oczu. Nie chciał zobaczyć wynurzającego się z kościoła ze zrozpaczonym Przegródką Fatsa ubranego w tani garnitur i krawat, które z komicznym obrzydzeniem opisywał na wczorajszej lekcji angielskiego. To by było tak, jakby przeszkodził kumplowi w robieniu kupy.

Kiedy Andrew powoli okrążał rynek, odgarnął jedną ręką włosy z twarzy, zastanawiając się, jak zimny wiatr podziałał na jego fioletowo-czerwone pryszcze i czy antybakteryjny żel do twarzy zdołał choć trochę złagodzić ich zaognienie. Potem wymyślił sobie usprawiedliwienie: właśnie wracał od Fatsa (bo przecież mógł wracać, nie byłoby w tym nic dziwnego), więc wybierając pierwszą boczną uliczkę prowadzącą nad rzekę, w całkiem naturalny sposób znalazł się na Hope Street. Nie było zatem żadnego powodu, by Gaia Bawden (jeśli przypadkiem wyjrzy przez okno swojego domu i przypadkiem go zobaczy, a nawet przypadkiem rozpozna) pomyślała, że Andrew jedzie tamtędy ze względu na nią. Wprawdzie nie przewidywał, że w ogóle będzie musiał się przed nią tłumaczyć, dlaczego jechał jej ulicą, ale mimo to zachował zmyśloną historyjkę w pamięci, bo uważał, że nadaje mu ona aurę chłodnej obojętności.

Chciał się po prostu dowiedzieć, w którym domu mieszka Gaia. Już dwa razy, w weekendy, przejechał tą ulicą domów szeregowych, czując, jak łaskocze go każdy nerw w ciele, ale jak dotąd nie udało mu się odkryć, który z budynków skrywa Świętego Graala. Dzięki nieśmiałym spojrzeniom przez brudne okna szkolnego autobusu wiedział jedynie, że dziewczyna mieszka po prawej, parzystej stronie.

Pokonawszy zakręt, spróbował wziąć się w garść, wejść w rolę faceta, który powoli jedzie nad rzekę najkrótszą drogą, pogrążony w poważnych rozmyślaniach, ale gotowy przywitać się z koleżankami z klasy, gdyby przypadkiem się pojawiły...

Zauważył ją. Stała na chodniku. Nogi Andrew nadal pedałowały, ale on nie czuł już pedałów i nagle zdał sobie sprawę, jak cienkie są opony, na których balansuje. Gaia grzebała w skórzanej torebce, a miedzianobrązowe włosy zasłaniały jej twarz. Dziesiątka na uchylonych drzwiach za nią, czarny T-shirt nie do końca zakrywający talię, skrawek nagiej skóry, szeroki pasek i obcisłe dżinsy... Kiedy już prawie ją minął, zamknęła drzwi i odwróciła się. Jej włosy odsunęły się z pięknej twarzy i zupełnie wyraźnie powiedziała swoim londyńskim głosem:

– O, cześć.

– Cześć – odpowiedział.

Jego nogi nie przestały pedałować. Dwa metry, cztery metry... Czemu się nie zatrzymał? Szok zmusił go do naciskania na pedały i nie śmiał się odwrócić. Dotarł już do końca jej ulicy. „Ja pierdolę, żebym się tylko nie przewrócił". Skręcił, zbyt oszołomiony, żeby ocenić, czy zostawiwszy ją w tyle, czuje ulgę czy raczej rozczarowanie.

„Ja pierdolę".

Pojechał w stronę drzew u stóp wzgórza Pargetter, za którymi połyskiwała rzeka, ale nie widział niczego z wyjątkiem Gai wypalonej na jego siatkówce jak neon. Wąska droga zmieniła się w piaszczystą ścieżkę, a delikatny podmuch znad rzeki pieścił mu twarz, która jego zdaniem raczej nie zrobiła się czerwona, bo wszystko rozegrało się bardzo szybko.

– Oż kurwa! – powiedział na głos do świeżego powietrza i pustej ścieżki.

Uszczęśliwiony rozpamiętywał ten wspaniały, niespodziewany skarb: jej idealne ciało podkreślone obcisłym dżinsem i elastyczną bawełną, widoczną za jej plecami dziesiątkę na zniszczonych, odrapanych niebieskich drzwiach, jej „o, cześć" zwyczajne i naturalne – świadczące o tym, że jego postać z pewnością utkwiła gdzieś w umyśle, który żył za tą zachwycającą twarzą.

Rower pędził po kamienistym, nierównym terenie. Wniebowzięty Andrew zsiadł z niego dopiero wtedy, kiedy zaczął tracić równowagę. Przeprowadził rower między drzewami i wyszedł na wąski brzeg, gdzie rzucił swój pojazd na ziemię wśród zawilców, które od jego ostatniej wizyty otworzyły się jak maleńkie białe gwiazdy.

Kiedy zaczął pożyczać od ojca rower, usłyszał: „Spinaj go łańcuchem, zanim wejdziesz do sklepu. Ostrzegam cię, jeśli ktoś go zakosi...".

Ale łańcuch był za krótki, żeby opasać któreś z drzew. Zresztą im bardziej Andrew oddalał się od ojca, tym mniej się go bał. Nadal myślał o centymetrach płaskiej, odsłoniętej talii i o pięknej twarzy Gai, idąc w stronę miejsca, gdzie brzeg spotykał się z podmytą stroną wzgórza, które wisiało niczym klif z ziemi i skał, tworząc nierówną ścianę nad wartko płynącą zieloną wodą.

Najwęższa krawędź śliskiego, kruchego brzegu biegła u stóp wzgórza. Jedynym sposobem, żeby po niej przejść – nawet jeśli ktoś miał stopy dwa razy większe niż wtedy, gdy szedł tędy pierwszy raz – było przylgnięcie do tej nierównej ściany, przesuwanie się bokiem i trzymanie się mocno korzeni i wystających fragmentów skał.

Andrew doskonale znał kompostowy, roślinny zapach rzeki i mokrej gleby, dotyk tej wąskiej półki z ziemi i trawy pod stopami oraz szczeliny i skały, które wyszukiwał dłońmi na stromej ścianie. Znaleźli tę kryjówkę z Fatsem, kiedy mieli jedenaście lat. Wiedzieli, że robią coś zakazanego i niebezpiecznego, ostrzegano ich przed rzeką. Przerażeni, ale zdeterminowani, żeby nie okazać strachu jeden przed drugim, prześlizgnęli się po zdradliwej półce skalnej, chwytając się wszystkiego, co wystawało ze skalistej ściany, a w najwęższym miejscu czepiając się także swoich T-shirtów.

Dzięki latom praktyki Andrew – który teraz prawie w ogóle nic myślał o niebezpieczeństwie – pełznął jak krab wzdłuż twardej ściany z ziemi i skał, nad wodą szumiącą metr niżej, pod jego trampkami. W końcu zwinnie dał susa połączonego z obrotem i znalazł się w szczelinie, którą odkryli tak dawno temu. Wtedy wydała im się Bożą nagrodą za ich śmiałość. Był już za wysoki, żeby móc w niej stanąć prosto, ale przestrzeń, nieco większa niż w dwuosobowym namiocie, wystarczała dla dwóch nastoletnich chłopaków ułożonych obok siebie, którzy słuchali szumu mknącej w dole rzeki i patrzyli na obramowany trójkątnym wejściem skrawek nieba nakrapiany liśćmi drzew.

Za pierwszym razem dźgali ścianę w głębi szczeliny kijami i drążyli ją, ale nie znaleźli tajemnego przejścia prowadzącego do opactwa na wzgórzu, więc zamiast tego upajali się tym, że znaleźli tę kryjówkę bez niczyjej pomocy. Przyrzekli sobie, że na zawsze pozostanie ona ich tajemnicą. Andrew pamiętał jak przez mgłę poważne ślubowanie, plucie i słowa przysięgi. Na początku nazywali to miejsce jaskinią, ale teraz – już od jakiegoś czasu – był to Przegródek.

Mała wnęka pachniała ziemią, mimo że spadziste sklepienie było ze skały. Ciemny zielony ślad świadczył o tym, że w przeszłości została zalana, choć nie całkowicie. Podłoże było usiane niedopałkami po wypalonych przez nich papierosach i skrętach. Andrew usiadł, jego nogi zadyndały nad mulistą zieloną wodą. Wyciągnął z kieszeni kurtki papierosy i zapalniczkę kupione za ostatnie pieniądze z urodzin, bo ojciec przestał mu wypłacać kieszonkowe. Zapalił, głęboko wciągnął dym i jeszcze raz przeżył w myślach wspaniałe spotkanie z Gaią Bawden, wydobywając z niego wszystkie możliwe szczegóły: jej wąską talię i zaokrąglone biodra, kremową skórę między torebką i T-shirtem, pełne, szerokie usta, „o, cześć". Po raz pierwszy widział ją w czymś innym niż szkolny mundurek. Dokąd szła, sama, ze skórzaną torebką? Co miała do roboty w Pagford w sobotni poranek? Może spieszyła się na autobus do Yarvil? Co zrobiła, kiedy zniknęła mu z oczu? Jakie kobiece tajemnice pochłaniały jej uwagę?

I po raz enty zadał sobie pytanie, czy tak wspaniałe ciało mogłoby skrywać banalną osobowość. Dopiero Gaia sprawiła, że zaczął się nad tym zastanawiać: myśl o ciele i duszy jako odrębnych jednostkach nie przyszła mu do głowy, dopóki jego spojrzenie po raz pierwszy nie padło na tę dziewczynę. Nawet kiedy próbował sobie wyobrazić, jak wyglądają i jakie są w dotyku jej piersi, opierając swoje domysły na dowodach wizualnych, które zdołał zgromadzić dzięki jej lekko prześwitującej szkolnej bluzce i temu, co, jak wiedział, było jej białym stanikiem, nie mógł uwierzyć, że piękno, które w niej widzi, ma wyłącznie naturę fizyczną. Jej sposób poruszania się poruszał go równie mocno jak muzyka, która poruszała go najbardziej z wszystkiego. Duch ożywiający to niezrównane ciało też musiał być niezwykły. Po co natura miałaby tworzyć takie naczynie, jeśli nie po to, by umieścić w nim coś jeszcze cenniejszego?

Andrew wiedział, jak wyglądają nagie kobiety, bo komputer w urządzonym na poddaszu pokoju Fatsa nie miał blokady rodzicielskiej. Razem oglądali w internecie tyle pornografii, ile można było dostać za darmo: ogolone sromy, różowe wargi sromowe szeroko rozchylone, by pokazać ciemne, ziejące szpary, wypięte pośladki odsłaniające pomarszczone guziki odbytów, mocno uszminkowane usta, z których kapie nasienie. Podniecenie Andrew zawsze było zmieszane z paniczną świadomością, że zbliżającą się do pokoju panią Wall słychać dopiero wtedy, gdy nadepnie na skrzypiący stopień w połowie schodów. Czasami znajdowali dziwactwa, na których widok ryczeli ze śmiechu, nawet jeśli Andrew nie był pewien, czy jest bardziej podniecony, czy zniesmaczony (pejcze i siodła, uprzęże, sznury, gumowe węże, a raz coś, z czego nawet Fats nie był w stanie się śmiać: zbliżenia na metalowe ustrojstwa, igły wystające z miękkiego ciała i zastygłe w krzyku twarze kobiet).

On i Fats stali się znawcami silikonowych piersi – olbrzymich, naprężonych i okrągłych.

– Plastik – stwierdzał rzeczowym tonem któryś z nich, kiedy siedzieli przed monitorem, zaklinowawszy drzwi przed rodzicami Fatsa.

Blondynka na zdjęciu miała uniesione ręce i dosiadała okrakiem jakiegoś włochatego mężczyzny, a jej duże, zakończone brązowymi sutkami piersi wisiały przy wąskiej klatce piersiowej jak kule do kręgli, pod którymi lśniące, fioletowe linie wskazywały miejsca wsunięcia silikonu. Patrząc na nie, można było się domyślić, jakie są w dotyku: jędrne, jakby każda miała pod skórą piłkę. Andrew nie wyobrażał sobie nic bardziej erotycznego niż naturalna pierś: miękka, gąbczasta i może trochę sprężysta z (miał nadzieję) kontrastująco twardymi sutkami.

A późnym wieczorem wszystkie te obrazy zlewały się w jego głowie z możliwościami stwarzanymi przez prawdziwe dziewczyny, żywe dziewczyny, i z tym, co udawało się poczuć przez ubrania, jeśli zdołało się wystarczająco blisko przysunąć. Niamh była mniej ładną z bliźniaczek Fairbrotherów, ale w dusznej sali teatralnej podczas bożonarodzeniowej dyskoteki okazała się bardziej chętna. Nie do końca ukryci za stęchłą kurtyną w ciemnym kącie przylgnęli do siebie i Andrew włożył jej język w usta. Jego ręce powoli dotarły do paska stanika, ale nie dalej, bo Niamh ciągle się odsuwała. Jego główną siłą napędową była świadomość, że gdzieś na zewnątrz, w ciemności, Fats posuwa się dalej. A teraz mózg Andrew wypełniał się i pulsował Gaią. Była najseksowniejszą dziewczyną, jaką kiedykolwiek widział, i zarazem źródłem innego, zupełnie niewytłumaczalnego pragnienia. Pewne zmiany akordów, pewne rytmy wywoływały w nim drżenie docierające aż do szpiku kości i Gaia miała w sobie coś, co działało tak samo.

Odpalił następnego papierosa od niedopałka, który następnie wyrzucił do rzeki. Potem usłyszał znajome szuranie, wychylił się i zobaczył Fatsa, nadal w pogrzebowym garniturze, rozpłaszczonego przy skalnej ścianie, przesuwającego się od korzenia do korzenia po wąskim odcinku brzegu w stronę szczeliny, w której siedział Andrew.

– Cze, Fats.

– Cze, Arf.

Andrew podciągnął nogi, żeby Fats mógł się wdrapać do Przegródka.

– Kurwa mać – powiedział Fats, kiedy już się wgramolił.

Niezdarny, z długimi kończynami i w czarnym garniturze podkreślającym jego chudość przypominał pająka.

Andrew podał mu papierosa. Fats zawsze przypalał papierosy, jakby stał na silnym wietrze: zwiniętą dłonią osłaniał płomień i lekko się krzywił. Wciągnął powietrze, wydmuchał kółko dymu za Przegródkiem i poluzował ciemnoszary krawat. W garniturze, który po przeprawie do jaskini był pobrudzony ziemią na kolanach i mankietach, wyglądał dorośłej i nie tak znowu głupio.

– Można by pomyśleć, że n a p r a w d ę lizali się po jajach – rzucił Fats, kiedy jeszcze raz mocno się zaciągnął.

– Przegródka miał doła?

– Doła? Wpadł w jakąś pierdoloną histerię. Aż dostał czkawki. Gorzej niż pierdolona wdowa.

Andrew się roześmiał. Fats puścił następne kółko z dymu i pociągnął się za jedno ze swoich dużych uszu.

– Zmyłem się przed końcem. Jeszcze go nie pochowali.

Przez chwilę palili w milczeniu, patrząc na mulistą rzekę. Zaciągając się, Andrew rozmyślał o słowach „zmyłem się przed końcem" i o autonomii, którą w przeciwieństwie do niego cieszył się Fats. Między Andrew i zbyt wielką wolnością stał Simon i jego wściekłość: w Hilltop House można było dostać karę nawet za to, że się istniało. Kiedyś Andrew zainteresował się pewnym dziwnym tematem, który przerabiali na lekcjach z filozofii i religii: mówili o prymitywnych bogach, o ich arbitralnym gniewie i przemocy oraz o tym, jak pradawne cywilizacje próbowały ich obłaskawić. Pomyślał wtedy o naturze sprawiedliwości w takim wydaniu, w jakim sam ją poznał: o swoim ojcu jako pogańskim bożku i o matce jako jego najwyższej kapłance, która stara się interpretować i pośredniczyć, zazwyczaj bezskutecznie, i mimo wszystkich dowodów świadczących o czymś wręcz przeciwnym upiera się, że w gruncie rzeczy jej bóstwo jest wielkoduszne i mądre.

Fats oparł głowę na kamiennej części Przegródka i zaczął wypuszczać kółka z dymu w stronę sklepienia. Myślał o tym, o czym chciał opowiedzieć przyjacielowi. Ćwiczył w głowie początek tej relacji przez całe nabożeństwo żałobne, kiedy jego ojciec szlochał i łkał w chusteczkę. Fats był tak podekscytowany perspektywą rozmowy z Arfem, że ledwie mógł nad sobą zapanować, ale postanowił, że nie wypapla tego zbyt szybko. Dla Fatsa opowiedzenie o tym było prawie tak samo ważne jak zrobienie tego. Nie chciał, by Andrew pomyślał, że śpieszy mu się do niego właśnie z tego powodu.

– Wiesz, że Fairbrother był w radzie gminy? – zagadnął Andrew.

– No – potwierdził Fats zadowolony, że Andrew podsunął temat zastępczy.

– Misio-Pysio mówi, że chce kandydować.

– Tak mówi?

Fats zmarszczył brwi i spojrzał na Andrew.

– Co go, kurwa, opętało?

– Myśli, że Fairbrother brał łapówki od jakiegoś podwykonawcy. – Rano Andrew słyszał, jak Simon rozmawia o tym z Ruth w kuchni. To wszystko wyjaśniało. – Chce, żeby coś mu skapnęło.

– To nie był Barry Fairbrother – roześmiał się Fats, strzepując popiół na ziemię. – I to nie była rada gminy. Chodziło o tego, jak mu tam, Frierly'ego z Yarvil. Był w radzie naszej szkoły. Przegródce dosłownie odpierdoliło. Lokalni dziennikarze zaczęli do niego wydzwaniać, prosząc o komentarz i tak dalej. Frierly'emu się oberwało. Misio-Pysio nie czyta „Yarvil and District Gazette"?

Andrew gapił się na Fatsa.

– Typowe, kurwa.

Zgasił papierosa, wdeptując go w ziemię, zażenowany kretynizmem swojego ojca. Simon znowu trafił jak kulą w płot. Gardził lokalną społecznością, szydził z jej zmartwień, był dumny ze swojej izolacji w nędznym domku na wzgórzu, aż nagle zdobył jakąś niesprawdzoną informację i opierając się na niej, postanowił narazić rodzinę na upokorzenie.

– Pokrętna menda z tego Misia-Pysia, no nie? – zapytał Fats.

Przezywali go Misio-Pysio, bo tak zwracała się do męża Ruth. Fats kiedyś to usłyszał, gdy wpadł w odwiedziny, i od tamtej pory nigdy nie nazywał Simona inaczej.

– Taaa – przyznał Andrew, zastanawiając się, czy będzie w stanie odwieść ojca od kandydowania, jeśli mu powie, że pomylił facetów i rady.

– Niezły zbieg okoliczności – powiedział Fats. – Przegródka też kandyduje.

Fats wypuścił dym nosem, gapiąc się na pęknięcie w ścianie nad głową Andrew.

– Ciekawe, na kogo zagłosują wyborcy – dodał. – Na piździelca czy na pizdę?

Andrew się roześmiał. Niewiele rzeczy sprawiało mu tyle radości, ile słuchanie, jak przyjaciel nazywa jego ojca piździelcem.

– No, a teraz luknij na to – zaproponował Fats, wkładając papierosa do ust i poklepując się po kieszeniach spodni, choć wiedział, że koperta jest w wewnętrznej kieszeni marynarki. – Jest – powiedział, wyjmując ją i otwierając, żeby pokazać Andrew zawartość: brązowe kuleczki wielkości ziaren pieprzu w pylistej mieszance wysuszonych gałązek i liści.

– Sensimilla.

– Co to takiego?

– Szczyty i pędy naturalnej, nienawożonej marihuany, specjalnie przygotowanej, żeby dać ci przyjemność z palenia – wyjaśnił Fats.

– Czym to się różni od normalnego zioła? – zapytał Andrew, z którym Fats dzielił się w Przegródku wieloma grudkami woskowatej czarnej żywicy konopi.

– To po prostu inne palenie – powiedział Fats, gasząc papierosa. Wyjął z kieszeni opakowanie bibułek, wysunął trzy delikatne arkusiki i skleił je.

– Masz to od Kirby'ego? – zapytał Andrew, potrącając palcem i wąchając zawartość koperty.

Wszyscy wiedzieli, że po dragi chodzi się do Skye'a Kirby'ego. Był od nich o rok starszy, uczył się w przedostatniej klasie. Jego dziadek, stary hippis, miał kilka spraw w sądzie za hodowlę.

– Taaa. Ale w Fields – dodał Fats, rozcinając papierosa i wysypując tytoń na bibułkę – jest koleś, którego nazywają Obbo. U niego można dostać wszystko. Jak chcesz, to nawet, kurwa, herę.

– Ale ty nie chcesz – powiedział Andrew, obserwując twarz Fatsa.

– Nieee – odparł Fats, biorąc od niego kopertę, żeby rozsypać sensimillę na tytoniu.

Zrobił jointa, liżąc krawędź bibułki, żeby ją skleić, i uformował zgrabny kształt, skręcając koniuszek.

– Nieźle – ucieszył się.

Zamierzał powiedzieć przyjacielowi po zapaleniu sensimilli, która miała być czymś w rodzaju wstępu. Wyciągnął rękę po zapalniczkę Andrew, włożył skręta do ust, zapalił, wziął głębokiego, refleksyjnego macha, po czym wypuścił dym długą niebieską smugą i powtórzył cały proces.

– Mmm – mruknął, trzymając dym w płucach, a potem zaczął parodiować Przegródkę, któremu Tessa zafundowała kiedyś kurs dla koneserów wina w ramach prezentu bożonarodzeniowego. – Nuta ziołowa. Długi finisz. Wyczuwalny aromat... Oż, kurwa...

Poczuł mocny zawrót głowy, mimo że siedział, po czym ze śmiechem wypuścił powietrze.

– ... spróbuj.

Andrew pochylił się i wziął skręta, chichocząc z niecierpliwości i na widok błogiej miny Fatsa, która zupełnie nie pasowała do typowego dla niego grymasu człowieka cierpiącego na zatwardzenie.

Andrew wciągnął powietrze i poczuł, jak moc marihuany promieniuje z jego płuc, odprężając go i rozluźniając. Po następnym machu pomyślał, że to przypomina wytrzepywanie umysłu jak kołdry, żeby opadł bez zagnieceń, żeby wszystko stało się gładkie, proste, łatwe i dobre.

– Nieźle – powtórzył za Fatsem jak echo, uśmiechając się na dźwięk własnego głosu.

Oddał skręta czekającym palcom Fatsa i delektował się poczuciem błogości.

– Ej, chcesz usłyszeć coś ciekawego? – zapytał Fats z niekontrolowanym uśmiechem.

– Nawijaj.

– Wczoraj wieczorem ją wypierdoliłem.

Andrew o mało nie zapytał: „Kogo?", ale jego przytępiony mózg w porę sobie przypomniał: Krystal Weedon, oczywiście. Krystal Weedon, bo kogóż by innego?

– Gdzie? – zainteresował się głupio, bo nie tego chciał się dowiedzieć.

Fats wyciągnął się na plecach w swoim pogrzebowym garniturze, kierując nogi w stronę rzeki. Andrew bez słowa ułożył się obok niego, zwrócony w przeciwną stronę. Sypiali tak, „na waleta", kiedy w dzieciństwie któryś z nich nocował u drugiego. Andrew wpatrywał się w skaliste sklepienie, gdzie wisiał niebieski, kłębiący się powoli dym, i czekał, aż pozna wszystkie szczegóły.

– Powiedziałem Przegródce i Tessie, że idę do ciebie, więc pamiętaj, jakby co – zaczął Fats. Podał skręta Andrew już czekającemu z wyciągniętą dłonią, a następnie splótł swoje długie ręce na piersi i wsłuchał się we własny głos. – Potem wsiadłem w autobus i pojechałem do Fields. Spotkałem się z nią pod monopolowym.

– Obok Tesco? – zapytał Andrew. Nie wiedział, dlaczego ciągle zadaje głupie pytania.

– Taaa – potwierdził Fats. – Poszliśmy na boisko. W rogu za kiblami rosną tam drzewa. Jest miło i zacisznie. Ściemniało się.

Fats zmienił pozycję i Andrew oddał mu skręta.

– Dostanie się do środka jest znacznie trudniejsze, niż przypuszczałem – powiedział Fats i Andrew poczuł się jak zahipnotyzowany, prawie chciało mu się śmiać, ale bał się, że mogłyby go ominąć jakieś niepodkoloryzowane szczegóły, którymi Fats jest gotów się z nim podzielić. – Była wilgotniejsza, kiedy robiłem to palcami.

Chichot wzbierał w piersi Andrew jak zamknięty w pułapce gaz, ale szybko został zduszony.

– Trzeba się długo wpychać, żeby wejść jak trzeba. Jest ciaśniej, niż myślałem.

Andrew zobaczył smużkę dymu unoszącą się nad miejscem, w którym musiała być głowa Fatsa.

– Doszedłem mniej więcej w dziesięć sekund. Kiedy już jesteś w środku, czujesz się zajebiście.

Andrew stłumił śmiech, na wypadek gdyby było coś jeszcze.

– Włożyłem gumę. Bez niej byłoby lepiej.

Wsadził skręta z powrotem do ręki Andrew. Andrew zaciągnął się i myślał. Trudniej się tam dostać, niż przypuszczałeś, a po dziesięciu sekundach jest po wszystkim. Nie brzmiało to zbyt rewelacyjnie, ale czego by za to nie dał? Wyobraził sobie Gaię Bawden leżącą przed nim na plecach i niechcący wyrwało mu się ciche jęknięcie, którego Fats chyba nie usłyszał. Zatopiony w kłębach erotycznych wizji, zaciągając się skrętem, Andrew leżał z erekcją na skrawku ziemi, który ogrzewało jego ciało, i słuchał cichego szumu wody kilkadziesiąt centymetrów od swojej głowy.

– Co się liczy w życiu, Arf? – zapytał rozmarzony Fats po długiej przerwie.

Andrew czuł przyjemne falowanie umysłu.

– Seks – odpowiedział.

– Taaa – potwierdził zadowolony Fats. – Pierdolenie. Ono jest najważniejsze. Reproda... reprodukcja i przetrwanie gatunku. Wyrzućmy gumy. Rozmnażajmy się.

– Taaa – powtórzył Andrew ze śmiechem.

– I śmierć – dodał Fats. W kościele zdumiała go trumna i to, jak niewiele oddzielało zwłoki od gapiących się sępów. Nie żałował, że sobie poszedł, zanim ciało zniknęło w ziemi. – No nie? Śmierć.

– Taaa – powiedział Andrew, myśląc o wojnach i o wypadkach samochodowych oraz o umieraniu w blasku prędkości i chwały.

– Taaa – ciągnął Fats. – Pierdolenie i umieranie. To jest to, nie? Pierdolenie i umieranie. To jest życie.

– Staranie się, żeby popierdolić, i staranie się, żeby nie umrzeć.

– Albo staranie się, żeby umrzeć – powiedział Fats. – Niektórzy ludzie ryzykują życie.

– Taaa. Ryzykują.

Znowu zapadło milczenie, a w ich kryjówce zrobiło się chłodno i mgliście.

– I jeszcze muzyka – dodał cicho Andrew, patrząc, jak niebieski dym wisi pod ciemną skałą.

– Taaa – przyznał Fats w oddali. – I muzyka.

Obok Przegródka szumiała rzeka.

CZĘŚĆ DRUGA

Zarzut postawiony w dobrej wierze
7.33. Zarzut postawiony w dobrej wierze w interesie
publicznym nie podlega zaskarżeniu.

Charles Arnold-Baker
Administracja samorządowa (wyd. 7)

I

Na grób Barry'ego Fairbrothera padał deszcz. Tusz rozmazywał się na szarfach. Gruby słonecznik Siobhan trzymał się dzielnie i nie gubił płatków, ale lilie i frezje Mary spłaszczyły się i oklapły. Wiosło z chryzantem ściemniało i nie było już takie ładne. Deszcz sprawił, że rzeka wezbrała, rynsztokami płynęły strumienie wody, a strome drogi prowadzące do Pagford robiły się śliskie i niebezpieczne. Okna szkolnego autobusu zaparowały. Wiszące na rynku kosze z kwiatami przemokły, a Samantha Mollison, jadąca z wycieraczkami śmigającymi najszybciej, jak się da, miała małą kolizję w drodze z pracy do domu.

Egzemplarz „Yarvil and District Gazette" wystawał ze szpary na listy w drzwiach pani Catherine Weedon przy Hope Street przez trzy dni, aż zupełnie przemókł i oklapł. W końcu pracowniczka opieki społecznej Kay Bawden wyjęła go, zajrzała przez zardzewiałą klapkę i zobaczyła starszą panią leżącą bezwładnie u stóp schodów. Policjant pomógł sforsować drzwi i karetka zabrała panią Weedon do szpitala South West General.

Deszcz ciągle padał, skłaniając malarza, który miał zmienić szyld nad dawnym sklepem obuwniczym, do przełożenia wizyty. Lało całymi dniami i nocami. Na rynku roiło się od przygarbionych ludzi w płaszczach przeciwdeszczowych, a na wąskich chodnikach zderzały się parasolki.

Delikatne bębnienie deszczu o ciemne okno działało na Howarda Mollisona kojąco. Siedział w gabinecie, który kiedyś był pokojem jego córki Patricii, i zastanawiał się nad e-mailem od dziennikarza z lokalnej gazety. Redakcja postanowiła opublikować artykuł, w którym radny Fairbrother twierdził, że Fields powinno zostać przy Pagford, lecz chciała przedstawić racje także drugiej strony i miała nadzieję, że w następnym numerze inny radny poda argumenty za odłączeniem osiedla.

„Twój plan nie wypalił, co, Fairbrother? – pomyślał z radością Howard. – Miałeś nadzieję, że wszystko ułoży się po twojej myśli…"

Zamknął skrzynkę poczty elektronicznej i skupił się na stosiku kartek, które leżały na biurku. Były to napływające powoli pisma, w których żądano zorganizowania wyborów w związku ze śmiercią Barry'ego. Zgodnie ze statutem przeprowadzenie publicznego głosowania wymagało złożenia dziewięciu wniosków, a Howard otrzymał dziesięć. Przeczytał je jeszcze raz, podczas gdy z kuchni dobiegały głosy jego żony i wspólniczki, roztrząsających głośny skandal, który wybuchł po tym, jak stara pani Weedon zasłabła i dopiero po jakimś czasie została znaleziona nieprzytomna w domu.

– … nikt nie zmienia lekarza bez powodu, prawda? Karen mi powiedziała, że staruszka krzyczała na całe gardło…

– … mówiąc, że przepisano jej niewłaściwe leki, tak, wiem – powiedziała Shirley, która uważała, że ma monopol na medyczne spekulacje, bo pracuje jako wolontariuszka w szpitalu. – Przypuszczam, że w General przeprowadzą badania.

– Na miejscu doktor Jawandy byłabym bardzo zaniepokojona.

– Pewnie ma nadzieję, że tacy ignoranci jak Weedonowie nie wpadną na to, żeby ją pozwać, ale jeśli w General stwierdzą, że zawinił źle przepisany lek, nic jej to nie pomoże.

– Odbiorą jej prawo wykonywania zawodu – powiedziała Maureen z lubością.

– Właśnie – przytaknęła Shirley. – I mam wrażenie, że wielu ludzi pomyśli wtedy: krzyżyk na drogę. Krzyżyk na drogę.

Howard starannie układał listy w mniejsze stosiki. Wypełniony formularz zgłoszeniowy Milesa odłożył na bok. Pozostałe pisma były od obecnych członków rady gminy. Wcale go nie zaskoczyły: gdy Parminder napisała do niego e-maila, w którym informowała, że zna kogoś zainteresowanego kandydowaniem do rady, od razu wiedział, że ta szóstka ją poprze, domagając się wyborów. Oprócz Propagandy miał przeciwko sobie grupę, którą nazywał „swarliwą frakcją". Jej lider niedawno poległ. Na szczycie tego stosiku Howard położył wypełniony formularz Colina Walla, wytypowanego przez nią kandydata.

Na trzeci stosik złożyły się cztery kolejne listy, których też się spodziewał: napisane przez zawodowych narzekaczy z Pagford, ludzi wiecznie niezadowolonych i podejrzliwych. Wszyscy byli gorliwymi korespondentami „Yarvil and District Gazette". Każda z tych osób wykazywała obsesyjne zainteresowanie jakąś osobliwą lokalną sprawą i uważała się za posiadacza „niezależnego umysłu". Zapewne to właśnie ci ludzie najgłośniej krzyczeliby „nepotyzm!", gdyby dokooptował do rady Milesa. Niemniej należeli oni do największych przeciwników Fields w mieście.

Howard wziął do ręki dwa ostatnie listy i zważył je na dłoni. Jeden napisała kobieta, której nigdy nie widział. Twierdziła (i Howard uwierzył jej na słowo), że pracuje w klinice odwykowej Bellchapel (to, że podpisała się jako „Ms", a nie „Mrs", było dla niego wystarczającym dowodem). Po chwili wahania położył jej list na formularzu zgłoszeniowym Przegródki Walla.

Ostatni list, anonimowy i napisany na komputerze, w ostrych słowach domagał się zwołania wyborów. Biły z niego pośpiech i niedbałość – był usiany błędami. Nadawca wychwalał zalety Barry'ego Fairbrothera i nazywał Milesa człowiekiem „niegodnym zająć jego miejsca". Howard zastanawiał się, czy Miles ma jakiegoś niezadowolonego klienta, który mógłby im narobić kłopotów. Dobrze wiedzieć o takich potencjalnych zagrożeniach. Howard wątpił jednak, czy ten anonimowy list można uznać za głos za przeprowadzeniem wyborów. Dlatego włożył go do małej niszczarki, którą dostał od Shirley pod choinkę.

II

Pagfordzka kancelaria prawnicza Edward Collins & Co. zajmowała piętro szeregowego domu z cegły, w którym na parterze mieścił się zakład optyczny. Edward Collins już nie żył, a jego firmę tworzyło dwóch mężczyzn: Gavin Hughes, który był zwykłym pracownikiem kancelarii i miał gabinet z jednym oknem, oraz Miles Mollison, który był wspólnikiem i miał dwa okna. Pracowała dla nich jedna sekretarka, samotna dwudziestoośmiolatka przeciętnej urody, ale z ładną figurą. Shona zbyt głośno śmiała się z dowcipów Milesa, a Gavina traktowała z wyższością, która była niemal obraźliwa.

W piątek po pogrzebie Barry'ego Fairbrothera Miles zapukał o pierwszej do pokoju Gavina i wszedł, nie czekając na zaproszenie. Zastał współpracownika patrzącego na ciemnoszare niebo za mokrym od deszczu oknem.

– Wyskoczę na lunch – powiedział Miles. – Jeśli Lucy Bevan zjawi się wcześniej, powiedz jej, że wrócę o drugiej, dobrze? Shona wyszła.

– Dobrze – odparł Gavin.

– Wszystko w porządku?

– Dzwoniła Mary. Są jakieś kłopoty z polisą Barry'ego. Prosiła, żebym jej w tym pomógł.

– No tak, cóż, poradzisz sobie, prawda? W każdym razie wrócę o drugiej.

Miles narzucił płaszcz, zbiegł po stromych schodach i żwawo ruszył mokrą uliczką prowadzącą na rynek. Chmury na chwilę się rozstąpiły, sprawiając, że słońce zalało połyskujący pomnik ku czci ofiar wojny i wiszące kosze z kwiatami. Pędząc przez rynek w stronę Mollison and Lowe, tej pagfordzkiej instytucji, najbardziej luksusowego sklepu w mieście, Miles poczuł przypływ atawistycznej dumy – dumy, która mimo częstego bywania w tym miejscu nigdy nie zbladła, lecz raczej pogłębiła się i rozwinęła.

Kiedy otworzył drzwi, brzdęknął dzwonek. Pora lunchu przyciągnęła klientów: przy ladzie stało w kolejce osiem osób, a Howard, w kupieckim kostiumie, z muchami wędkarskimi połyskującymi na czapce *à la* Sherlock Holmes, był w swoim żywiole.

– ... i ćwierć kilo czarnych oliwek dla naszej Rosemary. To wszystko? Dla Rosemary to wszystko... razem osiem funtów i sześćdziesiąt dwa pensy. Wystarczy osiem, kochana, przez wzgląd na naszą długą i owocną znajomość...

Chichotanie i wyrazy wdzięczności. Brzęczenie i szczęk kasy.

– A oto i mój prawnik, wpadł mnie skontrolować – zagrzmiał Howard, mrugając ze śmiechem do Milesa nad głowami klientów. – Jeśli szanowny pan zechce na mnie zaczekać na zapleczu, postaram się nie mówić nic, co mogłoby obciążyć panią Howson...

Miles uśmiechnął się do pań w średnim wieku, a one rozpłynęły się w zachwycie. Wysoki, z gęstymi, krótko ostrzyżonymi, siwiejącymi włosami, dużymi okrągłymi niebieskimi oczami i z brzuszyskiem zasłoniętym przez ciemny płaszcz, był dość atrakcyjnym dodatkiem do wypiekanych w domu biszkoptów i lokalnych serów. Ostrożnie przeszedł między stoliczkami, na których piętrzyły się różne smakołyki, i przystanął przy pozbawionym już foliowej zasłony ochronnej dużym łukowatym przejściu wykutym między delikatesami a dawnym sklepem obuwniczym. Maureen (Miles rozpoznał jej charakter pisma) ustawiła pośrodku przejścia podwójną tablicę z napisem: „Zakaz wstępu. Wkrótce otwarcie... Copper Kettle". Miles zajrzał do czystego, pustego pomieszczenia, które niedługo miało zostać najnowszą i najlepszą kawiarnią w Pagford. Otynkowano je i pomalowano, a na podłodze leżały świeżo polakierowane czarne deski.

Wślizgnął się bokiem za ladę i przecisnął obok obsługującej krajarkę do wędlin Maureen, dając jej okazję do wybuchnięcia chrapliwym, sprośnym śmiechem, po czym wszedł do małego obskurnego pomieszczenia na zapleczu. Stał tam stół z laminatu, na którym leżał złożony egzemplarz „Daily Mail" Maureen, na haczykach wisiały płaszcze Howarda i Maureen, a zza drzwi do toalety sączył się zapach sztucznej lawendy. Miles powiesił swój płaszcz i przysunął do stołu stare krzesło.

Po paru minutach zjawił się Howard, niosąc dwa talerze wypełnione produktami z delikatesów.

– Więc jesteście już zdecydowani na Copper Kettle? – zapytał Miles.

– No cóż, taka nazwa podoba się Mo – powiedział Howard, stawiając przed synem talerz.

Poczłapał do sklepu, wrócił z dwiema butelkami piwa i zamknął drzwi nogą, sprawiając, że w pozbawionym okna pomieszczeniu zapanował mrok rozjaśniony tylko słabym światłem żyrandola. Howard usiadł z głośnym stęknięciem. Gdy rano rozmawiali przez telefon, był tajemniczy, a teraz jeszcze przez chwilę wystawiał na próbę ciekawość Milesa, otwierając butelkę.

– Wall przysłał formularz – powiedział w końcu, podając synowi piwo.

– Aha – mruknął Miles.

– Wyznaczę termin nadsyłania zgłoszeń. Wszyscy chętni będą mieli dwa tygodnie od dziś.

– Słusznie.

– Mama mówi, że zgłosi się jeszcze ten Price. Pytałeś Sam, czy wie, co to za jeden?

– Nie.

Howard podrapał się po brzuchu, który, gdy usiadł na skrzypiącym krześle, spoczął prawie na jego kolanach.

– Wszystko w porządku między tobą i Sam?

Miles jak zwykle podziwiał niemal nadprzyrodzoną intuicję ojca.

– Nie do końca.

Matce by tego nie wyznał, bo starał się nie podsycać bezustannej zimnej wojny między Shirley i Samanthą, wojny, w której był zakładnikiem i zarazem główną zdobyczą.

– Nie podoba jej się, że chcę kandydować – wyjaśnił Miles.

Howard uniósł jasne brwi. Kiedy żuł, trzęsły mu się podbródki.

– Nie mam pojęcia, co ją ugryzło – ciągnął Miles. – Znowu wpadła w ten swój antypagfordzki nastrój.

Howard nieśpiesznie przełknął. Wytarł usta papierową serwetką i beknął.

– Kiedy już wejdziesz do rady, szybko się z tym oswoi – powiedział. – Ta funkcja ma też aspekt towarzyski. Mnóstwo atrakcji dla żon. Przyjęcia w Sweetlove House. Będzie w swoim żywiole. – Pociągnął łyk piwa i znowu podrapał się po brzuchu.

– Nie mogę skojarzyć tego Price'a – Miles wrócił do najważniejszej kwestii – ale mam wrażenie, że jego dzieciak chodził z Lexie do klasy w Świętym Tomaszu.

– Grunt, że urodził się w Fields – zauważył Howard. – Urodził się w Fields, a to może zadziałać na naszą korzyść. Głosy zwolenników Fields podzielą się między niego a Walla.

– Tak. Masz rację.

Wcześniej nie przyszło mu to do głowy. Podziwiał sposób, w jaki funkcjonował umysł jego ojca.

– Mama już zadzwoniła do jego żony i poprosiła, żeby przesłała jego formularz. Może powiem Shirley, żeby zadzwoniła do nich jeszcze raz i przekazała, że mają na to dwa tygodnie. Spróbujemy ich trochę ponaglić.

– Więc będzie trzech kandydatów? – zapytał Miles. – Razem z Colinem Wallem.

– O nikim innym nie słyszałem. Możliwe, że kiedy szczegóły ukażą się na stronie internetowej, zgłosi się ktoś jeszcze. Ale jestem pewien, że wygramy. Jestem pewien – powiedział Howard. – Dzwonił Aubrey – dodał.

W jego tonie zawsze wyczuwało się dodatkową pompatyczność, kiedy nazywał Aubreya Fawleya po imieniu. – Zdecydowanie cię popiera, ma się rozumieć. Wraca dziś wieczorem. Był w mieście.

Mówiąc „w mieście", pagfordczycy zazwyczaj mieli na myśli „w Yarvil". Howard i Shirley, naśladując Aubreya Fawleya, używali tego określenia, kiedy mówili o Londynie.

– Wspomniał, że wszyscy powinniśmy się spotkać i pogadać. Chyba jutro. Może nawet zaprosi nas do siebie. Sam byłaby zadowolona.

Miles właśnie ugryzł wielki kęs chleba sodowego z pasztetem z wątróbki, ale wyraził entuzjazm, energicznie kiwając głową. Spodobało mu się, że Aubrey Fawley „zdecydowanie go popiera". Wprawdzie Samantha szydziła ze służalczości jego rodziców wobec Fawleyów, ale Miles zauważył, że przy tych rzadkich okazjach, kiedy sama stawała twarzą w twarz z Aubreyem albo Julią, jej akcent ulegał subtelnej zmianie i zaczynała się zachowywać zdecydowanie powściągliwiej.

– Jeszcze jedno – powiedział Howard, znowu drapiąc się po brzuchu. – Dziś rano dostałem e-maila z „Yarvil and District Gazette". Proszą mnie o opinię w sprawie Fields. Jako przewodniczącego rady gminy.

– Żartujesz? Myślałem, że Fairbrother ich przekabacił...

– Jego plan nie wypalił – rzekł Howard z ogromnym zadowoleniem. – Opublikują jego artykuł, ale chcą, żeby w przyszłym tygodniu ktoś z nim polemizował. Chcą pokazać problem z drugiej strony. Przydałaby mi się pomoc. Kilka prawniczych zwrotów i tak dalej.

– Nic ma sprawy – powiedział Miles. – Moglibyśmy wspomnieć o tej cholernej klinice odwykowej. To by nam pomogło.

– Tak. Bardzo dobry pomysł. Doskonały!

Tak się rozentuzjazmował, że połknął za dużo naraz i Miles musiał go walić po plecach, dopóki nie odkaszlnął. W końcu, przecierając załzawione oczy serwetką, zasapany Howard powiedział:

– Aubrey radzi władzom okręgu, żeby odmówiły dalszego finansowania kliniki, a ja spróbuję przekonać naszych, że pora wymówić umowę najmu budynku. Nie zaszkodziłoby nagłośnić sprawę w prasie. Powiedzieć, ile czasu i pieniędzy idzie na to cholerne miejsce, z którego nie ma żadnego pożytku. Zebrałem dane statystyczne. – Howard donośnie beknął. – To jakiś cholerny skandal. Przepraszam.

III

Tego wieczoru Gavin zaprosił Kay na kolację i gotował, otwierając puszki i miażdżąc czosnek z poczuciem, że to wszystko nie ma sensu.

Po kłótni należało powiedzieć pewne słowa, żeby zagwarantować sobie rozejm. Wiadomo, takie są zasady. Gavin zadzwonił do Kay ze swojego samochodu, kiedy wracał z pogrzebu Barry'ego, i powiedział, że mu jej brakowało, że ten dzień był dla niego straszny i że ma nadzieję spotkać się z nią wieczorem. Traktował te skromne wyznania po prostu jako cenę, którą musi zapłacić za wieczór w niewymagającym towarzystwie.

Ale Kay najwidoczniej uznała je raczej za zaliczkę przed wznowieniem negocjacji. „Brakowało ci mnie. Potrzebowałeś mnie, kiedy było ci smutno. Żałowałeś, że nie poszliśmy tam jako para. No cóż, nie powtórzmy tego błędu". W sposobie, w jaki go od tamtej pory traktowała, wyczuwało się pewne samozadowolenie: ożywienie, nutę nowych oczekiwań.

Przygotowywał dziś spaghetti bolognese. Specjalnie nie kupił puddingu i nie nakrył wcześniej do stołu. Dokładał wszelkich starań, by zobaczyła, że za bardzo się nie wysilił. Kay jednak zdawała się tego nie zauważać, prawie tak jakby postanowiła potraktować tę jego niedbałą postawę jak komplement. Usiadła przy małym stole w kuchni, mówiła do niego przy akompaniamencie bębnienia deszczu o świetlik, a jej oczy przesuwały się po armaturze i sprzętach kuchennych. Nieczęsto u niego bywała.

– Tę żółć wybrała pewnie Lisa?

Znowu to robiła: łamała tabu, jakby niedawno osiągnęli wyższy poziom zażyłości. Gavin wolał nie mówić o Lisie, jeśli nie było takiej konieczności. Kay na pewno zdążyła to zauważyć, prawda? Dodał oregano do mielonego mięsa, które smażył na patelni, i powiedział:

– Nie, kuchnię malował jeszcze poprzedni właściciel. Nie miałem czasu, żeby ją wyremontować.

– Aha – odrzekła, sącząc wino. – W zasadzie to całkiem ładny kolor. Może trochę mdły.

Te słowa zabolały Gavina, który uważał, że wnętrze Smithy pod każdym względem przewyższa wystrój budynku przy Hope Street 10. Patrzył na gotujący się makaron, odwrócony do niej plecami.

– Wiesz co – zaczęła – dziś po południu poznałam Samanthę Mollison.

Gavin gwałtownie się odwrócił. Skąd Kay w ogóle wie, jak wygląda Samantha?

– Przed delikatesami na rynku. Szłam kupić to. – Lekko stuknęła paznokciem w stojącą obok butelkę wina. – Zapytała mnie, czy jestem dziewczyną Gavina.

Kay powiedziała to figlarnym tonem, ale dobór słów użytych przez Samanthę dodał jej otuchy i z ulgą pomyślała, że właśnie tak nazywa ją Gavin w rozmowach z przyjaciółmi.

– I co odpowiedziałaś?

– Odpowiedziałam... odpowiedziałam, że tak.

Miała zawiedzioną minę. Gavin nie zamierzał zadać tego pytania tak agresywnym tonem. Wiele by dał, żeby Kay i Samantha nigdy się nie spotkały.

– W każdym razie – podjęła Kay z lekką urazą w głosie – zaprosiła nas na kolację w piątek wieczorem. Za tydzień.

– A niech to cholera – zezłościł się Gavin.

Spora część radości Kay wyparowała.

– Co się stało?

– Nic. Po prostu... Nic – powiedział, niecierpliwie mieszając bulgoczące spaghetti. – Ale szczerze mówiąc, wystarczająco często widuję Milesa w pracy.

Bał się tego od początku: że w końcu uda jej się wkręcić do towarzystwa i zostaną Gavinem i Kay, że będą mieli wspólny krąg znajomych i coraz trudniej będzie mu się jej pozbyć. Jak mógł do tego dopuścić? Dlaczego jej na to pozwolił? Wściekłość na samego siebie z łatwością przerodziła się w złość na nią. Czemu nie mogła zrozumieć, że on wcale jej nie chce, i wynieść się z jego życia, oszczędzając mu brudnej roboty? Odcedził spaghetti nad zlewem i zaklął pod nosem, kiedy opryskał się wrzątkiem.

– W takim razie powinieneś zadzwonić do Milesa i Samanthy i powiedzieć, że nie przyjdziemy – oznajmiła Kay.

Ton jej głosu zaostrzył się. Gavin, zgodnie ze swoim głęboko zakorzenionym zwyczajem, próbował uniknąć zbliżającego się starcia, mając nadzieję, że wszystko jakoś się ułoży.

– Nie, nie – powiedział, wycierając mokrą koszulę ścierką. – Pójdziemy. W porządku. Pójdziemy.

Ale swoim nietajonym brakiem entuzjazmu próbował zostawić ślad, do którego potem mógłby się odwołać. „Wiedziałaś, że nie chciałem iść. Nie, wcale mi się nie podobało. Nie, nie chcę tego powtórzyć".

Przez kilka minut jedli w milczeniu. Gavin bał się, że wybuchnie następna kłótnia i że Kay znowu go zmusi do przedyskutowania podstawowych problemów. Szukał jakiegoś innego tematu, więc zaczął opowiadać o Mary Fairbrother i jej zmaganiach z towarzystwem ubezpieczeniowym.

– Naprawdę zachowują się jak sukinsyny – powiedział. – Barry miał dobrą polisę, ale ich prawnicy szukają sposobu, żeby nie wypłacić pieniędzy. Próbują jej wmówić, że zatail pewne informacje.

– To znaczy jakie?

– Jego wujek też umarł na wylew. Mary przysięga, że Barry powiedział o tym agentowi ubezpieczeniowemu przed podpisaniem umowy, ale nigdzie nie ma tego na piśmie. Prawdopodobnie facet nie zdawał sobie sprawy, że to może być dziedziczne. Nie wiem, czy sam Barry o tym wiedział, biorąc pod uwagę...

Gavinowi załamał się głos. Przerażony i zakłopotany pochylił czerwoną twarz nad talerzem. W gardle utkwiła mu twarda gruda smutku, której nie umiał przełknąć. Krzesło Kay szurnęło o podłogę. Miał nadzieję, że wstała, żeby wyjść do łazienki, ale potem poczuł, jak go obejmuje i przytula. Niewiele myśląc, też objął ją ramieniem.

Tak miło było być przez kogoś przytulanym. Szkoda, że ich związek nie mógł ulec destylacji i przejść w stan prostych gestów pocieszenia, niewymagających słów. Po co ludzie w ogóle nauczyli się mówić?

Kapka jego smarków wylądowała na jej bluzce.

– Przepraszam – powiedział zduszonym głosem, wycierając ją chusteczką.

Odsunął się od Kay i wydmuchał nos. Przysunęła krzesło, żeby usiąść obok niego, i położyła mu dłoń na ramieniu. Lubił ją o wiele bardziej, kiedy się nie odzywała i siedziała z łagodną, skupioną miną, tak jak teraz.

– Nadal nie mogę... To był dobry facet – powiedział. – To był dobry facet.

– Tak, wszyscy tak o nim mówią.

Nigdy nie było jej dane spotkać tego sławnego Barry'ego Fairbrothera, ale zaintrygował ją pokaz emocji w wykonaniu Gavina oraz osoba, która go spowodowała.

– Był zabawny? – zapytała, bo potrafiła sobie wyobrazić, że kawalarz, hałaśliwy prowodyr i bywalec pubów mógł wzbudzić sympatię Gavina.

– Tak, chyba tak. Chociaż w zasadzie nie bardzo. Był normalny. Lubił się pośmiać... ale poza tym był po prostu takim... takim f a j n y m facetem. Lubił ludzi, wiesz?

Czekała, ale Gavin najwyraźniej nie umiał rozwinąć tematu fajności Barry'ego.

– A dzieci... i Mary... biedna Mary... Boże, nawet nie masz pojęcia.

Kay nadal poklepywała go po ramieniu, ale jej współczucie trochę osłabło. „Nie mam pojęcia, jak to jest zostać samej? – pomyślała. – Nie mam pojęcia, jak ciężko jest być jedyną żywicielką rodziny? A gdzie się podziało jego współczucie dla mnie?"

– Byli naprawdę szczęśliwi – powiedział Gavin łamiącym się głosem. – Ona jest zrozpaczona.

Kay bez słowa głaskała go po ramieniu, myśląc, że sama nigdy nie mogła sobie pozwolić na rozpacz.

– Nic mi nie jest – powiedział, wycierając nos w chusteczkę i sięgając po widelec. Ledwie wyczuwalnym drgnieniem ramienia dał jej znać, że powinna już zabrać rękę.

IV

Zaproszenie Kay na kolację było motywowane mściwością pomieszaną z nudą. Samantha dostrzegła możliwość odpłacenia się w ten sposób Milesowi, który ciągle snuł plany, nie pytając jej o zdanie, lecz oczekując jej wsparcia. Chciała zobaczyć, czy będzie mu miło, kiedy ona zorganizuje coś bez porozumienia z nim. Poza tym ubiegłaby Maureen i Shirley, te stare, wścibskie wiedźmy, które były bardzo zainteresowane prywatnymi sprawami Gavina, ale prawie nic nie wiedziały o jego związku z dziewczyną z Londynu. I wreszcie kolacja dawała Samancie kolejną okazję, żeby poznęcać się nad Gavinem za jego bojaźliwość i brak zdecydowania w relacjach z kobietami: mogła wspomnieć przy Kay o ślubie albo powiedzieć, jak bardzo się cieszy, że Gavin wreszcie postanowił się z kimś związać na stałe. Plan wprawienia innych w konsternację dostarczył jej jednak mniej przyjemności, niż się spodziewała. Kiedy w sobotę rano powiedziała Milesowi o piątkowej kolacji, zareagował z podejrzanym entuzjazmem.

– Świetnie, od wieków nie zapraszaliśmy Gavina. I fajnie, że poznałaś Kay.

– Dlaczego?

– No, przecież zawsze lubiłaś Lisę, prawda?

– Miles, ja nienawidziłam Lisy.

– Cóż... może w takim razie polubisz Kay!

Rzuciła mu wściekłe spojrzenie, zastanawiając się, skąd się wziął ten jego dobry humor. Lexie i Libby, które przyjechały na weekend i utknęły w domu z powodu deszczu, oglądały w salonie teledyski na DVD. Dudnienie gitarowej ballady docierało aż do kuchni, w której rozmawiali ich rodzice.

– Słuchaj – powiedział Miles, gestykulując z komórką w ręku – Aubrey chce ze mną pogadać o radzie gminy. Właśnie dzwoniłem do taty. Fawleyowie zaprosili nas wszystkich na kolację dziś wieczorem w Sweetlove...

– Dzięki, nie skorzystam – przerwała mu Samantha.

Nagle przepełniła ją wściekłość, której nie potrafiła wytłumaczyć nawet sobie samej. Wyszła z kuchni.

Przez cały dzień kłócili się ściszonym głosem, starając się nie zepsuć córkom weekendu. Samantha nie miała zamiaru zmienić zdania ani wyjaśnić powodów swojej decyzji. Miles, bojąc się na nią złościć, zachowywał się na przemian pojednawczo i chłodno.

– Jak to będzie wyglądało, jeśli ze mną nie pójdziesz? – zapytał za dziesięć ósma, stając na progu salonu w garniturze i krawacie gotowy do wyjścia.

– Ja nie mam z tym nic wspólnego, Miles – odrzekła Samantha. – To ty ubiegasz się o miejsce w radzie.

Lubiła patrzeć na rozterki swojego męża. Wiedziała, że Miles przeraźliwie boi się spóźnić, a jednak nadal się zastanawia, czy nie mógłby jej przekonać do zmiany zdania.

– Wiesz, że będą oczekiwać nas obojga.

192

– Naprawdę? Nikt mi nie przysłał zaproszenia.

– Oj, daj spokój, Sam, wiesz, że chcieli... Byli przekonani, że...

– W takim razie sami są sobie winni. Już ci mówiłam, nie mam ochoty tam iść. Lepiej się pospiesz. Nie każ czekać mamusi i tatusiowi.

Wyszedł. Usłyszała, jak samochód wyjeżdża z podjazdu, a potem poszła do kuchni, otworzyła butelkę wina i zaniosła ją do salonu, zabierając po drodze kieliszek. Ciągle sobie wyobrażała Howarda, Shirley i Milesa na kolacji w Sweetlove House. Dla Shirley z pewnością będzie to pierwszy orgazm od lat.

Jej myśli nieuchronnie płynęły ku temu, co kilka dni wcześniej usłyszała od swojego księgowego. Zyski spadały, choć Howardowi przedstawiała całkiem inny obraz. W zasadzie księgowy zasugerował, że powinna zamknąć sklep i skupić się na sprzedaży internetowej. Oznaczałoby to przyznanie się do porażki, a na to Samantha nie była gotowa. Po pierwsze, Shirley byłaby zachwycona, gdyby sklep został zamknięty – od samego początku podle jej dogryzała. „Przykro mi, Sam, ale to nie w moim stylu... Jest po prostu troszeczkę za odważny..." Ale Samantha uwielbiała swój mały czerwono--czarny sklep w Yarvil, uwielbiała wyjeżdżać codziennie z Pagford, gawędzić z klientkami, plotkować z Carly, zatrudnianą przez siebie ekspedientką. Jej świat bardzo by się skurczył bez sklepu, który prowadziła od czternastu lat. Mówiąc w skrócie, ograniczyłby się do Pagford.

(Pagford, cholerne Pagford. Samantha nigdy nie chciała tutaj mieszkać. Przed podjęciem pracy zamierzali z Milesem zrobić sobie rok wolnego i wyruszyć na wyprawę dookoła świata. Mieli już opracowaną trasę, przygotowane wizy. Samantha marzyła o spacerowaniu boso, za rękę, po długich, białych australijskich plażach. I wtedy odkryła, że jest w ciąży.

Przyszła do niego do Ambleside nazajutrz po zrobieniu testu, tydzień po tym, jak skończyli studia. Za osiem dni mieli wyruszyć do Singapuru.

Samantha nie chciała mówić Milesowi o ciąży w domu jego rodziców. Bała się, że podsłuchają. Miała wrażenie, że ile razy otworzy któreś z drzwi w tym domu, znajduje za nimi Shirley.

Dlatego zaczekała, aż usiedli przy stoliku w ciemnym kącie Black Canon. Przypomniała sobie sztywną linię szczęki Milesa, która skamieniała, kiedy usłyszał jej słowa. W jakiś nieokreślony sposób wiadomość o ciąży go postarzyła.

Przez kilka przeraźliwych sekund milczał. Potem oznajmił: „Dobrze. Weźmiemy ślub".

Powiedział jej, że kupił już pierścionek, że zamierzał się oświadczyć w jakimś ładnym miejscu, na przykład na szczycie Uluru. Oczywiście gdy tylko przyszli do domu jego rodziców, wyjął pudełeczko z plecaka, do którego zdążył je już schować. To był mały samotny brylant od jubilera z Yarvil. Miles kupił go za część pieniędzy, które dostał w spadku po babci. Samantha siedziała na krawędzi łóżka Milesa i rzewnie płakała. Trzy miesiące później wzięli ślub).

Sam na sam z butelką wina Samantha włączyła telewizor. Na ekranie ukazał się kadr z płyty, którą wcześniej oglądały Lexie i Libby: zatrzymany obraz czterech młodych mężczyzn śpiewających dla niej, ubranych w obcisłe T-shirty. Wyglądali tak, jakby ledwie skończyli dwadzieścia lat. Wcisnęła Play. Kiedy chłopcy skończyli śpiewać, zaczął się wywiad. Samantha żłopała wino i patrzyła, jak członkowie zespołu żartują, a potem poważnieją, mówiąc o tym, jak bardzo kochają swoich fanów. Pomyślała, że rozpoznałaby w nich Amerykanów, nawet gdyby wyłączyła dźwięk. Mieli idealne zęby.

Zrobiło się późno. Wcisnęła pauzę, poszła na górę i powiedziała dziewczynkom, żeby odłożyły PlayStation i kładły się spać. Potem wróciła do salonu, gdzie czekało na nią już tylko ćwierć butelki wina. Nie włączyła światła. Wcisnęła Play i piła dalej. Kiedy płyta się skończyła, puściła ją od początku i obejrzała fragment, który ją ominął.

Jeden z chłopaków wyglądał zdecydowanie dojrzalej niż pozostała trójka. Był szerszy w ramionach, jego bicepsy odznaczały się pod krótkimi rękawami T-shirtu, miał gruby, mocny kark i kanciastą szczękę. Samantha patrzyła na jego płynne ruchy, na zamyśloną, poważną minę, z jaką spoglądał w obiektyw, i na jego przystojną twarz – jej płaszczyzny, wyraźne krawędzie i uniesione czarne brwi.

Pomyślała o seksie z Milesem. Od ostatniego razu minęły trzy tygodnie. Jego repertuar był przewidywalny jak masoński uścisk dłoni. Do ulubionych powiedzonek jej męża należało: „Póki nie spadło, nie trzeba podnosić".

Samantha wlała do kieliszka ostatnie krople z butelki i wyobraziła sobie, że uprawia seks z chłopakiem z ekranu. Od jakiegoś czasu jej piersi prezentowały się lepiej w staniku. Kiedy kładła się na plecach, rozlewały się na boki, a ona czuła się wtedy zwiotczała i paskudna. Wyobraziła sobie, jak stoi przyparta do ściany, uniósłszy nogę, z sukienką podciągniętą do pasa, a ten silny śniady chłopak, z dżinsami opuszczonymi do kolan, raz po raz gwałtownie wchodzi w nią i wychodzi...

Poczuła graniczące ze szczęściem łaskotanie w podbrzuszu i jednocześnie usłyszała, jak na podjeździe parkuje samochód, a światła reflektorów przesunęły się po ciemnym salonie.

Złapała pilota, żeby przełączyć na wiadomości, co zajęło jej znacznie więcej czasu, niż powinno. Wepchnęła pustą butelkę po winie pod kanapę i ścisnęła prawie opróżniony kieliszek jak rekwizyt teatralny. Drzwi wejściowe otworzyły się i zamknęły. Do domu wszedł Miles.

– Dlaczego siedzisz po ciemku?

Włączył światło i spojrzała na niego. Wyglądał równie elegancko, jak przed wyjściem, tylko deszcz zmoczył mu ramiona marynarki.

– Jak się udała kolacja?

– Było miło – powiedział. – Brakowało nam ciebie. Aubreyowi i Julii było przykro, że nie mogłaś przyjechać.

– O tak, z pewnością. Założę się, że twoja matka płakała z tęsknoty.

Usiadł w fotelu ustawionym pod kątem prostym do kanapy i wbił wzrok w żonę. Odgarnęła włosy z oczu.

– O co chodzi, Sam?

– Jeśli się nie domyślasz...

Ale sama nie była pewna, a w każdym razie nie wiedziała, jak skondensować to dojmujące poczucie, że jest źle traktowana, w spójne oskarżenie.

– Nie rozumiem, w jaki sposób moja kandydatura do rady gminy...

– Miles, na litość boską! – krzyknęła tak głośno, że aż sama się zdziwiła.

– Proszę, wytłumacz mi, dlaczego ci to przeszkadza?

Rzuciła mu wściekłe spojrzenie, usiłując to ująć w formę zrozumiałą dla jego pedantycznego prawniczego umysłu przypominającego pęsetę, którą brał w posiadanie pojedyncze słowa, a jednocześnie często nie umiał ogarnąć kontekstu. Co miała powiedzieć, żeby zrozumiał? Że wieczne gadanie Howarda i Shirley o radzie gminy jest nudne jak flaki z olejem? Że już teraz nużą ją jego wielokrotnie powtarzane anegdoty o starych dobrych czasach w klubie rugby i jego samochwalcze opowieści o pracy, więc nie chce znosić jeszcze tyrad na temat Fields?

– Odnosiłam wrażenie – powiedziała Samantha w słabo oświetlonym salonie – że mieliśmy inne plany.

– Jakie plany? – zapytał Miles. – O czym ty mówisz?

– Planowaliśmy – odparła ostrożnie znad krawędzi drżącego kieliszka – że kiedy dziewczynki wyjadą na studia, wybierzemy się w podróż. Obiecaliśmy to sobie, pamiętasz?

Bezkształtna wściekłość i rozpacz trawiące ją od chwili, gdy Miles ogłosił zamiar ubiegania się o miejsce w radzie, ani razu nie wzbudziły w niej żalu z powodu ich niezrealizowanej rocznej podróży, ale teraz wydawało jej się, że właśnie na tym polega problem – a przynajmniej że dzięki temu najlepiej wyrazi swoją wewnętrzną niechęć i tęsknotę.

Miles osłupiał.

– O czym ty mówisz?

– Kiedy zaszłam w ciążę z Lexie – odparła głośno Samantha – i musieliśmy odwołać podróż, i twoja cholerna matka zmusiła nas do ślubu w przyspieszonym tempie, i twój ojciec załatwił ci pracę u Edwarda Collinsa, powiedziałeś, u z g o d n i l i ś m y, że gdy dzieci dorosną, wyruszymy w podróż dookoła świata. Obiecaliśmy sobie, że wyjedziemy i zrobimy to wszystko, co nas wcześniej ominęło.

Miles powoli pokręcił głową.

– Pierwsze słyszę – powiedział. – Skąd, do diabła, coś takiego przyszło ci do głowy?

– Miles, siedzieliśmy w Black Canon. Powiedziałam ci o ciąży, a ty odpowiedziałeś... na litość boską, Miles... powiedziałam ci o ciąży, a ty mi obiecałeś, o b i e c a ł e ś...

– Chcesz jechać na wakacje? O to ci chodzi? O wakacje?

– Nie, Miles, nie chcę jechać na żadne cholerne wakacje. Chcę... już zapomniałeś? Ustaliliśmy, że kiedyś zrobimy sobie roczną przerwę, później, jak dzieci dorosną!

– No dobra. – Z trudem ukrywał irytację. Wyraźnie chciał jak najszybciej spławić Samanthę. – Dobra. Wrócimy do tej rozmowy za cztery lata, jak Libby skończy osiemnastkę. Możesz mi wytłumaczyć, w jaki sposób moja praca w radzie gminy miałaby nam pokrzyżować plany?

– No cóż, poza tym, że do końca naszych zakichanych dni będę musiała umierać z nudów, wysłuchując, jak razem z rodzicami rozwodzisz się nad Fields...

– Zakichane dni? – Miles uśmiechnął się zjadliwie. – Od kiedy to dni kichają?

– Odwal się – warknęła. – Nie zgrywaj takiego cholernego mądrali, to imponuje tylko twojej matce...

– No cóż, szczerze mówiąc, nie wiem, w czym problem...

– P r o b l e m w tym – krzyknęła – że chodzi o naszą p r z y s z ł o ś ć!
O n a s z ą przyszłość. I nie chcę o niej rozmawiać za cztery lata, tylko
t e r a z!

– Lepiej coś zjedz – powiedział Miles, wstając z fotela. – Dość już wypiłaś.

– Pocałuj mnie w dupę!

– Wybacz, ale jeśli masz zamiar mnie obrażać...

Odwrócił się i wyszedł z pokoju. Z trudem się powstrzymała, żeby nie rzucić za nim kieliszkiem.

Rada gminy. Wiedziała, że gdy Miles w niej zasiądzie, utknie tam na zawsze. Nigdy nie zrezygnuje z funkcji, dzięki której stanie się grubą rybą w Pagford, tak jak Howard. Po raz kolejny postanowił poświęcić się Pagford, ponownie składał przysięgę rodzinnemu miastu, ślubując walczyć o przyszłość zupełnie inną niż ta, którą obiecał niegdyś swojej narzeczonej, gdy cała roztrzęsiona siedziała na jego łóżku i zalewała się łzami.

Kiedy po raz ostatni rozmawiali o podróży dookoła świata? Nie była pewna. Być może lata temu. Ale dziś wieczorem Samantha doszła do wniosku, że nigdy nie porzuciła tamtych planów. Tak, z utęsknieniem czekała na dzień, w którym spakują się i wyjadą, w poszukiwaniu ciepła i wolności, na drugi koniec świata, daleko od Pagford, Shirley, Mollison and Lowe, deszczu, wszechogarniającej małostkowości i monotonii. Możliwe, że już od wielu lat nie myślała z utęsknieniem o białych piaskach Australii i Singapuru, ale wolała znaleźć się tam, nawet ze swoimi grubymi udami i rozstępami, niż tkwić tutaj, uwięziona w Pagford, gdzie na jej oczach Miles powoli przeobrażał się w Howarda.

Opadła na kanapę, po omacku odszukała pilota i włączyła DVD Libby. Chłopcy z zespołu, teraz występujący w czarno-białym teledysku, szli powoli długą pustą plażą i śpiewali. Wiatr rozwiewał poły rozpiętej koszuli chłopaka o szerokich ramionach. Od jego pępka do linii dżinsów biegło pasemko delikatnych włosów.

V

Alison Jenkins, dziennikarce z „Yarvil and District Gazette", udało się wreszcie ustalić, w którym z wielu domów w Yarvil należących do rodzin o nazwisku Weedon mieszka dziewczyna o imieniu Krystal. Ale nie był to koniec trudności: nie był tam zameldowany żaden zarejestrowany wyborca i nie podłączono telefonu stacjonarnego. Alison przyjechała na Foley Road osobiście w niedzielę, ale nie zastała Krystal, Terri zaś, podejrzliwa i wrogo nastawiona, nie chciała zdradzić, kiedy jej córka wróci, ani nawet potwierdzić, czy w ogóle tu mieszka.

Krystal zjawiła się w domu ledwie dwadzieścia minut po tym, jak samochód dziennikarki zniknął za zakrętem, i znowu pokłóciła się z matką.

– Czemu jej nie powiedziałaś, żeby zaczekała? Chciała ze mną zrobić wywiad o Fields i w ogóle!

– Wywiad z tobą? N i e   p i e r d o l. Niby, kurwa, po co?

Kłótnia rozgorzała na dobre i Krystal uciekła z domu do Nikki, wynosząc w kieszeni dresu komórkę Terri. Często zabierała z domu telefon matki. Wiele ich kłótni zaczynało się od tego, że matka żądała jego zwrotu, a Krystal udawała, że nie wie, gdzie się zapodział. W głębi duszy Krystal miała nadzieję, że dziennikarka zna numer Terri i zadzwoni.

Telefon odezwał się, gdy siedziała w gwarnej, zatłoczonej kawiarni w centrum handlowym, opowiadając Nikki i Leanne o dziennikarce.

– Taaa? Pani to ta dziennikarka?

– Kto mówi?... Terri?

– Tu Krystal. Kto mówi?

– Twoja... ciotka... siostra Terri.

– Kto!? – krzyknęła Krystal do słuchawki.

Mocniej przycisnęła telefon do ucha, a drugie zatkała palcem i zaczęła lawirować wśród tłumnie obleganych stolików, idąc w cichsze miejsce.

– Danielle – przedstawiła się kobieta głośno i wyraźnie. – Siostra twojej mamy.

– A, tak. – Krystal nie potrafiła ukryć rozczarowania.

„Pierdolona snobka". Tak mówiła Terri, gdy wspominano przy niej o Danielle. Krystal chyba nigdy nie widziała tej ciotki.

– Chodzi o twoją prababcię.

– O kogo?

– O babcię Cath – wyjaśniła zniecierpliwiona Danielle.

Krystal wyszła na balkon, z którego rozciągał się widok na główny dziedziniec centrum handlowego. Tutaj miała dobry zasięg. Zatrzymała się.

– Coś z nią nie tak? – zapytała.

Żołądek podszedł jej do gardła, dokładnie tak jak wtedy, gdy jako mała dziewczynka robiła fikołki na balustradzie, takiej samej jak ta, przed którą właśnie stała. Piętnaście metrów niżej powoli przemieszczał się tłum ludzi dźwigających plastikowe torby, popychających wózki i ciągnących za sobą dzieci.

– Leży w South West General. Od tygodnia. Miała wylew.

– Od tygodnia? – powtórzyła Krystal, a jej żołądek jeszcze bardziej się skurczył. – Nikt nam nie powiedział.

– No tak. Babcia ledwie mówi, ale dwa razy powiedziała twoje imię.

– Moje? – zapytała Krystal, mocniej ściskając telefon.

– Tak. Chyba chce cię zobaczyć. Sprawa jest poważna. Lekarze mówią, że może z tego nie wyjść.

– Na którym leży oddziale? – zapytała Krystal. Zakręciło jej się w głowie.

– Na dwunastym. Na intensywnej terapii. Odwiedziny od dwunastej do czwartej i od szóstej do ósmej.

– Czy to...?

– Muszę kończyć. Chciałam ci tylko dać znać, gdybyś chciała ją odwiedzić. Pa.

W słuchawce rozbrzmiewał już tylko sygnał. Krystal odsunęła telefon od ucha, wpatrując się w ekranik. Kilkakrotnie nacisnęła guzik kciukiem, aż w końcu pojawił się napis: „Połączenie odrzucone". Ciotka nie chciała z nią więcej rozmawiać.

Krystal wróciła do Nikki i Leanne. Od razu się zorientowały, że coś się stało.

– Jedź do niej – poradziła Nikki, sprawdzając godzinę na swojej komórce. – Będziesz tam o drugiej. Jedź autobusem.

– Tak – powiedziała Krystal nieobecnym głosem.

W pierwszej chwili chciała skoczyć po matkę, zabrać do babci Cath także ją i Robbiego, ale przypomniała sobie o wielkiej kłótni sprzed roku, po której jej matka i prababcia przestały z sobą rozmawiać. Krystal dobrze wiedziała, że musiałaby długo namawiać Terri na odwiedziny, które pewnie i tak nie uszczęśliwiłyby babci Cath.

„Sprawa jest poważna. Lekarze mówią, że może z tego nie wyjść".

– Starczy ci kasy? – zapytała Leanne, grzebiąc w kieszeniach, gdy we trzy szły ulicą na przystanek autobusowy.

– Tak – odparła Krystal, sprawdzając, ile zostało jej pieniędzy. – Do szpitala dojadę za funta, co nie?

Zanim przyjechał autobus numer dwadzieścia siedem, zdążyły jeszcze wypalić na spółkę papierosa. Nikki i Leanne machały jej na pożegnanie, jakby wybierała się w jakąś fantastyczną podróż. W ostatniej chwili Krystal obleciał strach i miała ochotę zawołać: „Jedźcie ze mną!". Ale autobus już ruszył, a Nikki i Leanne odwróciły się, pochłonięte rozmową.

Siedzenie było szorstkie, obite jakimś starym śmierdzącym materiałem. Autobus wtoczył się na drogę biegnącą obok centrum handlowego i skręcił w jedną z głównych ulic, przy której mieściły się wielkie sklepy znanych firm.

Krystal czuła, że strach zagnieździł się w jej brzuchu jak mały płód. Wiedziała, że babcia Cath starzeje się i słabnie, ale miała cichą nadzieję, że jeszcze stanie na nogi, że wróci do formy, którą udawało jej się utrzymywać tak długo. Że jej włosy znowu zrobią się czarne, plecy się wyprostują, pamięć stanie się niezawodna jak kiedyś, a niewyparzony język da o sobie znać jak za dawnych czasów. Nigdy nie pomyślała, że babcia Cath może umrzeć, bo sprawiała wrażenie osoby twardej i odpornej. Krystal uważała zdeformowaną klatkę piersiową babci i gęstą siateczkę zmarszczek pokrywającą jej twarz za godne najwyższego szacunku blizny po ranach odniesionych w walce o przetrwanie. Jeszcze nikt z najbliższego otoczenia Krystal nie umarł ze starości.

(Czasami śmierć zabierała młode osoby z kręgu znajomych jej matki, jeszcze zanim ich ciała i twarze zdążyły wychudnąć i zbrzydnąć. Zwłoki, które sześcioletnia Krystal znalazła w łazience, należały do przystojnego, wręcz posągowo pięknego młodego mężczyzny o bardzo jasnej karnacji. Przynajmniej tak go zapamiętała. Czasem jednak to wspomnienie się zacierało i zaczynała wątpić w jego prawdziwość. Już sama nie wiedziała, w co wierzyć. Jako dziecko często słyszała rzeczy, które dorośli później kwestionowali lub którym całkowicie zaprzeczali. Mogłaby przysiąc, że kiedyś Terri powiedziała: „To był twój tata". Ale potem, dużo później, matka mówiła co innego: „Nie bądź głupia. Twój tata nie umarł. Mieszka w Bristolu, co nie?". Wtedy Krystal musiała ponownie oswoić się z myślą, że jej ojciec to jakiś facet, którego wszyscy nazywali Ruchaczem.

Ale babcia Cath nigdy nie zniknęła z pola widzenia. Krystal uniknęła przeniesienia do rodziny zastępczej właśnie dzięki prababci, która zawsze czekała w pogotowiu jak mocna, choć krępująca ruchy siatka zabezpieczająca. Babcia często wpadała we wściekłość i miotała przekleństwa, z jednakową agresją atakowała Terri i pracowników opieki społecznej, wkraczała do akcji i zabierała do siebie swoją równie gniewną prawnuczkę.

Krystal sama nie wiedziała, czy mały dom przy Hope Street budzi w niej miłość czy nienawiść. Było tam ciemno i śmierdziało chlorem, człowiek czuł się w nim przytłoczony. Ale jednocześnie dom prababci gwarantował bezpieczeństwo, całkowite bezpieczeństwo. Babcia Cath wpuszczała tylko znajome osoby. W łazience na wannie stał szklany słoik ze staromodnymi kostkami musującymi do kąpieli).

A jeśli przy łóżku babci Cath ktoś akurat będzie? Krystal nie potrafiłaby rozpoznać połowy swojej rodziny, a myśl, że mogłaby spotkać obcych ludzi, z którymi łączą ją więzy krwi, napawała ją przerażeniem. Terri miała mnóstwo przyrodnich sióstr, owoców wielu związków swojego ojca, ale nigdy ich nie poznała. Babcia Cath starała się jednak pielęgnować relacje z nimi wszystkimi, uparcie utrzymując kontakt z ogromną rozproszoną rodziną stworzoną przez jej synów. W ciągu tych lat, gdy Krystal u niej mieszkała, babcię Cath odwiedzali jacyś krewni, których jej prawnuczka nie znała. Krystal miała wrażenie, że wszyscy patrzą na nią wilkiem i szepczą coś na jej temat babci Cath. Udawała, że tego nie widzi, i czekała, aż sobie pójdą, a ona będzie miała babcię Cath tylko dla siebie. Nie podobało jej się zwłaszcza to, że w życiu babci są jeszcze jakieś inne dzieci oprócz niej.

(„Kto to?" – zapytała babcię Cath dziewięcioletnia Krystal, zazdrośnie pokazując na stojące na kredensie zdjęcie w ramce przedstawiające dwóch chłopców w mundurkach z emblematem liceum Paxton.

„To moje wnuki – wyjaśniła babcia Cath. – To Dan, a to Ricky. Twoi kuzyni".

Krystal nie życzyła sobie kuzynów i nie życzyła sobie, żeby to zdjęcie stało na babcinym kredensie.

„A to?" – zapytała, pokazując na fotografię małej dziewczynki o złotych lokach.

„To córeczka mojego Michaela, Rhiannon. Na tym zdjęciu ma pięć lat. Śliczna była, prawda? Ale niestety wyszła za jakiegoś czarnucha".

Na kredensie babci Cath nigdy nie stanęło zdjęcie Robbiego.

„Pewnie nawet nie wiesz, kto jest ojcem, co, kurwo? Umywam od tego ręce. Mam cię dość, Terri, koniec. Martw się o to sama").

Autobus kolebał się przez miasto, mijając niedzielnych zakupowiczów. Gdy Krystal była mała, Terri zabierała ją do centrum Yarvil prawie co weekend i wsadzała ją do wózka na zakupy – choć Krystal była już na to zdecydowanie za duża – bo kradzione towary najłatwiej schować właśnie w wózku, wpychając je dziecku pod nogi albo zasłaniając torbami na dnie koszyka. Czasem Terri wybierała się na takie „zakupy" razem z jedyną siostrą, do której jeszcze się odzywała: z Cheryl, żoną Shane'a Tully'ego. Cheryl i Terri mieszkały w Fields cztery przecznice od siebie, a w czasie ich bardzo częstych kłótni powietrze robiło się ciężkie od najgorszych wyzwisk i przekleństw. Krystal nigdy nie wiedziała, czy wolno jej rozmawiać z dziećmi Cheryl. Z czasem przestała się tym przejmować i gdy wpadała na Dane'a, zawsze zamieniała z nim kilka słów. Raz się bzyknęli, kiedy mieli czternaście lat i wypili na spółkę butelkę cydru za szkolnym boiskiem. Potem nigdy o tym nie wspominali. Krystal nawet nie wiedziała, czy prawo pozwala pieprzyć się z własnym kuzynem. Kiedyś Nikki powiedziała coś, po czym Krystal doszła do wniosku, że chyba jednak nie.

Autobus wjechał na ulicę prowadzącą prosto do szpitala South West General i zatrzymał się jakieś dwadzieścia metrów od wielkiego, długiego, prostokątnego, szarego budynku ze szkła. Krystal zauważyła kępy równo przystrzyżonej trawy, kilka niewysokich drzewek i gąszcz tablic informacyjnych wskazujących rozmaite kierunki.

Wysiadła z autobusu za dwiema starszymi paniami, stanęła z rękami w kieszeniach dresu i zaczęła się rozglądać. Już zapomniała, na jakim oddziale leży babcia Cath. Pamiętała tylko liczbę dwanaście. Niby od niechcenia podeszła do pierwszej tablicy informacyjnej i spojrzała na nią, mrużąc oczy. Tablicę pokrywał gęsty tekst, w którym roiło się od słów tak długich jak ręka Krystal. Narysowane obok strzałki skierowane były w lewo, w prawo i na skos. Czytanie nie szło Krystal najlepiej. Zbyt duża liczba słów ją przerażała i budziła w niej agresję. Krystal kilka razy ukradkiem spojrzała na strzałki. Upewniła się, że na tablicy nie widnieją żadne cyfry, i poszła za dwiema starszymi paniami w stronę szklanych dwuskrzydłowych drzwi prowadzących do głównego budynku.

W zatłoczonym holu poczuła się jeszcze bardziej zdezorientowana niż przed tablicą ze strzałkami. Szklana ściana oddzielała główny hol od szpitalnego sklepu pełnego klientów. Mnóstwo ludzi siedziało na ustawionych rzędami plastikowych krzesłach, zajadając kanapki. Kawiarnia w rogu pękała w szwach. Pośrodku holu mieściła się recepcja w postaci sześciokątnego pulpitu, a pracujące tam kobiety odpowiadały na pytania, raz po raz sprawdzając coś w komputerze. Krystal ruszyła w tę stronę z dłońmi nadal wbitymi w kieszenie.

– Gdzie jest oddział numer dwanaście? – zapytała opryskliwie jedną z kobiet.

– Na trzecim piętrze – opowiedziała recepcjonistka podobnym tonem.

Duma nie pozwalała Krystal zadać kolejnego pytania, więc dziewczyna odwróciła się i ruszyła przed siebie. Gdy na drugim końcu holu zauważyła windy, wsiadła do jednej z nich i pojechała na górę.

Znalezienie oddziału zajęło jej prawie piętnaście minut. Dlaczego na tablicach zamiast strzałek i cyfr widniały tylko te głupie, długie słowa? Na szczęście kiedy szła korytarzem o bladozielonych ścianach, a podeszwy jej adidasów skrzypiały na linoleum, usłyszała, jak ktoś woła ją po imieniu.

– Krystal!?

To była ciotka Cheryl, wysoka, gruba kobieta w dżinsowej spódnicy i ciasnej białej koszulce, z włosami żółtymi jak banan i z czarnymi odrostami. Miała wytatuowane całe ręce, od knykci po ramiona, a w uszach mnóstwo złotych kółek podobnych do tych przy żabkach w karniszu. Trzymała puszkę coli.

– Nie chciało jej się przyjechać? – powiedziała Cheryl na powitanie. Jej nogi bez rajstop były szeroko rozstawione, jak u strażnika na posterunku.

– Komu?

– Terri. Nie chciała przyjechać?

– Jeszcze o niczym nie wie. Sama dopiero co się dowiedziałam. Zadzwoniła Danielle.

Cheryl otworzyła colę i zaczęła łapczywie pić. Wpatrywała się w Krystal znad puszki malutkimi oczkami zatopionymi w płaskiej twarzy, która z powodu wielu plam i przebarwień przypominała kawał mielonki z konserwy.

– Kiedy to się stało, kazałam Danielle do was zadzwonić. Babcia leżała w domu trzy dni i nikt jej, kurwa, nie znalazł. Jest w strasznym stanie. Kurwa mać.

Krystal nie zapytała Cheryl, dlaczego sama nie pofatygowała się z tą wiadomością parę ulic dalej, na Foley Road, żeby powiedzieć Terri, co się stało. Najwyraźniej siostry znowu miały z sobą na pieńku. Trudno było za nimi nadążyć.

– Gdzie ona jest? – spytała Krystal.

Gdy Cheryl prowadziła ją do sali, japonki na nogach ciotki głośno klapały o podłogę.

– Aha – odezwała się Cheryl w korytarzu. – Dzwoniła jakaś dziennikarka, pytała o ciebie.

– Serio?

– Zostawiła swój numer.

Krystal miała ochotę zapytać o coś jeszcze, ale właśnie weszły do sali, w której panowała grobowa cisza, i nagle dziewczynę obleciał strach. Nie spodobał się jej panujący tu zapach.

Babcia Cath była zmieniona prawie nie do poznania. Połowa jej twarzy okropnie się wykrzywiła, jakby ktoś rozciągnął jej mięśnie drutami. Jeden kącik ust opadł. Nawet oko wydawało się oklapnięte. Była podłączona do jakichś rurek, a w przedramię wbito jej igłę. Kiedy leżała, deformacja klatki piersiowej jeszcze bardziej rzucała się w oczy. Kołdra wybrzuszyła się w dziwnych miejscach, jakby groteskowa głowa na chudej szyi wyrastała nie z ciała, lecz z drewnianej beczki.

Gdy Krystal usiadła, babcia Cath nawet się nie poruszyła. Patrzyła tylko przed siebie. Jej dłoń lekko drżała.

– Nic nie mówi, ale wczoraj w nocy dwa razy wypowiedziała twoje imię – rzekła Cheryl, patrząc ponuro znad puszki.

Krystal poczuła ucisk w klatce piersiowej. Nie wiedziała, czy może wziąć babcię Cath za rękę, czy nie sprawi jej tym bólu. Jej palce przesunęły się w stronę dłoni babci, ale ostatecznie ręka Krystal zatrzymała się i opadła na prześcieradło.

– Była tu Rhiannon – powiedziała Cheryl. – I John z Sue. Sue próbuje się dodzwonić do Anne-Marie.

Krystal się ożywiła.

– Gdzie ona jest? – zapytała.

– Gdzieś koło Frenchay. Wiesz, że urodziła?

– Tak, słyszałam. Chłopca czy dziewczynkę?

– Nie wiem – odparła Cheryl, popijając colę.

Jakiś czas temu ktoś w szkole powiedział: „Hej, Krystal, twoja siostra zaliczyła wpadkę!". Ta wiadomość ją ucieszyła. Będzie ciocią, nawet jeśli nigdy nie zobaczy tego dziecka. Przez całe życie pielęgnowała w sobie wyobrażenia o Anne-Marie, którą odebrano Terri na długo przed narodzinami Krystal. Siostra przeszła do innego wymiaru, jak postać z bajki, tak samo piękna i tajemnicza jak tamten martwy mężczyzna w łazience Terri.

Babcia Cath poruszyła ustami.

– Co? – zapytała Krystal, pochylając się.

Czuła strach zmieszany z euforią.

– Chcesz coś, babciu Cath? – zapytała Cheryl tak głośno, że popatrzyli na nią wszyscy szepczący ludzie przy pozostałych łóżkach.

Krystal usłyszała tylko jakiś świst i charczenie, ale babcia Cath najwyraźniej nie dawała za wygraną i próbowała coś powiedzieć. Cheryl nachyliła się nad nią z drugiej strony, ściskając dłonią metalową poręcz u wezgłowia łóżka.

– ... Oo... mmm – wymamrotała babcia.

– Co? – zapytały jednocześnie Krystal i Cheryl.

Oczy babci przesunęły się o kilka milimetrów – wilgotne, zasnute mgłą, wpatrzone w gładką i młodą twarz Krystal, która z otwartymi ustami pochyliła się nad łóżkiem zagubiona, zaciekawiona i przerażona.

– ...s ł u j e s z... – wykrztusiła babcia Cath łamiącym się starczym głosem.

– Nie wie, co gada! – zawołała Cheryl przez ramię do zalęknionej pary przy sąsiednim łóżku. – Trudno się dziwić, gdy trzy dni przeleżała na pierdolonej podłodze, no nie?

Do oczu Krystal napłynęły łzy. Sala z wysokimi oknami zmieniła się w plamę białego światła przeciętą cieniem. Wydawało jej się, że widzi migotanie jasnych promieni słońca na ciemnozielonej wodzie dzielonej na świetliste pasma przez unoszące się i opadające z pluskiem wiosła.

– Tak – wyszeptała do babci Cath. – Tak, babciu, wiosłuję.

Ale to już nie była prawda, bo pan Fairbrother umarł.

VI

– Coś ty, kurwa, zrobił z gębą? Znowu wywaliłeś się na rowerze? – zapytał Fats.

– Nie – odparł Andrew. – Dostałem od Misia-Pysia. Próbowałem wytłumaczyć temu głupiemu piździelcowi, że pomylił Fairbrothera z kimś innym.

Poszedł z ojcem do szopy na drewno, żeby napełnić kosze stojące przy kominku w salonie. Simon tak mocno uderzył Andrew polanem w głowę, że ten wpadł na stos drewna i pokaleczył sobie pokryty trądzikiem policzek.

– Wydaje ci się, że lepiej niż ja wiesz, co jest grane, pryszczaty gówniarzu? Jak się dowiem, że pisnąłeś choć słowo o tym, co się dzieje w tym domu...

– Ja nie...

– To cię żywcem obedrę ze skóry, słyszysz? Skąd wiesz, że Fairbrother też nie był przy korycie, co? Może po prostu ten drugi palant był na tyle głupi, że dał się złapać?

A potem Simon, powodowany dumą albo przekorą, a może dlatego, że fakty nie przemawiały mu już do rozsądku, bo oczyma wyobraźni widział, jak kładzie łapę na grubej forsie, wysłał wypełniony formularz zgłoszeniowy. Teraz czekało go już tylko upokorzenie, za które całej jego rodzinie z pewnością przyjdzie słono zapłacić.

Sabotaż. Andrew przez chwilę zamyślił się nad tym słowem. Miał ochotę brutalnie sprowadzić na ziemię ojca, który bujał w obłokach, marząc o łatwym zarobku. A swój plan zamierzał w miarę możliwości zrealizować w taki sposób, żeby Simon nigdy się nie dowiedział, czyje machinacje obróciły wniwecz jego ambicje (owszem, Andrew pragnął chwały, ale nie za cenę życia).

Nikomu nie zwierzył się ze swoich zamiarów, nawet Fatsowi. Mówił mu prawie wszystko, pomijał jednak kilka najważniejszych tematów, tych, które pochłaniały prawie wszystkie jego myśli. Owszem, lubił przesiadywać w pokoju Fatsa i z erekcją oglądać w internecie pornosy z udziałem dwóch kobiet. Ale wyznanie, że obsesyjnie myśli o tym, jak rozpocząć rozmowę z Gaią Bawden, to zupełnie inna para kaloszy. Tak, fajnie było zaszyć się w Przegródku i wyzywać ojca od piździelców, ale Andrew nigdy w życiu nie przyznałby się Fatsowi do tego, że drętwiały mu dłonie i robiło mu się niedobrze, gdy tylko Simon wpadał w szał.

Ale w końcu nadszedł moment, gdy wszystko się zmieniło. Zaczęło się od zwyczajnego pragnienia nikotyny i piękna. Nareszcie przestało padać, a blade wiosenne słońce oświetliło pokryte grubą łuską brudu okna szkolnego autobusu, który szarpiąc, kolebał się po wąskich ulicach Pagford. Andrew siedział z tyłu, więc nie widział Gai wciśniętej z przodu między Sukhvinder i osierocone siostry Fairbrother, które znowu zaczęły chodzić do szkoły. Przez cały dzień prawie nie widywał Gai, a w domu czekała go tylko marna pociecha w postaci dobrze znanych zdjęć z jej profilu na Facebooku, na których oglądaniu miał mu upłynąć cały jałowy wieczór.

Kiedy autobus dojechał do Hope Street, Andrew uświadomił sobie, że rodzice jeszcze nie wrócili do domu i nikt nie zauważy jego nieobecności. W wewnętrznej kieszeni miał trzy papierosy, które dostał od Fatsa. A Gaia właśnie wstała z miejsca i trzymając się mocno poręczy na oparciu fotela, zbierała się do wyjścia, nadal rozmawiając z Sukhvinder Jawandą.

Czemu nie? Czemu nie?

On też wstał, zarzucił torbę na ramię i kiedy autobus się zatrzymał, szybko przeszedł do wyjścia za obiema dziewczynami.

– Do zobaczenia w domu – rzucił po drodze zdumionemu bratu.

Wyszedł na rozgrzany słońcem chodnik, a autobus zawarczał i odjechał. Andrew zapalił papierosa, zasłaniając go obiema dłońmi, znad których obserwował Gaię i Sukhvinder. Nie poszły do domu Gai przy Hope Street, tylko powoli ruszyły w stronę rynku. Andrew poszedł za nimi, paląc i marszcząc brwi, czym bezwiednie naśladował najśmielszą osobę, jaką znał – Fatsa. Napawał się widokiem miedzianobrązowych włosów Gai muskających jej łopatki i kołysaniem się jej spódnicy w takt ruchu bioder.

Na rynku dziewczyny zwolniły i skierowały się w stronę sklepu Mollison and Lowe, który miał najbardziej imponującą fasadę z wszystkich okolicznych budynków. Pod szyldem z niebieskimi i złotymi literami wisiały cztery kosze z kwiatami. Andrew trzymał się w bezpiecznej odległości. Dziewczyny przystanęły, przeczytały coś na małej białej kartce przyklejonej w oknie nowej kawiarni, a potem zniknęły za drzwiami delikatesów.

Andrew obszedł rynek dookoła, minął Black Canon i hotel George, aż wreszcie zatrzymał się przy karteczce w oknie. Ręcznie napisane ogłoszenie zapraszało chętnych do pracy w weekendy.

Myśląc tylko o swoim trądziku, który w tej chwili szczególnie mocno dawał mu się we znaki, Andrew zgasił żar na końcu papierosa, włożył długi niedopałek z powrotem do kieszeni i wszedł do sklepu za Gaią i Sukhvinder.

Obie stały przy małym stoliku, na którym piętrzyły się pudełka z ciasteczkami owsianymi i krakersami. Patrzyły, jak stojący za ladą gruby mężczyzna w czapce *à la* Sherlock Holmes rozmawia z jakimś starszym panem. Na dźwięk dzwonka wiszącego nad drzwiami Gaia się odwróciła.

– Cześć – przywitał się Andrew, któremu zaschło w ustach.

– Cześć – odpowiedziała.

W przypływie oszałamiającej odwagi Andrew ruszył w jej stronę i przewieszoną przez ramię torbą uderzył w obrotowy stojak z przewodnikami po Pagford i egzemplarzami książki kucharskiej *Tradycje kulinarne West Country*. Chwycił stojak i przytrzymał go, a potem pospiesznie zdjął torbę z ramienia.

– Ty też w sprawie pracy? – zapytała go cicho Gaia z tym swoim zdumiewającym londyńskim akcentem.

– Tak – powiedział. – A ty?

Pokiwała głową.

– Umieść to na stronie z interpelacjami obywatelskimi, Eddie – mówił Howard tubalnym głosem do klienta. – Wrzuć to do internetu, a ja dopilnuję, żeby sprawa znalazła się w porządku obrad. Rada Gminy Pagford, pisane łącznie, kropka co, kropka uk, ukośnik, interpelacje obywatelskie. Albo kliknij na link. Rada... – powtórzył powoli, a mężczyzna wyciągnął kawałek papieru i ujął długopis w drżące palce – ...gminy...

Wzrok Howarda powędrował w stronę trójki nastolatków czekających grzecznie przy stoliku z krakersami. Mieli na sobie byle jakie mundurki szkoły Winterdown, które można było tak swobodnie modyfikować i ozdabiać, że właściwie nie zasługiwały na miano mundurków (w przeciwieństwie do stroju obowiązującego w szkole Świętej Anny, który składał się z wełnianej spódnicy w kratę i żakietu). Mimo to biała dziewczyna była zachwycająca. Prawdziwy brylant, błyszczący tym mocniej, że znalazł się w towarzystwie córki Jawandów, o wyjątkowo pospolitej urodzie i o imieniu, którego Howard nie mógł sobie przypomnieć, oraz chłopaka z myszowatymi włosami i paskudnym trądzikiem.

Gdy klient wychodził ze sklepu, zaskrzypiała podłoga. Brzdęknął dzwoneczek.

– Czym mogę służyć? – zapytał Howard, wpatrując się w Gaię.

– Chodzi o... o pracę – odparła, podchodząc do niego, i pokazała na małe ogłoszenie wiszące w oknie.

– Ach tak – powiedział, uśmiechając się promiennie. Kilka dni wcześniej nowy kelner z weekendowej zmiany wystawił go do wiatru. Facet zrezygnował z pracy w kawiarni i zatrudnił się w supermarkecie w Yarvil. – Tak, tak. Chciałabyś zostać kelnerką? Oferujemy płacę minimalną. W soboty od dziewiątej do wpół do szóstej. W niedziele od dwunastej do wpół do szóstej. Otwieramy za dwa tygodnie. Zapewniamy szkolenie. Ile masz lat, kochanie?

Była idealna, wprost i d e a l n a, właśnie o kimś takim myślał. Niewinna twarz i kobiece krągłości. Oczyma wyobraźni już ją widział w obcisłej, czarnej sukience i fartuszku obszytym koronką. Nauczyłby ją obsługiwać kasę, oprowadziłby po magazynie. Czasem mógłby się z nią podroczyć, a gdyby utarg był duży, dałby jej może małą premię.

Howard wygramolił się zza lady i zupełnie ignorując Sukhvinder i Andrew, wziął Gaię pod rękę i przeprowadził ją pod łukowatym przejściem w ścianie działowej. W kawiarni nie było jeszcze stołów ani krzeseł, lecz zainstalowano już bar. Ścianę za nim ozdabiała mozaika z czarnych i kremowych kafelków przedstawiająca rynek w dawnych czasach. Przechadzały się po nim kobiety w krynolinach i panowie w cylindrach. Przed wyraźnie widocznym sklepem Mollison and Lowe zatrzymała się dorożka. Obok mieściła się kawiarenka Copper Kettle. Artysta puścił wodze fantazji i w miejscu pomnika ku czci ofiar wojny umieścił ozdobną pompę.

Andrew i Sukhvinder zostali sam na sam, skrępowani i spoglądający na siebie z odruchową wrogością.

– Tak? Czym mogę służyć?

Z zaplecza wyszła przygarbiona kobieta z utapirowanymi czarnymi włosami. Andrew i Sukhvinder bąknęli, że tylko czekają, a po chwili w łukowatym przejściu stanął Howard z Gaią. Na widok Maureen puścił ramię dziewczyny, które cały czas bezwiednie ściskał, wyjaśniając jej, jakie są obowiązki kelnerki.

– Chyba znalazłem kogoś do pomocy w Kettle, Mo – powiedział.

– Ach tak? – rzekła Maureen, patrząc na Gaię jak na intruza. – Masz jakieś doświadczenie?

Ale Howard ją zagłuszył, opowiadając Gai o swoich delikatesach, które uważał za jedną z miejskich instytucji i ważny punkt orientacyjny.

– Minęło już trzydzieści pięć lat – powiedział Howard, patrząc na mozaikę z władczym lekceważeniem. – Ta młoda dama mieszka tu od niedawna, Mo – dodał.

– Wy dwoje też szukacie pracy? – zapytała Maureen, spoglądając na Sukhvinder i Andrew.

Sukhvinder przecząco pokręciła głową. Andrew wzruszył ramionami, jakby jeszcze się nie zdecydował. Gaia popatrzyła na koleżankę.

– No co ty? Mówiłaś, że chcesz.

Howard przyjrzał się Sukhvinder, której z pewnością nie byłoby do twarzy w obcisłej czarnej sukience i falbaniastym fartuszku. Ale jego bystry i przenikliwy umysł pracował na pełnych obrotach. Z własnej inicjatywy wyświadczyłby uprzejmość jej ojcu, a jednocześnie miałby haka na jej matkę. Być może rzeczywiście należało wziąć pod uwagę kwestie wykraczające poza doznania czysto estetyczne.

– Cóż, jeśli zgodnie z naszymi oczekiwaniami interes się rozkręci, pewnie przydadzą się dwie osoby – powiedział, drapiąc się po podwójnym podbródku i wpatrując się w Sukhvinder, która oblała się brzydkim rumieńcem.

– Ale ja nie... – zaczęła.

Gaia nie pozwoliła jej dokończyć.

– Zgódź się. Będziemy pracowały razem.

Sukhvinder była już całkiem czerwona i do jej oczu napłynęły łzy.

– Ale...

– Zgódź się – szepnęła Gaia.

– No... dobrze.

– W takim razie przyjmiemy panią na próbę – oznajmił Howard.

Strach sparaliżował Sukhvinder do tego stopnia, że z trudem oddychała. Co na to powie jej matka?

– A ty pewnie chcesz zostać moim pomagierem? – zapytał Howard tubalnym głosem.

Pomagierem?

– Tu czeka cię ciężka harówka, przyjacielu – oznajmił Howard, a Andrew zamrugał, nie wiedząc, o co chodzi. Przeczytał tylko to, co dużymi literami widniało w nagłówku ogłoszenia. – Trzeba wnosić palety do magazynu, dźwigać skrzynki z mlekiem z piwnicy i wyrzucać worki ze śmieciami na podwórze. To ciężka fizyczna robota. Dasz radę?

– Tak – odparł Andrew.

Czy będzie pracował wtedy, kiedy Gaia? Nic innego go nie interesowało.

– Będziesz zaczynał wcześnie rano. Najprawdopodobniej o ósmej. Powiedzmy, że na początku do trzeciej, a potem się zobaczy. Okres próbny trwa dwa tygodnie.

– W porządku – powiedział Andrew.

– Jak się nazywasz?

Kiedy Howard usłyszał odpowiedź, uniósł brwi.

– Twój ojciec ma na imię Simon? Simon Price?

– Tak.

Andrew czuł, że traci grunt pod nogami. Mało komu nazwisko jego ojca coś mówiło.

Howard kazał obu dziewczynom wrócić w niedzielę, gdy zainstaluje już kasę i będzie mógł je przeszkolić. Robił, co w jego mocy, by jeszcze choć przez chwilę porozmawiać z Gaią, ale kiedy wszedł kolejny klient, trójka nastolatków wykorzystała okazję, by wymknąć się ze sklepu.

Kiedy znaleźli się po drugiej stronie szklanych drzwi z dzwonkiem, Andrew próbował wymyślić coś, co mógłby powiedzieć. Ale nim zdążył zebrać myśli, Gaia rzuciła zdawkowe „Cześć" i odeszła z Sukhvinder. Andrew zapalił drugiego z trzech podarowanych mu przez Fatsa papierosów (to nie był dobry moment na dopalanie resztek pierwszego), dzięki czemu miał powód, żeby stać w miejscu i obserwować, jak Gaia odchodzi i znika w wydłużających się cieniach.

– Dlaczego przezywają go Fistaszek? – zapytała Gaia Sukhvinder, kiedy oddaliły się od Andrew na tyle, że nie mógł ich usłyszeć.

– Ma alergię na orzechy – wyjaśniła Sukhvinder. Na samą myśl o tym, że będzie musiała powiedzieć matce, co właśnie zrobiła, paraliżował ją strach. Mówiła nieswoim głosem. – Kiedyś o mało nie umarł w szkole Świętego Tomasza. Ktoś mu dał piankę z ukrytym w środku orzechem.

– Aha – powiedziała Gaia. – A ja myślałam, że to z powodu małego fiuta.

Roześmiała się, a Sukhvinder zawtórowała jej wymuszonym chichotem, jakby od rana do wieczora słuchała tylko dowcipów o penisie.

Andrew zauważył, że spojrzały na niego ze śmiechem, i domyślił się, że rozmawiają o nim. Wziął to za dobrą monetę – na tyle zdążył już poznać zwyczaje dziewczyn. Uśmiechnął się pod nosem do coraz chłodniejszego powietrza, zarzucił torbę na ramię i z papierosem w ręku ruszył przez rynek w stronę Church Row, skąd czekała go czterdziestominutowa wędrówka po stromym zboczu do Hilltop House.

W zapadającym zmierzchu żywopłoty obsypane białymi kwiatami wyglądały upiornie blado. Po prawej i lewej stronie kwitła tarnina, a na skraju alei żółciły się małe kwiaty jaskółczego ziela o lśniących sercowatych płatkach. Zapach kwiatów, przyjemność palenia i obietnica weekendu z Gaią – to wszystko połączyło się we wspaniałą symfonię wzniosłości i piękna, kiedy Andrew szedł pod górę, ciężko dysząc. Jeśli Simon znowu zapyta: „No i co, Pryszczaku, znalazłeś robotę?", to będzie mógł odpowiedzieć, że tak. W weekendy będzie kolegą z pracy Gai Bawden.

A w dodatku nareszcie wpadł na pomysł, jak mógłby potajemnie wbić ojcu nóż dokładnie między łopatki.

VII

Gdy pierwsza fala nienawiści odpłynęła, Samantha gorzko żałowała, że zaprosiła na kolację Gavina i Kay. Przez cały piątkowy ranek żartem skarżyła się swojej ekspedientce, że czeka ją koszmarny wieczór, ale nastrój pogorszył jej się jeszcze bardziej, gdy przyszło jej zostawić pod opieką Carly Butik Boskich Biustów (kiedy Howard po raz pierwszy usłyszał tę nazwę, śmiał się tak bardzo, że dostał ataku astmy, a Shirley robiła kwaśną minę, ilekroć ktoś wspomniał w jej obecności o sklepie synowej). Samantha wróciła do Pagford wcześniej, żeby uniknąć korków w godzinie szczytu, zrobić zakupy na kolację i wziąć się do gotowania. Próbowała poprawić sobie nastrój, układając w głowie wredne pytania, które zada Gavinowi. Może zacznie się głośno zastanawiać, dlaczego Kay jeszcze się do niego nie wprowadziła. To będzie świetny żart.

Wracając z rynku do domu z wypchanymi po brzegi torbami z logo delikatesów Mollison and Lowe, spotkała Mary Fairbrother. Mary wyjmowała pieniądze z bankomatu przy banku, w którym pracował Barry.

– Cześć, Mary... Co u ciebie?

Mary była chuda i blada, a pod oczami miała szare sińce. Rozmowa się nie kleiła. Nie zamieniły z sobą ani słowa od czasu wspólnej podróży karetką. W czasie pogrzebu Samantha złożyła Mary tylko krótkie i niezgrabne kondolencje.

– Muszę do was wpaść – powiedziała Mary. – Byliście dla mnie tacy mili... i chciałam podziękować Milesowi...

– Nie ma za co – odparła zakłopotana Samantha.

– Ale ja chcę...

– Aha, w takim razie wpadnij...

Kiedy Mary odeszła, Samanthę naszło okropne przeczucie, że niechcący dała Mary do zrozumienia, iż dzisiejszy wieczór to idealny moment na odwiedziny.

Gdy tylko wróciła do domu, postawiła torby w przedpokoju i zadzwoniła do Milesa do pracy, żeby mu powiedzieć, co zrobiła. Ale on na wieść, że na ich uroczej kolacji we czworo pojawi się wdowa w żałobie, okazał irytujące opanowanie.

– W czym problem? – zapytał. – To dobrze, że Mary wyrwie się
z domu.

– Nie powiedziałam jej, że odwiedzi nas Gavin z Kay...

– Mary lubi Gavina. Nie masz się o co martwić.

Samantha jednak dobrze wiedziała, że Miles celowo udaje głupiego,
mszcząc się w ten sposób za to, że nie chciała z nim iść do Sweetlove House.
Kiedy się rozłączyła, zastanawiała się przez chwilę, czy nie zadzwonić do
Mary i nie poprosić, żeby przyszła kiedy indziej, ale nie chciała się wydać
nieuprzejma. Pozostała jej tylko nadzieja, że Mary jednak nie będzie mogła
do nich wpaść.

Poszła do salonu, włączyła DVD Libby z koncertem boysbandu, pod-
kręciła telewizor na cały regulator, żeby muzyka docierała do kuchni,
a potem wniosła torby i zabrała się do przyrządzania potrawki i swojego
awaryjnego deseru – ciasta „błoto Missisipi". Wolałaby oszczędzić sobie
zachodu, kupując jakiś wielki tort w delikatesach teścia, ale od razu dowiedziałaby się o tym Shirley, która na każdym kroku dawała synowej do
zrozumienia, że za często podaje mrożonki i kupne potrawy.

Samantha tak dobrze poznała już DVD z piosenkami boysbandu, że
potrafiła w wyobraźni dopasować odpowiedni obraz do muzyki, która
docierała do kuchni. W tym tygodniu obejrzała płytę kilka razy, gdy Miles
siedział na górze w gabinecie albo rozmawiał przez telefon z Howardem.
Słysząc pierwsze takty piosenki, w której muskularny chłopak spacerował
po plaży z rozpiętą koszulą, poszła w fartuchu do salonu i wbiła wzrok
w ekran, bezwiednie ssąc palce umazane czekoladą.

Zaplanowała, że weźmie długi prysznic, gdy Miles będzie nakrywał do
stołu, ale poniewczasie przypomniała sobie, że mąż wróci późno, bo musi
pojechać do Yarvil i odebrać dziewczynki z liceum Świętej Anny. Kiedy
wreszcie sobie uświadomiła, że Miles nie bez powodu się spóźnia i że zjawi się w domu z obiema córkami, musiała w okamgnieniu przygotować
stół w jadalni i ugotować coś dla Lexie i Libby, żeby zdążyły zjeść, nim
przyjdą goście. Kiedy o wpół do ósmej Miles stanął w drzwiach, zastał
żonę w fartuchu, spoconą, wściekłą i gotową obwinić go za pomysł, na
który sama wpadła.

Czternastoletnia Libby weszła do salonu, nie witając się z Samanthą,
i wyciągnęła DVD z odtwarzacza.

– O, świetnie, już się zastanawiałam, gdzie to posiałam – powiedziała.
– Czemu telewizor jest włączony? O g l ą d a ł a ś to?

Czasami Samantha odnosiła wrażenie, że jej młodsza córka ma w sobie coś z Shirley.

– Oglądałam wiadomości. Nie mam czasu na DVD. Chodź, pizza gotowa. Za chwilę przychodzą do nas goście.

– Z n o w u mrożona pizza?

– Miles! Muszę się przebrać. Możesz ubić ziemniaki?

Ale on już zniknął na piętrze, więc Samantha sama musiała zrobić purée, gdy córki jadły kolację przy stole na środku kuchni. Libby gapiła się na pudełko z DVD oparte o puszkę dietetycznej pepsi.

– Mike to n i e z ł e c i a c h o – powiedziała, wzdychając pożądliwie, co przyprawiło Samanthę o dreszcz obrzydzenia.

Na szczęście jej muskularny chłopak miał na imię Jake. Dobrze, że nie spodobał jej się ten sam facet co córce.

Zawsze głośna i pewna siebie Lexie opowiadała o szkole. Z prędkością karabinu maszynowego sypała informacjami o dziewczynach, których Samantha nie znała, więc nie potrafiła się połapać, kto komu zrobił kawał, kto z kim się pokłócił i kto przeszedł do czyjego obozu.

– No dobra, dziewczyny, muszę się przebrać. Jak już zjecie, to posprzątajcie po sobie, dobra?

Zmniejszyła ogień pod potrawką i pobiegła na górę. W sypialni Miles zapinał koszulę, przeglądając się w lustrze wiszącym na drzwiach szafy. W całym pokoju unosił się zapach mydła i wody kolońskiej.

– Wszystko pod kontrolą, kochanie?

– Tak, miło, że pytasz. Cieszę się, że zdążyłeś wziąć prysznic – warknęła Samantha, wyciągnęła z szafy swoją ulubioną długą spódnicę i bluzkę, po czym zatrzasnęła z hukiem drzwi.

– Ty też jeszcze zdążysz.

– Goście staną w drzwiach za dziesięć minut. Nie starczy mi czasu, żeby wysuszyć włosy i się umalować. – Zrzuciła z nóg buty. Jeden poleciał daleko i uderzył o kaloryfer. – Jak już skończysz się pindrzyć, proszę cię, zejdź na dół i przygotuj coś do picia.

Kiedy Miles wyszedł, próbowała uczesać splątane włosy i poprawić makijaż. Wyglądała okropnie. Dopiero kiedy się ubrała, zauważyła, że włożyła stanik nienadający się pod obcisłą bluzkę. Po gorączkowych poszukiwaniach przypomniała sobie, że pasujący stanik wisi w suszarni. Pobiegła na półpiętro, ale nagle rozległ się dzwonek do drzwi. Przeklinając, pospiesznie wróciła do sypialni. W pokoju Libby wyła muzyka boysbandu.

Gavin i Kay przyjechali punktualnie o ósmej, co do minuty. Gavin bał się, że jeśli się spóźnią, Samantha powie coś uszczypliwego. W wyobraźni już słyszał, jak żona kolegi daje do zrozumienia, że zaczęli się bzykać i stracili poczucie czasu albo że się pokłócili. Najwyraźniej Samantha uważała, że jako mężatka ma prawo komentować życie intymne nieżonatych i niezamężnych osób oraz nieustannie wtrącać się w ich sprawy. I najwyraźniej wydawało jej się – zwłaszcza kiedy była podpita – że jej wszystkie bezczelności i impertynencje świadczą o niebywale błyskotliwym poczuciu humoru.

– Dzieńdoberek! – powiedział Miles, odsuwając się, żeby wpuścić Gavina i Kay. – Wchodźcie, wchodźcie. Witajcie w Casa Mollison.

Cmoknął Kay w oba policzki i wziął od niej pudełko z czekoladkami.

– To dla nas? Dziękuję bardzo. Nareszcie mamy okazję się poznać. Gavin o wiele za długo ukrywał twoje istnienie przed całym światem.

Miles wyjął Gavinowi z rąk butelkę wina i poklepał go po plecach, czego Gavin szczerze nienawidził.

– Chodźcie, Sam zaraz do nas dołączy. Czego się napijecie?

W innych okolicznościach Kay uznałaby, że Miles zachowuje się zbyt swobodnie i bezpośrednio, ale tym razem postanowiła się powstrzymać od pochopnego wydawania sądów. Ludzie będący w związku powinni umieć się odnaleźć w kręgu znajomych partnera i starać się dogadywać z jego przyjaciółmi. Tego wieczoru Kay zakończyła ważny etap swojej misji przeniknięcia na te poziomy życia Gavina, do których do tej pory wzbraniał jej dostępu. Dlatego chciała mu za wszelką cenę udowodnić, że w wielkiej, eleganckiej willi Mollisonów czuje się jak u siebie w domu i że Gavin nie ma najmniejszego powodu, by nadal wykluczać ją ze swojego życia. Uśmiechnęła się do Milesa, poprosiła o czerwone wino i rozejrzała się po przestronnym salonie, podziwiając podłogę z surowych sosnowych desek, zawaloną poduszkami sofę i zdjęcia w ramkach.

– Mieszkamy tu już, o, będzie ze czternaście lat – powiedział Miles, otwierając wino. – Ty mieszkasz przy Hope Street, prawda? Urocze domki. Niektóre, te do generalnego remontu, można kupić za bezcen.

Do salonu weszła Samantha, uśmiechając się chłodno. Kay, która wcześniej widziała ją tylko w płaszczu, teraz przyjrzała się uważnie obcisłej pomarańczowej bluzce, spod której prześwitywał koronkowy stanik. Skóra na twarzy Samanthy miała ciemniejszy odcień niż jej pomarszczony dekolt. Według Kay mocny makijaż wcale nie dodawał tej kobiecie urody, a z pobrzękującymi złotymi kolczykami i w złotych szpilkach wyglądała trochę zdzirowato. Samantha sprawiała wrażenie osoby, która lubi ostro zabalować z koleżankami, śmieje się do rozpuku, gdy ktoś przyśle jej telegram dostarczony przez striptizera, a na przyjęciach flirtuje po pijaku z cudzymi mężami.

– Cześć – przywitała się Samantha. Pocałowała Gavina i uśmiechnęła się do Kay. – Dobrze, że Miles dał wam coś do picia. Dla mnie to samo co dla Kay, Miles.

Odwróciła się, żeby usiąść, ale wcześniej błyskawicznie zmierzyła wzrokiem partnerkę Gavina. Kay miała małe piersi i za szerokie biodra, a czarne spodnie z pewnością włożyła po to, żeby optycznie zmniejszyć wielki tyłek. Samantha uważała, że kobiety o tak krótkich nogach o niebo lepiej wyglądają w szpilkach. Kay była dość ładna, miała czystą, oliwkową cerę, duże ciemne oczy i pełne usta. Ale krótka chłopięca fryzura i buty na zdecydowanie za niskich obcasach od razu zdradzały osobę o niezłomnych zasadach. Gavin znów dał się złapać w te same sidła. Jak zwykle wybrał pozbawioną poczucia humoru dominującą kobietę, która zmieni jego życie w koszmar.

– Toast! – rzuciła radośnie Samantha, podnosząc kieliszek. – Za Gavina i Kay!

Nie bez satysfakcji zauważyła, że uśmiech Gavina zamienił się w grymas przerażenia. Nie zdążyła jednak dłużej się nad nim poznęcać ani wyciągnąć od obojga jakichś intymnych szczegółów, którymi mogłaby się pochwalić przed Shirley i Maureen, bo rozległ się dzwonek do drzwi.

Mary wyglądała na zmęczoną i zmizerniałą, zwłaszcza obok Milesa, który wprowadził ją do pokoju. Pod jej T-shirtem odznaczały się obojczyki.

– Ojej – zdziwiła się i niepewnie przystanęła w drzwiach. – Nie wiedziałam, że macie...

– Gavin i Kay właśnie przyszli – powiedziała Samantha trochę zbyt entuzjastycznym tonem. – Mary, wejdź, proszę... napij się...

– Mary, to Kay – przedstawił je sobie Miles. – Kay, to Mary Fairbrother.

– Och. – Kay była zbita z tropu. Myślała, że to kolacja dla czworga. – Dobry wieczór.

Gavin, który od razu zauważył, że Mary nie zamierza zostać na kolacji i ma ochotę odwrócić się na pięcie i wyjść, poklepał ręką miejsce obok siebie na kanapie. Mary usiadła, uśmiechając się niewyraźnie. Bardzo się ucieszył na jej widok. Oto znalazł swoją tarczę. Nawet ktoś taki jak Samantha musiał wiedzieć, że rubaszne, wulgarne żarty nie uchodzą w obecności wdowy pogrążonej w żałobie. Poza tym krępująca symetria czworokąta została zaburzona.

– Co u ciebie? – zapytał cicho. – Miałem do ciebie dzwonić... Są nowe wieści w sprawie ubezpieczenia...

– Sam, mamy coś na przegryzkę? – zapytał Miles.

Samantha wyszła z salonu wkurzona na Milesa. Kiedy otworzyła drzwi do kuchni, poczuła swąd spalonego mięsa.

– O cholera, tylko nie to!

Zupełnie zapomniała o potrawce, która wyschła na wiór. Skurczone kawałki mięsa i warzyw leżały na przypalonym dnie brytfanny jak rozbitkowie ocalali z katastrofy. Samantha chlusnęła na to winem i bulionem, zeskrobując łyżką kawałki przylepione do ścianek, mieszając gorączkowo i pocąc się niemiłosiernie z gorąca. Z salonu dobiegł wysoki śmiech Milesa. Wrzuciła brokuły na parę, dopiła wino, wyjęła torebkę trójkątnych chipsów i tubkę humusu i przełożyła je do miseczek.

Kiedy wróciła do salonu, Mary i Gavin nadal cicho rozmawiali na kanapie, a Miles pokazywał Kay wykonane z lotu ptaka zdjęcie Pagford, robiąc jej wykład z historii miasta. Samantha postawiła miseczki na stoliku do kawy, nalała sobie wina i usiadła w fotelu, nawet nie próbując się przyłączyć do którejś z rozmów. Obecność Mary była jej bardzo nie na rękę. Wdowa roztaczała atmosferę smutku, jakby wszędzie ciągnęła za sobą żałobny całun. Na pewno zamierzała wyjść, jeszcze zanim usiądą do kolacji.

Gavin jednak stawał na głowie, żeby Mary nie opuściła przyjęcia zbyt wcześnie. Kiedy omawiali najnowsze wieści dotyczące ich nieustającej walki z towarzystwem ubezpieczeniowym, mógł się uspokoić i kontrolować sytuację w większym stopniu niż zazwyczaj w towarzystwie Milesa i Samanthy. Nikt nie próbował go podejść ani nie traktował go protekcjonalnie, a Miles tymczasowo wyręczał go w zabawianiu Kay.

– ... a tutaj, co prawda na zdjęciu tego nie widać – mówił Miles, pokazując miejsce pięć centymetrów poza ramką – znajduje się Sweetlove House, posiadłość Fawleyów. Wielka rezydencja w stylu królowej Anny, lukarny, kamienne narożniki... zachwycające, powinnaś to zobaczyć. Posiadłość można zwiedzać latem, w niedzielę. Fawleyowie to w tych stronach ważna rodzina.

„»Lukarny«? »Ważna rodzina«? Boże, Miles, ale z ciebie dupek".

Samantha wstała z fotela i wróciła do kuchni. Choć potrawka zrobiła się wodnista, nadal dominował w niej aromat spalenizny. Brokuły się rozgotowały i straciły smak, a tłuczone ziemniaki wystygły i wyschły. Miała to gdzieś. Wyłożyła potrawy na półmiski i postawiła je byle jak na okrągłym stole w jadalni.

– Podano do stołu! – zawołała w stronę salonu.

– Och, muszę już lecieć! – powiedziała Mary, wstając z miejsca. – Nie chciałam...

– Nie ma mowy! – powstrzymał ją Gavin, mówiąc tak uprzejmym i zachęcającym tonem, jakiego nigdy wcześniej nie używał w obecności Kay. – Kolacja dobrze ci zrobi. A dzieci wytrzymają bez ciebie jeszcze godzinę.

Miles go poparł i Mary spojrzała niepewnie na Samanthę, która nie miała wyjścia i musiała im przyklasnąć. Szybko poszła do jadalni, żeby położyć na stole jeszcze jedno nakrycie.

Wskazała Mary miejsce między Gawinem i Milesem, bo posadzenie jej koło kobiety tylko podkreśliłoby nieobecność jej męża. Kay i Miles zaczęli rozmawiać na temat opieki społecznej.

– Nie zazdroszczę ci – oznajmił Miles, nakładając Kay na talerz pełną chochlę potrawki. Samantha widziała, jak czarne płatki spalenizny rozchodzą się po białym talerzu razem z sosem. – Cholernie ciężka robota.

– No cóż, permanentnie zmagamy się z brakami kadrowymi – powiedziała Kay. – Ale ta praca daje też ogromną satysfakcję, szczególnie wtedy gdy widać efekty.

Miała na myśli Weedonów. Przeprowadzone w klinice badanie moczu Terri dało negatywny wynik, a Robbie w tym tygodniu nie opuścił w żłobku ani jednego dnia. To wspomnienie podniosło ją na duchu, tłumiąc narastający gniew na Gavina, który skupiał całą uwagę na Mary i nawet nie kiwnął palcem, żeby ułatwić jej rozmowę ze swoimi przyjaciółmi.

– Masz córkę, prawda, Kay?

– Tak, Gaię. Ma szesnaście lat.

– To tyle samo co Lexie. Powinny się poznać – powiedział Miles.

– Jesteś rozwiedziona? – zapytała delikatnie Samantha.

– Nie – odparła Kay. – Nie byłam mężatką. Tworzyliśmy parę w czasie studiów, rozstaliśmy się wkrótce po narodzinach córki.

– Tak, my z Milesem też ledwie zdążyliśmy skończyć studia – powiedziała Samantha.

Kay nie wiedziała, czy Samantha chce w ten sposób wyraźnie odróżnić siebie, żonę dumnego ojca swoich dzieci, od Kay, kobiety porzuconej... ale przecież Samantha nie wiedziała, że to Brendan zostawił Kay...

– Gaia będzie pracowała w soboty u twojego ojca – powiedziała Kay do Milesa. – W tej nowej kawiarni.

Miles był wniebowzięty. Z niewysłowioną przyjemnością myślał o tym, że razem z Howardem stanowią trzon lokalnej społeczności, że wszyscy w Pagford mają z nimi coś wspólnego: jako przyjaciele, klienci, kontrahenci albo podwładni. Gavin, długo przeżuwający kawałek łykowatego mięsa, z którym jego zęby nie mogły sobie poradzić, poczuł, że jego żołądek robi się ciężki jak kamień. Nie wiedział, że ojciec Milesa zatrudnił Gaię. Z jakiegoś powodu zapomniał, że Gaia to dla Kay kolejna kotwica zarzucona w Pagford. Często wylatywało mu z głowy, że Gaia żyje własnym życiem, wykraczającym poza zatrzaskiwanie mu drzwi przed nosem, rzucanie mu morderczych spojrzeń i raczenie go kąśliwymi uwagami. Zapominał, że córka Kay nie jest jedynie elementem krajobrazu składającego się z brudnej pościeli, kiepskiej kuchni i narastającej wrogości, o którą rozbijał się jego związek z Kay.

– Jak jej się podoba w Pagford? – zapytała Samantha.

– Trochę tu dla niej za spokojnie w porównaniu z Hackney – odparła Kay. – Ale powoli się przyzwyczaja.

Łapczywie napiła się wina, żeby przepłukać usta po wyrzuceniu z siebie tego obrzydliwego kłamstwa. Dziś wieczorem, zanim wyszła z domu, wybuchła kolejna awantura.

(„Co się z tobą dzieje?" – zapytała Kay, kiedy Gaia siedziała przy kuchennym stole, zgarbiona nad laptopem, w szlafroku narzuconym na ubranie.

Kay zauważyła na monitorze kilka otwartych okien dialogowych. Wiedziała, że Gaia kontaktuje się przez internet z przyjaciółmi, których zostawiła w Hackney i których w przeważającej części znała od podstawówki.

„Słyszysz, Gaia?"

Od niedawna jej pytania skierowane do córki napotykały mur milczenia. To nie wróżyło nic dobrego. Kay przyzwyczaiła się do pełnych goryczy wybuchów gniewu skierowanych przeciwko sobie, a szczególnie przeciwko Gavinowi.

„Gaia, mówię do ciebie".

„Wiem, słyszę".

„Więc bądź tak uprzejma i mi odpowiedz".

W oknach na ekranie rozrastały się czarne linijki dialogu z zabawnymi, małymi emotikonami, które migały i wesoło machały.

„Gaia, proszę cię, odpowiedz".

„Co? Czego chcesz?"

„Próbuję się dowiedzieć, jak ci minął dzień".

„Do dupy. Wczoraj też było do dupy. I jutro też będzie do dupy".

„O której wróciłaś do domu?"

„O tej co zawsze".

Nawet po tych wszystkich latach Gaia niekiedy miała żal, że musi wracać do pustego domu, że Kay nie czeka na nią jak przykładna matka z czytanki w podręczniku.

„Powiesz mi, czemu ten dzień był do dupy?"

„Bo przywlokłaś mnie na to zasrane zadupie".

Kay z trudem powstrzymała się od krzyku. Ostatnio urządzały takie zawody w wydzieraniu się na siebie, że na pewno słyszała je cała ulica.

„Wiesz, że wieczorem wychodzę z Gavinem?"

Gaia wymamrotała pod nosem coś, czego Kay nie zrozumiała.

„Co mówisz?"

„Nie wiedziałam, że on lubi z tobą wychodzić".

„Co to ma znaczyć?"

Ale Gaia nie odpowiedziała. Wpisała tylko coś w jedną z migających ramek na ekranie. Kay wahała się przez chwilę, bo miała ochotę bardziej przycisnąć córkę, ale zarazem bała się tego, co może usłyszeć.

„Wrócimy pewnie koło północy".

Gaia nie zareagowała. Kay wyszła do przedpokoju i tam zaczekała na Gavina).

– Gaia zaprzyjaźniła się z kilkoma osobami – powiedziała Kay do Milesa. – Z dziewczyną, która mieszka na waszej ulicy. Jak ona się nazywa? Narinder?

– Sukhvinder – poprawili ją chórem Miles i Samantha.

– Miła dziewczyna – wtrąciła Mary.

– Poznałaś jej ojca? – Samantha zwróciła się do Kay.

– Nie.

– Jest kardiochirurgiem – wyjaśniła gospodyni, która właśnie dopijała czwarty kieliszek wina. – Cholernie przystojnym.

– Aha – powiedziała Kay.

– Jak gwiazdor filmów z Bollywood.

Samantha zdała sobie sprawę, że nikt przy stole się nie pokwapił, żeby pochwalić jej kolację. Wypadało to zrobić z czystej grzeczności, mimo że jedzenie było paskudne. Uznała, że skoro straciła prawo do znęcania się nad Gavinem, może przynajmniej wbić szpilę Milesowi.

– Mówię ci, Kay, Vikram to jedyne, co ta zapadła dziura ma nam do zaoferowania – powiedziała Samantha. – Chodzący seks.

– A jego żona jest lekarką – dodał Miles. – I członkinią rady gminy. Ale ciebie zatrudnia Rada Okręgu Yarvil, prawda, Kay?

– Zgadza się – przytaknęła Kay. – Mimo to większość czasu spędzam w Fields. Formalnie rzecz biorąc, te tereny należą do gminy Pagford, prawda?

„Tylko nie Fields – pomyślała Samantha. – Błagam, nie mówmy o tym przeklętym Fields".

– Ach. – Miles uśmiechnął się znacząco. – No cóż, tak, f o r m a l n i e
r z e c z   b i o r ą c, Fields należy do Pagford. Formalnie rzecz biorąc. To
drażliwy temat, Kay.

– Naprawdę? Dlaczego? – zainteresowała się Kay w nadziei, że uda jej
się w ten sposób wciągnąć w dyskusję wszystkich gości, bo Gavin nadal
rozmawiał półgłosem z Mary.

– Widzisz, ta historia ma swój początek w latach pięćdziesiątych. – Miles
zaczął mówić takim tonem, jakby od dawna ćwiczył to przemówienie.
– Yarvil chciało rozbudować Cantermill Estate, ale zamiast rozszerzyć się
na zachód, gdzie teraz biegnie obwodnica...

– Gavin? Mary? Jeszcze wina? – Samantha próbowała przekrzyczeć
Milesa.

– ... postąpiło niezupełnie zgodnie z zasadami. Władze kupiły grunt,
nie precyzując, na co chcą go przeznaczyć, a potem rozbudowały osiedle,
przekraczając granicę z gminą Pagford.

– Miles, dlaczego nie wspomnisz o starym Aubreyu Fawleyu? – zapytała Samantha. Nareszcie osiągnęła ten wspaniały stan odurzenia, w którym jej język stał się ostry jak brzytwa, uwolniła się od strachu przed
wszelkimi konsekwencjami i chciała prowokować i drażnić wyłącznie dla
zabawy. – Prawda jest taka, że stary Aubrey Fawley, do którego należały
te wszystkie urocze lukarny i inne wspaniałości wymienione przez Milesa,
podpisał umowę za plecami wszystkich...

– Jesteś niesprawiedliwa, Sam – przerwał jej Miles, ale ona nie zamierzała dać się uciszyć.

– ... opchnął grunt, na którym teraz stoi Fields, i zgarnął za to, sama
nie wiem, pewnie z ćwierć miliona...

– Wygadujesz bzdury, Sam. Skąd taka kwota w latach pięćdziesiątych?

– ... a potem, kiedy zdał sobie sprawę, że wszyscy się wkurzyli, udawał, że nie wiedział, jakich narobi kłopotów. Zasrany arystokrata. I do
tego pijak.

– Chyba nigdy nie słyszałem większych bzdur – powiedział Miles stanowczym tonem. – Kay, żeby w pełni zrozumieć tę kwestię, trzeba trochę
lepiej znać historię tych okolic.

Samantha położyła brodę na zaciśniętej dłoni, a potem przesunęła
łokieć i oparła pięść na stole, żeby pokazać, jak bardzo ją to nudzi. Choć

Kay nie polubiła Samanthy, roześmiała się. Gavin i Mary przerwali swoją cichą rozmowę.

– Mowa o Fields – poinformowała go Kay takim tonem, jakby przypominała mu o swoim istnieniu i domagała się od niego moralnego wsparcia.

Miles, Samantha i Gavin natychmiast zdali sobie sprawę, że poruszanie tematu Fields w obecności Mary to duży nietakt, skoro stał się kością niezgody między Barrym i Howardem.

– Okazuje się, że osiedle budzi wiele kontrowersji – dodała Kay, próbując zmusić Gavina, by zajął jakieś stanowisko i włączył się do dyskusji.

– Uhmm – mruknął w odpowiedzi i wrócił do rozmowy z Mary. – Jak idzie Declanowi na treningach piłki nożnej?

Kay poczuła, jak wzbiera w niej furia. Co z tego, że Mary niedawno owdowiała? Gavin i tak poświęcał jej zbyt dużo uwagi. Kay wyobrażała sobie ten wieczór zupełnie inaczej. Mieli w czwórkę zjeść kolację, w czasie której Gavin zachowywałby się tak, jakby byli parą. Tymczasem nawet mało rozgarnięty obserwator nie miałby wątpliwości, że wyglądają tak, jakby łączyła ich tylko przelotna znajomość. Poza tym jedzenie było ohydne. Kay złożyła sztućce na talerzu, na którym zostawiła trzy czwarte porcji – co nie umknęło uwagi Samanthy – i znowu odezwała się do Milesa:

– Wychowałeś się w Pagford?

– Niestety tak – odparł Miles, uśmiechając się z zadowoleniem. – Urodziłem się w starym szpitalu Kelland, na tej ulicy. Zamknęli go w latach osiemdziesiątych.

– A ty...? – Kay zwróciła się do Samanthy, która nawet nie dała jej dokończyć pytania.

– Broń Boże. Wylądowałam tu przypadkiem.

– Przepraszam, Samantho, czym właściwie się zajmujesz? – zapytała Kay.

– Mam własny skle...

– Sprzedaje staniki w dużych rozmiarach – wtrącił się Miles.

Samantha zerwała się z krzesła i poszła po kolejną butelkę wina. Kiedy wróciła do stołu, Miles opowiadał Kay przezabawną anegdotę, która bez wątpienia miała stanowić dowód na to, że w Pagford wszyscy się znają. Otóż pewnego wieczoru Miles jechał samochodem i został zatrzymany przez policjanta, który okazał się jego kolegą z podstawówki. Miles odgrywał kwestia po kwestii swoją pyskówkę ze Steve'em Edwardsem, a Samantha umierała z nudów, bo słyszała to już milion razy. Kiedy okrążała stół, dolewając wszystkim wina, zauważyła surową minę Kay, której najwyraźniej nie bawiły historyjki o pijanych kierowcach.

– ... więc Steve podaje mi alkomat, a ja już mam w niego dmuchnąć i nagle, ni z tego, ni z owego, zaczynamy rechotać. Jego partner nie wiedział, co jest grane. Wyglądał tak. – Na chwilę Miles wcielił się w mężczyznę, który ze zdumieniem spogląda to w prawo, to w lewo. – A Steve zgiął się wpół, sikając ze śmiechu, bo przypomniało mu się, jak poprzednim razem przytrzymywał coś, w co ja miałem dmuchać, a to było ze dwadzieścia lat wcześniej, i...

– Chodziło o nadmuchiwaną lalkę – dokończyła za niego Samantha, bez cienia uśmiechu, opadając z powrotem na krzesło obok Milesa. – Miles i Steve położyli ją potem w małżeńskim łożu rodziców ich przyjaciela Iana, w czasie jego osiemnastki. Zresztą koniec końców Miles dostał tysiąc funtów mandatu i trzy punkty karne, bo już drugi raz dał się złapać po kieliszku. Ubaw po pachy.

Głupawy uśmiech na twarzy Milesa przypominał sflaczały balon, którego nie sprzątnięto po balu. Zdawało się, że przez pokój, chwilowo spowity grobową ciszą, przemknął chłodny podmuch. Choć Kay uważała Milesa za niewiarygodnego nudziarza i tak była po jego stronie. Jako jedyna osoba przy stole przynajmniej od czasu do czasu próbował jej ułatwić integrację z mieszkańcami Pagford.

– Muszę przyznać, że Fields to trudny teren. – Wróciła do tematu, w którym Milesowi było najłatwiej brylować, nadal nieświadoma, że w obecności Mary najlepiej w ogóle nie poruszać tej kwestii. – Wcześniej pracowałam w centrum miasta. Nie sądziłam, że spotkam się z takim ubóstwem na prowincji, ale w Londynie wcale nie jest lepiej. Oczywiście tutaj nie ma tylu mniejszości etnicznych.

– Tak, tak, u nas też nie brakuje narkomanów i nierobów – powiedział Miles. – Sam, ja już chyba więcej nie wcisnę – dodał, odsuwając talerz, na którym nadal leżało sporo jedzenia.

Samantha zaczęła zbierać naczynia ze stołu, a Mary podniosła się, żeby jej pomóc.

– Nie trzeba, Mary, jesteś gościem – powiedziała Samantha.

Ku rozpaczy Kay Gavin też rycersko zgłosił się do pomocy i nalegał, żeby Mary usiadła, Mary jednak nie dała się przekonać.

– Pyszna kolacja, Sam – powiedziała w kuchni, kiedy wyrzucały masę niedojedzonych resztek do kosza na śmieci.

– Wcale nie, była ohydna – odparła Samantha, która dopiero po wstaniu od stołu poczuła, jak bardzo się upiła. – Co myślisz o Kay?

– Sama nie wiem. Nie tak ją sobie wyobrażałam.

– A ja właśnie tak – powiedziała Samantha, wyciągając talerzyki deserowe. – Dla mnie to druga Lisa.

– Och, nie przesadzaj – odrzekła Mary. – Gavin zasługuje na to, żeby w końcu spotkać kogoś porządnego.

Samantha nigdy wcześniej nie patrzyła na tę sprawę w ten sposób. Uważała Gavina za mięczaka, który aż się prosi, żeby regularnie dostawać za swoje.

Wróciły do jadalni, gdzie między Kay i Milesem toczyła się właśnie ożywiona dyskusja, w której Gavin nie brał udziału.

– ... pozbyć się odpowiedzialności za nich, co uważam za skrajny egoizm i dowód bezgranicznej pychy...

– Cóż, to ciekawe, że użyłaś słowa „odpowiedzialność" – powiedział Miles – bo chyba właśnie tu leży pies pogrzebany, prawda? Pytanie brzmi: gdzie dokładnie wyznaczymy granicę?

– Najwyraźniej przed Fields. – Kay roześmiała się z wyższością. – Chcecie wyraźną kreską oddzielić właścicieli domów, czyli klasę średnią, od niższej...

– W Pagford też nie brakuje przedstawicieli klasy robotniczej. Różnica polega na tym, że większość z nich p r a c u j e. Wiesz, Kay, jaki odsetek mieszkańców Fields żyje na koszt państwa? Mówisz o odpowiedzialności? A co z odpowiedzialnością obywatelską? Od lat przyjmujemy do lokalnej szkoły dzieci pochodzące z rodzin, w których nikt nie pracuje. Ci ludzie nawet nie wiedzą, co to znaczy zarabiać na życie. Całe pokolenia bezrobotnych na naszym utrzymaniu...

– Więc uważasz, że najlepiej zrzucić ten problem na Yarvil – powiedziała Kay – i nie wnikać w leżące u jego podłoża...

– Ciasto „błoto Missisipi" – oznajmiła Samantha.

Gavin i Mary wzięli po kawałku i podziękowali. Ku wściekłości Samanthy Kay podała jej pusty talerzyk, nie odrywając wzroku od Milesa, jak jakiejś kelnerce.

– ... klinika leczenia uzależnień pełni niezwykle ważną funkcję, choć jak się okazuje, bardzo silne lobby dąży do jej zamknięcia...

– No cóż, skoro już mowa o Bellchapel – powiedział Miles, kręcąc głową z kpiącym uśmieszkiem – mam nadzieję, że zdążyłaś się zorientować, jakimi osiągnięciami mogą się poszczycić. Raczej miernymi, Kay, doprawdy miernymi. Nie dalej jak dziś rano przeglądałem statystyki i mówiąc bez ogródek, uważam, że im szybciej zamkną tę...

– Jakie statystyki masz na myśli?

– Już mówiłem, dane dotyczące skuteczności leczenia: liczbę pacjentów, którzy na dobre zrywają z narkotykami i pozostają czyści...

– Wybacz, ale to bardzo naiwny punkt widzenia. Jeśli chcesz mierzyć skuteczność wyłącznie na podstawie...

– A jak inaczej, na miłość boską, mamy mierzyć skuteczność kliniki odwykowej? – przerwał jej zniecierpliwiony Miles. – O ile mi wiadomo, jedyna stosowana w Bellchapel terapia polega na rozdawaniu na prawo i lewo metadonu, który połowa pacjentów i tak przyjmuje jednocześnie z heroiną.

– Problem uzależnień jest niezwykle skomplikowany – powiedziała Kay. – Sprowadzanie go wyłącznie do podziału na uzależnionych i wyleczonych to naiwne uproszczenie...

Ale Miles tylko się uśmiechał i kręcił głową. Kay, która z przyjemnością prowadziła pojedynek na słowa z przemądrzałym prawnikiem, nagle się wkurzyła.

– No dobrze, podam ci konkretny przykład działalności Bellchapel. Pracuję z pewną rodziną: matka, nastoletnia córka i malutki syn. Gdyby matka nie dostawała metadonu, pewnie pracowałaby na ulicy, żeby móc kupić narkotyki. A dzięki Bellchapel sytuacja dzieci jest zdecydowanie lepsza...

– Z tego, co mówisz, widzę, że ich sytuacja byłaby lepsza z dala od matki – zauważył Miles.

– A niby dokąd byś je zabrał?

– Na początek do jakiejś przyzwoitej rodziny zastępczej – powiedział Miles.

– Wiesz, ile jest rodzin zastępczych? I ile dzieci w potrzebie? – zapytała Kay.

– Byłoby najlepiej, gdyby ktoś je zaadoptował zaraz po urodzeniu...

– Fantastyczny pomysł, już wsiadam do wehikułu czasu – odparowała Kay.

– Znamy pewną parę, która rozpaczliwie starała się o adopcję – odezwała się Samantha, niespodziewanie idąc na odsiecz Milesowi. Nie zamierzała puścić Kay płazem tego pogardliwie wyciągniętego talerzyka. Co za nadęta, protekcjonalna socjalistka. Wykapana Lisa, która umiała zdominować każde spotkanie, głosząc swoje poglądy polityczne i trąbiąc o pracy prawnika specjalizującego się w prawie rodzinnym. W dodatku pogardzała Samanthą i jej sklepem z biustonoszami. – Adam i Janice – przypomniała Milesowi, który pokiwał głową. – Nie mogli dostać malucha za żadne skarby, pamiętasz?

– No właśnie, m a l u c h a – powiedziała Kay, przewracając oczami. – Wszystkim marzy się adopcja n i e m o w l ę c i a. A Robbie ma prawie cztery lata. Nie umie korzystać z ubikacji, jest opóźniony w rozwoju, a na jego oczach prawie na pewno rozegrała się niejedna scena erotyczna, której tak mały chłopiec nie powinien był oglądać. Czy wasi przyjaciele zaadoptowaliby takie dziecko?

– Ale gdyby go odebrano matce zaraz po urodzeniu...

– Kiedy go urodziła, zerwała z narkotykami i robiła postępy – powiedziała Kay. – Kochała go i chciała zatrzymać. Wtedy zaspokajała jego wszystkie potrzeby. Z pomocą rodziny wychowała wcześniej Krystal...

– Krystal! – wrzasnęła Samantha. – O Boże, opowiadasz o W e e d o-n a c h?

Kay była przerażona, że wyrwało jej się imię podopiecznej. W Londynie to nie miałoby znaczenia, ale w Pagford najwyraźniej rzeczywiście wszyscy się znali.

– Nie powinnam była...

Miles i Samantha się roześmiali, a Mary wyglądała na zażenowaną. Kay, która nawet nie tknęła ciasta i zjadła tylko odrobinę dania głównego, poczuła, że za dużo wypiła. Odruchowo sięgała po kieliszek, żeby się trochę uspokoić, no i popełniła karygodną niedyskrecję. Złość i rozwaga nie chodzą w parze. Było jednak za późno, żeby się wycofać..

– Krystal Weedon to marna reklama umiejętności wychowawczych jej matki – zadrwił Miles.

– Krystal robi wszystko, żeby jej rodzina była razem – odrzekła Kay. – Bardzo kocha swojego braciszka i boi się, że zostanie odebrany...

– Moim zdaniem Krystal Weedon nie upilnowałaby nawet gotującego się jajka – powiedział Miles, a Samantha znowu się roześmiała. – To dobrze, że kocha brata, ale on nie jest maskotką...

– Wiem o tym – warknęła Kay, przypominając sobie pobrudzoną kupą i odparzoną pupę Robbiego. – Ale przynajmniej ktoś go kocha.

– Krystal pobiła naszą córkę Lexie – dorzuciła Samantha – więc mieliśmy okazję zobaczyć jej prawdziwe oblicze, które w twojej obecności z pewnością skrzętnie ukrywa.

– Słuchaj, dobrze wiemy, że życie Krystal nie było usłane różami – powiedział Miles. – Nikt temu nie zaprzecza. Ale nie znajduję usprawiedliwienia dla jej odurzonej narkotykami matki.

– Tak się składa, że w tej chwili świetnie jej idzie w Bellchapel.

– Ale nie trzeba geniusza – powiedział Miles – żeby się domyślić, że osoba z takim b a g a ż e m szybko wróci do dawnych zwyczajów.

– Gdybyśmy stosowali tę zasadę we wszystkich dziedzinach życia, to należałoby ci odebrać prawo jazdy, bo osoba z takim b a g a ż e m jak ty z pewnością jeszcze kiedyś usiądzie za kółkiem po pijaku.

Milesa na chwilę zatkało, ale Samantha zachowała zimną krew.

– Moim zdaniem to zupełnie inna para kaloszy – rzekła.

– Naprawdę? – zdziwiła się Kay. – Zasada jest taka sama.

– Tak, no cóż, według mnie czasami to właśnie zasady stwarzają problem – bronił się Miles. – Często wystarczyłaby po prostu odrobina zdrowego rozsądku.

– Ludzie zazwyczaj określają tym mianem swoje uprzedzenia – rzuciła w odpowiedzi Kay.

– Jak twierdzi Nietzsche... – odezwał się głos, którego wcześniej nie słyszeli, i wszyscy odwrócili głowy – ... filozofia to biografia filozofa.

W drzwiach do przedpokoju stała miniaturowa kopia Samanthy: szesnastolatka z dużym biustem, w obcisłych dżinsach i podkoszulku, z kiścią winogron w dłoni. Zajadała owoce i wyglądała na bardzo zadowoloną z siebie.

– Poznajcie Lexie – oznajmił z dumą Miles. – Dziękujemy za tę uwagę, geniuszu.

– Nie ma za co – rzuciła zuchwale Lexie i poszła po schodach na górę.

Przy stole zapadła martwa cisza. Samantha, Miles i Kay, nie bardzo wiedząc czemu, spojrzeli na Mary, której najwyraźniej zbierało się na płacz.

– Kawa – powiedziała Samantha, chwiejnie wstając od stołu.

Mary zniknęła w łazience.

– Usiądźmy na kanapie, będzie wygodniej – zaproponował Miles. Czuł, że atmosfera nieco gęstnieje, ale nie miał wątpliwości, że dzięki kilku dowcipom i jego wrodzonej jowialności za chwilę wszyscy znowu będą do siebie życzliwie nastawieni. – Weźcie kieliszki.

Argumenty Kay nie mogły zachwiać jego głęboko zakorzenionymi przekonaniami, tak jak wiatr nie zdołałby poruszyć skały. Ale nie czuł się urażony. Kay budziła w nim raczej litość. Ciągłe dolewki wina ani trochę go nie odurzyły, ale wchodząc do salonu, zdał sobie sprawę, że ma pełny pęcherz.

– Włącz jakąś muzykę, Gav, a ja przyniosę czekoladki.

Ale Gavin nawet się nie ruszył w stronę stojaków z lśniącego pleksi, na których rzędami stały płyty. Wyglądał tak, jakby czekał na atak Kay. I rzeczywiście, kiedy tylko Miles zniknął z pola widzenia, Kay powiedziała:

– Wielkie dzięki, Gav. Wspaniale mnie wspierasz.

Przez całą kolację Gavin pił jeszcze łapczywiej niż Kay, ciesząc się w głębi duszy, że ostatecznie nie został rzucony Samancie na pożarcie. Spojrzał Kay prosto w oczy, bo odwagi dodawało mu nie tylko wino, lecz także świadomość, że dzięki Mary przez całą godzinę czuł się jak ktoś ważny, mądry i troskliwy, i powiedział:

– Świetnie sobie radzisz sama.

Choć pozwolił sobie na wysłuchanie tylko krótkiego fragmentu kłótni Kay z Milesem, doznał bardzo silnego *déjà vu*. Gdyby Mary nie odwracała jego uwagi, odniósłby wrażenie, że czas cofnął się do tamtego pamiętnego wieczoru, gdy w tej samej jadalni Lisa zarzuciła Milesowi, że ucieleśnia wszystkie wady społeczeństwa, a Miles roześmiał się jej prosto w twarz.

Wtedy Lisa straciła panowanie nad sobą i wyszła, zanim podano kawę. Niedługo potem oznajmiła Gavinowi, że sypia z kolegą z pracy, i poradziła mu, żeby się przebadał na obecność chlamydii.

– Nikogo tu nie znam – powiedziała Kay. – A ty nie kiwnąłeś palcem, żeby mi pomóc.

– A niby co miałem zrobić? – zapytał Gavin. Spłynął na niego błogi spokój. Ukoiła go nie tylko świadomość, że Mollisonowie i Mary zaraz wrócą, ale także duża ilość wypitego chianti. – Nie chciałem wdawać się w kłótnię na temat Fields. Mam w nosie Fields. Poza tym – dodał – dla Mary to drażliwy temat. Barry należał do tych członków rady, którzy sprzeciwiali się odłączeniu Fields od Pagford.

– Nie mogłeś mi tego powiedzieć? Dać mi jakiegoś znaku?

Roześmiał się, identycznie jak przed chwilą śmiał się z niej Miles. Zanim zdążyła mu się odgryźć, pozostali wrócili jak Trzej Królowie z darami. Samantha trzymała tacę z filiżankami, za nią kroczyła Mary z dzbankiem z kawą, a Miles niósł czekoladki od Kay. Na widok złotej wstążki na pudełku Kay przypomniała sobie, z jakim optymizmem myślała o tym wieczorze, kupując słodycze. Odwróciła głowę, próbując ukryć gniew. Miała dziką ochotę zrobić Gavinowi awanturę i jednocześnie czuła, że chce się jej płakać.

– Było bardzo miło – rozległ się zduszony głos Mary, której najwyraźniej także zbierało się na płacz – ale nie zostanę na kawę. Nie chcę wracać zbyt późno. Declan jest teraz trochę... trochę rozchwiany. Sam, Miles, dziękuję. Miło było... no wiecie, wyrwać się na chwilę z domu.

– Odprowadzę cię do... – zaczął Miles, ale Gavin przerwał mu zdecydowanym tonem.

– Zostań, Miles. Ja ją odprowadzę. Mary, pójdę z tobą do końca ulicy. To zajmie tylko kilka minut. Na górze jest dość ciemno.

Kay prawie przestała oddychać. Przepełniała ją nienawiść do zadowolonego z siebie Milesa, zdzirowatej Samanthy i delikatnej, przybitej Mary, a najbardziej do Gavina.

– A, tak – usłyszała własny głos, bo wszyscy zdawali się czekać na jej zgodę. – Jasne, Gav, odprowadź Mary do domu.

Za Gavinem zamknęły się frontowe drzwi. Miles nalewał Kay kawy. Obserwowała strumień gorącej, czarnej cieczy i nagle z bólem uświadomiła sobie, jak wiele zaryzykowała, wywracając swoje życie do góry nogami dla faceta, który właśnie odchodził w noc z inną kobietą.

VIII

Colin Wall zobaczył Gavina i Mary, jak przechodzili pod oknem jego gabinetu. Od razu rozpoznał sylwetkę Mary, ale musiał wytężyć wzrok, żeby zidentyfikować tyczkowatego mężczyznę u jej boku, nim oboje wyszli z kręgu światła rzucanego przez uliczną latarnię. Podniósł się z krzesła przed komputerem i stojąc na ugiętych nogach, wpatrywał się w ich postacie, póki nie zniknęły w ciemności.

Był do głębi zszokowany, gdyż zakładał, że Mary zachowuje się teraz tak, jakby praktykowała *purdah*, że w zaciszu swojego domu przyjmuje tylko kobiety, między innymi Tessę, która nadal wpadała do niej co drugi dzień. Nawet nie przeszło mu przez myśl, że Mary może prowadzić życie towarzyskie po zmroku, a już na pewno nie przypuszczał, że spotyka się z samotnym mężczyzną. Czuł się zdradzony, tak jakby na jakimś duchowym poziomie Mary przyprawiła mu rogi.

Czy Mary pozwoliła Gavinowi pożegnać ciało Barry'ego? Czy Gavin wieczorami zasiadał przed kominkiem w jego ulubionym fotelu? Czy Gavin i Mary... czy to możliwe, że oni...? Przecież takie rzeczy zdarzają się co dzień. Może... może nawet jeszcze przed śmiercią Barry'ego...?

Colina wiecznie oburzała wątła moralność innych ludzi. Bronił się przed przykrymi niespodziankami, zmuszając się do wyobrażania sobie najczarniejszych scenariuszy. Wolał przywoływać wizje zdrady i występku, niż doczekać dnia, w którym prawda niczym pocisk rozerwie na strzępy jego niewinne złudzenia. Dla Colina życie było jednym długim zabezpieczaniem się przed cierpieniem i rozczarowaniem, a wszystkich poza żoną traktował jak wrogów, póki nie dowiedli swojej lojalności.

Już miał zbiec na dół i powiedzieć Tessie, co przed chwilą zobaczył, licząc na to, że żona zdoła mu podsunąć jakieś inne wiarygodne wytłumaczenie wieczornej przechadzki Mary i zapewni go, że wdowa po jego najlepszym przyjacielu była i nadal jest wierna mężowi. Ale oparł się tej pokusie, bo gniewał się na Tessę.

Dlaczego z takim uporem okazywała brak zainteresowania jego kampanią wyborczą? Czy nie zdawała sobie sprawy, jak mocno zaciska się wokół jego szyi pętla strachu, od kiedy złożył formularz zgłoszeniowy? Choć się spodziewał, że właśnie tak będzie się czuł, wybieganie myślami w przyszłość wcale nie dawało mu ukojenia, tak jak widok nadjeżdżającego pociągu nie neutralizuje bólu w chwili zderzenia. Colin zawsze cierpiał dwa razy: gdy przewidywał nieszczęścia i gdy one na niego spadały.

Teraz nękały go koszmarne wizje z Mollisonami w roli głównej. Już widział, jak przypuszczają na niego atak. Nieustannie obmyślał kontrargumenty, wyjaśnienia i usprawiedliwienia. Już czuł się osaczony, zmuszony do walki o swoją reputację. Colin niebezpiecznie balansował na krawędzi paranoi i działo się tak zawsze, gdy musiał wziąć się z życiem za bary. Tymczasem Tessa udawała, że niczego nie zauważa, i nie robiła absolutnie nic, żeby pomóc mężowi uwolnić się od tego okropnego, miażdżącego napięcia.

Wiedział, że jej zdaniem nie powinien kandydować. Być może obawiała się, że Howard Mollison rozetnie nabrzmiałe brzuszysko ich przeszłości i rzuci ich upiorne tajemnice na pożarcie sępom z Pagford.

Colin już zadzwonił do tych osób, na których poparcie Barry zawsze mógł liczyć. Był zdziwiony i zarazem podbudowany tym, że żaden z rozmówców nie kwestionował jego kwalifikacji i nie zadawał pytań merytorycznych. Wszyscy bez wyjątku wyrazili głęboki smutek z powodu straty Barry'ego i ogromną niechęć do Howarda Mollisona, „tego wielkiego, nadętego łajdaka", jak się wyraził jeden z bardziej szczerych wyborców. „Próbuje wcisnąć do rady swojego synalka. Na wieść o śmierci Barry'ego z trudem powstrzymał uśmiech". Colin ani razu nie musiał skorzystać z przygotowanej zawczasu listy argumentów na rzecz zatrzymania Fields przy Pagford. Jak dotąd jego najważniejszą zaletą jako kandydata wydawało się to, że przyjaźnił się z Barrym i nie nazywał się Mollison.

Z ekranu komputera uśmiechała się do niego jego własna miniaturowa, czarno-biała twarz. Spędził w gabinecie cały wieczór, próbując zredagować tekst na ulotkę wyborczą. Postanowił zamieścić na niej to samo zdjęcie, które widniało na stronie szkoły Winterdown. Miał na nim okrągłą twarz, łagodny uśmiech i wysokie, lśniące czoło. To ujęcie wydało mu się najlepsze, bo już zostało pokazane publicznie i nie naraziło go na śmieszność ani nie doprowadziło do katastrofy – a to silnie za nim przemawiało. Ale pod fotografią, w miejscu przeznaczonym na informacje o kandydacie, wpisał do tej pory zaledwie kilka nieśmiałych zdań. Przez ostatnie dwie godziny układał je i usuwał. W pewnej chwili miał nawet cały akapit, ale zaraz go skasował, litera po literze, nerwowo dźgając drżącym palcem wskazującym klawisz Backspace.

Nie mogąc dłużej znieść swojego niezdecydowania i samotności, zerwał się z krzesła i zszedł na dół. Tessa leżała na kanapie w salonie i najwidoczniej drzemała, a w tle pomrukiwał telewizor.

– Jak ci idzie? – zapytała sennym głosem, otwierając oczy.

– Właśnie przechodziła Mary. Razem z Gavinem Hughesem.

– Ach tak. Mówiła mi, że wybiera się do Milesa i Samanthy. Widocznie Gavin też tam był. Pewnie odprowadził ją do domu.

Colin był oburzony. Mary odwiedziła Milesa, człowieka, który próbował zająć miejsce po jej mężu, choć sprzeciwiał się wszystkiemu, o co Barry walczył?

– Na litość boską, czego ona szukała u Mollisonów?

– To oni pojechali z nią do szpitala, przecież wiesz – przypomniała mu Tessa, siadając na kanapie i z cichym jękiem rozprostowując krótkie nogi. – Od tamtego czasu nie miała okazji z nimi porozmawiać. Chciała im podziękować. Skończyłeś pisać tekst na ulotkę?

– Prawie. Słuchaj, jeśli chodzi o informacje, to znaczy o tekst w rubryce z informacjami o mnie, myślisz, że trzeba tam podać wcześniejsze miejsca pracy? Czy ograniczyć się do Winterdown?

– Chyba wystarczy, jeśli napiszesz, gdzie teraz pracujesz. Może spytasz Mindę? Ona... – Tessa ziewnęła – ... ona już coś takiego pisała.

– Tak – odrzekł Colin. Jeszcze przez chwilę stał nad nią wyczekująco, ale nie zaoferowała mu pomocy ani nawet nie zaproponowała, że przeczyta to, co do tej pory napisał. – Tak, to dobry pomysł – powiedział głośniej. – Poproszę Mindę, żeby rzuciła na to okiem.

Tessa stęknęła, rozmasowując kostki, a on wyszedł z pokoju pełen urażonej dumy. Najwyraźniej do niej nie docierało, jak jej mąż okropnie się męczy, jak niewiele śpi i jak bardzo dokucza mu z tego powodu żołądek.

Tessa tylko udawała, że śpi. Dziesięć minut wcześniej obudziły ją kroki Mary i Gavina.

Tessa słabo znała Gavina. Był o piętnaście lat młodszy od niej i jej męża, a zazdrość Colina o innych przyjaciół Barry'ego stawała na przeszkodzie bliższym z nim kontaktom.

– Doskonale sobie radzi z towarzystwem ubezpieczeniowym – pochwaliła go Mary, gdy wcześniej rozmawiała z Tessą przez telefon. – O ile mi wiadomo, dzwoni tam codziennie, a mnie powtarza, żebym się nie martwiła o jego honorarium. O Boże, Tesso, jeśli nie wypłacą nam pieniędzy z tej polisy...

– Gavin wszystko załatwi – pocieszyła ją Tessa. – Jestem tego pewna.

Tessa zesztywniała i chciało jej się pić; siedziała na kanapie i zastanawiała się, czy nie powinni z Colinem zaprosić Mary do siebie, żeby wyrwać ją z domu i zadbać, by zjadła coś dobrego. Wiedziała jednak, że na drodze stoi przeszkoda nie do pokonania. Mary źle znosiła towarzystwo Colina – męczył ją. Ta skrzętnie dotąd skrywana, kłopotliwa prawda wypłynęła na fali śmierci Barry'ego jak szczątki wyrzucone na brzeg przez przypływ. Mary wyraźnie dawała do zrozumienia, że chce się spotykać wyłącznie z Tessą. Pomijała milczeniem wszelkie sugestie, że Colin mógłby jej w czymś pomóc, i starała się nie rozmawiać z nim zbyt długo przez telefon. Przez całe lata często spotykali się w czwórkę, ale niechęć Mary nigdy się nie ujawniła. Widocznie przysłaniało ją wesołe usposobienie Barry'ego.

Tessa musiała podejść do tej nowej sytuacji z ogromną delikatnością. Colin dał się przekonać, że Mary czuje się lepiej w towarzystwie kobiet. Jedyną porażką był pogrzeb, na którym Colin dopadł Mary, kiedy wychodzili z kościoła Świętego Michała, i żałośnie pochlipując, próbował jej powiedzieć, że zamierza się ubiegać o miejsce Barry'ego w radzie gminy, żeby kontynuować jego dzieło i dopilnować, by Barry zwyciężył nawet po śmierci. Widząc zszokowaną i urażoną minę Mary, Tessa czym prędzej odciągnęła od niej swojego męża.

Potem Colin parę razy napomykał, że chciałby odwiedzić Mary, pokazać jej materiały wyborcze i zapytać, czy Barry by je zaakceptował. Miał nawet zamiar poradzić się Mary w sprawie kampanii wyborczej, którą chciał przeprowadzić tak, jak zrobiłby to Barry. W końcu Tessa powiedziała mu wprost, by przestał nękać Mary pytaniami o radę gminy. Obruszył się, ale Tessa uznała, że lepiej, żeby gniewał się na nią, niż dodawał Mary zmartwień albo prowokował ją do stanowczej odmowy, tak jak w kwestii pożegnania z ciałem Barry'ego.

– Ale żeby z Mollisonami! – powiedział Colin, wracając do salonu z filiżanką herbaty. Nawet nie zaproponował Tessie, że zrobi jej coś do picia. Często zachowywał się samolubnie w takich drobnych sprawach i był zbyt skoncentrowany na swoich zmartwieniach, żeby to zauważyć. – Że też musiała pójść na kolację akurat do nich! Sprzeciwiali się wszystkiemu, za czym opowiadał się Barry!

– Chyba trochę dramatyzujesz, Col – odparła Tessa. – Zresztą Mary nigdy nie interesowała się sprawą Fields tak jak Barry.

Ale dla Colina miłość wiązała się z bezgraniczną lojalnością i nieskończoną tolerancją. Mary straciła jego szacunek, i to nieodwołalnie.

IX

– A ty dokąd? – zapytał Simon, zachodząc Andrew drogę w wąskim przedpokoju.

Za otwartymi drzwiami frontowymi był oszklony ganek pełen butów i płaszczy, rozświetlony w sobotę rano oślepiającym blaskiem, w którym widać było tylko czarny zarys sylwetki Simona. Jego cień falował na schodach, muskając stopień, na którym stał Andrew.

– Do miasta z Fatsem.

– Lekcje odrobione?

– Tak.

Skłamał, ale Simon nie zadałby sobie trudu, żeby sprawdzić.

– Ruth? Ruth!?

Stanęła w drzwiach do kuchni ubrana w fartuch, zaczerwieniona, z dłońmi całymi w mące.

– Co?

– Potrzebujemy czegoś z miasta?

– Co? Nie, chyba nie.

– Bierzesz mój rower? – zwrócił się Simon do Andrew.

– Tak, chciałem...

– Zostawisz go u Fatsa?

– Tak.

– O której ma wrócić? – zapytał Simon, znowu spoglądając na żonę.

– Och, nie wiem – odparła zniecierpliwiona.

Pozwalała sobie na okazanie mężowi poirytowania wyłącznie wtedy, gdy Simon, choć akurat był w dobrym humorze, zaczynał ustanawiać zasady dla zabawy. Andrew i Fats często jeździli razem do miasta i Andrew, zgodnie z niepisaną umową, miał wracać przed zmrokiem.

– No to o piątej – zdecydował Simon. – A spóźnij się minutę, to dostaniesz szlaban.

– W porządku – odparł Andrew.

Prawą rękę trzymał w kieszeni, ściskając w dłoni zwiniętą karteczkę, która w jego wyobraźni zmieniła się w tykającą bombę zegarową. Od tygodnia prześladowała go obawa, że zgubi ten kawałek papieru, na którym pieczołowicie zapisał linijkę kodu i kilka pokreślonych, wielokrotnie przepisywanych i poprawianych zdań. Nie rozstawał się z nim, a na noc wkładał do poszewki poduszki.

Simon przesunął się tylko odrobinę i Andrew musiał prześlizgnąć się koło niego, żeby przejść na ganek. Cały czas zaciskał palce na karteluszku. Okropnie się bał, że Simon każe mu wywrócić kieszenie pod pretekstem poszukiwania u syna papierosów.

– To na razie.

Simon nie odpowiedział. Andrew poszedł do garażu i tam wyjął karteczkę, rozłożył ją i przeczytał. Wiedział, że zachowuje się nieracjonalnie, że w obecności Simona tekst nie mógł zniknąć jak za dotknięciem czarodziejskiej różdżki, ale wolał się upewnić. Gdy z zadowoleniem stwierdził, że nic jej się nie stało, złożył ją ponownie, wsunął głęboko do kieszeni zapinanej na zatrzask, wyprowadził kolarzówkę z garażu i przez furtkę wyszedł na ścieżkę. Czuł, że ojciec obserwuje go przez szybę w drzwiach ganku i ma nadzieję – Andrew był tego pewien – że syn spadnie z roweru albo w jakiś sposób go uszkodzi.

Pagford rozciągało się poniżej, spowite mgłą rozświetloną chłodnym wiosennym słońcem. Rześkie powietrze miało lekko cytrusowy zapach. Andrew doskonale wyczuwał, w jakiej odległości od domu Simon traci go z oczu. W tym miejscu miał wrażenie, że z barków spada mu ogromny ciężar.

Zjechał ze wzgórza w stronę Pagford na pełnym gazie, ani razu nie dotykając hamulca, a potem skręcił w Church Row. Mniej więcej w połowie ulicy zwolnił i dostojnie wjechał na podjazd pod domem Wallów, omijając samochód Przegródki.

– Cześć, Andy – przywitała go Tessa, otwierając drzwi.

– Dzień dobry pani.

Andrew zgadzał się z obiegową opinią, że rodzice Fatsa są śmieszni. Tessa była pulchna i nieatrakcyjna, miała dziwaczną fryzurę i żenujący gust, jeśli chodzi o ubrania, zaś wiecznie spięty Przegródka zasługiwał tylko na drwiny. Jednak Andrew nie mógł odpędzić myśli, że gdyby państwo Wall byli jego rodzicami, to chyba mógłby ich polubić. Byli tacy kulturalni, tacy uprzejmi. W ich domu nigdy się nie bał, że podłoga za chwilę rozstąpi mu się pod nogami i pochłonie go chaos.

Fats siedział na najniższym stopniu schodów i wkładał trampki. Nie sposób było nie zauważyć torebki z tytoniem wystającej z kieszonki z przodu kurtki.

– Cze, Arf.

– Cze, Fats.

– Andy, chcesz zostawić rower ojca w garażu? – zapytała Tessa.

– Tak, dziękuję pani.

(Andrew zauważył, że Tessa zawsze mówi „ojciec", nigdy „tata". Wiedział, że mama Fatsa nie cierpi Simona. Między innymi dlatego przymykał oko na jej okropne, bezkształtne ubrania i nietwarzową, byle jak obciętą grzywkę).

Jej niechęć zrodziła się przed wieloma laty, w tym okropnym, pamiętnym dniu, w którym sześcioletni Fats po raz pierwszy przyjechał do Hilltop House na sobotnie popołudnie. Gdy chłopcy próbowali dosięgnąć starych rakietek do badmintona, niebezpiecznie balansując na pudle w garażu, stracili równowagę i zrzucili całą zawartość chybotliwej półki.

Andrew wciąż miał przed oczami puszkę kreozotu spadającą na dach samochodu i pękającą pod wpływem uderzenia. Do dziś pamiętał, jak bardzo się wtedy przeraził, choć nie potrafił uświadomić swojemu rozbawionemu przyjacielowi, jak wielkie nieszczęście właśnie na siebie ściągnęli.

Simon usłyszał huk. Wbiegł do garażu, doskoczył do nich, wysuwając żuchwę i wydając niski, zwierzęcy jęk, a potem zaczął wrzeszczeć, że porachuje im kości, i wymachiwać pięściami tuż przed ich małymi, zwróconymi ku niemu twarzami.

Fats nasikał w majtki. Strużka moczu wypłynęła mu z nogawek szortów na podłogę garażu. Ruth, która usłyszała wrzask, wybiegła z kuchni, żeby interweniować. „Nie, Misiu... Misiu, nie... Oni nie chcieli".

Fats był blady jak ściana i cały się trząsł. Chciał natychmiast wracać do domu. Chciał do mamy.

Gdy przyjechała Tessa, zapłakany Fats w przemoczonych szortach rzucił się jej w ramiona. To był jedyny raz w życiu, kiedy Andrew widział, jak jego ojciec traci pewność siebie i ustępuje. Tessa nie musiała podnosić głosu ani uciekać się do gróźb czy bicia, żeby wyrazić swoją furię. Wypisała czek i wcisnęła go w dłoń Simonowi, podczas gdy Ruth powtarzała: „Nie, nie, nie trzeba, nie trzeba". Simon odprowadził Tessę do samochodu, próbując obrócić wszystko w żart. Ale ona tylko obrzuciła go pogardliwym spojrzeniem, posadziła wciąż łkającego Fatsa na siedzeniu pasażera i głośno zatrzasnęła drzwi samochodu przed nosem uśmiechniętego Simona. Andrew widział wyraz twarzy rodziców. Tessa wywoziła ze wzgórza do miasta coś, co dotychczas było skrzętnie ukryte w ich odizolowanym domu).

Teraz Fats nadskakiwał ojcu Andrew. Ilekroć przychodził do Hilltop House, stawał na głowie, żeby rozśmieszyć Simona, a ten lubił wizyty Fatsa, śmiał się z jego najbardziej wulgarnych dowcipów i z zainteresowaniem słuchał opowieści o jego wybrykach. Kiedy jednak przyjaciele znów zostawali sami, Fats w pełni zgadzał się z Andrew, że Simon to patentowany dwudziestoczterokaratowy piździelec.

— Wydaje mi się, że to lesba — powiedział Fats, gdy mijali ukryte w cieniu sosen Old Vicarage z fasadą porośniętą bluszczem.

— Twoja mama? — zapytał Andrew, bo słuchał go jednym uchem, pogrążony we własnych myślach.

— Co!? — zawołał Fats i Andrew dostrzegł na jego twarzy wyraz szczerego oburzenia. — Pojebało cię!? Sukhvinder Jawanda.

– A, tak, jasne.

Andrew się roześmiał, a po chwili Fats mu zawtórował.

W autobusie do Yarvil był tłok. Andrew i Fats musieli usiąść obok siebie, a nie tak jak lubili – każdy na osobnym, podwójnym siedzeniu. Kiedy mijali Hope Street, Andrew rozejrzał się, ale na ulicy był pusto. Po raz ostatni widział Gaię poza szkołą tamtego popołudnia, gdy oboje przyjęto do pracy w Copper Kettle. W najbliższy weekend miało nastąpić otwarcie kawiarni. Ilekroć o tym myślał, wpadał w euforię.

– Kampania wyborcza Misia-Pysia ruszyła pewnie pełną parą? – zapytał Fats skupiony na skręcaniu papierosów. Wyciągnął długą nogę w poprzek przejścia między siedzeniami. Ludzie woleli nad nią przechodzić, niż prosić, żeby ją przesunął. – Przegródka już ma pełne gacie, a dopiero pisze tekst na ulotkę.

– Tak, Misio też ma sporo na głowie – odparł Andrew, nie dając po sobie poznać, że żołądek podchodzi mu do gardła ze strachu.

Pomyślał o rodzicach, którzy od tygodnia co wieczór zasiadali przy kuchennym stole. I o pudełku z tymi głupimi ulotkami, które Simon wydrukował w pracy. Ruth pomogła Simonowi ułożyć i spisać w punktach program wyborczy, na który powoływał się w czasie rozmów telefonicznych. Co wieczór wydzwaniał do wszystkich, których znał w okręgu wyborczym. Zachowywał się tak, jakby podejmował jakiś tytaniczny wysiłek. W domu chodził podminowany i coraz bardziej agresywny wobec synów. Dźwigał na barkach ciężar, którego oni nie chcieli pomóc mu nieść. Jedynym tematem rozmów w czasie posiłków były wybory, a rodzice snuli domysły na temat przeciwników Simona. Z ogromną powagą traktowali innych kandydatów na miejsce Barry'ego Fairbrothera i chyba zakładali, że Colin Wall i Miles Mollison większość czasu spędzają, knując jakąś intrygę, wpatrzeni w Hilltop House i opętani chęcią zniszczenia mieszkającego tam rywala.

Andrew znów sprawdził, czy złożona karteczka nie wypadła mu z kieszeni. Nie powiedział Fatsowi, co zamierza zrobić. Bał się, że przyjaciel to rozgłosi. Andrew nie wiedział, jak dać Fatsowi do zrozumienia, że należy zachować bezwzględną dyskrecję, jak mu przypomnieć, że maniak, na którego widok mali chłopcy sikali w majtki, nadal żyje, ma się świetnie i mieszka z Andrew pod jednym dachem.

– Przegródka uważa, że Misio-Pysio to żaden przeciwnik – powiedział Fats. – Dla niego poważnym konkurentem jest tylko Miles Mollison.

– Tak – zgodził się Andrew.

Słyszał, jak rodzice o tym rozmawiają. Chyba oboje uważali, że Shirley ich zdradziła, że powinna zabronić synowi rywalizowania z Simonem.

– Przegródka traktuje tę kampanię jak jakąś pierdoloną krucjatę – powiedział Fats, zwijając papierosa między palcem wskazującym i kciukiem. – Postanowił przejąć sztandar regimentu po poległym towarzyszu broni, starym, dobrym Barrym Fairbrotherze. – Wepchnął zapałką wystające pasemka tytoniu. – Żona Milesa Mollisona ma gigantyczne cyce – dorzucił.

Siedząca przed nimi starsza pani odwróciła się i posłała Fatsowi karcące spojrzenie. Andrew znowu się roześmiał.

– Mięsiste, podskakujące balony – powiedział Fats głośno, patrząc prosto w pomarszczoną, gniewną twarz. – Wielkie, soczyste zderzaki w rozmiarze H.

Kobieta zaczerwieniła się, powoli odwróciła głowę i usiadła prosto. Andrew dusił się ze śmiechu.

Wysiedli w samym centrum Yarvil, niedaleko głównej ulicy z najlepszymi sklepami, wyłączonej z ruchu drogowego. Idąc w tłumie zakupowiczów, palili skręty Fatsa. Andrew był bez grosza. Liczył na pieniądze, które miał zarobić u Howarda Mollisona.

W oddali jarzył się jaskrawopomarańczowy szyld kafejki internetowej, tak jakby przyzywał Andrew. Chłopak nie mógł się skupić na tym, co mówi Fats. „Naprawdę to zrobisz? – pytał sam siebie. – Naprawdę?"

Jeszcze się wahał. Nogi niosły go same, a szyld robił się coraz większy, kusząc go i mrugając na niego.

„Jak się dowiem, że pisnąłeś choć słówko o tym, co się dzieje w tym domu, to cię żywcem obedrę ze skóry".

Ale czy miał inne wyjście. Groziło mu niechybne poniżenie, gdy ojciec pokaże światu swoje prawdziwe oblicze. Jaką cenę przyszłoby zapłacić jego rodzinie, gdyby po kilku tygodniach snucia idiotycznych planów Simon został pokonany, bo przecież nie miał żadnych szans. Wtedy, owładnięty gniewem i rozgoryczeniem, z determinacją domagałby się od wszystkich wokół, by zapłacili za jego obłąkańcze decyzje. Zeszłego wieczoru Ruth oznajmiła radośnie: „Chłopcy przejdą przez Pagford i rozniosą twoje ulotki". Kątem oka Andrew zauważył wyraz przerażenia na twarzy Paula, który próbował nawiązać kontakt wzrokowy z bratem.

– Muszę tu wstąpić – rzucił nagle Andrew, skręcając w prawo.

Kupili kupony z kodami i usiedli przy różnych komputerach oddzieleni od siebie przez dwóch innych klientów. Siedzący po prawej stronie Andrew mężczyzna w średnim wieku śmierdział potem i petami, a w dodatku cały czas pociągał nosem.

Andrew zalogował się i wpisał adres strony internetowej. Pagford... Rada... gminy... kropka... co... kropka... uk...

Na stronie widniał biało-niebieski herb gminy, a pod nim zdjęcie Pagford zrobione nieopodal Hilltop House, z konturem opactwa Pargetter na tle nieba. Już wcześniej, gdy otworzył tę stronę w szkolnym komputerze, wydała mu się przestarzała i amatorska. Nigdy jednak nie odważyłby się jej otworzyć na swoim laptopie. Może i jego ojciec nie miał pojęcia o internecie, ale Andrew nie wykluczał, że w razie czego jakiś kumpel z pracy mógłby pomóc Simonowi w śledztwie...

Wiedział, że nawet to zatłoczone, zapewniające anonimowość miejsce nie gwarantuje bezpieczeństwa, bo nie uda mu się wykasować z wpisu dzisiejszej daty. Nie było też sensu udawać, że w krytycznym momencie nie przebywał w Yarvil. Na szczęście Simon nigdy nie korzystał z kafejek internetowych i może nawet nie wiedział o ich istnieniu.

Andrew poczuł nagły bolesny skurcz w klatce piersiowej. Czym prędzej przesunął kursorem po tablicy informacyjnej, na której chyba nie za wiele się działo. Poszczególne wątki miały takie tytuły, jak: „Wywóz śmieci – pytanie" albo „Czy w rejonie szkół w Crampton i Little przybywa uczniów?". Mniej więcej co dziesiąty wpis pochodził od administratora i zawierał krótkie sprawozdanie z ostatniego posiedzenia rady. Na dole strony zauważył wątek zatytułowany: „Śmierć radnego Barry'ego Fairbrothera". Odwiedziło go stu pięćdziesięciu dwóch internautów, a czterdziestu trzech zamieściło komentarz. Dalej, na kolejnej stronie tablicy informacyjnej, znalazł to, czego szukał: wpis zmarłego mężczyzny.

Kilka miesięcy temu jedną z lekcji informatyki w klasie Andrew poprowadził młody nauczyciel na zastępstwie. Zgrywał luzaka, żeby zyskać przychylność uczniów. Nie powinien był im w ogóle wspominać o wstrzyknięciach SQL. Andrew był pewien, że nie on jeden po powrocie do domu natychmiast zaczął gromadzić informacje na ten temat. Wyjął karteczkę z kodem, który w wolnych chwilach wytropił na szkolnych komputerach, i otworzył stronę logowania na serwerze rady gminy. Wyglądało na to, że założył ją dawno temu jakiś amator. I że nic jej nie chroni przed najprostszym z klasycznych ataków hakerskich.

Ostrożnie, stukając w klawisze tylko palcem serdecznym, wpisał magiczny ciąg liczb i cyfr.

Przeczytał go dwa razy, upewniając się, że każdy apostrof jest na swoim miejscu, a kiedy już stanął nad przepaścią, zawahał się, wsłuchany w swój płytki oddech, i wreszcie nacisnął Enter.

Wydał zduszony okrzyk, uradowany jak małe dziecko, i z trudem powstrzymał się od okrzyku zwycięstwa i triumfalnego gestu. Już za pierwszym podejściem udało mu się włamać na tę prymitywną stronę. Na ekranie widniały wszystkie dane użytkownika Barry'ego Fairbrothera – jego nick, hasło i cały profil.

Andrew wygładził karteczkę z zaklęciem, którą przez cały tydzień trzymał pod poduszką, i wziął się do roboty. Z powodu licznych skreśleń i poprawek przepisanie przygotowanego wcześniej akapitu okazało się znacznie bardziej pracochłonnym zadaniem niż włam.

Zależało mu na jak najbardziej bezosobowym i neutralnym stylu, na beznamiętnym tonie dziennikarza z codziennej gazety.

Ubiegający się o miejsce w radzie gminy Simon Price zamierza ukrócić marnotrawstwo radnych. Cięcie kosztów z pewnością nie jest mu obce i rada mogłaby skorzystać na jego rozlicznych cennych kontaktach. Prywatnie pan Price oszczędza, zaopatrując dom w kradzione towary – ostatnio komputer – i wystarczy go poprosić, a za niewielką opłatą w gotówce wydrukuje wszystko w drukarni Harcourt-Walsh, kiedy kierownicy wyższego szczebla pójdą już do domu.

Andrew dwukrotnie przeczytał wiadomość. Od bardzo dawna układał ją w głowie. Miał wiele do powiedzenia na temat przewin Simona, ale żaden sąd nie wysłuchałby jego prawdziwych zarzutów wobec ojca, popartych dowodami w postaci zachowanych w pamięci scen fizycznej przemocy i rytualnych upokorzeń. Na razie mógł się powołać na pomniejsze wykroczenia, którymi Simon chełpił się w jego obecności, i wybrał dwa konkretne przykłady – kradziony komputer i wykonywanie wydruków po godzinach, bez wiedzy przełożonych – bo oba nierozerwalnie wiązały się z miejscem pracy ojca. Każdy w drukarni o nich wiedział i mógł opowiedzieć komuś z rodziny albo przyjacielowi.

W środku Andrew cały się trząsł, tak samo jak wtedy, gdy Simon tracił panowanie nad sobą i bił wszystkich wkoło czym popadnie. Andrew z łomoczącym sercem przyglądał się świadectwu swojej zdrady, wypisanemu na ekranie czarno na białym.

– Co ty, kurwa, wyprawiasz? – zapytał Fats ściszonym głosem.

Śmierdzący facet już sobie poszedł i Fats przesiadł się bliżej. Właśnie czytał to, co przed chwilą napisał Andrew.

– Ja pierdolę! – rzucił Fats.

Andrew zaschło w ustach. Jego dłoń spoczywała nieruchomo na myszce.

– Jak się włamałeś? – szepnął Fats.

– Wstrzyknięciem SQL – powiedział Andrew. – Można się nauczyć z internetu. Ich zabezpieczenia są do dupy.

Fats wyglądał na zachwyconego, był pod ogromnym wrażeniem. Jego reakcja ucieszyła Andrew, ale trochę go też wystraszyła.

– Musisz to zachować dla...

– Daj mi napisać coś na Przegródkę!

– Nie!

Dłoń Andrew spoczywająca na myszce uciekła przed próbującymi ją pochwycić palcami Fatsa. Ten plugawy akt synowskiej nielojalności zrodził się z pramaterii jego gniewu, frustracji i strachu, które kłębiły się w nim od niepamiętnych czasów, ale nie potrafił wyjaśnić tego Fatsowi lepiej niż tylko słowami:

– Nie robię tego dla jaj.

Przeczytał wiadomość po raz trzeci i dodał do niej tytuł. Czuł, że w Fatsie narasta podniecenie, jakby urządzali sobie kolejną sesję porno. Zapragnął jeszcze bardziej mu zaimponować.

– Patrz – powiedział i zmienił nick Barry'ego na Duch_Barry'ego_ Fairbrothera.

Fats głośno się roześmiał. Palce Andrew zadrżały na myszy. Przesunął ją w bok. Nie wiedział, czy zdobyłby się na coś takiego, gdyby Fatsa nie było w pobliżu. Jednym kliknięciem otworzył nowy wątek na górze tablicy informacyjnej Rady Gminy Pagford: „Simon Price niegodny miejsca w radzie".

Po wyjściu z kawiarenki internetowej stanęli naprzeciwko siebie na chodniku i śmiali się jak opętani, trochę onieśmieleni tym, co się stało. Potem Andrew pożyczył od Fatsa zapałki, podpalił karteczkę z brudnopisem wiadomości i patrzył, jak papier rozpada się na delikatne, czarne płatki, które opadły na brudny chodnik i zniknęły pod stopami przechodniów.

                                        X

Andrew wyjechał z Yarvil o wpół do czwartej, żeby mieć pewność, że do Hilltop House dotrze przed piątą. Fats odprowadził go na przystanek autobusowy i naraz – jakby pod wpływem nagłego impulsu – oznajmił, że chyba jednak pokręci się jeszcze po mieście.

Wcześniej Fats powiedział Krystal, że być może wpadnie do centrum handlowego, żeby się z nią spotkać. Szedł spacerowym krokiem w kierunku sklepów, myśląc o tym, co Andrew zrobił w kafejce internetowej, i próbując uporządkować własne reakcje.

Musiał przyznać, że numer Andrew zrobił na nim duże wrażenie. A wręcz poczuł się przyćmiony. Andrew gruntownie przemyślał sprawę i nie puścił pary z ust, a potem z powodzeniem zrealizował swój plan. To wszystko budziło podziw. Fats poczuł się nawet trochę dotknięty, że Andrew uknuł tę intrygę, nie wspominając mu o niej ani słowem, a to z kolei nasunęło mu myśl, że być może potajemny atak Andrew na własnego ojca jednak zasługuje na potępienie. Czy cała ta intryga nie była aby za bardzo podejrzana i zawiła? Czy Andrew nie postąpiłby autentyczniej, gdyby rzucił Simonowi oskarżenie prosto w twarz albo go uderzył?

Tak, Simon był dupkiem, ale niewątpliwie autentycznym dupkiem. Robił, co chciał i kiedy chciał, nie ulegając naciskom społecznym i nakazom moralności. Fats zadawał sobie pytanie, czy przypadkiem nie powinien trzymać z Simonem, którego lubił zabawiać ostrymi, wulgarnymi żartami, opowiadając głównie o tym, jak ludzie robią z siebie idiotów albo ulegają komicznym wypadkom, niczym w slapstickowym filmie. Fats czasem powtarzał sobie w duchu, że zamiast Przegródki wolałby mieć za ojca Simona, którego – mimo jego rozchwiania emocjonalnego i nieprzewidywalnej skłonności do brutalnych rękoczynów – uważał za godnego przeciwnika, wroga wartego uznania.

Nigdy jednak nie zapomniał wypadku z puszką kreozotu, zwierzęcej twarzy Simona i jego pięści, tego okropnego dźwięku, który wydobywał się z jego ust, gorącego ciepłego moczu spływającego po nogach i (co chyba najbardziej go zawstydzało) tego, jak z całego serca, rozpaczliwie pragnął, żeby Tessa przyjechała po niego i zabrała go w bezpieczne miejsce. Fats nie był jeszcze aż tak gruboskórny, by nie rozumieć, dlaczego Andrew pragnie zemsty.

Zatem Fats wrócił do punktu wyjścia. Andrew zdobył się na brawurowy i przemyślany krok, który mógł się okazać katastrofalny w skutkach. Fats znowu poczuł lekką gorycz, że to nie on wpadł na ten pomysł. Próbował wyzbyć się typowej dla klasy średniej wiary w siłę słów, ale niełatwo zapomina się o sporcie, w którym osiągało się doskonałe wyniki. Kiedy szedł po wyślizganych płytkach na placu przed centrum handlowym, przyłapał się na tym, że układa zdania, dzięki którym rozbiłby w pył pretensje nadętego Przegródki i wystawił go na pośmiewisko przed wiwatującym tłumem...

Zobaczył Krystal w otoczeniu jej kumpli z Fields, okupujących ławki między sklepami w połowie głównej alejki. Rozpoznał wśród nich Nikki, Leanne i Dane'a Tully'ego. Fats nawet się nie zawahał, nie musiał się zbierać na odwagę. Idąc miarowym krokiem, z rękami w kieszeniach, wszedł w środek zaciekawionej zgrai, czując na sobie spojrzenia mierzące go od czubka głowy po trampki.

– Siemasz, Fatboy! – zawołała Leanne.

– Siemasz – odpowiedział Fats.

Leanne szepnęła coś do Nikki, która zachichotała. Krystal energicznie żuła gumę, czerwieniąc się, odrzucając głowę tak, że kołysały się jej kolczyki, i podciągając spodnie od dresu.

– Siemasz – przywitał się z nią Fats.

– Hej – odpowiedziała.

— Mama wie, że cię nie ma w domu? — zapytała Nikki.

— Tak, sama mnie tu przywiozła — odparł spokojnie Fats w ciszy złaknionej jego głosu. — Czeka w samochodzie. Pozwoliła mi na szybki numerek, zanim wrócimy do domu na herbatę.

Wszyscy wybuchnęli śmiechem. Tylko Krystal zawołała piskliwym głosem:

— Spierdalaj, bezczelny chamie!

Ale wyglądała na zadowoloną.

— Sam sobie skręcasz fajki? — spytał ochrypłym głosem Dane Tully, wpatrując się w kieszeń na piersi Fatsa. Na wardze miał duży czarny strup.

— No — odparł Fats.

— Jak mój wujek — powiedział Dane. — Rozjebały mu płuca.

W zamyśleniu skubał zakrzepłą krew.

— Dokąd się wybieracie? — zapytała Leanne, patrząc zmrużonymi oczami to na Fatsa, to na Krystal.

— Nie wiem — odparła Krystal, żując gumę i kątem oka spoglądając na Fatsa.

Fats nie oświecił żadnej z nich, tylko pokazał kciukiem na wyjście z centrum handlowego.

— Na razie — pożegnała się z paczką Krystal.

Fats niedbale machnął im na pożegnanie i odszedł, a Krystal dumnie kroczyła obok niego. Za plecami słyszał śmiech, ale miał to gdzieś. I tak wiedział, że dobrze to rozegrał.

— Gdzie idziemy? — zapytała Krystal.

— Nie wiem — odparł Fats. — Gdzie zazwyczaj chodzisz?

Wzruszyła ramionami i szła przed siebie, żując gumę. Opuścili centrum handlowe i ruszyli główną ulicą. Od boiska, na którym poprzednim razem szukali bezpiecznej, intymnej przestrzeni, dzielił ich jeszcze spory kawałek drogi.

— Naprawdę mama cię podrzuciła? — zapytała Krystal.

— Ocipiałaś? Przyjechałem autobusem.

Krystal przyjęła jego odpowiedź bez urazy, rzucając okiem na ich odbicie w mijanych wystawach sklepowych. Ekscentryczny chudzielec Fats był szkolną gwiazdą. Nawet Dane uważał go za zabawnego kolesia.

– On cię tylko wykorzystuje, ty durna suko – wypaliła do Krystal Ashlee Mellor trzy dni temu na rogu Foley Road – bo jesteś taką samą pierdoloną kurwą jak twoja matka.

Kiedyś Ashlee należała do paczki Krystal, ale pokłóciły się o chłopaka. Wszyscy wiedzieli, że Ashlee ma nierówno pod sufitem. Często wpadała w szał i wybuchała płaczem, a większość czasu w Winterdown spędzała na zajęciach wyrównawczych i wizytach u szkolnego pedagoga. Ostatecznie zaś dowiodła, że nie potrafi racjonalnie myśleć, gdy rzuciła Krystal wyzwanie na jej terenie, gdzie Krystal mogła liczyć na wsparcie, a Ashlee nie. Nikki, Jemma i Leanne pomogły dorwać Ashlee i przytrzymały ją, a Krystal tłukła dziewczynę gdzie popadnie, póki na pięściach nie zobaczyła krwi z rozciętej wargi rywalki.

Krystal nie bała się konsekwencji.

– Miękcy jak gówno, a spływają dwa razy szybciej – powiedziała o Ashlee i całej jej rodzinie.

Ale słowa Ashlee uderzyły w czuły, drażliwy punkt w duszy Krystal, więc Fats podziałał jak balsam na jej duszę, gdy następnego dnia znalazł ją w szkole i po raz pierwszy zapytał, czy spotkają się w weekend. Od razu powiedziała Nikki i Leanne, że umówiła się z Fatsem Wallem na sobotę, i z radością patrzyła na ich zdumione twarze. A jakby tego było mało, Fats zjawił się, jak obiecał (no, może z półgodzinnym poślizgiem), i na oczach wszystkich jej kumpli zabrał ją z sobą. Wyglądało to tak, jakby byli parą.

– Co porabiałaś? – zapytał Fats, kiedy uszli w milczeniu z pięćdziesiąt metrów, mijając kafejkę internetową.

Wiedział, że powinien z nią prowadzić jakąś rozmowę, choć cały czas gorączkowo się zastanawiał, czy nie znajdą jakiejś zacisznej kryjówki gdzieś w pobliżu, bo od boiska dzieliło ich jeszcze dobre pół godziny marszu. Chciał się z nią pieprzyć, a wcześniej się z nią upalić. Ciekawiło go, jak to jest.

– Rano byłam u babci w szpitalu. Miała wylew – powiedziała Krystal.

Tym razem babcia Cath nie próbowała niczego powiedzieć, Krystal jednak miała wrażenie, że babcia wyczuwa jej obecność. Jak można się było spodziewać, Terri nie chciała z nią pójść, więc Krystal sama posiedziała godzinę przy łóżku, aż skończyła się pora odwiedzin, a ona musiała iść do centrum handlowego.

Fats dopytywał się o szczegóły życia Krystal. Interesowały go jednak tylko o tyle, o ile umożliwiały wgląd w prawdziwe życie w Fields. Nie interesowały go takie detale jak wizyty w szpitalu.

– Aa – dodała Krystal z nieskrywaną dumą – i zrobili ze mną wywiad do gazety.

– Co? – zapytał zdumiony Fats. – Wywiad?

– Wiesz, o Fields – odparła Krystal. – Jak się tam dorasta.

(Dziennikarka w końcu zastała ją w domu, a kiedy Terri bez entuzjazmu udzieliła pozwolenia na wywiad, kobieta zaprosiła Krystal na rozmowę do kawiarni. Dziennikarka w kółko pytała o to, czy szkoła Świętego Tomasza pomogła Krystal i czy w jakiś sposób zmieniła jej życie. Wydawała się trochę zniecierpliwiona oraz niezadowolona z tego, co mówiła Krystal.

„Jakie masz oceny?" – zapytała, a Krystal z lekkim oburzeniem udzieliła jakiejś wymijającej odpowiedzi.

„Pan Fairbrother twierdził, że szkoła poszerza twoje horyzonty".

Krystal nie miała pojęcia, o jakie horyzonty chodzi. Gdy myślała o szkole Świętego Tomasza, w pierwszej kolejności przypominał jej się zachwyt, jaki budziło w niej boisko z rosnącym obok wielkim kasztanowcem, z którego co roku spadał grad olbrzymich lśniących kasztanów. Przed pójściem do szkoły Świętego Tomasza nigdy nie widziała kasztanów na własne oczy. Na początku podobał się jej mundurek i to, że wyglądała tak samo jak inne dzieci. Z dumą patrzyła na nazwisko swojego pradziadka na pomniku ku czci ofiar wojny stojącym pośrodku rynku: „szeregowy Samuel Weedon". Znała tylko jednego chłopaka, którego rodowe nazwisko też tam umieszczono. Był synem farmera i w wieku dziewięciu lat potrafił już prowadzić traktor, a raz, gdy mieli na lekcji prezentacje, przyprowadził do szkoły owieczkę. Krystal na zawsze zapamiętała dotyk miękkiego owczego runa. Kiedy opowiedziała o tym babci Cath, dowiedziała się, że kiedyś ich rodzina też pracowała na farmie.

Krystal kochała zieloną i otoczoną bujną roślinnością rzekę, którą podziwiali na szkolnych spacerach. Najbardziej lubiła grę w *rounders* i lekkoatletykę. Zawsze ją pierwszą wybierano do wszystkich drużyn i uwielbiała słuchać jęku rozczarowania tej drużyny, do której nie trafiła. Czasem myślała o przydzielanych sobie nauczycielach, szczególnie o pannie

Jameson, która była młoda, modnie się ubierała i miała długie blond włosy. Krystal zawsze sobie wyobrażała, że Anne-Marie trochę przypomina pannę Jameson.

Poza tym były jeszcze strzępy informacji, które Krystal zarejestrowała z wyrazistymi, licznymi szczegółami. Wulkany powstawały w wyniku przemieszczeń warstw tektonicznych Ziemi. Robili kiedyś modele wulkanów, które wypełniali sodą oczyszczoną i płynem do mycia naczyń, a wtedy ich dzieła wybuchały na plastikowe tacki. Krystal bardzo się to spodobało. Dowiedziała się też co nieco o wikingach. Mieli długie łodzie i hełmy z rogami, ale nie zapamiętała, kiedy i po co przybili do brzegów Brytanii.

Ze szkoły Świętego Tomasza utkwiło jej też w pamięci kilka opinii wypowiedzianych o niej półgębkiem przez małe dziewczynki z klasy, z których parę dostało od Krystal za swoje. Kiedy opieka społeczna pozwoliła jej wrócić do matki, szkolny mundurek zrobił się tak ciasny, krótki i zniszczony, że ze szkoły zaczęły przychodzić w tej sprawie listy, a babcia Cath i Terri okropnie się pokłóciły. W szkole dziewczyny nie chciały jej przyjąć do żadnej grupy poza drużyną *rounders*. Nigdy nie zapomniała, jak Lexie Mollison rozdawała wszystkim w klasie różowe koperty z zaproszeniem na swoje przyjęcie, a ją ominęła, dumnie zadzierając nos.

Na imprezy zapraszało ją tylko kilka osób. Zastanawiała się, czy Fats i jego mama pamiętają, że kiedyś była u nich na przyjęciu urodzinowym. Zaprosili całą klasę, a babcia Cath specjalnie na tę okazję kupiła Krystal sukienkę. Stąd wiedziała, że w wielkim ogrodzie w domu Fatsa jest sadzawka, huśtawka i jabłoń. Jedli wtedy galaretkę i urządzili wyścigi w workach. Tessa skarciła Krystal, która tak bardzo chciała zdobyć plastikowy medal, że spychała inne dzieci z drogi. Jedno z nich dostało krwotoku z nosa.

„Ale podobało ci się w szkole Świętego Tomasza, prawda?" – zapytała dziennikarka.

„Tak – odparła Krystal, choć wiedziała, że nie przekazała tego, co chciał przekazać pan Fairbrother. Żałowała, że nie ma go przy niej i nie może jej pomóc. – No tak, podobało mi się").

– Niby czemu chcieli z tobą rozmawiać o Fields? – spytał Fats.

– To był pomysł pana Fairbrothera.

Po kilku minutach Fats zadał jej kolejne pytanie:

– Jarasz?

– Co? Zioło? Tak, paliłam kiedyś z Dane'em.

– Mam trochę przy sobie.

– Od Skye'a Kirby'ego, co?

Fats usłyszał w jej głosie rozbawienie, ale może tylko mu się zdawało. Bo Skye był łatwą, bezpieczną opcją. To od niego kupowały towar dzieciaki z klasy średniej. Fatsowi spodobało się autentyczne szyderstwo pobrzmiewające w głosie Krystal.

– A ty skąd miałaś? – zapytał, nagle zainteresowany.

– Nie wiem, Dane przyniósł.

– Od Obbo?

– To jebany frajer.

– A co ci zrobił?

Krystal brakowało słów, żeby wyrazić to, co jej zrobił Obbo. A nawet gdyby potrafiła to wyrazić, nie miałaby ochoty o tym opowiadać. Obbo przyprawiał ją o ciarki. Czasem wpadał do nich do domu i razem z Terri dawali w żyłę. Innym razem się pieprzyli, a Krystal spotykała go potem na schodach, gdy dopinał swój brudny rozporek, a oczy mu się śmiały zza okularów grubych jak denka od butelek. Czasem zlecał Terri drobne zadania, zostawiał jej na przechowanie komputery, załatwiał u niej nocleg jakimś obcym ludziom albo prosił o jakąś tajemniczą przysługę i matka Krystal znikała z domu na kilka godzin.

Niedawno Krystal przyśnił się koszmar, w którym Terri z rozpostartymi rękami i nogami przywiązano do czegoś w rodzaju ramy. Zamieniła się w olbrzymią ziejącą dziurę i przypominała gigantycznego, zarżniętego i oskubanego z piór kurczaka. W tym śnie Obbo co chwila wychodził z jej przepastnego wnętrza, po chwili wracał tam i majstrował w środku, a na malutkiej ponurej twarzy Terri malowała się zgroza. Krystal obudziła się, czując mdłości, gniew i obrzydzenie.

– To kawał chuja – powiedziała do Fatsa.

– To taki wysoki koleś z ogoloną głową i wytatuowanym karkiem? – zapytał Fats, który już drugi raz w tym tygodniu poszedł na wagary i przez godzinę siedział na murku w Fields, obserwując otoczenie. Ten łysy facet go zainteresował, bo grzebał w bagażniku starej białej furgonetki.

– Nie, to Pikey Pritchard. Jeśli go widziałeś na Tarpen Road.

– Czym on się zajmuje?

– Nie mam pojęcia. Zapytaj Dane'a. On się kumpluje z bratem Pikeya.

Schlebiało jej jego szczere zainteresowanie. Nigdy wcześniej nie wykazywał takiej ochoty do rozmawiania z nią.

– Pikey ma wyrok w zawiasach – dodała.

– Za co?

– Rozwalił butelką ryj jakiemuś kolesiowi z Cross Keys.

– Czemu?

– Skąd mam, kurwa, wiedzieć? Nie było mnie przy tym.

Krystal czuła się szczęśliwa, a wtedy zawsze robiła się zadziorna. Nie licząc martwienia się o babcię Cath (która przecież nadal żyła, więc mogła się jeszcze wylizać), Krystal miała za sobą dwa niezłe tygodnie. Terri znowu stosowała się do reguł Bellchapel, a Robbie chodził do żłobka. Jego pupa już prawie się zagoiła. Pracowniczka opieki społecznej była z nich zadowolona jak nigdy. Krystal nie chodziła na wagary, choć w poniedziałek i środę opuściła wizytę u pani pedagog. Sama nie wiedziała dlaczego. Czasami po prostu człowiek się odzwyczaja.

Znowu kątem oka spojrzała na Fatsa. Nigdy wcześniej nie przyszło jej do głowy, że to fajny chłopak, póki nie zaczął jej podrywać na dyskotece w sali teatralnej. Wszyscy znali Fatsa. Niektóre z jego kawałów opowiadano sobie jak zabawne anegdoty z programów telewizyjnych. (Krystal udawała przed wszystkimi, że ma w domu telewizor. Na tyle często oglądała telewizję u przyjaciółek i u babci Cath, że z powodzeniem mogła blefować. „Tak, to było do dupy, co nie?", „Wiem, prawie się posikałam", mówiła, gdy inni rozmawiali o obejrzanych programach).

Fats wyobrażał sobie, jak by to było dostać w twarz butelką. Nieomal czuł wyszczerbiony kawałek szkła przecinający delikatne mięśnie twarzy. Czuł mrowienie nerwów, ostry podmuch powietrza na rozciętej skórze i ciepłą wilgoć tryskającej krwi. Skóra wokół ust zapiekła go, jakby już była poraniona.

– Dane nadal nosi nóż? – zapytał.

– Skąd wiesz o nożu? – zdziwiła się Krystal.

– Groził nim Kevinowi Cooperowi.

– A, tak – przyznała Krystal. – Cooper to palant, no nie?

– I to jaki – zgodził się Fats.

– Dane nosi nóż tylko z powodu braci Riordon – wyjaśniła Krystal.

Fatsowi podobało się, że Krystal nie owija w bawełnę. Akceptowała to, że ktoś, kto wdał się w zatarg i w każdej chwili musi się liczyć z niebezpieczeństwem brutalnego ataku, nosi przy sobie nóż. Tak wyglądało prawdziwe życie. Tam liczyło się to, co naprawdę ważne... Zanim dziś przyjechał do nich Arf, Przegródka zamęczał Tessę pytaniem o to, czy ulotka wyborcza powinna być wydrukowana na żółtym, czy na białym papierze...

– Może tam? – zaproponował po chwili Fats.

Po prawej stronie ciągnął się długi kamienny mur, a przez otwartą bramę widać było trawę i płaskie kamienie.

– Dobra, może być – odparła Krystal.

Wcześniej była na cmentarzu tylko raz, z Nikki i Leanne. Usiadły na grobie i wypiły parę piw, trochę zażenowane tym, co robią, aż wreszcie jakaś baba nawrzeszczała na nie i zwyzywała je od najgorszych. Na odchodne Leanne rzuciła w kobietę pustą puszką.

„Ale tam nie ma gdzie się schować" – pomyślał Fats, kiedy szedł z Krystal szeroką wybetonowaną ścieżką między grobami. Trawnik i płyty nagrobne nie zapewniały żadnego schronienia. Nagle zauważył krzewy berberysu rosnące wzdłuż muru na drugim końcu cmentarza. Zboczył z alejki i poszedł na skos, a Krystal ruszyła za nim z rękami w kieszeniach. Lawirowali pośród wypełnionych żwirem prostokątnych nagrobków ze spękanymi kamiennymi płytami, na których litery już dawno wyblakły. To był duży cmentarz, rozległy i bardzo zadbany. Krok po kroku dotarli do nowszych grobowców z czarnego marmuru na wysoki połysk, ze złotymi literami i świeżymi kwiatami dla dopiero co pochowanych zmarłych.

Lyndsey Kyle
15 września 1960 – 26 marca 2008
Spoczywaj w spokoju, Mamo

– Tak, tu będzie dobrze – powiedział Fats, przyglądając się ciemnej szczelinie między kolczastymi krzewami o żółtych kwiatach a cmentarnym murem.

Skryli się w wilgotnym cieniu i usiedli na ziemi, opierając się plecami o zimną ścianę. Kamienie nagrobne majaczyły między pniami drzew, ale wśród nich nie było widać żywej duszy. Fats miał nadzieję, że Krystal obserwuje go z podziwem, gdy z wprawą skręcał jointa.

Ale ona spoglądała w dal spod baldachimu lśniących ciemnych liści, myśląc o Anne-Marie, która (jak się dowiedziała od ciotki Cheryl) przyszła odwiedzić babcię w czwartek. Gdyby Krystal olała szkołę i pojechała do szpitala, nareszcie by się spotkały. Wielokrotnie wyobrażała sobie, że wreszcie poznaje Anne-Marie osobiście i mówi do niej: „Jestem twoją siostrą". W jej fantazjach Anne-Marie ogromnie się cieszyła z ich spotkania, potem widywały się coraz częściej, aż wreszcie Anne-Marie proponowała Krystal, żeby się do niej wprowadziła. Anne-Marie z tych marzeń miała taki dom jak babcia Cath, schludny i czysty, tylko o wiele bardziej nowoczesny. Ostatnio w tych fantazjach Krystal występowało jeszcze słodkie różowe niemowlę w kołysce z falbaniastą pościelą.

– Trzymaj.

Fats podał Krystal skręta. Zaciągnęła się i przez kilka sekund trzymała dym w płucach, a gdy podziałała na nią magia konopi, na jej twarzy pojawił się wyraz błogiego rozmarzenia.

– Nie masz rodzeństwa, co? – zapytała.

– Nie – odparł Fats, sprawdzając w kieszeni, czy zabrał prezerwatywy.

Krystal oddała mu skręta, czując w głowie przyjemne kołysanie. Fats zaciągnął się głęboko i puścił kilka kółek z dymu.

– Rodzice mnie adoptowali – powiedział po chwili.

Krystal gapiła się na niego z niedowierzaniem.

– Naprawdę?

Otępienie i przytłumienie zmysłów powodowało, że człowiek bez oporu wyjawiał najgłębsze sekrety, a wszystko robiło się zupełnie proste.

– Moją siostrę też adoptowano – powiedziała Krystal, zdumiona tym zbiegiem okoliczności, a zarazem uradowana, że może komuś powiedzieć o Anne-Marie.

– Tak, pewnie pochodzę z takiej rodziny jak twoja – powiedział Fats.

Ale Krystal go nie słuchała. Chciała mówić.

– Mam starszą siostrę i starszego brata, Liama, ale zabrali ich, zanim się urodziłam.

– Czemu? – zapytał Fats.

Nagle zaczął słuchać uważnie.

– Mama była wtedy z Ritchiem Adamsem – wyjaśniła Krystal. Zaciągnęła się głęboko i wypuściła z ust długą, cienką smużkę dymu. – Totalny psychol. Dostał dożywocie. Zabił kolesia. Znęcał się nad mamą i moim rodzeństwem, więc John i Sue ich zabrali, a potem wmieszała się opieka społeczna i w końcu dzieci zostały u Johna i Sue na dobre.

Zaciągnęła się jeszcze raz, myśląc o okresie sprzed swoich narodzin, unurzanym we krwi, wypełnionym wściekłością i mrokiem. O Ritchiem Adamsie słyszała głównie od ciotki Cheryl. Gasił papierosy na rączkach rocznej Anne-Marie i kopał ją tak, że połamał jej żebra. Zmiażdżył twarz Terri, dlatego jej lewa kość policzkowa już na zawsze została nieco bardziej wklęsła niż prawa. Uzależnienie Terri sięgnęło wtedy zenitu. Ciotka Cheryl bez ogródek opowiedziała Krystal, jak wreszcie podjęto decyzję o odebraniu rodzicom dwojga regularnie katowanych i zaniedbywanych dzieci.

– To się musiało tak skończyć – mówiła Cheryl.

John i Sue byli ich dalekimi krewnymi i nie mieli własnych dzieci. Krystal nigdy się nie dowiedziała, jaką zajmują pozycję w bardzo skomplikowanym drzewie genealogicznym jej rodziny ani jak im się udało przeprowadzić akcję przejęcia opieki nad dziećmi, którą Terri przedstawiała jako najzwyklejsze porwanie. Stoczyli zaciekły bój z władzami o prawo do adopcji. Terri, która została z Ritchiem aż do jego aresztowania, nigdy więcej nie widziała Anne-Marie ani Liama, ale Krystal nie do końca rozumiała dlaczego. Cała ta zawikłana historia nie trzymała się kupy. Nienawiść, niewybaczalne obelgi i groźby mieszały się w niej z sądowymi zakazami kontaktów z dziećmi, egzekwowanymi przez całą armię pracowników opieki społecznej.

– A twój stary to kto? – zapytał Fats.

– Ruchacz – odparła Krystal. – Barry. – Z trudem przypomniała sobie jego prawdziwe nazwisko, choć myślała, że coś jej się pomyliło. – Barry Coates. Ale ja mam nazwisko po mamie, Weedon.

Obraz młodego pięknego mężczyzny, który przedawkował w łazience Terri, wrócił do niej przez słodki ciężki dym. Oddała Fatsowi skręta i oparła głowę o kamienny mur, spoglądając w górę na skrawki nieba przebijające przez gęstwinę ciemnych liści.

Fats myślał o Ritchiem Adamsie, brutalnym mordercy, i zastanawiał się, czy jego własny, biologiczny ojciec też siedział w więzieniu, wytatuowany jak Pikey, krzepki i umięśniony. W wyobraźni porównywał Przegródkę z tym silnym i do szpiku kości autentycznym facetem. Fats wiedział, że odebrano go biologicznej matce, gdy był jeszcze bardzo mały, bo widział zdjęcia, na których Tessa trzymała na rękach wątłe i podobne do pisklęcia niemowlę w białej, wełnianej czapeczce. Był wcześniakiem. Choć nigdy o to nie pytał, Tessa opowiedziała mu to i owo. Dowiedział się od niej, że jego prawdziwa matka urodziła go w bardzo młodym wieku, może nawet miała tyle lat co Krystal. I pewnie tak jak ona była największą puszczalską w szkole...

Naprawdę porządnie się upalił. Położył dłoń na karku Krystal, przyciągnął ją do siebie i pocałował, wpychając jej język do ust. Drugą ręką zaczął ściskać jej piersi. Miał zamglony umysł, a jego ręce i nogi zrobiły się ciężkie. Nawet dotyk odczuwał jakoś inaczej. Szamotał się trochę, żeby wsadzić jej rękę pod T-shirt i dobrać się do stanika. Na jej gorących ustach poczuł smak tytoniu i narkotyku. Miała suche, spierzchnięte wargi. Jego podniecenie było lekko przytępione. Wszystkie wrażenia zmysłowe docierały do niego stłumione, jakby przedzierały się przez niewidzialną zasłonę. Dotarcie do jej nagiego ciała pod ubraniem zajęło mu więcej czasu niż poprzednio, a zesztywniałymi i powolnymi palcami z trudem założył prezerwatywę. Potem niechcący całym ciężarem ciała wbił łokieć w jej miękką, mięsistą pachę, aż Krystal krzyknęła z bólu.

Poprzednim razem nie była taka sucha. Wepchnął się w nią siłą, bo uparł się, że dostanie to, po co przyszedł. Czas biegł powoli i ciągnął się jak guma, a Fats słyszał swój przyspieszony oddech, co wytrąciło go z równowagi, bo wyobraził sobie, że tuż obok w ciemności czai się ktoś, kto ich obserwuje i dyszy mu do ucha. Krystal pojękiwała. Gdy odrzuciła do tyłu głowę, jej nos zrobił się szeroki, podobny trochę do świńskiego ryja. Podciągnął jej T-shirt i przyglądał się gładkim białym piersiom, które kołysały się lekko w rozpiętym staniku. Zupełnie niespodziewanie doszedł, a jego jęk rozkoszy wydawał się dochodzić z ust czającego się w ciemności podglądacza.

Zsunął się z niej, zdjął prezerwatywę i odrzucił ją na bok, zapiął rozporek i cały w nerwach rozejrzał się, sprawdzając, czy na pewno są sami.

Krystal jedną ręką podciągnęła spodnie, drugą zsunęła T-shirt, a potem sięgnęła za plecy, żeby zapiąć stanik.

Gdy siedzieli w krzakach, zrobiło się pochmurno i ciemno. W uszach Fatsa rozbrzmiewało odległe dzwonienie. Był bardzo głodny, jego mózg pracował na zwolnionych obrotach, a najcichszy nawet dźwięk ranił mu uszy. Nie opuszczał go strach, że ktoś ich obserwował i może nadal siedzi za murem. Chciał już iść.

– Chodźmy... – rzucił nagle i nie czekając na Krystal, wygramolił się zza krzaków, po czym wstał i otrzepał ubranie.

Jakieś sto metrów od nich para staruszków pochylała się nad grobem. Fats chciał natychmiast zejść z oczu niewidzialnemu podglądaczowi, który widział, albo i nie, jak posuwa Krystal Weedon. Ale jednocześnie wydawało mu się, że odszukanie właściwego przystanku i powrót autobusem do Pagford są ponad jego siły. Marzył o tym, żeby po prostu od razu znaleźć się w swoim pokoju na poddaszu.

Krystal wygramoliła się za nim. Ciągnęła za dół T-shirta, ze wzrokiem wbitym w trawiastą ziemię pod stopami.

– O kurwa – wymamrotała.

– Co jest? – zapytał Fats. – Chodź, spadajmy stąd.

– To pan Fairbrother – powiedziała, stojąc nieruchomo.

– Co?

Pokazała na usypany z ziemi grób. Jeszcze nie było na nim płyty, ale stały świeże kwiaty.

– Widzisz? – powiedziała, kucając, i wskazała na kartki z kondolencjami przyczepione zszywkami do celofanu. – Tu pisze „Fairbrother". – Bez trudu poskładała litery w nazwisko człowieka, który przychodził ze szkoły do jej domu i prosił jej matkę o pozwolenie na wyjazd na zawody swoim minibusem. – „Dla Barry'ego" – przesylabizowała. – A tu: „Dla Taty – powoli składała słowa – od...".

Ale odczytanie imion Niamh i Siobhan okazało się zadaniem ponad jej siły.

– Co z tego? – zapytał z lekceważeniem Fats, choć tak naprawdę ta wiadomość przyprawiła go o ciarki.

Ledwie parę metrów pod ich stopami spoczywała wiklinowa trumna, a w niej leżał niewysoki mężczyzna o przyjaznej twarzy, najdroższy przyjaciel Przegródki, niegdyś tak częsty gość w ich domu, teraz gnijący w ziemi. „Duch Barry'ego Fairbrothera..." Pod Fatsem ugięły się kolana. Wydawało mu się, że los się na nim mści.

– No chodź – powiedział, ale Krystal stała jak wmurowana. – Co jest?

– Wiosłowałam w jego drużynie, co nie? – warknęła.

– A, no tak.

Fats wiercił się jak narowisty koń i powoli się wycofywał.

Krystal wpatrywała się w świeży grób, obejmując się rękami. Czuła się pusta, smutna i brudna. Wyrzucała sobie, że zrobili to tutaj, tak niedaleko pana Fairbrothera. Zrobiło jej się zimno. W przeciwieństwie do Fatsa nie miała kurtki.

– No chodź – powtórzył Fats.

Wyszła za nim z cmentarza i nie zamienili już z sobą ani słowa. Myślała o panu Fairbrotherze. Zawsze mówił na nią „Krys". Nikt inny tak się do niej nie zwracał. Lubiła być Krys. Świetnie się bawiła w jego towarzystwie. Zbierało jej się na płacz.

Fats już planował, że to, co właśnie mu się przydarzyło, zrelacjonuje Andrew w formie prześmiesznej historyjki o tym, jak to się upalił i zerżnął Krystal, a potem wpadł w paranoję, myśląc, że ktoś ich obserwuje, i na koniec prawie wlazł na grób Barry'ego Fairbrothera. Ale teraz nie było mu do śmiechu, jeszcze nie.

Część trzecia

Prostota

7.25. Postanowienie nie powinno dotyczyć więcej niż jednej sprawy. (...) Lekceważenie tej zasady wiedzie zazwyczaj do zawiłych dyskusji i może prowadzić do chaotycznych działań...

Charles Arnold-Baker
Administracja samorządowa (wyd. 7)

I

– ... wybiegła stąd, wrzeszcząc wniebogłosy i wyzywając ją od brudnych suk, a teraz dzwonili z gazety z prośbą o komentarz, bo...

Przechodząc obok uchylonych drzwi pokoju dla personelu, Parminder usłyszała głos recepcjonistki, ściszony prawie do szeptu. Szybko zrobiła lekki krok, otworzyła drzwi na oścież i zobaczyła jedną z recepcjonistek rozmawiającą z pielęgniarką. Kobiety odskoczyły od siebie i pospiesznie się odwróciły.

– Pani doktor...

– Karen, czy na pewno dobrze zrozumiałaś przepis dotyczący poufności, zawarty w twojej umowie o pracę?

Recepcjonistka patrzyła na nią z wystraszoną miną.

– Tak, ja... ja nie... Laura już... Właśnie pani szukałam, żeby przekazać tę wiadomość. Dzwonili z „Yarvil and District Gazette". Pani Weedon umarła, a jedna z jej wnuczek twierdzi...

– To dla mnie? – zapytała lodowatym tonem Parminder, pokazując na kartę pacjenta w rękach Karen.

– Och... tak – odparła wciąż zakłopotana Karen. – Ten pan chciał iść do doktora Crawforda, ale...

– Lepiej wracaj do recepcji.

Parminder wzięła kartę i wkurzona poszła do poczekalni. Kiedy stanęła naprzeciwko tłumu pacjentów, zdała sobie sprawę, że nawet nie wie, kogo wywołać. Spojrzała na kartę.

– Pan... pan Mollison.

Howard podniósł się z uśmiechem i podszedł do niej swoim charakterystycznym, chwiejnym krokiem. Niechęć podeszła Parminder do gardła gorzka jak żółć. Lekarka odwróciła się i ruszyła w stronę swojego gabinetu, a Howard poczłapał za nią.

– Wszystko w porządku, Parminder? – zapytał, kiedy zamknął za sobą drzwi i nieproszony usiadł na krześle dla pacjenta.

Zawsze tak się z nią witał, ale dziś zabrzmiało to jak szyderstwo.

– Co się dzieje? – zapytała szorstko.

– Jakieś podrażnienie – powiedział. – O, tutaj. Chyba przydałaby się maść.

Wyciągnął koszulę ze spodni i uniósł ją kilka centymetrów. Parminder zobaczyła zaczerwienioną i podrażnioną skórę na wielkim fałdzie brzucha, który opadał Howardowi aż na uda.

– Proszę ściągnąć koszulę – powiedziała.

– Ale swędzi mnie tylko w tym miejscu.

– Muszę cię dokładnie obejrzeć.

Westchnął i wstał z krzesła. Kiedy rozpinał koszulę, zapytał:

– Widziałaś już porządek obrad, który rozesłałem rano?

– Nie, dziś jeszcze nie sprawdzałam poczty.

Skłamała. Zapoznała się z porządkiem obrad, który wyprowadził ją z równowagi, ale to nie był odpowiedni moment na taką rozmowę. Oburzało ją, że Howard chce załatwiać sprawy służbowe w jej gabinecie, że przypominał jej o istnieniu miejsca, w którym była jego podwładną, nawet jeśli tutaj, w tym pomieszczeniu, mogła kazać mu się rozebrać.

– Czy mógłbyś... muszę zajrzeć pod spód...

Dźwignął wielki fartuch swojego brzucha. Odsłonił górną część nogawek, a potem kieszenie spodni. Trzymając w rękach własny tłuszcz, uśmiechnął się do niej z góry. Przysunęła krzesło, żeby przyjrzeć się skórze na wysokości paska.

Pod fałdem brzucha Howarda zobaczyła paskudną łuskowatą wysypkę. Jasnoczerwone pasmo odparzonej skóry biegło przez całe podbrzusze jak wielki rozlazły uśmiech. Parminder poczuła woń gnijącego mięsa.

– Odparzenie – oznajmiła. – A tu, gdzie cię swędzi, liszajec zwyczajny. Dobrze, możesz już włożyć koszulę.

Puścił brzuch i niczym nie zrażony sięgnął po koszulę.

– Zobaczysz, że umieściłem w porządku obrad sprawę budynku Bellchapel. W tej chwili przyciąga uwagę prasy.

Wpisywała coś do komputera, nie odpowiadając.

– „Yarvil and District Gazette" – powiedział Howard. – Przygotowuję dla nich artykuł. To ma być polemika – dodał, zapinając koszulę.

Próbowała go ignorować, ale gdy wymienił tytuł gazety, poczuła ucisk w żołądku.

– Kiedy ostatni raz mierzyłeś ciśnienie? Z karty wynika, że ponad pół roku temu.

– Nic mi nie jest. Łykam leki.

– Mimo to powinniśmy sprawdzić. Skoro już przyszedłeś.

Znowu westchnął i z wysiłkiem podciągnął rękaw.

– Przed moim artykułem ukaże się tekst Barry'ego – powiedział. – Wiesz, że wysłał do nich artykuł? O Fields?

– Tak – przyznała, choć wolałaby o tym nie wiedzieć.

– A nie masz przypadkiem kopii? Żebym nie powtarzał tego, co napisał.

Jej palce na mankiecie ciśnieniomierza lekko drżały. Mankiet nie objął ramienia Howarda. Odpięła rzep i poszła po większy.

– Nie – odparła, stojąc do niego plecami. – Nigdy go nie czytałam.

Howard obserwował, jak pompuje mankiet, i wpatrywał się w wyświetlacz na ciśnieniomierzu z pobłażliwym uśmiechem cywilizowanego człowieka, który przygląda się jakiemuś pogańskiemu rytuałowi.

– Za wysokie – stwierdziła, kiedy igła pokazała wynik sto siedemdziesiąt na sto.

– Biorę na to tabletki – powiedział, drapiąc się w miejscu, gdzie ścisnął go mankiet ciśnieniomierza, i odwijając rękaw. – Doktor Crawford nie miał zastrzeżeń.

Przejrzała na ekranie listę leków Howarda.

– Na ciśnienie bierzesz amlodypinę i bendroflumetiazyd, tak? I simwastatynę na serce... żadnych beta-blokerów...

– To z powodu astmy – wyjaśnił Howard, wygładzając rękaw.

– ... tak... a do tego aspiryna. – Spojrzała na niego. – Howardzie, twoja nadwaga to pierwszy i najważniejszy powód twoich problemów zdrowotnych. Czy kiedyś dostałeś skierowanie do dietetyka?

– Od trzydziestu pięciu lat prowadzę delikatesy – powiedział, nadal z tym samym uśmiechem. – Nikt mnie nie będzie pouczał, co mam jeść.

– Wystarczyłoby zmienić kilka nawyków żywieniowych, a odczułbyś ogromną różnicę. Gdybyś zrzucił choć...

Ledwie dostrzegalnie puścił do niej oko i oznajmił niewzruszony:

– Nie komplikujmy tego. Przyszedłem tylko po maść na wysypkę.

Wyładowując gniew na klawiaturze, Parminder wystukała recepty na maść przeciwgrzybiczą i sterydową, wydrukowała je i bez słowa podała Howardowi.

– Bardzo uprzejmie dziękuję – powiedział Howard, podnosząc się z krzesła – i życzę miłego dnia.

II

– A ty tu czego?

Stojąca w drzwiach swojego domu Terri Weedon wydawała się jeszcze bardziej wychudła. Szponiastymi palcami chwyciła się futryny, przybierając groźną postawę i zagradzając wejście. Była ósma rano. Krystal właśnie wyszła z Robbiem.

– Przyszłam pogadać – odparła jej siostra. Postawna i męska w białej koszulce na ramiączkach i spodniach od dresu Cheryl zaciągnęła się papierosem i mrużąc oczy, spojrzała na Terri poprzez dym. – Babcia Cath umarła.

– Co?

– Babcia Cath umarła – powtórzyła Cheryl głośniej. – Ale ty masz to w dupie, co?

Terri usłyszała już za pierwszym razem. Wiadomość uderzyła ją jak obuchem w głowę, dlatego w oszołomieniu musiała ją usłyszeć ponownie.

– Naćpałaś się? – zapytała Cheryl, wpatrując się gniewnie w napiętą i pustą twarz siostry.

– Odpierdol się. Nie.

Nie kłamała. Tego ranka Terri niczego nie wzięła. Nie brała od trzech tygodni. Bynajmniej się tym nie szczyciła. W kuchni nie wisiała tabelka wypełniona gwiazdkami za zasługi. Wcześniej udawało jej się trzymać z dala od narkotyków jeszcze dłużej, nawet miesiąc. Tym razem było jej o tyle łatwiej, że Obbo nie pokazywał się od dwóch tygodni. Ale nadal trzymała sprzęt w starym pudełku po ciastkach, a głód narkotykowy jak wieczny ogień zżerał od środka jej wyniszczone ciało.

– Umarła wczoraj. Danielle dała mi, kurwa, znać dopiero dziś rano – powiedziała Cheryl. – A ja się wybierałam w odwiedziny do szpitala. Danielle chce położyć łapę na domu. Na domu babci Cath. Chciwa suka.

Terri od bardzo dawna nie była w małym szeregowym domu na Hope Street, ale kiedy słuchała Cheryl, przed oczami stanęła jej komoda pełna bibelotów i firanki wiszące w oknach. Wyobraziła sobie, jak Danielle grzebie w szafach i upycha swój łup po kieszeniach.

– Pogrzeb we wtorek o dziewiątej, w krematorium.

– W porządku.

– Dom należy nam się tak samo jak Danielle – powiedziała Cheryl. – Powiem jej, że chcemy swoją część, dobra?

– Dobra – zgodziła się Terri.

Patrzyła za Cheryl, póki jej kanarkowe włosy i tatuaże nie zniknęły za zakrętem, a potem wróciła do środka.

Babcia Cath umarła. Od dawna z sobą nie rozmawiały. „Umywam od tego ręce. Mam cię dość, Terri, koniec". Ale babcia nigdy nie przestała widywać się z Krystal, która stała się jej ulubienicą. Staruszka przychodziła kibicować prawnuczce podczas tych durnych zawodów wioślarskich. Na łożu śmierci wypowiadała imię Krystal, a nie Terri.

„Niech ci będzie, stara suko. Mam to gdzieś. I tak jest już za późno".

Cała roztrzęsiona, czując ucisk w klatce piersiowej, Terri przetrząsnęła swoją śmierdzącą kuchnię w poszukiwaniu papierosów, choć tak naprawdę ciągnęło ją tylko do łyżki, płomienia i strzykawki.

Było już za późno, żeby powiedzieć tej starej kobiecie to, co powinna była powiedzieć. Za późno, żeby znowu zostać jej małą Terri. „Duże dziewczynki nie płaczą... duże dziewczynki nie płaczą..." Dopiero po wielu latach zorientowała się, że piosenka, którą babcia Cath śpiewała jej zachrypniętym głosem nałogowej palaczki, to *Sherry Baby*.

Palce Terri wiły się jak robaki pośród leżących na blacie kuchennym odpadków. Znajdowała opakowania papierosów, ale gdy je rozrywała, okazywały się puste. Pewnie Krystal wszystko wypaliła. Co za mała, chciwa krowa, dokładnie taka sama jak Danielle, która przetrząsnęła rzeczy babci Cath, ukrywając jej śmierć przed resztą rodziny.

Na zatłuszczonym talerzu dostrzegła długi niedopałek. Wytarła go o T-shirt i odpaliła od kuchenki gazowej. W głowie usłyszała swój głos, gdy miała jedenaście lat.

„Szkoda, że nie jesteś moją mamusią".

Nie chciała tego pamiętać. Oparła się o zlew, paląc i próbując wybiec myślami w przyszłość. Już sobie wyobrażała karczemną awanturę między dwiema starszymi siostrami. Nikt nie zadzierał z Cheryl i jej mężem Shanem. Oboje potrafili zrobić użytek z pięści, a kiedyś Shane wepchnął podpalone szmaty do otworu na listy w drzwiach domu jakiegoś biednego frajera. Odsiedział za to swój ostatni wyrok i pewnie nadal gniłby w pace, gdyby nie to, że w czasie podpalenia dom był pusty. Danielle jednak dysponowała arsenałem, o którym Cheryl mogła tylko pomarzyć. Miała pieniądze, własny dom i telefon stacjonarny. Znała ludzi w urzędach i potrafiła z nimi rozmawiać. To ona zawsze miała zapasowe klucze do domu babci i przechowywała jakieś tajemnicze dokumenty.

Ale Terri i tak wątpiła, czy Danielle, choć tak świetnie uzbrojona, przejmie dom po babci Cath. Na pewno nie tylko one trzy się nim interesowały. Babcia Cath miała mnóstwo wnuków i prawnuków. Kiedy Terri zabrano do domu dziecka, jej ojciec zrobił jeszcze kilkoro dzieci. Razem dziewięcioro, jak twierdziła Cheryl, z pięcioma różnymi kobietami. Terri nigdy nie poznała swojego przyrodniego rodzeństwa, ale Krystal jej mówiła, że babcia Cath czasem się z nim spotyka.

– Taa? – odparła. – Mam nadzieję, że ją oskubią. Stara głupia suka.

No i co z tego, że widywała całą rodzinę? Z tego, co słyszała Terri, tamci też nie byli święci. Ale tylko ją, małą Terri, babcia Cath odsunęła od siebie na zawsze.

Na trzeźwo z ciemności w głębi człowieka wylewały się złe myśli i wspomnienia. Całe wnętrze czaszki obsiadał rój czarnych, bzyczących much.

„Szkoda, że nie jesteś moją mamusią".

Terri miała dziś na sobie koszulkę na ramiączkach, która odsłaniała jej pokryte bliznami ramiona, szyję i kark, pofałdowane nienaturalnie jak powierzchnia roztapiającego się loda. Gdy miała jedenaście lat, spędziła sześć tygodni na oddziale oparzeń w South West General.

(„Co się stało, kochanie?" – zapytała matka dziecka leżącego na sąsiednim łóżku.

Ojciec rzucił w nią garnkiem pełnym oleju, w którym smażyły się frytki. Jej T-shirt Human League stanął w płomieniach.

„Wypadek" – wyjąkała Terri.

To samo mówiła wszystkim, łącznie z pracownikami opieki społecznej i pielęgniarkami. Prędzej dałaby się spalić żywcem, niż doniosłaby na własnego ojca.

Matka opuściła rodzinę wkrótce po jedenastych urodzinach Terri, zostawiając trzy córki. Danielle i Cheryl w ciągu kilku dni wyprowadziły się do domów swoich chłopaków. Została tylko Terri, która próbowała usmażyć tacie frytki, i kurczowo trzymała się nadziei, że mama jeszcze wróci. Pomimo bólu i przerażenia w ciągu tych kilku pierwszych dni i nocy w szpitalu myślała, że dobrze się stało, bo była pewna, że mama dowie się o wypadku i przyjedzie po nią. Kiedy tylko zauważyła jakiś ruch przy wejściu na oddział, jej serce zaczynało bić szybciej.

Ale przez sześć długich, samotnych i wypełnionych bólem tygodni odwiedzała ją tylko babcia Cath. Siedziała przy łóżku wnuczki przez całe popołudnia i wieczory, z ponurą, surową miną przypominając jej, by mówiła „dziękuję" pielęgniarkom. Czasem jednak niespodziewanie okazywała jej ogromną czułość.

Przyniosła jej tanią, plastikową lalkę w lśniącym, czarnym płaszczu, ale gdy Terri ją rozebrała, okazało się, że lalka nie ma nic pod spodem.

„Babciu, ona nie ma majtek".

Babcia Cath zachichotała. A nigdy jej się to nie zdarzało.

„Szkoda, że nie jesteś moją mamusią".

Chciała, żeby babcia Cath zabrała ją do siebie. Poprosiła ją o to, a babcia się zgodziła. Czasem Terri się wydawało, że te długie tygodnie w szpitalu były najszczęśliwszym okresem w jej życiu, mimo bólu i cierpienia. Czuła się tam całkowicie bezpiecznie, wszyscy wokół okazywali jej sympatię i opiekowali się nią. Miała nadzieję, że wróci do babci Cath, do domu ze ślicznymi firankami, a nie do ojca, nie do swojego pokoju, którego drzwi otwierały się z hukiem w środku nocy tak gwałtownie, że spadał z nich zostawiony przez Cheryl plakat z Davidem Essexem, ojciec podchodził do jej łóżka, rozpinając rozporek, a ona błagała, żeby nie...)

Terri rzuciła tlący się jeszcze filtr niedopałka na podłogę w kuchni i ruszyła w kierunku drzwi. Potrzebowała czegoś więcej niż nikotyny. Pomaszerowała tą samą ulicą, którą przed chwilą szła Cheryl. Kątem oka zobaczyła dwie sąsiadki plotkujące na chodniku. Odprowadziły ją wzrokiem. „I co się, kurwa, gapicie? Zróbcie zdjęcie, będzie na dłużej". Terri dobrze wiedziała, że jest tematem nieustających plotek. Wiedziała, co o niej gadają, bo czasem coś za nią wykrzykiwali. Ta pieprzona snobka z sąsiedniego domu wciąż skamlała w radzie gminy, że Terri zaniedbała ogródek. „A pierdolę was, pierdolę was, pierdolę was..."

Zaczęła biec, próbując prześcignąć własne wspomnienia.

„Pewnie nawet nie wiesz, kto jest ojcem, co, kurwo? Umywam od tego ręce. Mam cię dość, Terri, koniec".

Wtedy rozmawiały po raz ostatni, babcia Cath nazwała ją tak, jak nazywali ją wszyscy, a Terri odpłaciła jej pięknym za nadobne.

„No to się pierdol, ty żałosna stara krowo, pierdol się".

Nigdy nie powiedziała: „Zawiodłam się na tobie, babciu". Nigdy nie powiedziała: „Dlaczego nie pozwoliłaś mi zostać?". Nigdy nie powiedziała: „Nikogo nie kochałam tak jak ciebie, babciu".

Modliła się, żeby Obbo już wrócił. Miał wrócić dzisiaj. Dzisiaj albo jutro. Potrzebowała działki. Natychmiast.

– Siemasz, Terri.

– Widziałeś Obbo? – zapytała chłopaka, który siedział na murku przed monopolowym, paląc i pijąc. Wydawało jej się, że blizny na plecach znowu zaczynają ją szczypać.

Pokręcił głową i łypnął na nią okiem, żując gumę. Nie zwlekając, ruszyła dalej. Gnębiły ją natrętne myśli o opiece społecznej, Krystal i Robbiem: kolejne bzyczące muchy. Byli jak te gapiące się sąsiadki, osądzali ją, nie rozumieli, jak potworną siłę miało jej pragnienie.

(Babcia Cath odebrała ją ze szpitala i zawiozła do domu, do pokoju gościnnego. To był najczystszy i najśliczniejszy pokój, w jakim Terri kiedykolwiek spała. Spędziła w nim trzy dni i co wieczór, po tym, jak babcia Cath ucałowała ją już na dobranoc, siadała na łóżku i przestawiała bibeloty na parapecie za łóżkiem. W szklanym wazonie stało kilka pobrzękujących szklanych kwiatów, różowy plastikowy przycisk do papieru z zatopioną w nim muszelką i ulubiona figurka Terri, stający dęba ceramiczny koń z głupawym uśmiechem.

„Lubię konie" – powiedziała babci Cath.

Niedługo przed odejściem mamy Terri pojechała ze szkolną wycieczką na targi rolnicze. Oglądali olbrzymiego czarnego konia rasy shire, całego obwieszonego medalami. Tylko ona miała odwagę, żeby go pogłaskać. Zapach zwierzęcia ją oszołomił. Objęła jego nogę, wielką jak kolumna, zakończoną masywnym kopytem z koronką białej sierści. Pod jego skórą czuła żywe ciało. Nauczyciel ostrzegał ją: „Ostrożnie, Terri, ostrożnie!". Ale starszy pan, właściciel konia, uśmiechnął się do niej i powiedział, że koń jest zupełnie niegroźny, że Samson nie skrzywdziłby takiej miłej i ładnej dziewczynki jak ona.

Ceramiczny koń miał inny kolor, był żółty z czarną grzywą i ogonem.

„Możesz go sobie wziąć" – powiedziała babcia Cath i Terri poznała, co to prawdziwa radość.

Ale czwartego ranka przyjechał jej ojciec.

„Wracasz do domu – oznajmił, a na widok jego miny zamarła z przerażenia. – Nie zostaniesz z tą pierdoloną starą krową, z tą jebaną donosicielką. Nie ma mowy. Nie ma mowy, ty mała suko".

Babcia Cath była równie przerażona jak Terri.

„Mikey, nie" – skamlała. Kilku sąsiadów wyglądało przez okna. Babcia Cath trzymała Terri za jedną rękę, a ojciec za drugą.

„Wracasz ze mną do domu!"

Podbił oko babci Cath. Zaciągnął Terri do samochodu. Kiedy wrócili do domu, bił ją i kopał do utraty sił).

– Widziałaś Obbo!? – zawołała Terri do jego sąsiadki z odległości pięćdziesięciu metrów. – Już jest?

– Nie wiem – odparła kobieta i odwróciła się.

(Kiedy Michael nie bił Terri, robił jej inne rzeczy, o których nie potrafiła nikomu opowiadać. Babcia Cath przestała przychodzić. Terri uciekła, gdy miała trzynaście lat, ale nie do babci Cath. Nie chciała, żeby ojciec ją znalazł. Koniec końców i tak ją złapali i oddali do domu dziecka).

Terri uderzyła pięścią w drzwi Obbo i zaczekała chwilę. Spróbowała jeszcze raz, ale nikt nie otworzył. Usiadła na progu, cała roztrzęsiona, i zaczęła płakać.

Dwie wagarujące uczennice Winterdown obrzuciły ją pogardliwym spojrzeniem.

– To mama Krystal Weedon – powiedziała głośno jedna z nich.

– Ta dziwka? – zapytała na cały głos druga.

Terri nie miała siły, żeby je skląć, za bardzo płakała. Prychając i chichocząc, dziewczyny zniknęły jej z oczu.

– Ty kurwo! – zawołała jedna z nich z drugiego końca ulicy.

III

Gavin, co prawda, mógł zaprosić Mary do swojego biura, żeby omówić z nią ostatnią wymianę korespondencji z towarzystwem ubezpieczeniowym, ale postanowił odwiedzić ją w domu. Nie umówił się z nikim na popołudnie, na wypadek gdyby zaproponowała mu coś do jedzenia. Świetnie gotowała.

Regularność ich spotkań złagodziła jego instynktowny opór przed konfrontacją z nagą rozpaczą. Zawsze lubił Mary, ale w towarzystwie Barry ją przyćmiewał. Zresztą ona chyba lubiła swoją drugoplanową rolę. Wręcz wydawała się szczęśliwa, że może stanowić ozdobę pobłyskującą w tle, śmiać się z żartów Barry'ego i po prostu z nim być.

Gavin powątpiewał w to, że Kay potrafiłaby przez całe życie pozostawać w cieniu partnera. Gdy wjechał w Church Row, zmienił bieg, wyobrażając sobie, jakie oburzenie wywołałaby u Kay choćby najmniejsza sugestia, że powinna zmienić swoje zachowanie albo powstrzymać się od wyrażania opinii ze względu na dobro partnera, na jego szczęście albo dobre mniemanie o sobie.

Wydawało mu się, że z żadną ze swoich poprzednich partnerek nie był tak nieszczęśliwy jak z Kay. Nawet gdy jego związek z Lisą wisiał na włosku, zawierali chwilowe rozejmy, śmiali się i ze wzruszeniem wspominali lepsze czasy. Natomiast z Kay toczył nieustającą wojnę. Czasem zapominał nawet, że przecież powinni żywić do siebie ciepłe uczucia. Czy ona w ogóle go lubiła?

Najbardziej pokłócili się przez telefon rankiem, po kolacji u Milesa i Samanthy. Na końcu Kay rzuciła słuchawką. Przez całe dwadzieścia cztery godziny żył w przekonaniu, że ich związek się rozpadł, i choć tego właśnie chciał, odczuwał raczej strach niż ulgę. W jego fantazjach Kay po prostu znikała, wracała do Londynu, ale przecież w rzeczywistości w Pagford trzymała ją nowa praca. Poza tym przeniosła córkę do Winterdown. Musiał oswoić się z myślą, że w tym malutkim miasteczku może w każdej chwili natknąć się na nią na ulicy. Może już rozsiewała jadowite plotki na jego temat. Wyobrażał sobie, jak powtarza to, co mu powiedziała przez telefon, Samancie albo tej wścibskiej starej babie z delikatesów, na której widok przechodziły go ciarki.

„Wyrwałam córkę z jej dotychczasowego otoczenia, zostawiłam pracę i przeprowadziłam się tu dla ciebie, a ty mnie traktujesz jak dziwkę, której nie trzeba płacić".

Ludzie zaczęliby mówić, że zachował się jak drań. Może f a k t y c z n i e tak było. Jakim cudem przeoczył ten moment, w którym jeszcze mógł się z tego wszystkiego wyplątać?

Przez cały tydzień próbował sobie wyobrazić, jak by się czuł, gdyby powszechnie uznano go za zwykłego łajdaka. Nigdy wcześniej nie grał tej roli. Kiedy zostawiła go Lisa, wszyscy okazywali mu sympatię i współczucie, zwłaszcza Fairbrotherowie. Teraz nękały go wyrzuty sumienia i strach, aż w niedzielę wieczorem złamał się i zadzwonił do Kay z przeprosinami. Znowu znalazł się w sytuacji, w której nie chciał być, i nienawidził za to Kay.

Zaparkował samochód na podjeździe pod domem Fairbrotherów, jak wielokrotnie za życia Barry'ego. Ruszył w kierunku drzwi frontowych i zauważył, że od jego ostatniej wizyty ktoś skosił trawnik. Mary otworzyła niemal natychmiast po tym, jak nacisnął dzwonek.

– Cześć, jak się... Mary, co się stało?

Miała mokrą twarz, a łzy w jej oczach błyszczały jak diamenty. Parę razy załkała, pokręciła głową i stojący na progu Gavin sam nie wiedział, kiedy ją objął i przytulił.

– Coś się stało?

Poczuł, że Mary kiwa głową. Świadomość, że stoją na widoku publicznym, że za plecami ma ulicę, nakazała Gavinowi wprowadzić Mary do środka. W jego ramionach wydawała się taka niewysoka i wątła. Wczepiła się w niego palcami i wtuliła twarz w jego płaszcz. Najdelikatniej, jak tylko się dało, wypuścił z dłoni teczkę, która jednak głośno uderzyła o podłogę, a wtedy Mary jak na komendę odsunęła się od niego i stłumiła łkanie, zasłaniając dłońmi usta.

– Przepraszam... przepraszam... o Boże, Gav...

– Co się stało?

Jego głos brzmiał inaczej niż zazwyczaj, ostro, apodyktycznie. Takim tonem mówił czasem w pracy Miles w kryzysowych sytuacjach.

– Ktoś zamieścił... Ja nie... Ktoś zamieścił na profilu Barry'ego...

Gestem zaprosiła go do zagraconego, urządzonego byle jak, lecz przytulnego gabinetu, w którym na półkach stały stare trofea wioślarskie Barry'ego, a na ścianie wisiała duża, oprawiona w ramkę fotografia przedstawiająca osiem nastolatek z medalami na szyi i pięściami w górze. Drżącym palcem Mary pokazała na ekran komputera. Gavin nawet nie zdjął płaszcza, tylko usiadł na krześle i wpatrywał się w tablicę informacyjną na stronie internetowej Rady Gminy Pagford.

– Rano poszłam do delikatesów i dowiedziałam się od Maureen Lowe, że mnóstwo osób zamieściło na stronie kondolencje... więc chciałam odpowiedzieć i napisać jakąś notkę z podziękowaniami. No i... popatrz...

Gdy mówiła, rzucił mu się w oczy wątek zatytułowany „Simon Price niegodny miejsca w radzie", zamieszczony przez Ducha Barry'ego Fairbrothera.

– Jezu Chryste – powiedział wzburzony Gavin.

Mary znowu się rozpłakała. Gavin miał ochotę jeszcze raz ją objąć, ale tutaj, w tym przytulnym pokoiku, nadal pełnym pamiątek po Barrym, obleciał go strach. Poszedł na kompromis i chwycił ją za nadgarstek, a potem przeprowadził przez przedpokój do kuchni.

– Musisz się czegoś napić – powiedział wciąż tym samym, zaskakująco silnym i władczym głosem. – Ale nie kawy. Gdzie masz coś mocniejszego?

Zanim zdążyła odpowiedzieć, przypomniał sobie, że Barry często wyciągał butelki z szafki. Zrobił jej mały gin z tonikiem, bo raz widział, jak pije to przed kolacją.

– Gav, dopiero czwarta po południu.

– I co z tego? – powiedział swoim nowym głosem. – Wypij.

Zaśmiała się przez łzy. Wzięła od niego szklankę i napiła się. Podał jej papierowy ręcznik, żeby mogła wytrzeć twarz i oczy.

– Jesteś dla mnie taki dobry, Gav. Masz na coś ochotę? Na kawę albo... albo piwo – zapytała, znowu z nerwowym śmiechem.

Wyjął sobie butelkę z lodówki, zdjął płaszcz i usiadł naprzeciwko niej przy wyspie pośrodku kuchni. Po chwili, gdy wypiła prawie cały gin, uspokoiła się i wyciszyła, znów była taka, jaką zawsze znał.

– Jak myślisz, kto to zrobił? – zapytała.

– Jakiś bezczelny drań.

– Wszyscy walczą teraz o miejsce po Barrym w radzie. I jak zwykle kłócą się o Fields. A Barry nadal tu jest i wtrąca swoje trzy grosze. Duch Barry'ego Fairbrothera. Może to naprawdę on zamieszcza wiadomości na tablicy informacyjnej.

Gavin nie był pewien, czy Mary żartuje, dlatego uśmiechnął się na tyle niewyraźnie, żeby w razie czego móc błyskawicznie zmienić wyraz twarzy.

– Wiesz, lubię sobie wyobrażać, że on nadal się o nas troszczy, gdziekolwiek teraz przebywa. O mnie i o dzieci. Ale wątpię w to. Założę się, że najbardziej martwi się o Krystal Weedon. Wiesz, co zapewne by mi powiedział, gdyby tu był?

Opróżniła szklankę. Gavin starał się, żeby drink nie był zbyt mocny, ale na jej policzkach i tak pojawiły się wyraźne rumieńce.

– Nie – odparł ostrożnie.

– Powiedziałby mi, że ja mogę liczyć na wsparcie ludzi – rzekła Mary, a Gavin ku swemu zdumieniu usłyszał gniew w jej głosie, który zawsze brzmiał tak łagodnie. – Tak, pewnie powiedziałby: „Masz rodzinę i przyjaciół, mogą cię pocieszyć dzieci, a Krystal? – Mary podniosła głos. – O Krystal nikt się nie troszczy". Wiesz, jak spędził rocznicę naszego ślubu?

– Nie – powtórzył Gavin.

– Pisał artykuł o Krystal do lokalnej gazety. O Krystal i o Fields. O tym cholernym Fields. Nie chcę o tym więcej słyszeć. Napiłabym się jeszcze ginu. Jeden drink to za mało.

Gavin automatycznie wziął od niej szklankę i podszedł do barku. Był oszołomiony. Zawsze uważał małżeństwo Mary i Barry'ego za idealne. Nigdy nie przyszło mu do głowy, że Mary mogłaby nie aprobować jakiegoś przedsięwzięcia albo jakiejś krucjaty, która właśnie zaprzątała wiecznie zajętego Barry'ego.

– Treningi wioślarstwa wieczorami, a w weekendy zawody – skarżyła się przy wtórze brzęku lodu wrzucanego przez Gavina do szklanki. – Całymi nocami ślęczał przed komputerem, walcząc o poparcie obywateli dla swojego stanowiska w sprawie Fields i zbierając materiały do dyskusji na posiedzeniach rady. Wszyscy ciągle powtarzali: „Prawda, że Barry jest wspaniały? Tak się udziela, tak się rwie do działania, jest taki zaangażowany w sprawy wspólnoty". – Łapczywie napiła się ginu z tonikiem. – No tak, był wspaniały. Po prostu wspaniały. Dopóki go to nie zabiło. W rocznicę naszego ślubu cały dzień poświęcił na to, żeby zdążyć z tym głupim artykułem. A oni do tej pory go nie wydrukowali.

Gavin nie potrafił oderwać od niej wzroku. Gniew i alkohol przywróciły kolor jej twarzy. Siedziała wyprostowana, a nie skulona i przygarbiona, jak często jej się ostatnio zdarzało.

– Właśnie to go zabiło – powtórzyła dobitnie, a jej głos rozbrzmiał w kuchni słabym echem. – Wszystkim chciał coś dać. Wszystkim oprócz mnie.

Od pogrzebu Barry'ego Gavin z zażenowaniem rozmyślał o tym, jak niewielką stratę poniosłaby lokalna społeczność w razie jego śmierci. Patrząc na Mary, zastanawiał się, czy nie lepiej byłoby zostawić olbrzymią pustkę w czyimś sercu. Czy Barry nie wiedział, co czuje Mary? Nie zdawał sobie sprawy, jak mu się poszczęściło?

Drzwi frontowe otworzyły się z hukiem i Gavin usłyszał, jak do domu wchodzą dzieci Mary, rozmawiając, szurając nogami, tupiąc i szeleszcząc torbami.

– Cześć, Gav – przywitał się osiemnastoletni Fergus, całując matkę w czoło. – Mamo, ty pijesz?

– To przeze mnie – powiedział Gavin. – Ja ją namówiłem.

Dzieci Fairbrotherów były takie miłe. Gavinowi podobał się sposób, w jaki zwracały się do matki, jak ją przytulały, jak rozmawiały z sobą i z nim. Synowie i córki Barry'ego i Mary byli bezpośredni, uprzejmi i zabawni. Pomyślał o Gai, jej jadowitych docinkach, jej milczeniu ostrym jak odłamek szkła i o pogardliwym tonie, jakim się do niego zwracała.

– Gav, nawet nie porozmawialiśmy o ubezpieczeniu – powiedziała Mary, kiedy dzieci krzątały się w kuchni, sięgając po coś do jedzenia i picia.

– Nie szkodzi – uspokoił ją Gavin bez zastanowienia. Czym prędzej się poprawił: – Pójdziemy do salonu czy...?

– Tak, chodźmy.

Zachwiała się, schodząc z wysokiego kuchennego taboretu, a wtedy on znowu chwycił ją za rękę.

– Zostaniesz na kolacji, Gav!? – zawołał Fergus.

– Zostań, jeśli masz ochotę – powiedziała Mary.

Gavina ogarnęła fala ciepła.

– Z chęcią – powiedział. – Dziękuję.

IV

– To takie smutne – powiedział Howard Mollison, kołysząc się lekko z palców na pięty przed kominkiem. – Tak, to bardzo smutne.

Maureen właśnie skończyła mu opowiadać o śmierci Catherine Weedon. Tego wieczoru dowiedziała się o wszystkim od swojej przyjaciółki Karen, recepcjonistki – nawet o skardze złożonej przez wnuczkę Cath Weedon. Z rozkoszą wykrzywiła twarz, okazując swoją dezaprobatę. Samantha, której wyjątkowo nie dopisywał humor, pomyślała, że Maureen przypomina małpę. Miles wydawał westchnienia pełne zdumienia i żalu, tak jak wypadało, Shirley jednak wlepiła oczy w sufit z twarzą pozbawioną wyrazu. Nie znosiła, gdy Maureen skupiała na sobie uwagę, przynosząc wieści, które najpierw powinny były dotrzeć do niej.

– Moja mama od zawsze znała tę rodzinę – powiedział Howard do Samanthy, która przecież doskonale o tym wiedziała. – Mieszkali po sąsiedzku, na Hope Street. Cath na swój sposób była bardzo przyzwoita. Dom zawsze lśnił czystością, a ona pracowała jeszcze w wieku sześćdziesięciu lat. Tak, trzeba przyznać, że niezależnie od tego, jak skończyła reszta jej rodziny, Cath Weedon harowała jak wół. – Howard lubił oddawać sprawiedliwość ludziom, którym się to należało. – Jej mąż stracił pracę, gdy zamknęli hutę żelaza. Dużo pił. O tak, Cath miała zawsze pod górkę.

Samantha z trudem udawała zainteresowanie, ale na szczęście Maureen przerwała Howardowi.

– A pismaki z „Gazette" rzuciły się na doktor Jawandę! – zapiała. – Wyobraźcie sobie, jak się musiała poczuć, gdy sprawa trafiła do prasy! Weedonowie narobili hałasu. No cóż, trudno im się dziwić, leżała sama w domu przez trzy dni. Znasz ich, Howard? Która to Danielle Fowler?

Shirley, wciąż w swoim fartuchu, wstała i wyszła z pokoju. Samantha napiła się wina i uśmiechnęła się.

– Niech no pomyślę, niech no pomyślę – powiedział Howard. Szczycił się tym, że zna prawie wszystkich w Pagford, ale młodsze pokolenia Weedonów przeniosły się do Yarvil. – To nie może być jej córka. Cath miała czterech synów. Wydaje mi się, że to jej wnuczka.

– Domaga się wszczęcia śledztwa – dodała Maureen. – No cóż, to się musiało tak skończyć. Jawanda od dawna się o to prosiła. Dziwne, że nie wzięli się do niej wcześniej. Nie przepisała synowi Hubbardów antybiotyku i wylądował w szpitalu z astmą. Studiowała w Indiach czy może...?

Shirley, która przysłuchiwała się rozmowie z kuchni, mieszając sos do pieczeni, czuła narastającą irytację, jak zawsze gdy Maureen próbowała grać pierwsze skrzypce w rozmowie. Przynajmniej tak to wyglądało w oczach Shirley. Postanowiła, że nie wróci do pokoju, póki Maureen nie zamilknie. Poszła do gabinetu, żeby sprawdzić, czy ktoś nie przysłał zawiadomienia, że nie stawi się na kolejnym posiedzeniu rady. Jako sekretarz rady gminy już przygotowywała porządek obrad.

– Howard! Miles! Musicie to zobaczyć!

Głos Shirley stracił miękkość i melodyjność. Zabrzmiał ostro.

Howard wytoczył się z salonu, za nim poszedł Miles, nadal ubrany w garnitur, który miał na sobie przez cały dzień w pracy. Maureen jak pies myśliwski popatrywała w kierunku gabinetu swoimi półprzymkniętymi, przekrwionymi oczami z rzęsami grubo pomalowanymi tuszem. Całą sobą dawała znać, że zżera ją ciekawość. Palce Maureen, wiązka sterczących knykci powleczonych przezroczystą, cętkowaną skórą, przesuwały tam i z powrotem krzyżyk i obrączkę zawieszone na łańcuszku na szyi. Głębokie bruzdy biegnące od kącików ust Maureen do jej podbródka zawsze przywodziły Samancie na myśl marionetkę brzuchomówcy.

„Dlaczego ciągle tu przesiadujesz? – Samantha wyobraziła sobie, że zadaje to pytanie na głos. – Choćbym nie wiem jak samotna się czuła, nie łaziłabym krok w krok za Howardem i Shirley".

Obrzydzenie narastało w Samancie, jakby miała zwymiotować. Miała ochotę wziąć w dłonie przeładowany ozdobami pokój i zgniatać go tak długo, aż królewska porcelana, kominek gazowy i oprawione w ramki zdjęcia Milesa rozlecą się w drobny mak. Potem niczym podniebna kulomiotka cisnęłaby szczątkami pokoju z uwięzioną w środku, piszczącą, pomarszczoną i wypacykowaną Maureen prosto w zachodzące słońce. Wyobrażała sobie, jak zmiażdżony salon ze starą pudernicą skazaną na śmierć leci w przestworza i wpada do bezkresnego oceanu, zostawiając Samanthę samą w nieskończonej ciszy wszechświata.

Miała za sobą okropne popołudnie. Przeprowadziła kolejną przerażającą rozmowę z księgowym. Właściwie nie pamiętała, jak dojechała z Yarvil do domu. Miała ochotę wyładować się na Milesie, ale postawił teczkę w przedpokoju, zdjął krawat i od razu zapytał:

– Nie zaczęłaś jeszcze gotować kolacji, prawda? – Ostentacyjnie pociągnął nosem i sam sobie odpowiedział: – Jeszcze nie. No cóż, dobrze się składa, bo mama i tata zaprosili nas do siebie.

I nim zdążyła zaprotestować, dodał pospiesznie, zdecydowanym tonem:

– Nie chodzi o radę gminy. Mamy omówić szczegóły sześćdziesiątych piątych urodzin taty.

Gniew ją ukoił. Przyćmił jej niepokój i lęk. Poszła za Milesem do samochodu, podsycając w sobie poczucie krzywdy. Miles odezwał się do niej dopiero na rogu Evertree Crescent:

– Jak ci minął dzień?

– Wprost zajebiście.

Do rzeczywistości przywołał ją głos Maureen, która przerwała milczenie w salonie.

– Ciekawe, co się stało? – zastanawiała się głośno.

Samantha wzruszyła ramionami. To było typowe zagranie Shirley, która zwoływała do siebie mężczyzn, a kobiety zostawiała w stanie zawieszenia. Samantha nie miała zamiaru dać teściowej satysfakcji i okazać zainteresowania.

Słoniowe kroki Howarda sprawiały, że w przedpokoju trzeszczał parkiet pod dywanem. Maureen aż rozdziawiła usta z niecierpliwości.

– No, no, no – zahuczał Howard, wtaczając się z powrotem do salonu.

– Sprawdzałam na stronie rady, czy ktoś nie przysłał zawiadomienia, że nie przyjdzie na następne posiedzenie... – trajkotała Shirley, idąc za nim lekko zdyszana.

– Ktoś zamieścił oskarżenia pod adresem Simona Price'a – powiedział Miles do Samanthy, przeciskając się między rodzicami i wchodząc w rolę konferansjera.

– Jakie oskarżenia? – zapytała Samantha.

– Że kupuje kradzione towary – powiedział Howard, zdecydowanie odbierając synowi szansę na zostanie gwiazdą wieczoru. – I że przyjmuje na lewo zlecenia w drukarni.

Samantha z satysfakcją okazała mu swoją obojętność. Właściwie nawet nie wiedziała, kim jest Simon Price.

– Ktoś zamieścił post pod pseudonimem – ciągnął Howard. – I to niezbyt eleganckim.

– Chcesz powiedzieć: chamskim? – zapytała Samantha. – W stylu: „Wielki-Gruby-Kutas"?

W salonie zahuczał śmiech Howarda, Maureen wydała afektowany pisk przerażenia, ale Miles rzucił żonie groźne spojrzenie, a Shirley wyglądała na wściekłą.

– Nie do końca, Sammy – odparł Howard. – Ten ktoś nazwał siebie Duchem Barry'ego Fairbrothera.

– A – powiedziała Samantha i uśmiech zniknął z jej twarzy. To się jej nie spodobało. W końcu siedziała w karetce, kiedy w bezwładne ciało Barry'ego wtłaczano rurki i wbijano igły. Widziała, jak umiera pod plastikową maską. Widziała, jak Mary ściska go za rękę, słyszała jej jęki i płacz.

– Oj, to nieładnie – powiedziała Maureen, ale w jej ropuszym głosie pobrzmiewało zadowolenie. – To wręcz podłe. Jak można wkładać słowa w usta zmarłych? Wzywać ich nadaremno? To nie w porządku.

– Masz rację – zgodził się z nią Howard. Niemal bezwiednie przeszedł przez pokój, wziął butelkę wina, podszedł do Samanthy i napełnił jej pusty kieliszek prawie po brzeg. – Ale wygląda na to, że ten ktoś nie dba o konwenanse, skoro dzięki temu może wyeliminować Simona Price'a w przedbiegach.

– Tato, jeśli myślisz o tym, o czym ja myślę, że myślisz – powiedział Miles – to czy przypadkiem nie powinni byli zaatakować mnie, a nie Price'a?

– A skąd wiesz, że nie mają ciebie na celowniku?

– To znaczy? – zapytał pospiesznie Miles.

– To znaczy – powiedział Howard, uszczęśliwiony, bo wszystkie oczy zwróciły się w jego stronę – że dwa tygodnie temu dostałem anonim od kogoś, kto cię nie lubi. Nic konkretnego. Coś o tym, że nie nadajesz się na miejsce po Fairbrotherze. Byłbym bardzo zaskoczony, gdyby ten list nie pochodził z tego samego źródła co wpis w internecie. W obydwu pojawił się Fairbrother, prawda?

Samantha trochę zbyt energicznie przechyliła kieliszek i wino pociekło jej z kącików ust na brodę, dokładnie w miejscach, w których z czasem miały się pojawić jej własne bruzdy jak u marionetki. Wytarła twarz rękawem.

– Gdzie jest ten list? – zapytał Miles, usiłując ukryć zdenerwowanie.

– Przepuściłem go przez niszczarkę. Był anonimowy, nie liczy się.

– Nie chcieliśmy cię martwić, kochanie – dodała Shirley i poklepała Milesa po ramieniu.

– Zresztą na pewno nic na ciebie nie mają – zapewnił syna Howard – bo gdyby mieli, obsmarowaliby cię tak samo jak Price'a.

– Żona Simona Price'a to urocza dziewczyna – powiedziała Shirley tonem łagodnego współczucia. – Pewnie nawet nie wiedziała o machlojkach swojego męża. To moja przyjaciółka ze szpitala – wyjaśniła, zwracając się do Maureen. – Pielęgniarka.

– Nie byłaby pierwszą żoną, która nie wie, co się dzieje tuż pod jej nosem – odparła Maureen, przebijając znajomości Shirley mądrością życiową.

– W dodatku użyli nazwiska Barry'ego Fairbrothera. Okropna bezczelność – powiedziała Shirley, udając, że nie słyszała słów Maureen. – Żadnego poszanowania dla wdowy, dla rodziny zmarłego. Liczy się tylko ich program, poświęcą dla niego wszystko.

– To pokazuje, z czym musimy się tu zmagać – powiedział Howard. W zamyśleniu podrapał się po fałdzie brzucha. – Ze strategicznego punktu widzenia to sprytny ruch. Od początku wiedziałem, że Price odebrałby Wallowi głosy części zwolenników Fields. Jawanda Propaganda jest kuta na cztery nogi. Też się zreflektowała i chce się pozbyć kontrkandydata.

– Ale – wtrąciła się Samantha – to wcale nie musi mieć związku z Parminder i tą jej grupą. Mógł to napisać ktoś, kogo nie znamy, ktoś, kto ma jakiś żal do Simona Price'a.

– Och, Sam – powiedziała Shirley ze skrzekliwym śmiechem i pokręciła głową. – Od razu widać, że jesteś nowa w świecie polityki.

„Och, pierdol się, Shirley".

– Dlaczego w takim razie użył nazwiska Barry'ego Fairbrothera? – zapytał Miles, nacierając na żonę.

– No cóż, post znalazł się na stronie internetowej, prawda? Chodzi o wolne miejsce w radzie.

– Kto by szperał na stronie internetowej rady gminy w poszukiwaniu takich informacji? Nie – powiedział ponuro – to sprawka kogoś z wewnątrz.

Ktoś z wewnątrz... Kiedyś Libby powiedziała Samancie, że w jednej kropelce wody ze stawu mogą być tysiące mikroskopijnych organizmów. „Ależ oni są śmieszni – pomyślała Samantha. – Siedzą przed pamiątkowymi talerzami Shirley, jakby byli w sali gabinetowej przy Downing Street, jakby trochę paplaniny na stronie internetowej rady gminy tworzyło zorganizowaną kampanię, jakby to wszystko miało jakiekolwiek znaczenie".

Samantha świadomie i bezczelnie przestała zwracać na nich uwagę. Skupiła wzrok na oknie i na widocznym za nim bezchmurnym wieczornym niebie, a potem pomyślała o Jake'u, muskularnym chłopaku z ulubionego zespołu Libby. Wcześniej, w porze lunchu, wyszła po kanapki i przyniosła magazyn, w którym był wywiad z Jakiem i jego kolegami z zespołu. Zamieszczono wiele zdjęć.

– To dla Libby – wyjaśniła dziewczynie, która pomagała jej w sklepie.

– *Wow*, popatrz. Nie wyrzuciłabym go z łóżka, nawet gdyby jadł w nim grzankę. – Carly wskazała na obnażonego od pasa w górę Jake'a, który odchylił głowę, ukazując tę swoją grubą, mocną szyję. – Ojej, zobacz, on ma tylko dwadzieścia jeden lat. Nie, dzieci mnie nie interesują.

Carly miała dwadzieścia sześć lat. Samantha nie odważyła się odjąć wieku Jake'a od własnego. Jadła kanapkę, czytała wywiad i przyglądała się wszystkim zdjęciom. Jake z rękami nad głową i bicepsami nabrzmiałymi pod czarnym T-shirtem. Jake z rozchyloną białą koszulą i wyrzeźbionymi mięśniami brzucha nad luźnym paskiem dżinsów.

Samantha piła wino Howarda i gapiła się na niebo nad czarnym żywopłotem z ligustru. Miało delikatny różowy odcień. Dokładnie taki jak jej sutki, zanim pociemniały i rozciągnęły się przez ciążę i karmienie piersią.

Wyobraziła sobie, że znów ma dziewiętnaście lat, szczupłą talię, jędrne krągłości w odpowiednich miejscach i twardy płaski brzuch idealnie pasujący do białych szortów w rozmiarze 38. Doskonale pamiętała, jak to jest siedzieć w takich szortach młodemu mężczyźnie na kolanach, czuć gorąco i szorstkość ogrzanego słońcem dżinsu pod nagimi udami i duże dłonie wokół gibkiej talii. Wyobraziła sobie oddech Jake'a na szyi, wyobraziła sobie, jak się odwraca, żeby spojrzeć w jego niebieskie oczy osadzone tuż nad wysokimi kośćmi policzkowymi i na te jędrne, kształtne usta...

– ... w sali posiedzeń i zamówimy catering z Bucknoles – powiedział Howard. – Zaprosiliśmy wszystkich: Aubreya i Julię, wszystkich. Przy odrobinie szczęścia będziemy mieli dwie okazje do świętowania: ty wejdziesz do rady, a mnie stuknie kolejny rok młodości...

Samantha była wstawiona i napalona. Kiedy zaczną jeść? Zauważyła, że Shirley wyszła z pokoju, i miała nadzieję, że teściowa szykuje się do podania kolacji.

Zadzwonił telefon leżący przy łokciu Samanthy i kobieta aż podskoczyła. Zanim ktokolwiek zdążył się poruszyć, do pokoju wpadła Shirley. Jedną dłoń miała w kwiecistej rękawicy kuchennej, więc podniosła słuchawkę drugą.

– Halo, kto mówi? – wyszczebiotała coraz bardziej śpiewnym głosem. – O... Ruth, witaj, moja droga!

Howard, Miles i Maureen znieruchomieli i nadstawili uszu. Shirley odwróciła się i wlepiła wzrok w męża, jakby transmitowała głos Ruth oczami do mózgu Howarda.

– Tak – świergotała. – Tak...

Samantha, która siedziała najbliżej telefonu, słyszała głos tamtej kobiety, ale nie rozumiała słów.

– Och, naprawdę...?

Maureen znowu siedziała z rozdziawionymi ustami. Przypominała jakieś prehistoryczne pisklę albo może pterodaktyla złaknionego zwymiotowanego pokarmu, który w tym wypadku miał postać najnowszych wieści.

– Tak, moja droga, rozumiem... Och, to żaden problem... Nie, nie. Wyjaśnię wszystko Howardowi. Nie, to naprawdę żaden kłopot.

Brązowe oczka Shirley ani na chwilę nie oderwały się od dużych, wybałuszonych niebieskich oczu Howarda.

– Ruth, moja droga, nie chcę cię martwić, ale... Wchodziłaś dzisiaj na stronę internetową rady?... No cóż... Sprawa nie jest przyjemna, ale chyba powinnaś wiedzieć... Ktoś zamieścił tam brzydki wpis o Simonie... Chyba będzie lepiej, jeśli przeczytasz go sama, nie chciałabym... Dobrze, moja droga. Dobrze. Do zobaczenia w środę, miejmy nadzieję. Tak. Pa, pa.

Shirley odłożyła słuchawkę, ale nie cofnęła dłoni.

– Nie wiedziała – stwierdził Miles.

Shirley przecząco pokręciła głową.

– Po co dzwoniła?

– Jej syn – powiedziała Shirley do Howarda – twój nowy pomagier, ma alergię na orzechy.

– W sam raz do pracy w delikatesach – zauważył kąśliwie Howard.

– Chciała zapytać, czy mógłbyś przechowywać dla niego w lodówce ampułkostrzykawkę z adrenaliną, tak na wszelki wypadek – dodała Shirley.

Maureen prychnęła.

– W dzisiejszych czasach wszystkie dzieci mają jakieś alergie.

Shirley nadal trzymała rękę na słuchawce. Podświadomie miała nadzieję, że poczuje drżenie, które przywędruje po linii z Hilltop House.

V

Ruth stała sama w salonie oświetlonym lampą i nadal ściskała słuchawkę, którą przed chwilą odłożyła.

Hilltop House był mały i miał zwartą bryłę. Z łatwością można było zlokalizować każdego członka rodziny Price'ów, bo głosy, tupanie oraz dźwięki otwieranych i zamykanych drzwi doskonale niosły się po starym domu. Ruth wiedziała, że jej mąż nadal jest pod prysznicem, bo słyszała, jak umieszczony pod schodami bojler z ciepłą wodą syczy i postukuje. Zanim zadzwoniła do Shirley, zaczekała, aż Simon odkręci kurek, bo bała się, że nawet jej prośba dotycząca ampułkostrzykawki z adrenaliną może zostać odebrana jak bratanie się z wrogiem.

Rodzinny komputer stał w rogu salonu, gdzie Simon mógł go mieć na oku i pilnować, żeby nikt nie nabijał rachunku za jego plecami. Ruth wypuściła słuchawkę i pospieszyła w tamtą stronę.

Miała wrażenie, że otwarcie strony internetowej rady gminy trwa w nieskończoność. Drżącą ręką wsunęła na nos okulary do czytania i zaczęła wodzić wzrokiem po menu. W końcu znalazła tablicę ogłoszeń. Nazwisko męża ukłuło ją w oczy upiorną czernią na białym tle: „Simon Price niegodny miejsca w radzie".

Dwa razy kliknęła na tytuł, otworzyła wpis i przeczytała go. Miała wrażenie, że wszystko wokół przesuwa się i wiruje.

– O Boże – szepnęła.

Bojler przestał postukiwać. Za chwilę Simon miał włożyć piżamę, którą ogrzewał na kaloryferze. Już zaciągnął zasłony w salonie, włączył boczne oświetlenie i rozpalił w kominku, żeby po zejściu na dół móc się wyciągnąć na kanapie i obejrzeć wiadomości.

Ruth wiedziała, że musi mu powiedzieć. Niezrobienie tego, pozwolenie, by dowiedział się sam, zwyczajnie nie wchodziło w grę. Nie potrafiłaby zachować takiej informacji dla siebie. Czuła się przerażona i winna, choć nie wiedziała dlaczego.

Usłyszała, jak mąż zbiega po schodach, a po chwili stanął w drzwiach ubrany w niebieską piżamę ze szczotkowanej bawełny.

– Misiu – szepnęła.

– Co się stało? – zapytał, natychmiast podenerwowany.

Wiedział, że coś się stało. Wiedział, że jego luksusowy plan obejmujący kanapę, ogień w kominku i wiadomości w telewizji za chwilę ulegnie zmianie.

Pokazała na monitor, głupkowato przyciskając drugą rękę do ust jak mała dziewczynka. Jej przerażenie udzieliło się mężowi. Podszedł do komputera i z wściekłością spojrzał na ekran. Czytanie szło mu wolno. Każde słowo, każdą linijkę odcyfrowywał dokładnie, uważnie.

Skończył i stał bez ruchu, analizując w myślach wszystkich prawdopodobnych kapusiów po kolei. Pomyślał o żującym gumę operatorze wózka widłowego, którego zostawił w Fields po odebraniu nowego komputera. Pomyślał o Jimie i Tommym, którzy po cichu brali razem z nim lewe zlecenia. Ktoś z pracy musiał się wygadać. Wściekłość i strach zderzyły się w nim i doprowadziły do wewnętrznej eksplozji.

Podszedł do schodów i zawołał:

– Hej, wy dwaj! Na dół! JUŻ!

Ruth nadal zakrywała usta dłonią. Czuł sadystyczną pokusę, żeby strącić tę rękę jednym ciosem, powiedzieć żonie, żeby się, kurwa, wzięła w garść, bo to przecież jego unurzano w gównie.

Andrew wszedł do pokoju, a za nim zjawił się Paul. Andrew zobaczył stronę Rady Gminy Pagford na monitorze i matkę zasłaniającą usta dłonią. Idąc boso po starym dywanie, miał wrażenie, że leci w dół zamknięty w zerwanej windzie.

– Ktoś – warknął Simon do synów – gadał o sprawach, o których wspominało się w tym domu.

Paul wszedł do salonu z ćwiczeniami z chemii w ręce i trzymał je jak książeczkę do nabożeństwa. Andrew wpatrywał się w ojca, próbując nadać twarzy wyraz zdziwienia połączonego z zaskoczeniem.

– Kto się wygadał, że mamy kradziony komputer? – zapytał Simon.

– Ja nie – powiedział Andrew.

Paul tępo wpatrywał się w ojca, próbując przeanalizować pytanie. Andrew modlił się, żeby brat odpowiedział. Dlaczego tak długo się zastanawia?

– No? – warknął Simon na Paula.

– Chyba nikomu nie...

– Chyba? Chyba nikomu nie powiedziałeś?

– Nie, chyba nikomu nie...

– A to ciekawe – powiedział Simon, chodząc przed Paulem tam i z powrotem. – To ciekawe.

Uderzeniem wytrącił synowi książkę z rąk.

– Skup się, gówniarzu – warknął. – Spróbuj się, kurwa, skupić. Mówiłeś komuś, że mamy kradziony komputer?

– Nie, że kradziony – powiedział Paul. – Nigdy nikomu nie mówiłem... Chyba nawet nikomu nie mówiłem, że mamy nowy komputer.

– Rozumiem – powiedział Simon. – Więc ta informacja wypłynęła za sprawą czarów, tak?

Pokazywał palcem na monitor komputera.

– Ktoś się, kurwa wygadał! – wrzasnął. – Bo wszystko jest w pierdolonym internecie! I będę miał zajebiste szczęście, JEŚLI NIE WYWALĄ MNIE Z PRACY!

Pięć ostatnich słów wybił Paulowi pięścią na głowie. Paul skulił się i robił uniki. Z lewej dziurki w nosie popłynęła mu ciemna ciecz. Krwotoki z nosa męczyły go kilka razy w tygodniu.

– A ty!? – wrzasnął Simon na żonę, która nadal stała jak posąg obok komputera, wytrzeszczając oczy za szkłami okularów i zasłaniając usta dłonią jak czarczafem. – Tobie też się zachciało pierdolonych plotek? Ruth odkneblowała usta.

– Nie, Misiu – szepnęła. – To znaczy jedyną osobą, której wspomniałam o naszym nowym komputerze, jest Shirley, a ona nigdy...

„Ty głupia kobieto, ty pieprzona głupia kobieto, po co mu o tym powiedziałaś?"

– Co takiego? – zapytał cicho Simon.

– Wspomniałam Shirley – zakwiliła Ruth. – Ale nie mówiłam, że jest kradziony. Powiedziałam tylko, że przyniosłeś go do domu...

– No to, kurwa, wszystko jasne, nie!? – zagrzmiał Simon głosem przechodzącym w krzyk. – Jej pierdolony syn startuje w wyborach, jasne, że pierdolone babsko chce się mnie pozbyć!

– Misiu, ale to właśnie ona mnie przed chwilą zawiadomiła. Przecież nie...

Podbiegł do niej i uderzył ją w twarz, dokładnie tak, jak chciał, od kiedy zobaczył jej głupią, wystraszoną minę. Okulary Ruth spadły z twarzy i roztrzaskały się o regał. Uderzył ją jeszcze raz, a wtedy runęła na stolik komputerowy, który z taką dumą kupiła za pierwszą wypłatę z South West General.

Wcześniej Andrew coś sobie obiecał. Miał wrażenie, że porusza się w zwolnionym tempie. Wszystko zrobiło się zimne, zamglone i jakby nierzeczywiste.

– Nie bij jej – powiedział, wciskając się między rodziców. – Nie...

Warga pękła mu rozgnieciona na siekaczu pięścią Simona i chłopak runął do tyłu, na matkę, która leżała na klawiaturze. Simon wymierzył następny cios, który trafił Andrew w ręce osłaniające twarz. Andrew próbował wstać z bezwładnej, podnoszącej się matki, a ogarnięty szałem Simon okładał ich oboje na oślep...

– Nie waż mi się, kurwa, mówić, co mam robić... Nie waż się, ty tchórzliwy gówniarzu, ty pryszczaty szczochu...

Andrew upadł na kolana, żeby uniknąć pięści ojca, a wtedy Simon kopnął go w żebra. Andrew usłyszał żałosny głos Paula: „Przestań!". Noga Simona znowu śmignęła w stronę żeber Andrew, ale chłopak zrobił unik. Palce ojca uderzyły o ceglany kominek i nagle rozległ się okropny skowyt.

Andrew odczołgał się na bok. Simon trzymał się za stopę, skacząc na drugiej nodze i klnąc cienkim głosem. Ruth opadła na obrotowy fotel, łkając w dłonie. Andrew wstał, czując smak swojej krwi.

– Każdy mógł wiedzieć o tym komputerze – wysapał, szykując się na ciąg dalszy przemocy. Teraz, kiedy już się zaczęło, kiedy walka już trwała, czuł się odważniejszy. Najgorsze było czekanie, patrzenie na wysuwającą się żuchwę Simona i słuchanie, jak w jego głosie narasta żądza agresji. – Mówiłeś, że oberwał jakiś ochroniarz. Każdy mógł się wygadać. Nie tylko my...

– Nie mów mi... ty pierdolony gówniarzu... Kurwa, złamałem palec u nogi! – wydyszał Simon, opadając na fotel i nadal trzymając się za stopę. Najwidoczniej oczekiwał współczucia.

Andrew wyobraził sobie, że wyciąga pistolet i strzela Simonowi w twarz, patrząc, jak kula rozrywa głowę i mózg rozpryskuje się po salonie.

– A Paulinka znowu ma okres! – wrzasnął Simon na Paula, który próbował zatamować krew z nosa przeciekającą mu między palcami. – Złaź z dywanu! Złaź, kurwa, z dywanu, lalusiu!

Paul wybiegł z pokoju. Andrew przycisnął koniec T-shirtu do piekących ust.

– A te wszystkie lewe zlecenia? – szlochała Ruth.

Jej policzek był różowy od uderzenia, a po brodzie kapały łzy. Andrew nienawidził jej, kiedy była taka upokorzona i żałosna. Nienawidził jej też trochę za to, że sama wpakowała się w kłopoty, bo przecież nawet idiota mógłby przewidzieć...

– Napisali tu o lewych zleceniach. Shirley o nich nie wie, skąd mogłaby wiedzieć? To ktoś z drukarni. Mówiłam ci, Misiu, mówiłam ci, żebyś nie brał tych zleceń, one zawsze spędzały mi sen z...

– Morda w kubeł, płaczliwa krowo! Ale przeciwko wydawaniu tych pieniędzy to nic nie miałaś! – krzyknął Simon, znowu wysuwając żuchwę.

Andrew miał ochotę wrzasnąć na matkę, żeby była cicho. Paplała, kiedy każdy kretyn wiedziałby, że należy milczeć, ale kiedy przydałoby się coś powiedzieć, siedziała bez słowa. Niczego się nie nauczyła. Nadal nie potrafiła przewidzieć, że zbliża się eksplozja.

Przez chwilę nikt się nie odzywał. Ruth wycierała oczy wierzchem dłoni i co chwila pociągała nosem. Simon trzymał się za stopę, zaciskał zęby i głośno oddychał. Andrew zlizywał krew z piekącej wargi i czuł, jak puchną mu usta.

– Przez to wypierdolą mnie z roboty – powiedział Simon, rozglądając się z wytrzeszczonymi oczami, jakby spodziewał się znaleźć kogoś, komu zapomniał przyłożyć. – Od dawna mówią o jakiejś pierdolonej redukcji. To koniec. To mnie...

Strącił ze stołu lampkę, która jednak się nie rozbiła, tylko potoczyła po podłodze. Sięgnął po nią, wyrwał wtyczkę z kontaktu, uniósł lampkę nad głową i rzucił nią w Andrew, który zrobił unik.

– Kto się, kurwa, wygadał!? – wrzasnął, kiedy podstawa lampki roztrzaskała się o ścianę. – Ktoś się, kurwa, wygadał!?

– To musiał być jakiś dupek z drukarni! – odkrzyknął Andrew. Jego warga, nabrzmiała i boleśnie pulsująca, przypominała w dotyku cząstkę mandarynki. – Myślisz, że my... Myślisz, że jeszcze się nie nauczyliśmy, że trzeba trzymać gębę na kłódkę?

To przypominało odgadywanie zamiarów dzikiego zwierzęcia. Widział mięśnie naprężające się w szczęce ojca, ale czuł, że Simon zastanawia się nad jego słowami.

– Kiedy to się pojawiło w internecie!? – ryknął Simon do Ruth. – Sprawdź! Jaka jest przy tym data!?

Jego żona, nadal pochlipując, przysunęła nos do monitora na odległość pięciu centymetrów, bo jej okulary zostały roztrzaskane.

– Piętnastego – szepnęła.

– Piętnastego... w niedzielę – powiedział Simon. – To była niedziela, nie?

Ani Andrew, ani Ruth nie przytaknęli. Andrew nie mógł uwierzyć swemu szczęściu. Ale jednocześnie nie wierzył, że potrwa ono długo.

– Niedziela – powtórzył Simon. – Więc w zasadzie każdy mógł... Ja pierdolę, mój p a l e c! – zawołał, kiedy podźwignął się z fotela i przesadnie utykając, ruszył w stronę Ruth. – Z drogi!

Czym prędzej się odsunęła i patrzyła, jak jej mąż jeszcze raz czyta wpis na stronie. Bez przerwy prychał jak zwierzę próbujące oczyścić nozdrza.

Andrew pomyślał, że mógłby udusić ojca, kiedy ten tak siedzi, gdyby tylko znalazł się kawałek kabla.

– To musi być ktoś z roboty – powiedział Simon, jakby właśnie doszedł do tego wniosku i nie słyszał, jak żona i syn podsuwają mu taką hipotezę. Położył ręce na klawiaturze i odwrócił się do Andrew.

– Jak się tego pozbyć?

– Co?

– Przecież chodzisz na pierdoloną informatykę! Jak to stąd wyrzucić?

– Nie można... Nie da się... Musiałbym być administratorem.

– No więc zostań administratorem – rozkazał Simon, zrywając się z miejsca i pokazując na fotel obrotowy.

– Nie mogę zostać administratorem – powiedział Andrew. Bał się, że Simon znów dostanie ataku szału. – Trzeba znać nazwę użytkownika i hasła.

– Pierdolony darmozjad, żadnego z ciebie pożytku.

Simon, kuśtykając, ruszył przez pokój i gdy mijał Andrew, uderzył go w splot słoneczny, znowu powalając syna na podłogę obok kominka.

– Dawaj telefon! – krzyknął na żonę, kiedy już usiadł w fotelu.

Ruth wzięła telefon i zaniosła go siedzącemu parę kroków dalej Simonowi. Wyrwał jej go z ręki i wystukał numer.

Andrew i Ruth czekali w milczeniu, kiedy Simon dzwonił najpierw do Jima, a potem do Tommy'ego – facetów, z którymi przyjmował lewe zlecenia w drukarni. Wściekłość Simona i jego podejrzliwość wobec wspólników wyraziły się w krótkich szorstkich zdaniach pełnych przekleństw rzucanych do słuchawki.

Paul nie wracał. Może nadal próbował zatamować krwotok z nosa, ale najprawdopodobniej po prostu się bał. Andrew pomyślał, że brat postępuje niemądrze. Najbezpieczniej było wyjść, dopiero gdy Simon udzieli pozwolenia.

Zakończywszy ostatnią rozmowę, Simon bez słowa wyciągnął słuchawkę w stronę Ruth. Wzięła ją i pospiesznie odłożyła na bazę.

Simon siedział i myślał, czując pulsowanie pękniętego palca. Pocił się w cieple kominka owładnięty bezsilną wściekłością. Lanie, które sprawił żonie i synom, było dla niego niczym, nawet się nad nim nie zastanawiał. Właśnie spotkała go wielka krzywda, więc złość w naturalny sposób wyładowała się na najbliższych. Tak to już jest w życiu. W każdym razie Ruth, ta głupia suka, przyznała, że wygadała się Shirley...

Simon gromadził własny materiał dowodowy, własną wersję tego, co zapewne się stało. Jakiś zjeb (podejrzewał żującego gumę operatora wózka widłowego: facet wyglądał na wściekłego, kiedy Simon zostawił go w Fields) nagadał o nim Mollisonom (w pewien sposób, choć nie do końca w zgodzie z logiką, przyznanie się Ruth do tego, że wspomniała Shirley o komputerze, uzasadniało te przypuszczenia), a oni (Mollisonowie, establishment, eleganciki i złośliwcy strzegący swojego dostępu do władzy) umieścili tę wiadomość na swojej stronie internetowej (zarządzała nią ta stara krowa Shirley, co cementowało jego teorię).

– To ta twoja pierdolona przyjaciółka – powiedział Simon do żony, która nadal miała twarz mokrą od łez i drżały jej usta. – Twoja pierdolona Shirley. Ona to zrobiła. Znalazła na mnie haka, żebym nie wchodził w paradę jej synowi. To ona.

– Ale, Misiu...

„Zamknij się, zamknij się, głupia krowo" – pomyślał Andrew.

– Nadal jej bronisz, tak!? – ryknął Simon, wykonując taki ruch, jakby znowu chciał wstać.

– Nie! – pisnęła Ruth, a on z powrotem opadł na fotel, ciesząc się, że może zdjąć ciężar z obolałej nogi.

Wiedział, że kierownictwo Harcourt-Walsh nie będzie zadowolone z tych jego zleceń po godzinach. Nie zdziwiłby się, gdyby przyjechała pieprzona policja i zaczęła węszyć w sprawie komputera. Simon poczuł potrzebę natychmiastowego działania.

– Ej, ty – powiedział, pokazując na Andrew. – Odłącz komputer. Wszystko, wszystkie kable. Pójdziesz ze mną.

VI

Zaprzeczanie, niedomówienia, tajemnice i przeinaczenia.

Muliste wody rzeki Orr zamknęły się z pluskiem nad kradzionym komputerem zrzuconym o północy z kamiennego mostu. Simon pokuśtykał do pracy z pękniętym palcem i mówił wszystkim, że poślizgnął się na ścieżce w ogrodzie. Ruth przyłożyła lód do siniaków, a potem niewprawnie zatuszowała je starym podkładem w tubce. Rana w wardze Andrew pokryła się strupem, takim jak kiedyś u Dane'a Tully'ego, a Paul dostał kolejnego krwotoku z nosa w drodze do szkoły i po wyjściu z autobusu od razu musiał biec do pielęgniarki.

Shirley Mollison pojechała do Yarvil na zakupy i odebrała telefon Ruth, która wcześniej dzwoniła do niej kilkakrotnie, dopiero późnym popołudniem, kiedy synowie Ruth zdążyli już wrócić ze szkoły. Andrew przysłuchiwał się jednej stronie rozmowy ze schodów obok salonu. Wiedział, że Ruth próbuje załatwić problem przed powrotem Simona, bo Simon bardzo chętnie wyrwałby jej słuchawkę, żeby ochrzanić i skląć jej przyjaciółkę.

– ... tak, zwyczajne głupie kłamstwa – mówiła Ruth pogodnym tonem – ale bylibyśmy bardzo wdzięczni, gdybyś mogła je usunąć, Shirley.

Andrew skrzywił się i rana na opuchniętej wardze znowu się otworzyła. Nie mógł znieść, że matka prosiła tę kobietę o przysługę. Poczuł irracjonalną złość, że wpis nadal tkwi na stronie. Potem sobie przypomniał, że sam go tam umieścił, że to wszystko przez niego: zmasakrowana twarz matki, jego rozcięta warga i atmosfera strachu, która panowała w domu przed powrotem Simona.

– Tak, rozumiem, że masz mnóstwo spraw na głowie... – mówiła tchórzliwie Ruth – ale wiesz, że jeśli ludzie w to uwierzą, Simon może zostać bardzo pokrzywdzony...

Andrew pomyślał, że właśnie w taki sposób Ruth mówi do Simona w tych rzadkich chwilach, kiedy czuje się zobowiązana stawić mu czoło: służalczym, przepraszającym, nieśmiałym tonem. Czemu jego matka po prostu nie zażądała bezzwłocznego usunięcia wpisu? Dlaczego zawsze była taka tchórzliwa, dlaczego ciągle wszystkich przepraszała? Czemu nie odeszła od męża?

Zawsze traktował Ruth jak odrębną, dobrą i nieskażoną jednostkę. Kiedy był mały, rodzice jawili mu się w czarno-białych barwach: jedno złe i przerażające, drugie dobre i łagodne. Ale kiedy dorósł, ostro występował w myślach przeciwko dobrowolnemu zaślepieniu Ruth, jej nieustannemu stawaniu w obronie ojca, jej niewzruszonej lojalności wobec fałszywego bożka.

Andrew usłyszał, jak matka odkłada słuchawkę, i głośno tupiąc, zszedł po schodach. Natknął się na Ruth w chwili, kiedy wychodziła z salonu.

– Dzwoniłaś do tej kobiety od strony internetowej?

– Tak. – Ruth wydawała się zmęczona. – Obiecała, że usunie ten wpis o tacie, więc miejmy nadzieję, że niedługo będzie po wszystkim.

Andrew wiedział, że jego matka jest inteligentna i znacznie lepiej radzi sobie w sprawach związanych z prowadzeniem domu niż jego fajtłapowaty ojciec. Była w stanie sama zarobić na swoje utrzymanie.

– Czemu od razu tego nie usunęła, skoro się przyjaźnicie? – zapytał, idąc za matką do kuchni.

Po raz pierwszy w życiu jego litość dla Ruth zabarwiła się frustracją przeradzającą się w złość.

– Była zajęta – warknęła Ruth.

Po ciosie Simona jedno z jej oczu nabiegło krwią.

– Powiedziałaś jej, że może mieć kłopoty, jeśli nie będzie usuwała oszczerstw ze strony, którą moderuje? Mówiliśmy o tym na informaty...

– Przecież powiedziałam, że to usunie – odparła rozzłoszczona Ruth.

Nie bała się okazywać gniewu wobec synów. Ciekawe dlaczego: dlatego że jej nie bili czy może z jakiegoś innego powodu? Andrew wiedział, że twarz musi ją boleć tak mocno jak jego.

– Jak myślisz, kto to napisał? – zapytał lekkomyślnie.

Odwróciła się do niego z wściekłością.

– Nie wiem – powiedziała – ale ktokolwiek to zrobił, postąpił podle i tchórzliwie. Wszyscy mają coś do ukrycia. Jak by to wyglądało, gdyby tata wrzucił do internetu to, co wie o innych ludziach? Ale on by tego nie zrobił.

– To byłoby wbrew jego zasadom moralnym, prawda? – podsunął Andrew.

– Nie znasz ojca tak dobrze, jak ci się wydaje! – krzyknęła ze łzami w oczach. – Wynoś się, idź odrabiać lekcje, nie obchodzi mnie, co będziesz robił, po prostu się wynoś!

Andrew, który zszedł do kuchni po coś do jedzenia, wrócił do pokoju głodny i długo leżał na łóżku, zastanawiając się, czy ten wpis nie był przypadkiem okropnym błędem. Poza tym zastanawiał się, jak bardzo Simon musiałby poturbować któregoś z członków rodziny, żeby matka zrozumiała, że jej mąż nie ma żadnych zasad moralnych.

Tymczasem w gabinecie parterowego domu oddalonego o półtora kilometra od Hilltop House Shirley Mollison próbowała sobie przypomnieć, jak się usuwa wpis z tablicy ogłoszeń. Wpisy pojawiały się tak rzadko, że zazwyczaj pozwalała im tam wisieć nawet przez trzy lata. Wreszcie wygrzebała z szafki w rogu krótki poradnik, który napisała dla siebie, gdy zaczęła tworzyć stronę, i po kilku nieudanych próbach udało jej się usunąć oskarżenia pod adresem Simona. Zrobiła to wyłącznie dlatego, że poprosiła ją Ruth, którą lubiła. Nie czuła w związku z tą sprawą żadnej osobistej odpowiedzialności.

Usunięcie wpisu ze strony nie zdołało go jednak usunąć ze świadomości tych, którzy bardzo się interesowali nieuchronną walką o miejsce po Barrym. Parminder Jawanda skopiowała wiadomość o Simonie na swój komputer i co chwila ją otwierała, poddając każde zdanie analizie godnej patologa sądowego, który bada włókna na zwłokach i szuka śladów cząstek DNA Howarda Mollisona. Wiedziała, że na pewno bardzo się starał zmienić swoją charakterystyczną frazeologię, ale była pewna, że rozpoznaje jego pompatyczność w sformułowaniach: „Cięcie kosztów z pewnością nie jest mu obce" i „skorzystać na jego rozlicznych cennych kontaktach".

– Nie znasz Simona Price'a, Mindo – powiedziała Tessa Wall.

Jedli z Colinem kolację u Jawandów, w kuchni Old Vicarage. Ledwie zdążyli przekroczyć próg, Parminder zaczęła mówić o wpisie na stronie.

– To bardzo nieprzyjemny człowiek i mógł się narazić wielu ludziom. Szczerze mówiąc, naprawdę nie sądzę, żeby to była sprawka Howarda Mollisona. Nie zrobiłby czegoś tak oczywistego.

– Nie oszukuj się, Tesso – odrzekła Parminder. – Howard zrobi wszystko, żeby zapewnić Milesowi miejsce w radzie. Zobaczysz. Teraz uderzy w Colina.

Tessa zobaczyła, jak knykcie Colina bieleją zaciśnięte na widelcu. Parminder powinna była pomyśleć, zanim to powiedziała. Akurat ona doskonale wiedziała, jaki jest Colin. Sama przepisywała mu prozac.

Vikram siedział w milczeniu u szczytu stołu. Jego piękna twarz w naturalny sposób ułożyła się w lekko sardoniczny uśmiech. Vikram zawsze wprawiał Tessę w zakłopotanie, jak wszyscy przystojni mężczyźni. Parminder była jedną z jej najbliższych przyjaciółek, ale Tessa prawie nie znała jej męża, który dużo pracował i w znacznie mniejszym stopniu niż żona uczestniczył w życiu Pagford.

– Wspominałam ci o porządku obrad najbliższego posiedzenia, prawda? – ciągnęła Parminder. – Mollison zgłosi wniosek w sprawie Fields, który następnie chce przekazać komisji z Yarvil zajmującej się zmianą granic, o r a z projekt rezolucji w sprawie wymówienia umowy najmu budynku, w którym działa klinika odwykowa. Próbuje to wszystko przepchnąć, póki miejsce po Barrym jest puste.

Ciągle wstawała od stołu i po coś szła, otwierała więcej szafek, niż było trzeba. Była rozkojarzona i nie mogła się skupić. Dwa razy zapomniała, po co wstała, więc usiadła z powrotem z pustymi rękami. Vikram obserwował każdy krok żony spod swoich gęstych brwi.

– Wczoraj wieczorem zadzwoniłam do Howarda – powiedziała Parminder – i powiedziałam, że powinniśmy zaczekać z głosowaniem nad ważnymi sprawami, aż znowu będziemy mieli komplet radnych. Roześmiał się. Odparł, że nie możemy czekać. Że Yarvil chce poznać naszą opinię przed rozpoczęciem najbliższego przeglądu granic. Tak naprawdę boi się, że Colin zajmie miejsce po Barrym, bo wtedy nie będzie mu tak łatwo narzucić nam swojej woli. Wysłałam e-maile do wszystkich, którzy moim zdaniem mogą nas poprzeć. Poprosiłam, żeby spróbowali wywrzeć nacisk na Mollisona i doprowadzić do odroczenia głosowań do następnego posiedzenia...

Parminder urwała, a potem dodała, niemal bez tchu:

– „Duch Barry'ego Fairbrothera". Co za drań. Nie będzie wykorzystywał śmierci Barry'ego do swoich celów. Nie pozwolę na to.

Tessa miała wrażenie, że usta Vikrama drgnęły. Stara pagfordzka gwardia pod wodzą Howarda Mollisona generalnie wybaczała Vikramowi zbrodnie, których nie mogła wybaczyć jego żonie: brązowy kolor skóry, inteligencję i zamożność (wszystkie te cechy, według Shirley Mollison, trąciły chełpliwością). Tessa uważała, że to okropnie niesprawiedliwe, bo Parminder ciężko pracowała na wszystkich polach swojego życia w Pagford: pomagała w szkolnych imprezach, organizowała sprzedaże wypieków, aby zebrać środki na różne ważne cele, pracowała w miejscowej przychodni i udzielała się w radzie gminy, a za to wszystko stara gwardia odpłacała jej nieprzejednaną nienawiścią. Vikrama, który rzadko brał w czymkolwiek udział, traktowano natomiast przymilnie, schlebiano mu i wyrażano się o nim z aprobatą, z jaką zazwyczaj mówi się o swojej własności.

– Mollison to megaloman – powiedziała Parminder, nerwowo rozgrzebując jedzenie widelcem. – Despota i megaloman.

Vikram odłożył sztućce i oparł się o oparcie krzesła.

– Jeśli jest taki zadowolony z funkcji przewodniczącego rady gminy, to dlaczego nie stara się o miejsce w radzie okręgu? – zapytał.

– Bo myśli, że Pagford jest epicentrum wszechświata – warknęła Parminder. – Ty tego nie zrozumiesz: on nie zamieniłby funkcji przewodniczącego Rady Gminy Pagford nawet na fotel premiera. Zresztą wcale nie musi być w radzie w Yarvil. Ma tam Aubreya Fawleya, który forsuje ich wielki program. Wszyscy agitują za przesunięciem granic. Pomagają sobie nawzajem.

Parminder wyraźnie odczuwała brak Barry'ego przy stole. On wytłumaczyłby to Vikramowi, a przy tym by go rozśmieszył. Barry kapitalnie parodiował sposób przemawiania Howarda, jego toczący się, kaczy chód i nagłe przerywniki żołądkowo-jelitowe.

– Ciągle jej powtarzam, że za bardzo się tym przejmuje – powiedział Vikram do Tessy, która z przerażeniem poczuła, że lekko się czerwieni pod spojrzeniem jego ciemnych oczu. – Słyszałaś o tej głupiej skardze złożonej przez rodzinę tej kobiety z rozedmą płuc?

– Tak, Tessa słyszała. Wszyscy słyszeli. Musimy o tym rozmawiać przy kolacji? – warknęła Parminder, po czym zerwała się z miejsca i zaczęła zbierać talerze.

Tessa chciała jej pomóc, ale Parminder ze złością kazała jej zostać przy stole. Vikram uśmiechnął się do Tessy na znak solidarności, co wywołało trzepotanie w jej żołądku. Spojrzała na pobrzękującą talerzami przyjaciółkę i całkiem mimowolnie pomyślała, że małżeństwo Vikrama i Parminder zostało zaaranżowane.

(„Chodzi tylko o to, że poznały nas z sobą nasze rodziny – powiedziała jej Parminder na początku ich przyjaźni, urażona i rozdrażniona czymś, co zobaczyła na twarzy Tessy. – Nikt nikogo n i e z m u s z a do małżeństwa".

Ale przy innych okazjach z goryczą mówiła o ogromnej presji ze strony matki, która nakłaniała córkę do zamążpójścia. „Wszyscy sikhijscy rodzice chcą, żeby ich dzieci wzięły ślub. To jakaś obsesja").

Colin bez żalu patrzył, jak Parminder zabiera mu talerz. Mdłości kłębiące się w jego żołądku były jeszcze gorsze, niż kiedy przyszli. Czuł się tak oddalony od trojga swoich towarzyszy, że równie dobrze mógłby siedzieć zamknięty w bańce z grubego szkła. Aż nazbyt dobrze znał to uczucie, coś jakby chodzenie w olbrzymiej zamkniętej sferze zmartwień i obserwowanie, jak przed oczami przetaczają się koszmary przysłaniające świat zewnętrzny.

Tessa wcale mu nie pomagała: z premedytacją była chłodna i obojętna wobec jego kampanii o miejsce po Barrym. Ta cała kolacja miała służyć temu, by Colin mógł się skonsultować z Parminder w sprawie małych ulotek wyborczych, które wydrukował. Tessa odmawiała angażowania się w tę sprawę, nie dopuszczała do dyskusji na temat strachu, który powoli go ogarniał. Nie pomagała mu się od niego uwolnić.

Próbując naśladować jej chłodną postawę, udając, że ostatecznie wcale się nie ugiął pod ciężarem, który sam na sobie wziął, nie powiedział jej o tym, że kiedy był w pracy, zadzwonili do niego z „Yarvil and District Gazette". Chcieli porozmawiać o Krystal Weedon.

„Dotykałem jej?"

Colin oznajmił, że pracownikom szkoły nie wolno rozmawiać o uczniach i że należy się skontaktować z Krystal za pośrednictwem jej rodziców.

– Już rozmawiałam z Krystal – powiedział głos w słuchawce. – Chciałam tylko zapytać o pana...

Colin natychmiast odłożył telefon i przerażenie przysłoniło mu cały świat.

„Czemu chcieli rozmawiać o Krystal? Czemu do niego dzwonili? Może coś zrobił? Może jej dotykał? Może się komuś poskarżyła?"

Psycholog poradził mu, żeby nie próbował potwierdzać ani obalać treści takich myśli. Miał się pogodzić z ich istnieniem i żyć jak zwykle, ale to było tak, jakby powstrzymywać się od drapania najbardziej swędzącego miejsca. Publiczne ujawnienie brudnych sekretów Simona Price'a na stronie internetowej rady gminy wprawiło Colina w osłupienie: paniczny strach przed demaskacją, który zdominował tak wielką część życia Colina, otrzymał twarz podstarzałego cherubina z umysłem demona kipiącym pod czapką *à la* Sherlock Holmes na gęstych szarych lokach, za wyłupiastymi ciekawskimi oczami. Colin pamiętał, jak Barry mówił o imponującym zmyśle strategicznym sklepikarza i o misternej sieci sojuszy łączących szesnastu członków Rady Gminy Pagford.

Colin często sobie wyobrażał sposób, w jaki się dowie, że gra jest skończona: pełen rezerwy artykuł w gazecie, ludzie odwracający się od niego w delikatesach Mollison and Lowe, wezwanie od dyrektorki szkoły na rozmowę w cztery oczy. Tysiące razy wyobrażał sobie swój upadek: swoją hańbę obnażoną i zawieszoną na szyi jak dzwonek trędowatego, by odebrać mu wszelkie szanse na ukrycie się, do końca życia. Wyleją go z pracy. Może nawet skończy w więzieniu.

– Colin.

Tessa cicho wyrwała go z zamyślenia. Vikram proponował mu wino.

Wiedziała, co się dzieje w tej dużej kopulastej głowie. Nie znała szczegółów, ale temat przewodni jego lęków nie zmieniał się od lat. Wiedziała, że Colin nic na to nie może poradzić – po prostu taki był. Wiele lat wcześniej przeczytała i uznała za słuszne słowa W.B. Yeatsa: „Żałość, której nic nie wypowie, w sercu miłości się kryje"*. Uśmiechnęła się nad tym wierszem i pogłaskała kartkę, bo wiedziała, że kocha Colina oraz że ogromną część jej miłości tworzy współczucie.

Czasami jednak brakowało jej cierpliwości. Czasami s a m a potrzebowała odrobiny troski i pocieszenia. Colin wpadł w łatwą do przewidzenia panikę, kiedy mu oznajmiła, że zdiagnozowano u niej cukrzycę typu B, ale gdy już go przekonała, że nie grozi jej rychła śmierć, zdumiało ją, jak

---

* W.B. Yeats, *Żałość miłości*, w: *Wiersze wybrane*, tłum. Z. Kubiak, Wrocław 1997, s. 17.

szybko zmienił temat, jak całkowicie na powrót pogrążył się w myślach o swoich planach wyborczych.

(Tego ranka przed śniadaniem po raz pierwszy zmierzyła sobie poziom cukru glukometrem, a potem sięgnęła po specjalną strzykawkę i wkłuła się w brzuch. Zabolało bardziej, niż gdy robiły to wprawne dłonie Parminder.

Fats chwycił miseczkę z płatkami zbożowymi i gwałtownie odwrócił się od stołu, wylewając mleko na blat, na rękaw szkolnej koszuli i na podłogę. Colin wydał z siebie nieokreślony krzyk rozdrażnienia, kiedy jego syn wypluł przeżute płatki z powrotem do miseczki i warknął do matki: „Musisz to robić przy stole, do cholery?".

„Do diabła, nie bądź taki niegrzeczny i obrzydliwy! – wrzasnął Colin. – Siedź prosto! Sprzątnij ten bałagan! Jak śmiesz mówić do matki w ten sposób! Przeproś!"

Tessa zbyt szybko wyjęła igłę i popłynęła krew.

„Przepraszam, że chce mi się rzygać, kiedy patrzę, jak się szprycujesz przy śniadaniu, Tess" – powiedział Fats spod stołu, gdzie wycierał podłogę kawałkiem papierowego ręcznika.

„Twoja matka wcale się nie szprycuje, jest chora! – krzyknął Colin. – I nie nazywaj jej Tess!"

„Stu, wiem, że nie lubisz igieł" – powiedziała Tessa, ale oczy szczypały ją od łez. Zastrzyk był bolesny, a w dodatku była roztrzęsiona i zła na nich obu. Te emocje towarzyszyły jej aż do wieczora).

Tessa zastanawiała się, dlaczego Parminder nie zwróciła uwagi na zatroskanie Vikrama. Colin nigdy nie zauważał, że jego żona jest zestresowana. „Może – pomyślała Tessa ze złością – te aranżowane małżeństwa nie są takie złe... Matka na pewno nie wybrałaby dla mnie Colina..."

Parminder stawiała na stole deser: miseczki z pokrojonymi owocami. Nieco rozżalona Tessa zastanawiała się, co ich gospodyni zaserwowałaby gościowi, który nie cierpi na cukrzycę. Pocieszyła się myślą o tabliczce czekolady leżącej w domu w lodówce.

Parminder, która podczas całej kolacji mówiła pięć razy więcej niż pozostali, zaczęła narzekać na swoją córkę Sukhvinder. Wcześniej powiedziała Tessie przez telefon o zdradzie dziewczyny. Przy stole znów zaczęła wałkować ten temat.

– Kelneruje u Howarda Mollisona. Nie wiem, naprawdę nie mam pojęcia, co ona sobie myśli. Ale Vikramowi...

– Oni nie myślą, Mindo – wszedł jej w słowo Colin, przerywając swoje długie milczenie. – To nastolatki. Nic ich nie obchodzi. Wszyscy są tacy sami.

– Colin, nie gadaj bzdur – warknęła Tessa. – Wcale nie są tacy sami. My bylibyśmy zachwyceni, gdyby Stu znalazł sobie pracę na weekendy. Niestety nie ma na to najmniejszych szans.

– ...ale Vikramowi to nie przeszkadza – ciągnęła Parminder, ignorując słowa gości. – Nie widzi w tym nic złego, prawda, Vikram?

Vikram odpowiedział bez zastanowienia:

– To doświadczenie zawodowe. Jolly prawdopodobnie nie pójdzie na studia, to żaden wstyd. Studia nie są dla każdego. Wyobrażam sobie, że młodo wyjdzie za mąż i będzie bardzo szczęśliwa.

– Kelneruje...

– No cóż, nie wszyscy mogą być naukowcami, prawda?

– Ona z pewnością nie będzie naukowcem – odparła Parminder, która już prawie drżała ze złości i napięcia. – Zbiera fatalne stopnie. Zero aspiracji, zero ambicji. Kelneruje. „Spójrzmy prawdzie w oczy, nie dostanę się na studia". Nie, z takim podejściem n a p e w n o się nie dostanie. Pracując u Howarda Mollisona... Mollison musiał być wprost zachwycony: moja córka przychodzi żebrać o pracę. Co ona sobie myślała? C o o n a s o b i e myślała?

– Też byś nie chciała, żeby Stu pracował u kogoś takiego jak Mollison – powiedział Colin do Tessy.

– Wcale by mi to nie przeszkadzało – oznajmiła Tessa. – Cieszyłabym się, że przejawia jakąkolwiek chęć do pracy. Z tego, co widzę, obchodzą go tylko gry komputerowe i...

Ale Colin nie wiedział, że Stuart pali. Zamilkła, a jej mąż rzucił:

– W zasadzie Stuart zrobiłby coś takiego z ochotą. Zacząłby się zadawać z kimś, kogo nie lubimy, żeby nam dopiec. Byłby zachwycony.

– Na litość boską, Colin, Sukhvinder wcale nie próbuje dopiec Mindzie – powiedziała Tessa.

– Więc myślisz, że jestem niemądra? – wypaliła Parminder, zwracając się do Tessy.

– Nie, nie – powiedziała Tessa, przerażona tym, jak szybko dali się wciągnąć w rodzinną kłótnię. – Po prostu mówię, że nie mamy w Pagford zbyt wielu miejsc, w których mogłyby pracować dzieci, prawda?

– Czemu w ogóle poszła do pracy? – zapytała Parminder, podnosząc ręce w geście rozpaczliwej wściekłości. – Dajemy jej za mało pieniędzy?

– Wiesz, że pieniądze zarobione osobiście zawsze traktuje się inaczej – powiedziała Tessa.

Krzesło Tessy stało naprzeciwko ściany obwieszonej fotografiami młodych Jawandów. Często siedziała w tym miejscu i zdążyła policzyć zdjęcia poszczególnych dzieci: Jaswant występowała tam osiemnaście razy, Rajpal dziewiętnaście, a Sukhvinder dziewięć. Tylko jedno zdjęcie upamiętniało indywidualne osiągnięcia Sukhvinder: fotografia osady wioślarskiej z Winterdown zrobiona w dniu jej zwycięstwa nad osadą ze Świętej Anny. Rodzice wszystkich zawodniczek dostali od Barry'ego powiększoną odbitkę, na której Sukhvinder i Krystal Weedon znajdowały się pośrodku ośmioosobowego szeregu, obejmowały się z uśmiechem i skakały z radości, przez co obie były trochę zamazane.

„Barry pomógłby Parminder spojrzeć na to z właściwej perspektywy" – pomyślała. Był pomostem między matką i córką. Obie go uwielbiały.

Nie po raz pierwszy Tessa zastanawiała się, jaki wpływ ma na jej poglądy fakt, że nie jest biologiczną matką swojego syna. Może było jej łatwiej zaakceptować go jako odrębną jednostkę, niż gdyby się narodził z jej ciała i krwi? Z jej gęstej od glukozy, skażonej krwi...

Ostatnio Fats przestał ją nazywać mamą. Musiała udawać, że wcale jej to nie przeszkadza, bo syn doprowadzał tym Colina do złości. Ale ilekroć Fats mówił „Tessa", czuła, jakby wbijał jej igłę w serce.

Wszyscy czworo skończyli jeść zimne owoce w milczeniu.

VII

W białym domku wysoko nad miasteczkiem Simon Price denerwował się i głowił. Mijał dzień za dniem. Oskarżycielski wpis zniknął z internetu, ale Simon nadal był jak sparaliżowany. Wycofanie kandydatury mogłoby zostać odebrane jako przyznanie się do winy. Policja nie zapukała do drzwi, żeby zapytać o komputer, i Simon trochę żałował, że zrzucił go ze starego mostu. Z drugiej strony miał wrażenie, że zauważył znaczący uśmieszek na twarzy faceta za kasą w warsztacie u stóp wzgórza, kiedy podawał mu kartę kredytową. W pracy ciągle mówili o redukcjach i Simon nadal się obawiał, że treść wpisu dotrze do uszu szefostwa, które być może zechce uniknąć wypłaty odprawy, zwalniając jego, Jima i Tommy'ego dyscyplinarnie.

Andrew patrzył, czekał i z każdym dniem coraz bardziej tracił nadzieję. Próbował pokazać światu prawdziwe oblicze swojego ojca, a świat najwyraźniej tylko wzruszył ramionami. Andrew wyobrażał sobie, że ktoś z drukarni albo z rady gminy wstanie i wyraźnie powie Simonowi „nie", oznajmiając mu, że nie jest odpowiednim człowiekiem, by stanąć w szranki z innymi ludźmi, że się nie nadaje i jest od nich gorszy, że nie powinien okrywać hańbą siebie i swojej rodziny. A jednak nic się nie wydarzyło – jeśli nie liczyć tego, że Simon przestał mówić o radzie i wydzwaniać do ludzi w nadziei na pozyskanie głosów, a ulotki, które wydrukował w pracy po godzinach, leżały nietknięte w pudle w przedpokoju.

Potem, bez ostrzeżenia i bez żadnych fanfar, przyszło zwycięstwo. W piątek wieczorem, schodząc po ciemku po schodach w poszukiwaniu jedzenia, Andrew usłyszał, jak spięty Simon rozmawia przez telefon w salonie, więc przystanął i nadstawił uszu.

– ... wycofać swoją kandydaturę – mówił. – Tak. Z powodów osobistych. Tak. Tak. Tak, zgadza się. Dobrze. Dziękuję.

Andrew usłyszał, jak Simon odkłada słuchawkę.

– No i po sprawie. Jeśli mają mnie obsmarowywać gównem, to ja się wypisuję.

Andrew usłyszał stłumioną, aprobującą odpowiedź matki. Zanim zdążył się ruszyć, Simon wyszedł do przedpokoju, nabrał powietrza w płuca i wykrzyczał pierwszą sylabę imienia Andrew. Dopiero wtedy zauważył, że syn stoi na schodach.

– Co ty tu robisz?

Twarz Simona spowijał mrok przełamany jedynie światłem wydobywającym się z salonu.

– Szedłem po coś do picia – skłamał Andrew.

Ojciec nie lubił, kiedy chłopcy sami częstowali się jedzeniem.

– W ten weekend zaczynasz pracę u Mollisona, tak?

– Tak.

– Dobra, no to słuchaj. Zbieraj na tego drania wszystkie haki, jakie się da, słyszysz? Wszystkie brudy, jakie zauważysz. I na jego syna, jeśli coś ci się obije o uszy.

– W porządku – powiedział Andrew.

– A ja to umieszczę na tej pierdolonej stronie internetowej – dokończył Simon, po czym wrócił do salonu. – Pierdolony duch Barry'ego Fairbrothera.

Kiedy Andrew brał trochę jedzenia, tak żeby ubytki nie rzucały się w oczy – plasterek tego, garść tamtego – coś mu śpiewało w duszy: „Przeszkodziłem ci, draniu. Przeszkodziłem ci".

Zrobił dokładnie to, co zamierzał: Simon nie miał pojęcia, kto obrócił wniwecz jego ambicje. Głupi sukinsyn żądał nawet, żeby Andrew pomógł mu dokonać zemsty, co zresztą było nieoczekiwanym zwrotem w sytuacji, bo kiedy Andrew oznajmił rodzicom, że znalazł pracę w delikatesach, Simon wpadł we wściekłość.

– Ty głupi palancie! A co z twoją pierdoloną alergią?

– Pomyślałem, że spróbuję nie jeść żadnych orzechów – powiedział Andrew.

– Nie pyskuj, Pryszczaku. A jeśli zjesz jednego przypadkiem, tak jak w Świętym Tomaszu? Myślisz, że chcemy przechodzić przez to gówno po raz drugi?

Ale Ruth poparła Andrew, mówiąc Simonowi, że ich syn jest już na tyle duży, na tyle mądry, że będzie uważał. Gdy jej mąż wyszedł z pokoju, próbowała powiedzieć Andrew, że Simon po prostu się o niego martwi.

– Jego martwi tylko to, że gdyby musiał mnie zawieźć do szpitala, ominąłby go cholerny mecz w telewizji.

Andrew wrócił do pokoju, usiadł i pakując jedzenie do ust, drugą ręką napisał SMS-a do Fatsa.

Myślał, że to już koniec, że jest po wszystkim, że sprawa została zamknięta. Nigdy nie miał okazji zaobserwować pierwszej banieczki fermentujących drożdży, w której kryje się nieuchronna alchemiczna przemiana.

VIII

Przeprowadzka do Pagford była najgorszą rzeczą, jaka kiedykolwiek spotkała Gaię Bawden. Nie licząc sporadycznych wizyt u ojca w Reading, Londyn był wszystkim, co znała. Nie dowierzała, kiedy Kay mówiła, że chciałaby się przeprowadzić do maleńkiego miasteczka w West Country, i dopiero kilka tygodni później potraktowała to zagrożenie poważnie. Wcześniej myślała, że to jeden z tych szalonych pomysłów Kay, takich jak kupno dwóch kur do maleńkiego ogródka w Hackney (zabitych tydzień później przez lisa) albo postanowienie zepsucia połowy garnków i trwałe oszpecenie ręki podczas robienia marmolady, mimo że Kay prawie nigdy nie gotowała.

Oderwana od przyjaciół, których znała od podstawówki, wyrwana z domu, w którym mieszkała od ósmego roku życia, pozbawiona weekendów coraz bardziej obfitujących w przeróżne wielkomiejskie rozrywki Gaia, mimo swoich próśb, gróźb i protestów, wylądowała w życiu, o którego istnieniu nie miała wcześniej pojęcia. Brukowane ulice i sklepy zamykane o szóstej, życie miejskie obracające się chyba głównie wokół kościoła oraz częsta cisza, w której było słychać tylko śpiew ptaków – Gaia czuła się tak, jakby trafiła do krainy zagubionej w czasie.

Przez całe życie była mocno związana z matką (ojciec nigdy z nimi nie mieszkał, a dwa następne związki Kay nie zostały sformalizowane). Sprzeczały się, pocieszały nawzajem i z upływem lat coraz bardziej stawały się dla siebie koleżankami. Ale teraz, spoglądając nad stołem w kuchni, Gaia widziała jedynie wroga. Marzyła tylko o tym, żeby wrócić do Londynu, wykorzystując wszelkie dostępne środki, i żeby w ramach zemsty jak najbardziej unieszczęśliwić Kay. Nie wiedziała, co byłoby dla matki większą karą: oblanie egzaminów na zakończenie szkoły średniej czy zdanie ich i przeprowadzenie się do ojca, żeby móc pójść do dwuletniego *college*'u w Londynie. Tymczasem musiała egzystować na obcym terenie, gdzie jej wygląd i akcent – jeszcze niedawno przepustka gwarantująca błyskawiczny wstęp do najbardziej ekskluzywnych kręgów towarzyskich – stały się obcą walutą.

Gaia nie miała najmniejszej ochoty znaleźć się w gronie najbardziej lubianych uczniów Winterdown. Ci ludzie byli dla niej żenujący: mieli akcent z West Country i żałosne wyobrażenie na temat tego, co można uznać za rozrywkę. Jej uparte zabieganie o sympatię Sukhvinder Jawandy było po części sposobem pokazania „elicie", że uważa ją za śmiechu wartą. Poza tym Gaia czuła więź z każdym, kto zdawał się outsiderem.

Kiedy Sukhvinder zgodziła się dołączyć do Gai i pracować jako kelnerka, ich przyjaźń wzniosła się na wyższy poziom. Na drugiej lekcji biologii Gaia odprężyła się, jak jeszcze nigdy, i Sukhvinder w końcu odkryła część tajemniczej przyczyny, dla której ta piękna, fajna nowa dziewczyna wybrała ją sobie na przyjaciółkę. Ustawiając ostrość w ich wspólnym mikroskopie, Gaia mruknęła:

– Tak tu cholernie biało, prawda?

Sukhvinder usłyszała, jak potakuje, zanim zdążyła się zastanowić nad pytaniem. Gaia mówiła dalej, ale Sukhvinder słuchała tylko jednym uchem. „Cholernie biało". Tak, chyba miała rację.

Kiedyś w szkole Świętego Tomasza, gdzie Sukhvinder była jedynym ciemnoskórym dzieckiem w klasie, kazano jej wstać i opowiedzieć o religii sikhów. Posłusznie wyszła na środek i opowiedziała o założycielu sikhijskiej religii guru Nanaku, który zniknął w rzece i wszyscy myśleli, że utonął, tymczasem po trzech dniach spędzonych pod wodą wyłonił się i ogłosił: „Nie ma hindusów, nie ma muzułmanów".

Dzieci w klasie chichotały, słysząc, że ktoś przeżył pod wodą trzy dni. Sukhvinder nie odważyła się zwrócić im uwagi, że Jezus umarł i zmartwychwstał. Skróciła historię o guru Nanaku, bo rozpaczliwie chciała wrócić na miejsce. Była w gurudwarze tylko kilka razy w życiu. W Pagford nie było gurudwary, a tę w Yarvil – według rodziców Sukhvinder – zdominowała inna kasta: chamarowie. Sukhvinder nie wiedziała, w czym to przeszkadza, bo pamiętała, że guru Nanak wyraźnie zakazał podziałów kastowych. Miała od tego wszystkiego mętlik w głowie: nadal podobały jej się jajka wielkanocne i ubieranie choinki na Boże Narodzenie, a książki, które Parminder wciskała swoim dzieciom – opisujące życie rozmaitych guru i zasady khalsy – czytało się jej z ogromnym trudem.

Wizyty u rodziny matki w Birmingham, gdzie na ulicach prawie wszyscy mieli brązową skórę, a w sklepach pełno było sari i indyjskich przypraw, budziły w Sukhvinder poczucie zagubienia i wyobcowania. Kuzyni mówili po pendżabsku równie dobrze jak po angielsku, wiedli fajne wielkomiejskie życie, a kuzynki były ładne i modnie ubrane. Śmiały się z jej grasejowania z West Country i z jej braku wyczucia, co jest modne, a Sukhvinder nie znosiła, kiedy ktoś się z niej śmiał. Zanim Fats rozpoczął rytuał codziennych tortur, zanim wszystkich uczniów z jej rocznika podzielono na grupy, skazując ją na codzienny kontakt z Dane'em Tullym, zawsze lubiła wracać z Birmingham do Pagford. Czuła się wtedy jak w niebie.

Kiedy manipulowały szkiełkami mikroskopu, pochylone, żeby nie zwracać na siebie uwagi pani Knight, Gaia wylewniej niż kiedykolwiek zaczęła opowiadać Sukhvinder o swoim życiu w szkole średniej Gravener w Hackney. Słowa wypływały z niej nieco nerwowym strumieniem. Mówiła o przyjaciółkach, które tam zostawiła. Jedna z nich, Harpreet, miała na imię tak samo jak najstarsza kuzynka Sukhvinder. Mówiła o Sherelle, czarnoskórej i najinteligentniejszej dziewczynie ze swojej paczki, i o Jen, której brat był pierwszym chłopakiem Gai.

Choć Sukhvinder niezwykle interesowało to wszystko, o czym opowiadała Gaia, odpłynęła myślami i wyobrażała sobie szkolny apel, na którym trzeba bardzo się starać, żeby wyłuskać poszczególne składniki z kalejdoskopowego obrazka złożonego z wszystkich odcieni skóry, od jasnego jak owsianka aż do ciemnego jak mahoń. Tutaj, w Winterdown, kruczoczarne włosy Azjatów wyraźnie odznaczały się w morzu mysiego i burego koloru. W takim miejscu jak Gravener ludzie w rodzaju Fatsa Walla i Dane'a Tully'ego sami mogliby się znaleźć w mniejszości.

— Dlaczego się przeprowadziłaś? — zapytała nieśmiało Sukhvinder.

— Bo moja matka chciała być bliżej swojego cipowatego faceta — mruknęła Gaia. — Nazywa się Gavin Hughes, znasz go?

Sukhvinder przecząco pokręciła głową.

— Pewnie słyszałaś, jak się pieprzą — powiedziała Gaia. — Cała ulica słyszy, kiedy to robią. Wystarczy zostawić wieczorem uchylone okno.

Sukhvinder próbowała nie wyglądać na zszokowaną, ale myśl, że mogłaby usłyszeć, jak jej rodzice, ludzie po ślubie, uprawiają seks, wydała jej się wystarczająco okropna. Gaia też się zarumieniła, ale Sukhvinder wiedziała, że nie z zakłopotania, lecz ze złości.

— On ją rzuci. Moja matka oszukuje samą siebie. Kiedy już skończą się pieprzyć, facet nie może się doczekać, żeby wyjść.

Sukhvinder nigdy nie odważyłaby się mówić o matce w taki sposób, podobnie jak bliźniaczki Fairbrotherów (nadal teoretycznie jej najlepsze przyjaciółki). Niamh i Siobhan pracowały niedaleko przy mikroskopie. Po śmierci ojca jakby się odizolowały, wybierając własne towarzystwo i oddalając się od Sukhvinder.

Andrew Price prawie bez przerwy gapił się na Gaię ze ściany otaczających je białych twarzy. Sukhvinder to zauważyła i myślała, że Gaia o niczym nie wie, ale była w błędzie. Jej przyjaciółka po prostu nie zawracała sobie głowy odwzajemnianiem takich spojrzeń ani obnoszeniem się z nimi, bo przywykła do tego, że chłopcy się na nią gapią. Gapili się, odkąd skończyła dwanaście lat. Dwaj chłopcy z przedostatniej klasy oglądali się za nią na korytarzu z ponadprzeciętną częstotliwością, a obaj byli przystojniejsi niż Andrew. Żaden z nich nie mógł się jednak równać z chłopakiem, z którym Gaia straciła cnotę tuż przed przeprowadzką do Pagford.

Gaia nie mogła znieść, że Marco de Luca nadal jest obecny gdzieś we wszechświecie, oddzielony od niej dwustu dwunastoma kilometrami bolesnej, bezużytecznej przestrzeni.

– Ma osiemnaście lat – powiedziała do Sukhvinder. – Jest w połowie Włochem. Bardzo dobrze gra w piłkę. Będzie się starał o przyjęcie do drużyny juniorów Arsenalu.

Przed wyjazdem z Hackney Gaia uprawiała seks z Markiem cztery razy, zawsze podkradając prezerwatywy z szafki nocnej Kay. Trochę chciała, żeby Kay zobaczyła, do czego posunęła się jej córka, aby się zapisać w pamięci Marka, zanim matka zmusi ją do rozstania z nim.

Sukhvinder słuchała zafascynowana, ale nie przyznała się przed Gaią, że już widziała Marca na Facebooku na stronie swojej nowej przyjaciółki. W całym Winterdown nie było kogoś takiego jak on: wyglądał jak Johnny Depp.

Gaia oparła się o ławkę i w zamyśleniu kręciła gałką mikroskopu, a po drugiej stronie klasy Andrew Price nadal gapił się na nią, kiedy myślał, że Fats nie widzi.

– Może będzie mi wierny. W sobotę wieczorem Sherelle robi imprezę. Zaprosiła go. Przysięgła, że będzie go pilnowała. Cholera, mimo wszystko wolałabym...

Zamilkła i zamyślona wpatrzyła się nakrapianymi oczami w ławkę, a Sukhvinder obserwowała ją z pokorą, zachwycona urodą przyjaciółki i pełna podziwu dla jej życia. Posiadanie innego świata, do którego można by całkowicie należeć, w którym miało się chłopaka piłkarza i paczkę fajnych, oddanych przyjaciół – nawet jeśli los wyrwał cię z niego siłą – wydawało jej się godne podziwu i zazdrości.

W porze lunchu poszły razem powłóczyć się po sklepach, czego Sukhvinder prawie nigdy nie robiła. Zwykle jadła lunch z bliźniaczkami Fairbrother w szkolnej stołówce.

Stojąc obok kiosku, w którym kupiły kanapki, usłyszały słowa wykrzyczane przeszywającym wrzaskiem:

– Twoja jebana matka zabiła mi babcię!

Wszyscy przechodzący obok uczniowie z Winterdown rozejrzeli się ze zdziwieniem w poszukiwaniu źródła tego hałasu. Sukhvinder, równie zaskoczona jak oni, postąpiła tak samo. I wtedy zauważyła Krystal Weedon, która stała po drugiej stronie ulicy, celując w nią krótkim palcem jak z pistoletu. Były z nią jeszcze cztery dziewczyny, które ustawiły się w rzędzie wzdłuż krawężnika, powstrzymane przez przejeżdżające samochody.

– Twoja jebana matka zabiła mi babcię! Wyjebią ją z roboty, a ty dostaniesz wpierdol!

Sukhvinder poczuła ucisk w żołądku. Wszyscy się na nią gapili. Dwie trzecioklasistki pospiesznie się ulotniły. Sukhvinder czuła, jak wszyscy wokół przemieniają się w czujny, spragniony widowiska tłum. Krystal i dziewczyny z jej paczki przestępowały z nogi na nogę, czekając, aż przejadą samochody.

– O co jej chodzi? – zwróciła się Gaia do Sukhvinder, której tak zaschło w gardle, że nie była w stanie odpowiedzieć.

Uciekanie nie miało sensu. Nigdy nie udałoby jej się uciec. Leanne Carter była najszybszą biegaczką w swoim roczniku. Sukhvinder czuła się tak, jakby cały świat stanął w miejscu i przesuwały się tylko samochody, dając jej kilka ostatnich sekund bezpieczeństwa.

I wtedy pojawiła się Jaswant w towarzystwie kilku chłopaków z ostatniej klasy.

– Cześć, Jolly – powiedziała. – Co tam?

Jaswant nie słyszała krzyków Krystal. To było zwykłe zrządzenie losu, że zjawiła się obok kiosku razem ze swoją paczką. Po drugiej stronie ulicy Krystal i jej koleżanki zaczęły się naradzać.

– Nic ciekawego – powiedziała Sukhvinder, a ulga z powodu tymczasowego odroczenia wyroku sprawiła, że zakręciło się jej w głowie.

W obecności tych chłopaków nie mogła powiedzieć Jaz, co się dzieje. Dwaj z nich mieli prawie metr osiemdziesiąt wzrostu. Wszyscy gapili się na Gaię.

Jaz i jej koledzy weszli do kiosku, a Sukhvinder rzuciła Gai znaczące spojrzenie i poszła za nimi. Potem obie patrzyły przez okno, jak Krystal i jej paczka odchodzą, zerkając co kilka kroków przez ramię.

– O co jej chodziło? – zapytała Gaia.

– Jej prababcia była pacjentką mojej mamy i umarła – powiedziała Sukhvinder. Tak bardzo chciało jej się płakać, że bolały ją mięśnie w gardle.

– Głupia suka – powiedziała Gaia.

Ale tłumiony szloch Sukhvinder nie brał się jedynie z drżących resztek strachu. Bardzo lubiła Krystal i wiedziała, że Krystal też czuła do niej sympatię. Spędziły razem tyle popołudni nad kanałem, tyle razy podróżowały razem minibusem. Sukhvinder znała anatomię pleców i ramion Krystal lepiej niż swoich.

Wróciły do szkoły z Jaswant i jej kolegami. Najprzystojniejszy z nich zagadnął Gaię. Kiedy przechodzili przez bramę, droczył się z nią, naśladując jej londyński akcent. Sukhvinder nigdzie nie widziała Krystal, ale w oddali zauważyła Fatsa Walla idącego wielkimi krokami obok Andrew Price'a. Tę sylwetkę i ten chód poznałaby wszędzie, tak samo jak dzięki jakiemuś pierwotnemu instynktowi zauważa się pająka przemykającego po słabo oświetlonej podłodze.

Kiedy zbliżała się do budynku szkoły, czuła, jak przelewają się przez nią kolejne fale mdłości. Wiedziała, że od tej pory będzie ich dwoje: Fats i Krystal, zjednoczeni. Wszyscy wiedzieli, że się spotykają. W umyśle Sukhvinder pojawił się nagle wyrazisty obraz, na którym broczyła krwią na podłodze kopana przez Krystal i jej kumpele, a Fats Wall stał obok i się śmiał.

– Muszę do łazienki – powiedziała do Gai. – Zobaczymy się za chwilę.

Dała nura do pierwszej damskiej toalety, obok której przechodziły, zamknęła się w kabinie i usiadła na klapie sedesu. Gdyby tylko mogła umrzeć... gdyby mogła na zawsze zniknąć... Ale twarda powierzchnia rzeczywistości nie chciała się wokół niej rozpuścić, a jej ciało, jej znienawidzone ciało hermafrodyty, w ten swój uparty, gamoniowaty sposób nadal żyło...

Usłyszała dzwonek na lekcję, podskoczyła i wybiegła z łazienki. Wzdłuż korytarza ustawiały się kolejki do klas. Odwróciła się od nich wszystkich i wymaszerowała z budynku.

Inni chodzili na wagary. Chodziła na nie Krystal i Fats Wall. Gdyby udało jej się uciec i do końca lekcji trzymać się z dala od szkoły, może zdołałaby wymyślić coś, co by ją ochroniło, zanim będzie musiała wrócić. Albo mogłaby wejść pod samochód. Wyobraziła sobie uderzenie i gruchotanie kości. Jak szybko by umarła, leżąc połamana na drodze? Nadal wolała jednak myśleć o utonięciu, o czystej chłodnej wodzie, która na zawsze ukołysałaby ją do snu: do snu bez marzeń sennych...

– Sukhvinder? Sukhvinder!

Ścisnęło ją w żołądku. Przez parking pędziła za nią Tessa Wall. Przez jedną szaloną chwilę Sukhvinder zastanawiała się, czy nie zacząć uciekać, ale przytłoczyła ją daremność takiego rozwiązania, więc zatrzymała się i zaczekała, aż Tessa do niej dobiegnie. Nienawidziła tej kobiety, jej głupiej, nieładnej twarzy i podłego syna.

– Sukhvinder, co ty robisz? Dokąd idziesz?

Nawet nie udało jej się wymyślić żadnego kłamstwa. Poddała się z beznadziejnym wzruszeniem ramion.

Tessa miała wolne do trzeciej. Powinna była zaprowadzić Sukhvinder do dyrektorki i zgłosić jej udaremnioną ucieczkę, ale zamiast tego zaprowadziła Sukhvinder do swojego gabinetu z wiszącą na ścianie nepalską chustą i plakatami reklamującymi ChildLine. Sukhvinder nigdy wcześniej tam nie była.

Tessa zaczęła mówić, robiąc małe przerwy, żeby zachęcić Sukhvinder do rozmowy, a potem mówiła dalej, a Sukhvinder siedziała ze spoconymi rękami i wpatrywała się w swoje buty. Tessa znała jej matkę, na pewno powie Parminder, że jej córka próbowała uciec ze szkoły. A gdyby tak Sukhvinder wyjaśniła, dlaczego chciała to zrobić? Czy Tessa zechciałaby, czy mogłaby zainterweniować? Nie w kwestii własnego syna – wszyscy wiedzieli, że nie jest w stanie kontrolować Fatsa. Ale w sprawie Krystal? Przecież Krystal do niej przychodziła...

Czy bardzo by oberwała, gdyby naskarżyła? Ale nawet jeśli nic nie powie i tak dostanie wycisk. Krystal była gotowa napuścić na nią całą swoją paczkę...

– ... coś się stało, Sukhvinder?

Pokiwała głową.

– Możesz mi powiedzieć co? – zachęciła ją Tessa.

Więc Sukhvinder powiedziała.

Była pewna, że gdy mówiła, w ledwie dostrzegalnym drgnieniu brwi Tessy zobaczyła coś innego niż współczucie. Być może Tessa zastanawiała się nad tym, jak zareaguje Parminder na wieść, że o leczeniu pani Catherine Weedon krzyczy się na ulicy. Sukhvinder też nie omieszkała się tym pomartwić, kiedy siedziała w kabinie w toalecie i marzyła o śmierci. A może niepokój na twarzy Tessy wynikał z niechęci do konfrontacji z Krystal Weedon. Krystal bez wątpienia była jej ulubienicą, tak jak pana Fairbrothera.

Przez cierpienie Sukhvinder, jej strach i nienawiść do samej siebie przebiło się wściekłe, palące poczucie niesprawiedliwości. Gwałtownie odsunęło na bok plątaninę zmartwień i przerażenia, która codziennie ją spowijała. Pomyślała o Krystal i jej gangu, czekających, żeby zaatakować. Pomyślała o Fatsie szepczącym za jej plecami jadowite słowa na każdej lekcji matematyki i o wpisie, który usunęła ze swojej strony na Facebooku poprzedniego wieczoru:

„Les-bij-stwo *rzecz.* pociąg seksualny kobiety do innej kobiety. Termin pochodzi od nazwy mieszkanek wyspy Lesbos. Zwane również safizmem".

– Nie mam pojęcia, skąd ona o tym wie – zakończyła Sukhvinder, słysząc szum krwi w uszach.

– O czym? – zapytała Tessa, nadal ze zmartwioną miną.

– Że była skarga na mamę w związku z babcią Krystal. Krystal i jej mama nie rozmawiają z resztą rodziny. Może – zastanowiła się Sukhvinder – powiedział jej Fats?

– Fats? – powtórzyła Tessa, nie rozumiejąc, o co chodzi.

– No wie pani, przecież oni z sobą chodzą – powiedziała Sukhvinder. – On i Krystal. Chodzą z sobą, prawda? Więc może on jej powiedział.

Poczuła pewną gorzką satysfakcję, widząc, jak z twarzy Tessy znikają ostatnie resztki profesjonalizmu.

IX

Kay Bawden postanowiła, że jej noga nigdy więcej nie postanie w domu Milesa i Samanthy. Nie potrafiła im wybaczyć, że byli świadkami pokazu obojętności Gavina, nie potrafiła wybaczyć Milesowi jego protekcjonalnego śmiechu i jego postawy wobec Bellchapel ani szyderstwa, z jakim Samantha mówiła o Krystal Weedon.

Mimo przeprosin Gavina i jego powściągliwych zapewnień o uczuciu, jakim ją darzy, Kay ciągle miała go przed oczami siedzącego z Mary na kanapie, zrywającego się z miejsca, żeby pomóc jej wynieść talerze, i odprowadzającego ją w mroku do domu. Kiedy kilka dni później Gavin oznajmił Kay, że zjadł u Mary kolację, musiała stłumić złośliwą odpowiedź, bo przy Hope Street nigdy nie chciał zjeść niczego oprócz grzanki.

Może i nie było jej wolno powiedzieć złego słowa o Wdowie, o której Gavin wyrażał się jak o Matce Boskiej, ale sprawa z Mollisonami przedstawiała się zupełnie inaczej.

– Nie mogę powiedzieć, żebym polubiła Milesa.

– W zasadzie też nie nazwałbym go swoim najlepszym kumplem.

– Moim zdaniem jego wejście do rady będzie oznaczało katastrofę dla kliniki odwykowej.

– Wątpię, żeby to miało jakiekolwiek znaczenie.

Apatia Gavina i jego obojętność na cierpienia innych ludzi zawsze doprowadzały Kay do wściekłości.

– Czy istnieje ktoś, kto zamierza się wstawić za Bellchapel?

– Chyba Colin Wall – powiedział Gavin.

Zatem w poniedziałek o ósmej wieczorem Kay stanęła pod drzwiami Wallów i nacisnęła dzwonek. Ze schodów widziała czerwonego forda fiestę Samanthy zaparkowanego na podjeździe trzy domy dalej. Ten widok trochę zwiększył jej wolę walki.

Drzwi domu Wallów otworzyła niska, mało atrakcyjna i pulchna kobieta w spódnicy farbowanej metodą supełkową.

– Dzień dobry – powiedziała Kay. – Nazywam się Kay Bawden i chciałabym porozmawiać z Colinem Wallem.

Przez ułamek sekundy Tessa bez słowa gapiła się na stojącą na progu młodą atrakcyjną kobietę, której nigdy wcześniej nie widziała. Do głowy przyszła jej przedziwna myśl: że Colin ma romans i że jego kochanka przyszła jej to oznajmić.

– Aha... rak... proszę wejść. Jestem Tessa.

Kay starannie wytarła buty w wycieraczkę i weszła za Tessą do salonu, który okazał się mniejszy, skromniej urządzony, ale przytulniejszy niż u Mollisonów. Wysoki łysiejący mężczyzna o wydatnym czole siedział w fotelu z notesem na kolanach i długopisem w dłoni.

– Colin, to Kay Bawden – powiedziała Tessa. – Chciałaby z tobą porozmawiać.

Tessa zauważyła zdumioną i nieufną minę Colina i od razu poznała, że jej mąż nie zna tej kobiety. „Też coś – pomyślała. – Skąd ci to przyszło do głowy?"

– Przepraszam za to najście – zaczęła Kay, kiedy Colin wstał, żeby uścisnąć jej dłoń. – Zadzwoniłabym, ale...

– Nie ma nas w książce telefonicznej, zgadza się – dokończył Colin. Górował wzrostem nad Kay, a jego oczy za szkłami okularów zrobiły się malutkie. – Proszę, niech pani siada.

– Dziękuję. Chodzi o wybory – powiedziała Kay. – O te wybory do rady gminy. Jest pan kontrkandydatem Milesa Mollisona, prawda?

– Zgadza się – potwierdził Colin nerwowo.

Wiedział, kim jest ta kobieta: dziennikarką, która chciała porozmawiać o Krystal. Namierzyli go. Tessa nie powinna była jej wpuszczać.

– Zastanawiałam się, czy nie mogłabym jakoś pomóc – ciągnęła Kay. – Jestem pracowniczką opieki społecznej i pracuję przede wszystkim w Fields. Mogłabym podać pewne informacje i liczby dotyczące kliniki odwykowej Bellchapel, którą Mollison najwyraźniej bardzo chce zamknąć. Słyszałam, że jest pan za jej utrzymaniem. Że zależy panu na jej dalszej działalności.

Przypływ ulgi i przyjemności był tak wielki, że prawie zakręciło mu się w głowie.

– O, tak – potwierdził – tak, to prawda. Tak, mój poprzednik, to znaczy dotychczasowy radny Barry Fairbrother, był zdecydowanie przeciwny zamknięciu tej kliniki. Tak samo jak ja.

– No cóż, rozmawiałam z Howardem Mollisonem, który wyraźnie powiedział, że według niego nie warto jej dalej utrzymywać. Szczerze mówiąc, myślę, że jest dość słabo zorientowany i naiwny, jeśli chodzi o przyczyny i leczenie uzależnień oraz o bardzo ważną rolę, jaką odgrywa Bellchapel. Jeśli gmina odmówi przedłużenia umowy najmu budynku, a okręg odetnie środki finansowe, powstanie niebezpieczeństwo, że pewna bardzo potrzebująca grupa ludzi pozostanie bez wsparcia.

– Tak, tak, rozumiem – powiedział Colin. – O, tak, zgadzam się.

Był zdumiony i schlebiało mu, że ta młoda atrakcyjna kobieta poświęciła wieczór, żeby do niego przyjść i zaproponować pomoc.

– Napijesz się herbaty albo kawy, Kay? – zapytała Tessa.

– O, bardzo dziękuję – powiedziała Kay. – Poproszę o herbatę. Bez cukru.

Fats był w kuchni i wyciągał coś z lodówki. Bez przerwy pochłaniał ogromne ilości jedzenia, ale nadal był chudy i nie przytył nawet pół kilograma. Mimo otwarcie deklarowanego obrzydzenia strzykawki Tessy, które leżały w sterylnie białym opakowaniu obok sera, najwyraźniej mu nie przeszkadzały.

Tessa podeszła do czajnika i jej myśli wróciły do sprawy, która gnębiła ją od rozmowy z Sukhvinder: zastanawiała się, czy Fats rzeczywiście chodzi z Krystal. Nie zapytała o to Fatsa i nie wspomniała o tym Colinowi.

Im dłużej o tym myślała, tym bardziej była przekonana, że to nie może być prawda. Była pewna, że Fats ma o sobie tak wysokie mniemanie, że nie zadowoliłaby go żadna dziewczyna, zwłaszcza taka jak Krystal. Bo przecież by się nie...

„Nie poniżył? Tak? Właśnie tak pomyślałaś?"

– Kto przyszedł? – zapytał Fats z ustami wypchanymi zimnym kurczakiem, kiedy Tessa nastawiała czajnik.

– Kobieta, która chce, żeby tata został wybrany do rady – odparła Tessa, przetrząsając szafkę w poszukiwaniu herbatników.

– Czemu? Podoba jej się?

– Dorośnij, Stu – powiedziała zdenerwowana Tessa.

Wyjął kilka cienkich plasterków szynki z otwartej paczki i wsadził je, jeden po drugim, do pełnych już ust, jak magik wkładający do pięści jedwabne chusteczki. Fats czasami stał przed otwartą lodówką przez dziesięć minut, rozrywając foliowe i papierowe opakowania, i wkładał kawałki jedzenia prosto do ust. Colin potępiał ten zwyczaj, podobnie jak prawie wszystkie zachowania Fatsa.

– A tak naprawdę, dlaczego chce mu pomóc? – zapytał, połknąwszy całą porcję.

– Nie chce dopuścić do zamknięcia kliniki odwykowej w Bellchapel.

– To ćpunka czy jak?

– Nie, nie jest ćpunką – powiedziała Tessa, zauważając z rozdrażnieniem, że Fats zjadł trzy ostatnie herbatniki i zostawił puste opakowanie w szafce. – To pracowniczka socjalna. Uważa, że klinika robi coś pożytecznego. Tata chce, żeby Bellchapel działało dalej, ale Miles Mollison uważa, że jest niezbyt skuteczne.

– Na pewno nie ma na koncie wielu sukcesów. W Fields jest pełno ludzi, którzy kirają i dają w żyłę.

Tessa wiedziała, że gdyby Colin chciał zamknąć klinikę, Fats natychmiast znalazłby jakiś argument przeciwko temu.

– Powinieneś zostać prawnikiem, Stu – powiedziała, kiedy pokrywka czajnika zaczęła podskakiwać.

Kiedy Tessa wróciła z tacą do salonu, zobaczyła, że Kay pokazuje Colinowi plik wydruków, które przyniosła w dużej torbie na zakupy.

– ... dwóch specjalistów od leczenia uzależnień finansuje rada do spółki z Action on Addiction, a to naprawdę hojny gest. Poza tym jest Nina, związana z kliniką pracowniczka opieki społecznej. To właśnie ona mi to wszystko dała... O, bardzo dziękuję – powiedziała, uśmiechając się do Tessy, która postawiła obok niej kubek z herbatą.

Kay polubiła Wallów w kilka minut, jak nikogo innego w Pagford. Kiedy wchodziła do ich domu, Tessa nie zmierzyła jej wzrokiem od stóp do głów, nie świdrowała jej spojrzeniem, dokonując oceny fizycznych niedoskonałości i gustowności ubioru. Jej mąż był zdenerwowany, ale wydawał się przyzwoitym i szczerym człowiekiem, zdeterminowanym, by nie dopuścić do porzucenia Fields.

– To londyński akcent, Kay? – zapytała Tessa, zanurzając ciastko w herbacie.

Kay potwierdziła kiwnięciem głowy.

– Co cię sprowadza do Pagford?

– Sprawy sercowe – odpowiedziała Kay.

Mówiąc to, nie czuła zadowolenia, mimo że oficjalnie pogodziła się już z Gavinem. Zwróciła się z powrotem do Colina:

– Nie do końca rozumiem, co łączy radę gminy z kliniką.

– Budynek kliniki należy do gminy – wyjaśnił Colin. – To dawny kościół. Kończy się umowa najmu.

– Więc będzie dobra okazja, żeby ich stamtąd wykurzyć.

– Właśnie. Mówiłaś, że kiedy rozmawiałaś z Milesem Mollisonem? – zapytał Colin, mając nadzieję, że Miles o nim wspomniał, i zarazem bojąc się tego.

– Jedliśmy razem kolację w piątek, tydzień temu – wyjaśniła Kay. – Ja i Gavin...

– A, jesteś dziewczyną Gavina! – wtrąciła się Tessa.

– Tak. W każdym razie poruszono temat Fields...

– Bez wątpienia – powiedziała Tessa.

– ... i Miles wspomniał o Bellchapel. Sposób, w jaki o tym wszystkim mówił, wprawił mnie w... w przerażenie. Powiedziałam, że zajmuję się teraz pewną rodziną – Kay przypomniała sobie, jak zdradziła, że chodzi o Weedonów, więc teraz uważała na słowa – i że jeśli matka zostanie pozbawiona metadonu, prawie na pewno wróci do nałogu.

– Całkiem jak u Weedonów – powiedziała Tessa, zachmurzając się.

– No... tak, w zasadzie mówię o Weedonach – przyznała Kay.

Tessa sięgnęła po następnego herbatnika.

– Jestem szkolnym pedagogiem i zajmuję się Krystal. Jej matka leczy się w Bellchapel już chyba po raz drugi, prawda?

– Trzeci – powiedziała Kay.

– Znamy Krystal, odkąd skończyła pięć lat. W podstawówce chodziła do klasy z naszym synem – wyjaśniła Tessa. – Miała naprawdę okropne życie.

– Całkowicie się zgadzam – powiedziała Kay. – To zdumiewające, że mimo to jest taka urocza.

– O, masz rację – całym sercem poparł ją Colin.

Tessa uniosła brwi, przypomniawszy sobie, jak kategorycznie odmówił cofnięcia kary Krystal, która miała zostać po lekcjach po swym wyskoku na apelu. Potem, czując obezwładniający ucisk w żołądku, zaczęła się zastanawiać, co by powiedział jej mąż, gdyby się okazało, że Sukhvinder nie kłamie i się nie myli. Ale na pewno się myliła. Była nieśmiałą, naiwną dziewczyną. Pewnie źle coś zrozumiała... przesłyszała się...

– Sęk w tym, że chyba jedyne, co motywuje Terri do zerwania z nałogiem, to strach przed utratą dzieci – mówiła dalej Kay. – Teraz wyszła na prostą. Jej terapeutka z kliniki powiedziała, że wyczuwa pewien przełom w postawie Terri. Jeśli zamkną Bellchapel, wszystko znowu pójdzie na marne i Bóg jeden wie, co się stanie z tą rodziną.

– To bardzo cenna informacja – rzekł Colin, z przejęciem kiwając głową, i zaczął coś zapisywać na czystej kartce w notesie. – Naprawdę bardzo cenna. Mówisz, że masz dane statystyczne dotyczące wyleczonych pacjentów?

Kay przekartkowała zadrukowane strony, szukając odpowiednich informacji. Tessa miała wrażenie, że Colin chce zagarnąć uwagę Kay dla siebie. Zawsze był łasy na dobry wygląd i życzliwość.

Tessa gryzła kolejnego herbatnika i nadal rozmyślała o Krystal. Ostatnio ich spotkania w gabinecie pedagoga nie były zbyt zadowalające. Utknęły w martwym punkcie. Dziś było identycznie. Tessie udało się skłonić Krystal do obietnicy, że nie będzie więcej ścigała ani dręczyła Sukhvinder Jawandy, ale zachowanie Krystal wskazywało, że Tessa ją zawiodła, że dziewczyna straciła do niej zaufanie. Być może należało za to winić Colina, który kazał Krystal zostać po lekcjach. Wcześniej Tessa myślała, że więź, którą stworzyły z Krystal, zdoła to wytrzymać, ale nigdy nie łączyły ich takie relacje jak Krystal i Barry'ego.

(Tessa była świadkiem, jak Barry przyszedł do szkoły z przyrządem do treningu wioślarskiego, by poszukać chętnych do swojej nowej osady. Wezwano ją z pokoju nauczycielskiego do sali gimnastycznej, bo nauczycielka wuefu zachorowała, a jedyna osoba, którą udało się w tak krótkim czasie znaleźć na zastępstwo, była mężczyzną.

Uczennice czwartej klasy, w krótkich spodenkach i koszulkach z aertexu, zaczęły chichotać, kiedy po wejściu na salę zobaczyły, że w zastępstwie za nieobecną panią Jarvis zjawili się dwaj dziwni mężczyźni. Tessa musiała zwrócić uwagę Krystal, Nikki i Leanne, które przepchnęły się na przód klasy i rzucały sprośne uwagi pod adresem nauczyciela. Był młodym przystojnym mężczyzną z niefortunną tendencją do czerwienienia się.

Barry – niski, rudy i brodaty – miał na sobie dres. Żeby przyjść do szkoły, wziął wolne w pracy. Wszyscy uważali, że jego pomysł jest dziwny i nierealistyczny: takie szkoły jak Winterdown nie miały osad wioślarskich. Niamh i Siobhan wydawały się trochę rozbawione, a trochę przerażone obecnością ojca.

Barry wyjaśnił, co próbuje zrobić: chciał stworzyć osadę wioślarską. Zapewnił sobie możliwość korzystania ze starej szopy na łodzie nad kanałem w Yarvil. To była wspaniała dyscyplina sportu oraz możliwość zabłyśnięcia przed samym sobą i przed całą szkołą. Tessa ustawiła się tuż obok Krystal i jej przyjaciółek, żeby mieć je na oku. Najgorszy atak ich chichotania już minął, ale nie został zupełnie zduszony.

Barry pokazał przyrząd do treningu wioślarskiego i zapytał, kto chce spróbować. Nikt się nie zgłosił.

„Krystal Weedon – powiedział, wskazując dziewczynę. – Widziałem, jak wisiałaś na drabinkach w parku. Masz wystarczająco dużo siły w ramionach. Podejdź i spróbuj".

Krystal była bardzo zadowolona, że znalazła się w centrum uwagi. Luzackim krokiem podeszła do przyrządu i usiadła. Nie zważając na stojącą obok Tessę, Nikki i Leanne ryknęły ze śmiechu, a reszta klasy im zawtórowała.

Barry pokazał Krystal, co należy robić. Milczący nauczyciel zastępujący wuefistkę patrzył z zawodowym niepokojem, jak Barry układa dłonie dziewczyny na drewnianej rączce.

Krystal pociągnęła za wiosło, zrobiła głupią minę do Nikki i Leanne i wszyscy znowu parsknęli śmiechem.

„Tylko spójrzcie – powiedział rozpromieniony Barry. – Urodzona wioślarka!"

Czy Krystal naprawdę wyglądała jak urodzona wioślarka? Tessa nie miała pojęcia o wiosłowaniu. Nie wiedziała.

„Wyprostuj plecy – instruował Barry – bo inaczej coś sobie uszkodzisz. O tak. Ciągnij... ciągnij... Tylko spójrzcie na tę technikę... Robiłaś to już kiedyś?"

Wtedy Krystal naprawdę wyprostowała plecy i rzeczywiście zrobiła to jak należy. Przestała spoglądać na Nikki i Leanne. Złapała rytm.

„Doskonale! – powiedział Barry. – Tylko spójrzcie... d o s k o n a l e. Właśnie tak się to robi! Tak trzymaj, dziewczyno! Jeszcze raz. Jeszcze raz. I jeszcze..."

„Boli!" – zawołała Krystal.

„Wiem. Właśnie w ten sposób dochodzi się do takich ramion, jakie ma Jennifer Aniston".

Dziewczyny cicho zachichotały, ale tym razem śmiały się z nim. Co takiego miał w sobie Barry? Zawsze był taki obecny, taki naturalny, tak zupełnie wyzbyty nieśmiałości. Tessa wiedziała, że nastolatki czują potworny strach przed ośmieszeniem się. Ludzie, którzy tego strachu nie znają – a Bóg jej świadkiem, że w świecie dorosłych było ich naprawdę niewielu – w naturalny sposób cieszą się autorytetem wśród młodzieży. Uważała, że takich ludzi powinno się zmuszać do nauczania.

„Wystarczy! – powiedział Barry, a Krystal opadła na wiosło i czerwona na twarzy zaczęła rozcierać ręce. – Będziesz musiała rzucić fajki – dodał i tym razem wywołał prawdziwą salwę śmiechu. – Okej, kto jeszcze chce spróbować?"

Kiedy Krystal dołączyła do koleżanek, już się nie śmiała. Zazdrośnie obserwowała każdą nową kandydatkę przy wiośle, spoglądając w stronę brodatej twarzy Barry'ego, żeby sprawdzić jego reakcję. Kiedy Carmen Lewis kompletnie pokpiła sprawę, Barry powiedział: „Pokaż im, jak to się robi, Krystal".

A wtedy rozpromieniona Krystal ponownie usiadła do wiosła.

Ale pod koniec pokazu, kiedy Barry poprosił, żeby osoby zainteresowane trenowaniem w osadzie podniosły rękę, Krystal stała z rękami założonymi na piersi. Tessa zauważyła, jak dziewczyna prycha w odpowiedzi na coś, co mruknęła do niej Nikki. Barry starannie zanotował nazwiska zainteresowanych dziewczyn, a potem podniósł głowę.

„A ty, Krystal Weedon – powiedział, pokazując na nią – ty też przyjdziesz. Nie kręć głową. Będę bardzo zły, jeśli cię nie zobaczę. Masz talent.

A nie lubię patrzeć, jak talent się marnuje. Krys-tal – przesylabizował na głos, zapisując jej imię – Wee-don".

Czy Krystal rozmyślała o swoim talencie, kiedy po wuefie brała prysznic? Czy tamtego dnia nosiła z sobą myśl o tym nowym uzdolnieniu jak niespodziewaną walentynkę? Tessa nie wiedziała. Ale ku zaskoczeniu wszystkich, może z wyjątkiem Barry'ego, Krystal zjawiła się na treningu).

Colin energicznie kiwał głową, kiedy Kay pokazywała mu dane na temat pacjentów Bellchapel, dotyczące wychodzenia z nałogu.

– Parminder powinna to zobaczyć – powiedział. – Dopilnuję, żeby dostała kopię. Tak, tak, to rzeczywiście bardzo przydatne informacje.

Czując lekkie mdłości, Tessa sięgnęła po czwarty herbatnik.

X

W poniedziałek Parminder pracowała do późna, a ponieważ Vikram był zazwyczaj w szpitalu, troje dzieci Jawandów nakrywało do stołu i własnoręcznie szykowało kolację. Czasami rodzeństwo się przy tym sprzeczało, innym razem się śmiało, ale dziś każde z młodych Jawandów było pochłonięte własnymi myślami i zadanie zostało wykonane z niezwykłą sprawnością, prawie w zupełnej ciszy.

Sukhvinder nie powiedziała bratu ani siostrze, że próbowała zwiać z lekcji, i nie wspomniała o tym, że Krystal Weedon chciała ją pobić. Ostatnio jej wrodzona dyskrecja jeszcze się zwiększyła. Bała się komukolwiek zwierzać, bo myślała, że w ten sposób mogłaby zdradzić dziwaczny świat skrywany w swoim wnętrzu: świat, który Fats Wall zdawał się przenikać z tak przerażającą łatwością. Mimo to wiedziała, że wydarzenia tego dnia nie pozostaną tajemnicą na zawsze. Tessa powiedziała, że zamierza zadzwonić do Parminder.

– Będę musiała zadzwonić do twojej mamy, Sukhvinder. Zawsze tak robimy. Ale wytłumaczę jej, dlaczego to zrobiłaś.

Sukhvinder prawie poczuła sympatię do Tessy, mimo że Tessa była matką Fatsa Walla. Choć dziewczyna bała się reakcji Parminder, rozbłysła w niej maleńka iskierka nadziei na myśl, że Tessa się za nią wstawi. Może świadomość, jak zrozpaczona jest Sukhvinder, w końcu zrobi jakiś

318

wyłom w nieustępliwej dezaprobacie jej matki, w jej rozczarowaniu, jej niekończących się, wypowiadanych z kamienną twarzą słowach krytyki? Kiedy drzwi w końcu się otworzyły, usłyszała, jak matka mówi po pendżabsku.

– O nie, tylko nie znowu ta cholerna farma – jęknęła Jaswant, przykładając ucho do drzwi.

Jawandowie byli właścicielami odziedziczonej po przodkach ziemi w Pendżabie, która z powodu braku męskich potomków po śmierci ojca trafiła w ręce najstarszej córki, Parminder. Farma zajmowała w rodzinnej świadomości miejsce, o którym Jaswant i Sukhvinder czasami rozmawiały. Ku ich pomieszanemu z rozbawieniem zdumieniu kilkoro starszych krewnych najwidoczniej żyło nadzieją, że pewnego dnia cała rodzina znów tam zamieszka. Ojciec Parminder przez całe życie posyłał na farmę pieniądze. Grunty dzierżawiono i pracowali na nich dalsi kuzyni, którzy wydawali się gburowaci i zgorzkniali. W rodzinie Parminder regularnie wybuchały kłótnie o tę farmę.

– *Nani* znowu się wścieka – tłumaczyła Jaswant, gdy stłumiony głos Parminder przeniknął przez drzwi.

Parminder nauczyła swoją pierworodną córkę podstaw pendżabskiego, a Jaz podłapała jeszcze więcej dzięki kuzynom. Dysleksja Sukhvinder okazała się jednak zbyt silna, by dziewczyna mogła opanować dwa języki, więc próby nauczenia pendżabskiego młodszej córki zostały porzucone.

– ... Harpreet nadal chce sprzedać ten kawałek pod budowę drogi...

Sukhvinder usłyszała, jak Parminder zdejmuje buty. Wolałaby, żeby akurat tego wieczoru matce nie zawracano głowy farmą, bo to nigdy nie wprawiało jej w dobry humor. A gdy Parminder weszła do kuchni i Sukhvinder zobaczyła jej spiętą, przypominającą maskę twarz, odwaga całkiem ją opuściła.

Parminder przywitała się z Jaswant i Rajpalem lekkim machnięciem ręki, ale na Sukhvinder pokazała palcem, który następnie przesunęła w stronę krzesła, wskazując córce, że ma usiąść i zaczekać, aż rozmowa dobiegnie końca.

Jaswant i Rajpal poszli na górę. Sukhvinder czekała pod ścianą ze zdjęciami pokazującymi całemu światu jej niedoskonałość w porównaniu z rodzeństwem, przykuta do krzesła milczącym rozkazem matki. Rozmowa ciągnęła się bez końca, aż wreszcie Parminder pożegnała się i rozłączyła.

Kiedy odwróciła się w stronę córki, Sukhvinder od razu wiedziała, jeszcze zanim padło jakiekolwiek słowo, że nie powinna była mieć nadziei.

– Tak – zaczęła Parminder. – Kiedy byłam w pracy, zadzwoniła do mnie Tessa. Przypuszczam, że wiesz, w jakiej sprawie.

Sukhvinder pokiwała głową. Miała wrażenie, że jej usta wypełniły się watą.

Wściekłość Parminder uderzyła jak fala i pociągnęła Sukhvinder za sobą, tak że dziewczyna nie była w stanie utrzymać równowagi ani się wyprostować.

– Dlaczego? Dlaczego? Znowu próbowałaś naśladować tę dziewczynę z Londynu? Próbowałaś jej zaimponować? Jaz i Raj nigdy się tak nie zachowywali, nigdy. Dlaczego nie możesz być taka jak oni? Co z ciebie za dziecko? Jesteś dumna ze swojego lenistwa i niedbalstwa? Myślisz, że fajnie jest łamać zasady? Jak sądzisz, jak się poczułam, kiedy Tessa mi o tym powiedziała? Zadzwoniła do pracy. Jeszcze nigdy nie przeżyłam takiego wstydu. Brzydzę się tobą, słyszysz? Za mało ci dajemy? Za mało ci pomagamy? Co się z tobą dzieje, Sukhvinder?

Zrozpaczona Sukhvinder próbowała przerwać tyradę matki i powiedzieć o Krystal Weedon...

– Krystal Weedon! – zawołała Parminder. – Ta głupia dziewucha! Co cię obchodzi, co ona mówi? Powiedziałaś jej, że próbowałam utrzymać jej cholerną prababcię przy życiu? Powiedziałaś jej to?

– Nie... ja...

– Jeśli zamierzasz się przejmować tym, co mówią ludzie w rodzaju Krystal Weedon, nie ma dla ciebie żadnej nadziei! Może to jest twój poziom, Sukhvinder? Chcesz wagarować, kelnerować w kawiarni i zmarnować wszystkie szanse na wykształcenie, bo tak jest łatwiej? Tego cię nauczyło trenowanie w osadzie z Krystal Weedon? Zniżyłaś się do jej poziomu?

Sukhvinder pomyślała o Krystal i jej paczce szykującej się na nią na krawężniku po drugiej stronie ulicy, czekającej, aż przejadą samochody. Co musiałaby zrobić, żeby matka zrozumiała? Jeszcze przed godziną miała maleńką nadzieję, że w końcu będzie mogła zwierzyć się matce z tego, co robi Fats Wall...

– Zejdź mi z oczu! Już! Porozmawiam z twoim ojcem, kiedy wróci z pracy. Wynoś się!

Sukhvinder poszła na górę.

– O co te wszystkie krzyki!? – zawołała Jaswant ze swojego pokoju.

Sukhvinder nie odpowiedziała. Poszła do siebie, zamknęła drzwi i usiadła na krawędzi łóżka.

„Co się z tobą dzieje, Sukhvinder?"

„Brzydzę się tobą".

„Jesteś dumna ze swojego lenistwa i niedbalstwa?"

A czego się spodziewała? Życzliwego przytulenia i słów pociechy? Czy Parminder kiedykolwiek ją obejmowała i przytulała? Więcej ulgi przynosiła żyletka schowana w pluszowym króliku. Ale przeradzające się w konieczność pragnienie cięcia i krwawienia nie mogło zostać zaspokojone w ciągu dnia, kiedy rodzina jeszcze nie spała i ojciec był w drodze do domu.

Ciemne jezioro rozpaczy i bólu, które żyło w Sukhvinder i domagało się wypuszczenia, stanęło w ogniu, jakby od początku wypełniała je benzyna.

„Niech zobaczy, jak to jest".

Wstała, kilkoma krokami przeszła przez pokój, usiadła na krześle przy biurku i zaczęła stukać w klawiaturę komputera.

Sukhvinder była równie zaciekawiona jak Andrew Price, kiedy ten głupi nauczyciel, który przyszedł na zastępstwo za informatyka, próbował im zaimponować luzackim podejściem do przedmiotu. W przeciwieństwie do Andrew i paru innych chłopaków nie zasypywała jednak nauczyciela pytaniami o hakerstwo. Po prostu wróciła do domu i po cichu sprawdziła wszystko w internecie. Prawie wszystkie nowoczesne strony internetowe były zabezpieczone przed klasycznymi wstrzyknięciami SQL, ale słysząc, jak Parminder mówi o anonimowym ataku na stronę internetową rady gminy, Sukhvinder pomyślała, że ta kiepska stara strona najprawdopodobniej jest słabo zabezpieczona.

Sukhvinder zawsze łatwiej się pisało na klawiaturze niż długopisem, a przeczytanie kodu komputerowego przychodziło jej łatwiej niż odcyfrowanie długich sznurów słów. Szybko znalazła stronę z wyraźnym opisem najprostszej formy wstrzyknięcia SQL. Potem otworzyła stronę rady gminy.

Włamanie się zajęło jej pięć minut i to tylko dlatego, że za pierwszym razem źle przepisała kod. Ku swojemu zaskoczeniu odkryła, że administrator strony, ktokolwiek to był, nie usunął z bazy danych szczegółów użytkownika Duch_Barry'ego_Fairbrothera, lecz jedynie jego wpis. Dlatego dodanie wpisu pod tą samą nazwą było dziecinnie łatwe.

Ułożenie wiadomości zabrało Sukhvinder znacznie więcej czasu niż włamanie się na stronę. Od miesięcy nosiła w sobie skrywane oskarżenie – odkąd w sylwestrowy wieczór, za dziesięć dwunasta, z kąta, w którym przycupnęła, ze zdziwieniem zobaczyła minę matki. Pisała powoli. Autokorekta pomogła jej z ortografią.

Nie bała się, że Parminder sprawdzi historię na jej komputerze. Matka tak mało wiedziała o niej i o tym, co się dzieje w jej pokoju, że z pewnością nie podejrzewałaby swojej leniwej, głupiej, niedbałej córki.

Sukhvinder nacisnęła przycisk myszki, jakby pociągała za spust.

XI

We wtorek rano Krystal nie zaprowadziła Robbiego do żłobka, lecz ubrała go na pogrzeb babci Cath. Gdy naciągała mu na pupę najmniej porwane spodenki, o dobre pięć centymetrów za krótkie, próbowała mu wytłumaczyć, kim była babcia Cath, choć równie dobrze mogła sobie oszczędzić wysiłku. Robbie nie pamiętał babci Cath. Nie miał pojęcia, co znaczy słowo „babcia". Nie znał żadnych krewnych poza matką i siostrą. Mimo zmieniających się aluzji i opowieści matki Krystal czuła, że Terri nie wie, kto jest jego ojcem.

Usłyszała kroki matki na schodach.

– Zostaw! – warknęła na Robbiego, który sięgał po pustą puszkę po piwie leżącą obok ulubionego fotela Terri. – Chono tu.

Wzięła Robbiego za rękę i zaciągnęła go do przedpokoju. Terri w dalszym ciągu miała na sobie spodnie od piżamy i brudny T-shirt, w którym spędziła noc. Stała boso.

– Czemu się nie przebrałaś? – zapytała surowo Krystal.

– Nie idę – powiedziała Terri, przeciskając się obok syna i córki w stronę kuchni. – Rozmyśliłam się.

– Czemu?

– Nie chcę. – Terri odpalała papierosa od palnika w kuchence. – Nie muszę i chuj.

Krystal nadal trzymała dłoń Robbiego, a mały ciągnął ją za rękę i uwieszał się na niej.

– Wszyscy idą – powiedziała Krystal. – Cheryl, Shane i w ogóle.

– No i? – zapytała zaczepnie Terri.

Krystal od początku się bała, że matka się wycofa w ostatniej chwili. Na pogrzebie musiałaby stanąć twarzą w twarz z Danielle, siostrą, która udawała, że Terri nie istnieje, oraz z wszystkimi innymi krewnymi, którzy się ich wyrzekli. Możliwe, że zjawiłaby się Anne-Marie. Krystal trzymała się tej nadziei jak pochodni w ciemności, kiedy nocami płakała z tęsknoty za babcią Cath i panem Fairbrotherem.

– Musisz iść – powiedziała do matki.

– Nie muszę.

– To babcia Cath, co nie?

– No i? – powtórzyła Terri.

– Dużo nam pomogła – powiedziała Krystal.

– Wcale nie – warknęła Terri.

– Właśnie że tak – upierała się Krystal.

Zrobiła się czerwona i mocno ściskała Robbiego za rękę.

– Może tobie – powiedziała Terri. – Mnie miała w dupie. Idź, kurwa, i rycz nad jej pierdolonym grobem, jak sobie chcesz. Ja zostaję.

– Czemu?

– Moja sprawa.

Na Krystal spadł stary, znajomy cień.

– Przylezie Obbo, tak?

– Moja sprawa – powtórzyła Terri z żałosną godnością.

– Chodź na pogrzeb – powiedziała głośno Krystal.

– Sama se idź.

– Tylko znowu nie ćpaj, kurwa – powiedziała Krystal o oktawę wyższym głosem.

– Nie ćpam – rzuciła Terri, ale odwróciła się i spojrzała przez brudne okno na nieskoszony, zaśmiecony trawnik, który nazywały ogródkiem za domem.

Robbie wyrwał rączkę z uścisku siostry i zniknął w salonie. Krystal wsadziła pięści do kieszeni dresu, przygarbiła się i zastanawiała, co zrobić. Na myśl o tym, że opuści pogrzeb, chciało jej się płakać, ale smutek był zabarwiony ulgą, że nie będzie musiała stanąć twarzą w twarz z całym zastępem wrogich oczu, które czasami widywała u babci Cath. Była zła na Terri, a jednak czuła, że w pewien dziwny sposób ją rozumie. „Nawet nie wiesz, kto jest ojcem, co, kurwo?" Chciała zobaczyć Anne-Marie, ale się bała.

– Dobra, to ja też zostaję.

– Nie trzeba. Możesz se iść. Mam to, kurwa, w dupie.

Ale Krystal była pewna, że przylezie Obbo, więc została. Nie widziała go od ponad tygodnia. Zniknął z jakiegoś tylko sobie znanego nikczemnego powodu. Krystal miała nadzieję, że umarł i już nigdy nie wróci.

Żeby się czymś zająć, zaczęła sprzątać, paląc jednego ze skrętów, które dostała od Fatsa. Nie smakowały jej, ale podobało jej się to, że Fats je jej dał. Trzymała je w plastikowej szkatułce na biżuterię Nikki, obok zegarka Tessy.

Myślała, że po tamtym rżnięciu na cmentarzu Fats już się nie pokaże, bo kiedy było już po wszystkim, prawie w ogóle się nie odzywał i ledwie coś bąknął na pożegnanie. Ale później spotkali się jeszcze na boisku i Krystal czuła, że tym razem było mu lepiej niż na cmentarzu. Nie upalili się i wytrzymał dłużej. Potem, kiedy już leżał obok niej w krzakach i palił skręta, powiedziała mu o śmierci babci Cath. Fats odparł, że podobno matka Sukhvinder Jawandy przepisała babci Cath złe leki czy coś takiego, ale nie był pewien, o co dokładnie chodziło.

Krystal była przerażona. Więc babcia Cath mogłaby żyć, mogłaby teraz czekać w swoim małym czystym domku przy Hope Street, na wypadek gdyby Krystal jej potrzebowała. Mogłaby jej użyczyć schronienia w domu z wygodnym łóżkiem, czystą pościelą, maleńką kuchnią pełną jedzenia i porcelany nie od kompletu, z małym telewizorkiem w rogu salonu. „Nie będę patrzyła na te paskudztwa, Krystal, wyłącz to".

Krystal lubiła Sukhvinder, ale matka Sukhvinder zabiła babcię Cath. Nie robi się wyjątków dla żadnego z członków wrogiego plemienia. Krystal przysięgła sobie, że rozszarpie Sukhvinder na strzępy, ale potem zainterweniowała Tessa Wall. Krystal nie mogła sobie dokładnie przypomnieć, co Tessa jej powiedziała, ale wyglądało na to, że Fatsowi coś się pomieszało albo przynajmniej nie wszystko dobrze zrozumiał. Tessa wymogła na Krystal obietnicę, że nie będzie prześladowała Sukhvinder, jednak w szalonym, nieustannie zmieniającym się świecie Krystal tego typu deklaracje miały charakter tymczasowy.

– Zostaw to! – zawołała Krystal do Robbiego próbującego podważyć wieczko puszki po ciastkach, w której Terri trzymała swój sprzęt.

Krystal odebrała mu ją. Trzymała tę puszkę tak, jak się trzyma żywe stworzenie zdolne do podjęcia walki o życie, jakby jej unicestwienie mogło pociągnąć za sobą nieobliczalne skutki. Na wieczku był obrazek przedstawiający cztery kasztanowe konie ciągnące po śniegu powóz z przymocowanymi na dachu bagażami. Stangret w cylindrze trzymał w ręce trąbkę sygnałową. Krystal zaniosła puszkę na górę (Terri siedziała w kuchni, paląc papierosa) i schowała ją w swoim pokoju. Robbie podreptał za nią.

– Chcę plac zabaw.

Krystal czasem go tam zabierała, bujała go na huśtawkach i kręciła na karuzeli.

– Nie dzisiaj, Robbie.

Zaczął płakać, ale umilkł, kiedy krzyknęła, żeby się zamknął.

Gdy zrobiło się ciemno, a Robbie był już wykąpany i zjadł kolację, na którą Krystal zrobiła mu makaron, gdy pogrzeb już dawno się skończył, do drzwi zapukał Obbo. Krystal zobaczyła go z okna pokoju Robbiego i zbiegła po schodach, ale Terri była szybsza.

– Jak leci, Ter? – rzucił Obbo i wszedł do środka, nie czekając na zaproszenie. – Podobno mnie szukałaś w zeszłym tygodniu?

Krystal zabroniła Robbiemu wychodzić z pokoju, ale on i tak zszedł za nią na dół. Zapach szamponu małego mieszał się z odorem fajek i starego potu bijącym od znoszonej skórzanej kurtki Obbo. Obbo był na bani. Gapił się pożądliwie na Krystal, śmierdziało od niego piwem.

– Jak leci, Obbo? – zapytała Terri tonem, jakiego Krystal przy innych okazjach nigdy u niej nie słyszała. Jej głos brzmiał łagodnie, przychylnie, jakby przyznawała, że ten facet ma w ich domu jakieś prawa. – Gdzie się podziewałeś?

– Bristol – powiedział. – A co u ciebie, Ter?

– Ona nic nie chce – wtrąciła się Krystal.

Zamrugał do niej zza swoich grubych okularów. Robbie trzymał się nogi Krystal tak kurczowo, że czuła na skórze jego paznokcie.

– Kto to, Ter? – zapytał Obbo. – Twoja stara?

Terri się roześmiała. Krystal zmierzyła go wzrokiem. Uchwyt Robbiego na jej nodze nie słabł. Zapuchnięte oczy Obbo skierowały się w jego stronę.

– A co tam u mojego małego?

– Żaden z niego twój mały, kurwa – warknęła Krystal.

– Skąd wiesz? – zapytał cicho Obbo z szerokim uśmiechem.

– Pierdol się. Ona nic nie chce. Powiedz mu! – Krystal prawie krzyknęła na Terri. – Powiedz mu, że nic nie chcesz.

Zrezygnowana Terri, która znalazła się między młotem a kowadłem i nie mogła się mierzyć z siłą woli swojej córki ani Obbo, powiedziała:

– On tylko chciał się przywitać...

– Gówno prawda. Gówno, kurwa, prawda. Powiedz mu. Ona nic nie chce – rzuciła Krystal z wściekłością w roześmianą twarz Obbo. – Już parę tygodni nie grzeje.

– Serio, Terri? – zapytał Obbo z uśmiechem.

– No – potwierdziła Krystal, bo Terri nie odpowiadała. – Cały czas chodzi do Bellchapel.

– Już niedługo – zauważył Obbo.

– Pierdol się! – zawołała Krystal z furią.

– Zamykają – powiedział Obbo.

– Serio? – spytała Terri ogarnięta nagłą paniką. – Ee, nie.

– Jasne, że zamykają – powtórzył Obbo. – Cięcia.

– Nie pierdol – powiedziała Krystal do Obbo. – Gówno prawda – zwróciła się do matki. – Nic nie mówili, nie?

– Cięcia – powtórzył Obbo, klepiąc się po wypchanych kieszeniach w poszukiwaniu papierosów.

– Robią nam ocenę przypadku – przypomniała matce Krystal. – Masz być czysta. Musisz.

– Co wam robią? – zapytał Obbo, mocując się z zapalniczką, ale żadna z kobiet nie zechciała mu wyjaśnić.

Terri przelotnie spojrzała córce w oczy. Potem niechętnie skierowała wzrok na Robbiego, który stał w piżamie, nie puszczając nogi Krystal.

– Słuchaj, Obbo, właśnie miałam się kłaść – wymamrotała, unikając jego wzroku. – Może innym razem.

– Słyszałem, że twoja babcia umarła – powiedział. – Cheryl mówiła.

Twarz Terri wykrzywił grymas bólu. Teraz sama wyglądała jak babcia Cath.

– Idę w kimę – powiedziała. – Chono, Robbie. Idziemy.

Robbie nie chciał puścić Krystal, dopóki w pobliżu stał Obbo. Terri wyciągnęła do niego szponiastą dłoń.

– No, idź Robbie – zachęciła go Krystal. Czasami Terri ściskała synka jak pluszowego misia. Ale lepszy Robbie niż hera. – Idź. Idź z mamą.

Widocznie coś w głosie Krystal go uspokoiło, bo pozwolił Terri zabrać się na górę.

– To cześć – powiedziała Krystal, nie patrząc na Obbo, i poszła do kuchni.

Wyjęła z kieszeni ostatniego skręta od Fatsa Walla i pochyliła się, żeby go odpalić od palnika kuchenki. Usłyszała trzaśnięcie drzwi wejściowych i ogarnęło ją uczucie triumfu. „Pierdol się".

– Masz niezły tyłek, Krystal.

Podskoczyła tak gwałtownie, że strąciła ze stosu naczyń talerz, który roztrzaskał się na brudnej podłodze. Obbo nie wyszedł, tylko wszedł do środka. Teraz gapił się na jej biust w ciasnym podkoszulku.

– Spierdalaj – powiedziała.

– Duża z ciebie dziewczynka, co?

– Spierdalaj.

– Słyszałem, że dajesz za darmo – ciągnął Obbo, podchodząc. – Mogłabyś zarabiać lepiej od mamy.

– Spier...

Chwycił ją za lewą pierś. Krystal próbowała go odepchnąć, ale drugą ręką złapał ją za nadgarstek. Jej zapalony papieros otarł mu się o twarz. Obbo dwa razy uderzył ją pięścią w głowę. Na brudną podłogę spadały kolejne talerze, a po chwili, w trakcie szamotaniny, Krystal poślizgnęła się i upadła, uderzając głową o linoleum. Obbo już był na niej. Poczuła, jak jego dłoń ciągnie za gumkę jej spodni od dresu.

– Nie, kurwa, nie!

Jego knykcie wbijały jej się w brzuch, kiedy rozpinał rozporek. Próbowała krzyczeć, ale uderzył ją w twarz.

– Tylko, kurwa, piśnij, a cię potnę – warknął jej do ucha, a jego smród uderzył ją w nozdrza.

Wszedł w nią i to zabolało, słyszała jego stękanie i swój cichy jęk. Wstydziła się tego jęku – był taki przestraszony i słaby.

Obbo doszedł i zwlókł się z niej. Podciągnęła spodnie i zerwała się na nogi. Łzy lały się jej po twarzy, a on cały czas się na nią gapił.

– Powiem panu Fairbrotherowi – usłyszała swój szloch.

Nie wiedziała, skąd jej to przyszło do głowy. To było głupie.

– A co to, kurwa, za jeden? – Obbo zapiął rozporek i bez pośpiechu zapalił papierosa, zagradzając jej wyjście. – Z nim też się pieprzysz, co? Mała zdzira.

Powoli wyszedł do przedpokoju i zniknął za drzwiami.

Krystal dygotała jak jeszcze nigdy w życiu. Myślała, że zwymiotuje, wszędzie czuła jego smród. Tył jej głowy pulsował, czuła ból tam na dole i wilgoć sączącą się do majtek. Pobiegła do pokoju i stanęła roztrzęsiona, obejmując się ramionami, a potem z przerażeniem pomyślała, że on może wrócić, więc rzuciła się do drzwi wejściowych, żeby je zamknąć na klucz.

Po powrocie do pokoju znalazła w popielniczce długi niedopałek i zapaliła go. Paląc, drżąc i szlochając, osunęła się na ulubiony fotel Terri, a potem zerwała się z niego, bo usłyszała kroki na schodach. Wróciła Terri. Zagubiona spojrzała podejrzliwie na Krystal.

– Co z tobą?

Krystal zakrztusiła się.

– Zerżnął mnie.

– Co?

– Obbo, on...

– Eee, nie pierdol.

Takie jak zawsze odruchowe zaprzeczenie, którym Terri reagowała na cały świat: „Nie pierdol, eee, niemożliwe, nie, nieprawda".

Krystal doskoczyła do matki i popchnęła ją. Wyniszczona Terri zachwiała się i runęła do tyłu na podłogę w przedpokoju, drąc się i przeklinając. Krystal pobiegła do drzwi, które przed chwilą zamknęła, pogmerała przy zamku i otworzyła je szarpnięciem.

Cały czas szlochając, przeszła dwadzieścia metrów ciemną ulicą, zanim zdała sobie sprawę, że Obbo mógł się gdzieś tutaj przyczaić i ją obserwować. Biegiem przecięła ogródek sąsiadów i klucząc bocznymi uliczkami, skierowała się do domu Nikki. Jej majtki coraz bardziej nasiąkały wilgocią. Czuła, że zaraz zwymiotuje.

Krystal wiedziała, że to był gwałt. Coś takiego zdarzyło się starszej siostrze Leanne na parkingu przed klubem nocnym w Bristolu. Niektórzy poszliby z tym na policję, Krystal o tym wiedziała, ale kiedy ma się za matkę Terri Weedon, to nie zaprasza się policji do swojego życia.

„Powiem panu Fairbrotherowi".

Coraz gwałtowniej zanosiła się płaczem. Panu Fairbrotherowi mogłaby powiedzieć, co się stało. On znał życie. Jeden z jego braci siedział kiedyś w więzieniu. Pan Fairbrother opowiadał Krystal historie ze swojej młodości. To nie była taka młodość jak jej (nikt nie upadł tak nisko jak ona, wiedziała o tym), raczej jak Nikki albo Leanne. Pieniądze się skończyły. Jego matka wykupiła od gminy dom, a potem nie była w stanie go spłacać. Przez jakiś czas mieszkali w przyczepie pożyczonej od wujka.

Pan Fairbrother potrafił wszystkiemu zaradzić. Rozwiązywał problemy. Raz przyszedł nawet do niej do domu, żeby porozmawiać z Terri o wioślarstwie, bo pokłóciły się i Terri nie chciała podpisać zgody na wyjazd Krystal na zawody. Pan Fairbrother wcale nie był zdegustowany, a przynajmniej tego nie okazał, co na jedno wychodzi. Terri, która nikogo nie lubiła i nikomu nie ufała, powiedziała o nim:

— Wydaje sie spoko.

I podpisała.

— Będzie ci ciężej niż innym, Krys — zapowiedział jej kiedyś pan Fairbrother. — Mnie też było ciężko. Ale możesz z tego wyjść. Nie musisz dalej iść tą drogą.

Miał na myśli przykładanie się do nauki i takie tam, ale było już za późno na tego rodzaju pierdoły. Niby w czym miałoby jej teraz pomóc czytanie?

„A co tam u mojego małego?"

„Żaden z niego twój mały, kurwa".

„Skąd wiesz?"

Siostra Leanne wzięła pigułkę wczesnoporonną. Krystal musiała zapytać Leanne, skąd ją wzięła. Nie mogła urodzić dziecka Obbo. Myśl o tym przyprawiała ją o odruch wymiotny.

„Muszę się stąd wydostać".

Pomyślała o Kay, ale zaraz odrzuciła tę myśl. Powiedzenie pracowniczce socjalnej, że Obbo wchodzi sobie do ich domu, gwałci ludzi i wychodzi, ściągnęłoby na nich nie mniejsze kłopoty niż powiedzenie o tym policji. Gdyby Kay się dowiedziała, co zaszło, na pewno zabraliby im Robbiego.

Jakiś wyraźny, przytomny głos w głowie Krystal zwrócił się do pana Fairbrothera – jedynego dorosłego, który potrafił z nią naprawdę rozmawiać. Nie tak jak pani Wall, która zawsze była pełna dobrych chęci, ale miała ciasne poglądy, i nie tak jak babcia Cath, która nie chciała znać całej prawdy.

„Muszę stąd zabrać Robbiego. Jak stąd uciec? Muszę stąd uciec".

Po jej jedyny azyl, domek przy Hope Street, właśnie wyciągali łapy skłóceni krewni.

Skręciła za rogiem, przebiegając pod latarnią i rozglądając się na wypadek, gdyby Obbo ją śledził.

A potem odpowiedź nagle zaświtała jej w głowie, jakby podsunął ją sam pan Fairbrother.

Gdyby wpadła z Fatsem Wallem, mogłaby dostać dom od gminy. Mogłaby zabrać tam Robbiego, żeby mieszkał z nią i z dzieckiem, gdyby Terri znowu zaczęła brać. A Obbo nigdy nie przestąpiłby progu jej domu, nigdy. W drzwiach byłyby zasuwy, łańcuchy i zamki i zawsze panowałaby tam czystość, tak jak w domu babci Cath.

Prawie biegła ciemną ulicą. Jej szlochanie stało się mniej gwałtowne i po chwili ucichło.

Wallowie pewnie daliby jej pieniądze. Tacy już byli. Wyobrażała sobie zatroskanie na nieładnej twarzy Tessy pochylonej nad łóżeczkiem. Krystal urodziłaby ich wnuka.

Zachodząc w ciążę, straciłaby Fatsa. Faceci zawsze odchodzą, kiedy dziecko jest już w drodze, w Fields to było normalne. Chociaż może by się zaangażował? Był taki dziwny. Zresztą to nie miało dla niej większego znaczenia. Teraz interesował ją prawie wyłącznie jako nieodzowny element jej planu. Zależało jej tylko na dziecku. Ale dziecko było czymś więcej niż środkiem prowadzącym do celu. Lubiła dzieci. Zawsze kochała Robbiego. Zadbałaby o ich bezpieczeństwo. Byłaby dla swojej rodziny lepszą, życzliwszą i młodszą wersją babci Cath.

Anne-Marie mogłaby ją odwiedzać, skoro Krystal trzymałaby się z dala od Terri. Ich dzieci byłyby kuzynostwem. Krystal oczami wyobraźni widziała siebie i Anne-Marie, jak stoją przy bramie szkoły Świętego Tomasza w Pagford, machając na pożegnanie dwóm małym dziewczynkom ubranym w błękitne sukieneczki i podkolanówki.

W domu Nikki jak zwykle paliły się światła. Krystal zaczęła biec.

Część czwarta

Obłąkanie

5.11. Zgodnie z prawem zwyczajowym idioci nieodwołalnie tracą prawo do głosowania, jednak osoby niebędące w pełni władz umysłowych mogą głosować w przebłyskach świadomości.

Charles Arnold-Baker
Administracja samorządowa (wyd. 7)

I

Samantha Mollison kupiła sobie wszystkie trzy płyty DVD z teledyskami ulubionego boysbandu Libby. Trzymała je w szufladzie ze skarpetkami i rajstopami, obok diafragmy. Przygotowała sobie wyjaśnienie, na wypadek gdyby zainteresowały Milesa: to prezent dla Libby. Czasem w pracy, gdy ruch był mniejszy niż zwykle, oglądała w internecie zdjęcia Jake'a. Właśnie podczas jednej z takich sesji – Jake w garniturze, ale bez koszuli, Jake w dżinsach i białym podkoszulku – odkryła, że za dwa tygodnie zespół ma grać na Wembley.

Samantha miała koleżankę ze studiów, która mieszkała w West Ealing. Mogłaby u niej przenocować, a Libby przedstawić cały pomysł jako atrakcję, okazję do spędzenia czasu razem. Z podnieceniem, jakiego nie doświadczyła od dawna, kupiła dwa bardzo drogie bilety na koncert. Ten wyborny sekret sprawił, że gdy wieczorem otwierała drzwi domu, była zarumieniona jak po powrocie z randki.

W kuchni natknęła się na Milesa. Stał z telefonem w ręce, miał na sobie garnitur, w którym chodził do pracy, i dziwny, nieodgadniony wyraz twarzy.

– Co? – zapytała Samantha, przyjmując postawę obronną.

– Nie mogę się dodzwonić do taty. Cholera, cały czas zajęte. Pojawił się następny wpis.

A ponieważ Samantha wyglądała na zaskoczoną, dodał z lekkim zniecierpliwieniem:

– Duch Barry'ego Fairbrothera! Następna wiadomość! Na stronie rady gminy!

– Aaa – powiedziała Samantha, zdejmując szalik. – Racja.

– Tak, przed chwilą spotkałem na ulicy Betty Rossiter, trajkotała o tym jak najęta. Natychmiast przejrzałem wpisy na forum, ale nic nie znalazłem. Widocznie mama już to zdjęła. Cholera, przynajmniej mam nadzieję, że to zdjęła. Znajdzie się pod ostrzałem, jeżeli Jawanda Propaganda pójdzie do prawnika.

– Napisali coś o Parminder Jawandzie?

Samantha celowo przybrała swobodny ton. Nie zapytała, co to za oskarżenia, bo po pierwsze, nie chciała być wścibską, rozplotkowaną starą torbą, taką jak Shirley i Maureen, a po drugie, chyba wiedziała, o co chodzi: pewnie ktoś napisał, że Parminder jest winna śmierci starej Cath Weedon. Po dłuższej chwili zapytała odrobinę rozbawionym tonem:

– Powiedziałeś, że twoja matka może mieć kłopoty?

– No cóż, jest administratorem strony, więc odpowiada za usuwanie z niej oszczerczych albo potencjalnie oszczerczych wypowiedzi. Nie jestem pewien, czy ona i tata zdają sobie sprawę, jaka to poważna sprawa.

– Mógłbyś bronić matki, spodobałoby się jej.

Ale Miles nie słyszał, co powiedziała. Znowu wcisnął klawisz ponownego wybierania numeru i skrzywił się, bo komórka ojca wciąż była zajęta.

– To nie są żarty – powiedział.

– Kiedy atakowano Simona Price'a, nawet się cieszyłeś. Tym razem jest inaczej?

– Jeśli to jest kampania przeciwko komuś z rady albo komuś, kto kandyduje...

Samantha odwróciła się, żeby ukryć uśmieszek. Tak naprawdę wcale się nie martwił o Shirley.

– Ale dlaczego ktoś miałby coś o tobie wypisywać? – zapytała niewinnym tonem. – Przecież nie masz żadnych brzydkich sekretów?

„Może byłbyś, cholera, trochę bardziej interesujący, gdybyś je miał".

– Zapomniałaś o liście?

– O jakim liście?

– Na litość boską... Rodzice mówili, że dostali jakiś list, anonim na mój temat! Coś o tym, że nie nadaję się na miejsce po Barrym Fairbrotherze!

Samantha stała wpatrzona w nieapetyczną zawartość zamrażarki, ukrywając przed Milesem swoją minę za jej otwartymi drzwiczkami.

– Chyba nie myślisz, że ktoś coś na ciebie ma? – zapytała.

– Nie, ale przecież jestem prawnikiem. Nietrudno znaleźć kogoś, kto ma do mnie urazę. Nie wydaje mi się, żeby takie anonimy... Dotychczas wszystko skupia się na tej drugiej stronie, ale w razie odwetu... Nie podoba mi się kierunek, w którym to wszystko zmierza.

– No cóż, to jest polityka, Miles – powiedziała Samantha, nie ukrywając już rozbawienia. – Brudna robota.

Miles ostentacyjnie wyszedł z kuchni, ale to jej nie obeszło. Już powróciła myślami do wyrzeźbionych kości policzkowych, uniesionych brwi i sprężystych, napiętych mięśni brzucha. Znała na pamięć większość piosenek boysbandu. Kupiłaby sobie T-shirt zespołu – i drugi dla Libby. Mięśnie Jake'a falowałyby na scenie, w odległości zaledwie kilkudziesięciu metrów od niej. To mogłaby być najlepsza zabawa od lat.

Tymczasem Howard chodził tam i z powrotem po zamkniętych delikatesach z komórką przyciśniętą do ucha. Rolety były opuszczone, światła się świeciły, a za łukowatym przejściem Shirley i Maureen kończyły przygotowania do otwarcia kafejki. Rozpakowywały porcelanę i szklanki, rozmawiając ściszonymi, podekscytowanymi głosami i słuchając jednym uchem monosylab, które Howard rzucał do słuchawki.

– Tak... mmm, hmmm... tak...

– Krzyczała na mnie – powiedziała Shirley. – Krzyczała i klęła. „Zdejmij to, do cholery!" Tak powiedziała. A ja na to: „Właśnie zdejmuję, pani doktor, i byłabym wdzięczna, gdyby przestała pani przeklinać".

– Na twoim miejscu zostawiłabym to tam jeszcze na parę godzin – powiedziała Maureen.

Shirley się uśmiechnęła. Tak się złożyło, że po telefonie Jawandy postanowiła pójść zaparzyć sobie herbaty, zostawiając anonimowy wpis na kolejne czterdzieści pięć minut. Razem z Maureen od dłuższego czasu wałkowały temat tego posta i choć jeszcze sporo spraw nadawało się do poddania dogłębnej analizie, największe pragnienie zostało zaspokojone. Teraz Shirley wprost nie mogła się doczekać, co zrobi Parminder po tym, jak jej sekret wyszedł na jaw.

– W takim razie to jednak nie ona była autorką tego posta na temat Simona Price'a – zauważyła Maureen.

– Nie, oczywiście, że nie ona – powiedziała Shirley, przecierając śliczną niebiesko-białą porcelanę, którą sama wybrała, choć Maureen wolała kolor różowy. Shirley nie angażowała się bezpośrednio w interesy, ale lubiła przypominać Maureen, że jako żona Howarda też ma na wszystko spory wpływ.

– Tak – powiedział Howard przez telefon. – Ale czy nie byłoby lepiej...? Mmm, hmmm...

– Jak myślisz, kto zamieszcza te wpisy? – zapytała Maureen.

– Naprawdę nie wiem – odparła Shirley dystyngowanym tonem, jakby nie miała zamiaru zniżać się do słuchania plotek lub spekulacji.

– Ktoś, kto zna Price'ów i Jawandów – powiedziała Maureen.

– To oczywiste – stwierdziła Shirley.

Howard nareszcie się rozłączył.

– Aubrey też tak uważa – powiedział do dwóch kobiet, wtaczając się do kawiarni. W ręce ściskał ostatni numer „Yarvil and District Gazette". – Wyjątkowo kiepski tekst. Naprawdę kiepski.

Obie kobiety dopiero po kilku sekundach przypomniały sobie, że powinien je zainteresować artykuł Barry'ego Fairbrothera opublikowany pośmiertnie w lokalnej gazecie. Duch Fairbrothera był jednak o wiele ciekawszy.

– Aaa, tak, rzeczywiście, mnie też wydał się bardzo słaby – powiedziała Shirley, czym prędzej stając na wysokości zadania.

– Ten wywiad z Krystal Weedon nawet mnie rozbawił – zarechotała Maureen. – Twierdzi, że lubi sztukę. Pewnie właśnie tak nazywa mazanie po ławkach.

Howard się roześmiał. Shirley odwróciła się pod pretekstem zabrania z lady ampułkostrzykawki z adrenaliną, którą Ruth podrzuciła rano do delikatesów. Shirley widywała takie nowoczesne akcesoria na swojej ulubionej stronie medycznej i czuła się w pełni kompetentna, żeby wyjaśnić pozostałym, jak działa adrenalina. Nikt jej jednak o to nie zapytał, więc odłożyła niewielką białą rurkę do szafki i zamknęła drzwiczki tak głośno, jak się tylko dało, żeby przeszkodzić Maureen w wygłaszaniu jej dowcipnych powiedzonek.

W potężnej dłoni Howarda zadzwonił telefon.

– Tak, słucham? O, Miles, tak... tak, wiemy... Mama zobaczyła go rano... – Roześmiał się. – Tak, zdjęła go... Nie wiem... Myślę, że pojawił się wczoraj... O, nie sądzę... Wszyscy od lat wiedzą, że Jawanda Propaganda...

Ale im dłużej Howard słuchał Milesa, tym szybciej znikał żartobliwy ton z jego głosu. Po chwili powiedział:

– Aha... tak, rozumiem. Tak. Nie, nie patrzyłem na to w ten... Może powinniśmy poprosić kogoś, żeby sprawdził zabezpieczenia...

Nikt z obecnych w delikatesach nie zwrócił uwagi na warkot samochodu przejeżdżającego przez pogrążający się w mroku rynek, za to kierowca pojazdu dostrzegł poruszający się za kremowymi roletami potężny cień Howarda Mollisona. Gavin dodał gazu, chcąc jak najszybciej znaleźć się u Mary. Jej głos przez telefon wydawał się zrozpaczony.

– Kto to robi? Kto to robi? Kto mnie aż tak nienawidzi?

– Nikt cię nie nienawidzi – powiedział. – Kto mógłby cię nienawidzić? Zaczekaj, zaraz do ciebie przyjadę.

Zaparkował przed domem, trzasnął drzwiczkami i pobiegł do wejścia. Mary otworzyła, zanim zdążył zapukać. Jej oczy znowu były napuchnięte od płaczu, a w wełnianym szlafroku do kostek wydawała się niższa niż w rzeczywistości. Jej strój nie miał w sobie nic uwodzicielskiego, był całkowitym przeciwieństwem szkarłatnego kimona Kay, ale jego prostota, a nawet niedbałość nadawały ich znajomości jakiegoś nowego, intymnego charakteru.

Cała czwórka dzieci Mary siedziała w salonie. Mary zaprosiła Gavina do kuchni.

– Czy dzieci wiedzą? – zapytał.

– Fergus tak. Ktoś w szkole mu powiedział. Poprosiłam go, żeby nie mówił reszcie. Prawdę powiedziawszy, Gavin... jestem u kresu sił. Co za podłość...

– Przecież to same bzdury – uspokoił ją. Po chwili jednak ciekawość zwyciężyła i dodał: – Prawda?

– Oczywiście, że tak! – zawołała oburzona. – To znaczy... Nie wiem... Właściwie jej nie znam. Ale żeby zrobić coś takiego... Włożyć te słowa w jego usta... Czy zupełnie ich nie obchodzi, jak ja się przez to czuję?

Znowu zalała się łzami. Gavin czuł, że nie powinien przytulać Mary w szlafroku, a po chwili ucieszył się, że tego nie zrobił, bo do kuchni wszedł Fergus.

– Cześć, Gav.

Chłopak wydawał się zmęczony i starszy, niż był w rzeczywistości. Gavin przyglądał się, jak syn obejmuje matkę, a ona kładzie mu głowę na ramieniu, dziecinnym gestem wycierając oczy obszernym rękawem szlafroka.

– Nie sądzę, żeby oba wpisy zamieściła ta sama osoba – powiedział Fergus bez wstępów. – Przyjrzałem im się jeszcze raz. Zupełnie różnią się stylem.

Miał drugi post w komórce i zaczął go czytać na głos:

– „Radna Parminder Jawanda, która udaje zaangażowanie w sprawy biednych i potrzebujących w naszej gminie, od początku ukrywa swoje prawdziwe motywy. Kiedy żyłem..."

– Fergus, proszę cię – powiedziała Mary, ciężko siadając przy kuchennym stole. – Nie zniosę tego. Przysięgam, że nie dam rady. W dodatku ten jego artykuł w dzisiejszej gazecie.

Mary ukryła twarz w dłoniach i zaczęła bezgłośnie szlochać. Gavin zauważył egzemplarz „Yarvil and District Gazette". Nie czytał artykułu. Bez pytania i proponowania otworzył szafkę, żeby zrobić Mary drinka.

– Dziękuję – powiedziała zachrypniętym głosem, kiedy włożył jej szklaneczkę do ręki.

– Możliwe, że to Howard Mollison – podsunął Gavin, siadając obok niej. – Z tego, co Barry o nim mówił...

– Nie sądzę. – Mary otarła oczy. – To takie prymitywne. Nie zrobił niczego podobnego, kiedy Barry... – załkała – ... żył.

A potem warknęła do syna:

– Wyrzuć tę gazetę, Fergus.

Chłopak wydawał się zdezorientowany i dotknięty.

– Jest w niej taty...

– Wyrzuć ją! – powtórzyła Mary. W jej głosie pobrzmiewała histeria. – Mogę go sobie przeczytać na komputerze, jeżeli mi przyjdzie ochota. To ostatnia rzecz, jaką się w życiu zajmował. W naszą rocznicę ślubu!

Fergus zabrał gazetę ze stołu i stał przez chwilę, obserwując matkę, która znowu ukryła twarz w dłoniach. Potem zerknął na Gavina i wyszedł z kuchni z gazetą w ręce.

Po chwili Gavin, kiedy uznał, że Fergus już nie wróci, wyciągnął rękę w geście pocieszenia i pomasował ramię Mary. Przez jakiś czas siedzieli w milczeniu, a Gavin czuł się o wiele szczęśliwszy, kiedy na stole nie było już gazety.

II

Nazajutrz Parminder miała wolne, ale musiała jechać na spotkanie do Yarvil. Dzieci wyszły do szkoły, a ona zaczęła krążyć po domu, upewniając się, że zabrała wszystko, co trzeba. Kiedy zadzwonił telefon, podskoczyła i upuściła torebkę.

– Tak? – wyjąkała. W jej głosie pobrzmiewało przerażenie.

– Mindo, to ja. Wszystko w porządku? – zapytała zaskoczona Tessa.

– Tak, tak, sygnał mnie przestraszył – powiedziała Parminder, wpatrzona w rozsypane na kuchennej podłodze klucze, dokumenty, monety i tampony. – O co chodzi?

– O nic ważnego. Chciałam tylko pogadać. Zapytać, jak sobie radzisz.

Kwestia anonimowego posta wisiała nad nimi jak szyderczy uśmiech jakiegoś potwora. Kiedy poprzedniego dnia rozmawiały przez telefon, Parminder praktycznie nie pozwoliła Tessie o nim mówić. Krzyczała: „To kłamstwo, obrzydliwe kłamstwo i nie mów mi, że to nie jest sprawka Howarda Mollisona!".

Tessa nie miała odwagi drążyć tematu.

– Nie mogę teraz rozmawiać – powiedziała Parminder. – Spieszę się na spotkanie w Yarvil. Przeprowadzamy ocenę przypadku małego chłopca z rodziny patologicznej.

– W porządku. Przepraszam. Może zadzwonię później.

– Tak – odparła Parminder. – Świetnie. Do widzenia.

Pozbierała zawartość torebki i wybiegła z domu. Przy furtce zawróciła, chcąc się upewnić, że dobrze zamknęła drzwi.

W drodze do Yarvil co jakiś czas zdawała sobie sprawę, że nie pamięta, w jaki sposób przejechała ostatni kilometr, i surowo nakazywała sobie skupienie. Ale wciąż powracała do niej podła treść anonimowego posta. Znała go już na pamięć.

Radna Parminder Jawanda, która udaje zaangażowanie w sprawy biednych i potrzebujących w naszej gminie, od początku ukrywa swoje prawdziwe motywy. Kiedy żyłem, była we mnie zakochana i z trudem to ukrywała, kiedy na mnie patrzyła. Na każdym posiedzeniu rady głosowała tak, jak jej kazałem. Beze mnie jest jak bez mózgu, rada nie będzie z niej miała pożytku.

Po raz pierwszy zobaczyła ten wpis poprzedniego dnia rano, kiedy weszła na stronę rady, żeby przejrzeć protokół z ostatniego spotkania. Szok, który przeżyła, był niemal fizyczny. Jej oddech przyspieszył i stał się bardzo płytki, zupełnie jak podczas najbardziej koszmarnej części porodu, kiedy starała się wznieść ponad bólem, odciąć się od wypełnionej cierpieniem teraźniejszości.

Teraz pewnie już wszyscy wiedzieli. Nie było się gdzie ukryć.

Przychodziły jej do głowy najdziwniejsze myśli. Na przykład, co powiedziałaby jej babka, gdyby się dowiedziała, że Parminder została publicznie oskarżona o to, że kochała męża innej kobiety, który na dodatek był *gora*. Przed oczami stanął jej obraz *bebe* zasłaniającej twarz końcem sari. Gdy na rodzinę spadało jakieś nieszczęście, zwykle siadała w takiej pozie, kręcąc głową i kiwając się w przód i w tył.

– Niektórzy mężowie – powiedział do niej Vikram poprzedniego wieczoru z jakąś nową, obcą odmianą swojego sardonicznego uśmiechu – chcieliby pewnie wiedzieć, czy to prawda.

– Oczywiście, że nie! – wykrzyknęła Parminder, zasłaniając usta drżącą dłonią. – Jak możesz w ogóle o to pytać? Oczywiście, że to nieprawda! Przecież go znałeś! Był moim przyjacielem! Tylko przyjacielem!

Właśnie mijała Ośrodek Leczenia Uzależnień Bellchapel. Jak to możliwe, że dotarła aż tutaj, nie zdając sobie z tego sprawy? Zaczynała stwarzać zagrożenie na drodze. Była nieuważna.

Przypomniała sobie wieczór sprzed ponad dwudziestu lat, kiedy wybrali się z Vikramem do restauracji. Tamtego wieczoru postanowili się pobrać. Opowiedziała mu, jakiego szumu narobiła jej rodzina, kiedy Stephen Hoyle odprowadził ją do domu. Vikram też uważał, że to głupie. Wtedy jakoś rozumiał. A teraz, kiedy zamiast jej konserwatywnych krewnych oskarżał ją Howard Mollison, nie potrafił zrozumieć. Widocznie nie zdawał sobie sprawy, że *gora* mogą być ograniczeni, kłamliwi i podli...

Przejechała skrzyżowanie. Powinna była się skupić. Powinna była uważać.

– Spóźniłam się!? – zawołała, pędząc wreszcie przez parking w kierunku czekającej na nią Kay Bawden.

Poznały się, kiedy pracowniczka socjalna przyszła do niej po receptę na pigułki antykoncepcyjne.

– Skąd – uspokoiła ją Kay. – Pomyślałam, że pokażę ci drogę do biura, bo ten budynek to prawdziwy labirynt...

Siedziba opieki społecznej w Yarvil mieściła się w brzydkim biurowcu z lat siedemdziesiątych. Kiedy kobiety jechały windą na górę, Parminder zastanawiała się, czy Kay wie o anonimowym wpisie na stronie rady albo o zarzutach postawionych jej przez rodzinę Catherine Weedon. Wyobraziła sobie, że gdy drzwi windy się otworzą, zobaczy ludzi w garniturach, którzy będą chcieli ją oskarżyć i skazać. A może spotkanie w sprawie Robbiego Weedona to tylko podstęp, może to ona ma za chwilę stanąć przed trybunałem?

Kay zaprowadziła ją odrapanym, opustoszałym urzędowym korytarzem do sali narad. Siedziały tam już trzy kobiety. Powitały Parminder uśmiechem.

– To jest Nina, zajmuje się matką Robbiego w Bellchapel – powiedziała Kay, siadając tyłem do okien z żaluzjami. – To moja przełożona Gillian, a to Louise Harper, kieruje żłobkiem przy Anchor Road. Doktor Parminder Jawanda, lekarz pierwszego kontaktu Robbiego.

Parminder przystała na propozycję kawy. Kobiety rozpoczęły rozmowę bez jej udziału.

(„Radna Parminder Jawanda, która udaje zaangażowanie w sprawy biednych i potrzebujących w naszej gminie..."

I kto tu udaje zaangażowanie. Howard, ty draniu. Barry twierdził, że Mollison zawsze był hipokrytą.

343

„Wydaje mu się, że skoro pochodzę z Fields, będę dążył do zalania Pagford ludźmi z osiedla. Ale nie może kwestionować twojej przynależności do wyższej klasy średniej, więc uważa, że nie masz prawa bronić Fields. Myśli, że jesteś hipokrytką albo że spierasz się z nim dla zabawy").

– ...miem, dlaczego rodzina wybrała sobie lekarza pierwszego kontaktu w Pagford – powiedziała jedna z trzech pracowniczek socjalnych, których nazwiska Parminder już zdążyła zapomnieć.

– Mamy wśród pacjentów kilka rodzin z Fields – odparła od razu. – Ale zdaje się, że z Weedonami był jakiś problem w poprzedniej...

– Tak, wyrzucono ich z przychodni w Cantermill – potwierdziła Kay, która miała przed sobą plik notatek grubszy niż którakolwiek z jej koleżanek. – Terri zaatakowała tamtejszą pielęgniarkę. Dlatego zapisali się do ciebie. Kiedy to było?

– Prawie pięć lat temu – powiedziała Parminder, która sprawdziła wcześniej wszystkie dane w przychodni.

(Widziała Howarda w kościele, na pogrzebie Barry'ego. Udawał, że się modli. Trzymał te swoje wielkie grube łapska splecione przed sobą, a Fawleyowie klęczeli obok niego. Parminder wiedziała, w co powinni wierzyć chrześcijanie. „Kochaj bliźniego swego jak siebie samego..." Gdyby Howard nie był takim hipokrytą, to odwróciłby się w bok i modlił do Aubreya...

„Kiedy żyłem, była we mnie zakochana i z trudem to ukrywała, kiedy na mnie patrzyła".

Czy naprawdę nie potrafiła tego ukryć?)

– ... go ostatnio widziałaś, Parminder? – zapytała Kay.

– Jakieś osiem tygodni temu. Przyprowadziła go siostra i przepisałam mu antybiotyk na zapalenie ucha.

– I jaki był wtedy stan jego zdrowia? – spytała jedna z pozostałych kobiet.

– Rozwijał się prawidłowo – powiedziała Parminder, wyjmując z torebki cienki plik skserowanych notatek. – Zbadałam go dość dokładnie, bo... no cóż, znam jego sytuację rodzinną. Waga w normie, choć podejrzewam, że jego jadłospis pozostawia sporo do życzenia. Nie miał wszy ani gnid, nic w tym rodzaju. Na pośladkach widać było ślady odparzeń i jego siostra wspominała, że czasem jeszcze się moczy.

– Ciągle jeszcze mu zakładają pieluchy – dorzuciła Kay.

– Ale nie miała pani większych zastrzeżeń co do stanu jego zdrowia? – upewniła się kobieta, ta, która pierwsza zadała pytanie Parminder.

– Nie znalazłam śladów przemocy. Pamiętam, że zdjęłam mu koszulkę, żeby się upewnić. Nie miał siniaków ani innych obrażeń.

– W domu nie ma mężczyzny – wtrąciła Kay.

– A to zapalenie ucha? – dopytywała się przełożona Kay.

– To było raczej zwyczajne zakażenie bakteryjne po infekcji wirusowej. Nic niezwykłego. Typowe u dzieci w jego wieku.

– Więc ogólnie rzecz biorąc...

– Widywałam znacznie cięższe przypadki – powiedziała Parminder.

– Wspomniała pani, że przyprowadziła go siostra, nie matka. Leczy pani również Terri?

– Terri nie widziałam już od jakichś pięciu lat – odrzekła Parminder.

Przełożona Kay zwróciła się do Niny.

– Jak przebiega jej terapia metadonem? – zapytała.

(„Kiedy żyłem, była we mnie zakochana...”

„Może Duchem nie jest Howard, ale Shirley albo Maureen. Stare zbereźne baby – pomyślała Parminder. – To byłoby do nich podobne – obserwować zachowanie Parminder w towarzystwie Barry'ego z nadzieją, że ją na czymś przyłapią...”)

– ... nigdy nie udało jej się wytrzymać aż tak długo – powiedziała Nina. – Często wspominała o tej ocenie przypadku. Chyba zdaje sobie sprawę, że to jej ostatnia szansa. Nie chce stracić Robbiego. Powtarzała to kilka razy. Muszę przyznać, że przemówiłaś jej do rozsądku, Kay. Pierwszy raz, odkąd ją znam, naprawdę widzę, że zaczyna trochę poczuwać się do odpowiedzialności.

– Dziękuję, ale wolałabym się nie ekscytować. To wszystko wciąż wydaje się bardzo niepewne. – Studzące zapał słowa Kay kłóciły się z jej mimowolnym zadowolonym uśmiechem, który zaraz znikł. – A jak wygląda sytuacja w żłobku, Louise?

– Cóż, Robbie znowu zaczął przychodzić – powiedziała czwarta pracowniczka socjalna. – Od trzech tygodni ma stuprocentową frekwencję, a to wyraźna poprawa. Przyprowadza go ta nastoletnia siostra. Mały chodzi w za ciasnych ubrankach, najczęściej brudnych, ale wspomina o kąpieli i posiłkach w domu.

– A jego zachowanie?

– Jest opóźniony. Słabo mówi. Nie lubi mężczyzn. Kiedy jakieś dziecko odbiera ojciec, Robbie się do niego nie zbliża, nie odstępuje opiekunek na krok i jest bardzo zaniepokojony. A raz czy dwa – dodała, przewracając stronę w notatniku – zdarzyło się, że podchodził do dziewczynek i wykonywał ruchy, które w widoczny sposób nawiązywały do aktu seksualnego.

– Cokolwiek zdecydujemy, nie ulega wątpliwości, że Robbie pozostanie na liście dzieci zagrożonych ze środowisk patologicznych – powiedziała Kay, a jej słowom towarzyszył pomruk aprobaty.

– Więc teraz wszystko zależy od tego, czy Terri zostanie na programie metadonowym – zwróciła się do Niny przełożona Kay. – I czy będzie się trzymała z dala od prochów.

– To oczywiście niezbędny warunek – zgodziła się Kay – ale obawiam się, że nawet kiedy jest czysta, Robbie nie doświadcza z jej strony zbyt wiele matczynej troski. To raczej Krystal go wychowuje, a ma dopiero szesnaście lat i mnóstwo własnych problemów...

(Parminder przypomniała sobie, co powiedziała do Sukhvinder któregoś wieczoru przed kilkoma dniami.

„Krystal Weedon! Ta głupia dziewucha! Tego cię nauczyło trenowanie w osadzie z Krystal Weedon? Zniżyłaś się do jej poziomu?"

Barry lubił Krystal. Potrafił dostrzec w niej coś, co dla innych ludzi pozostawało niewidoczne.

Kiedyś, dawno temu, Parminder opowiedziała Barry'emu historię sikhijskiego bohatera, zwanego Bhai Kanhaiya, który opiekował się rannymi w boju wojownikami bez względu na to, po której walczyli stronie. Kiedy go zapytano, dlaczego udziela pomocy wszystkim, Bhai Kanhaiya odpowiedział, że każda dusza promieniuje Bożym światłem, dlatego nie można nikogo wyróżniać.

„Każda dusza promieniuje Bożym światłem".

A ona powiedziała Sukhvinder, że Krystal Weedon jest głupia, i dała córce do zrozumienia, że uważa jej koleżankę za prymitywną.

Barry nigdy by czegoś podobnego nie powiedział.

Było jej wstyd).

– ... kiedy żyła prababka. Zdaje się, że mogli liczyć na jej wsparcie, ale teraz...

– Nie żyje – dokończyła czym prędzej Parminder, żeby żadna z kobiet nie zdążyła jej ubiec. – Rozedma płuc i udar.

– Tak – potwierdziła Kay, wciąż zaglądając do notatek. – Więc wracamy do Terri. Sama przebywała w placówce opiekuńczo-wychowawczej. Czy kiedykolwiek uczęszczała na kursy dla rodziców?

– Oferujemy taką możliwość, ale ona nigdy nie była w stanie na nie chodzić – powiedziała kobieta ze żłobka.

– Gdyby zgodziła się zapisać na kurs i rzeczywiście na niego chodziła, to mogłoby sporo zmienić – zauważyła Kay.

– Jeżeli zamkną nasz ośrodek – westchnęła Nina z Bellchapel, zwracając się do Parminder – to pewnie będzie musiała przychodzić po metadon do pani.

– Obawiam się, że nic z tego nie wyjdzie – powiedziała Kay, zanim Parminder zdążyła odpowiedzieć.

– A to dlaczego? – spytała Parminder ze złością.

Pozostałe kobiety spojrzały na nią zdziwione.

– Dlatego że jeżdżenie autobusem i pamiętanie o terminach nie jest mocną stroną Terri – wyjaśniła Kay. – Do Bellchapel ma tylko kawałek piechotą.

– Aha. – Parminder była zażenowana. – Tak. Przepraszam. Tak, pewnie masz rację.

(Sądziła, że Kay nawiązuje do skarg w sprawie śmierci Catherine Weedon i chce powiedzieć, że jej zdaniem Terri nie będzie miała do Parminder zaufania.

„Skup się na tym, co mówią. Co się z tobą dzieje?")

– Podsumowując – powiedziała przełożona Kay, spoglądając w notatki – mamy tu zaniedbywanie obowiązków rodzicielskich przeplatane odrobiną należytej opieki. – Westchnęła, choć w tym westchnieniu było więcej irytacji niż smutku. – Najbardziej bezpośredni kryzys został zażegnany: matka przestała brać. Robbie znowu chodzi do żłobka, a tam go mamy na oku. Jego bezpieczeństwu nic teraz nie zagraża. Jak wspomniała Kay, Robbie i tak zostaje na liście dzieci zagrożonych ze środowisk patologicznych... Jestem zdania, że powinnyśmy się znowu spotkać za cztery tygodnie...

Narada trwała jeszcze czterdzieści minut. Potem Kay odprowadziła Parminder na parking.

– Cieszę się, że przyszłaś osobiście. Większość lekarzy przysłałaby raport.

– Miałam akurat wolne.

Tak naprawdę przyszła, bo nie cierpiała siedzieć sama w domu bez żadnego zajęcia, ale Kay chyba doszła do wniosku, że Parminder oczekuje dalszych wyrazów uznania, więc ich nie szczędziła.

Kiedy stały przy samochodzie Parminder, Kay powiedziała:

– Jesteś radną, prawda? Czy Colin przekazał ci dane na temat Bellchapel, które mu dałam?

– Tak – potwierdziła Parminder. – Dobrze by było kiedyś o nich pogadać. To jeden z punktów w jutrzejszym porządku obrad.

Kay podała jej swój numer telefonu, jeszcze raz podziękowała i poszła, a myśli Parminder wróciły do Barry'ego, Ducha i Mollisonów. Kiedy jechała ulicami Fields, osłabione mechanizmy obronne wreszcie dopuściły do jej świadomości prostą myśl, którą dotąd starała się ukryć, zagłuszyć.

„Może rzeczywiście go kochałam".

III

Andrew przez wiele godzin zastanawiał się, co włożyć pierwszego dnia pracy w Copper Kettle. Kiedy w końcu się zdecydował, przewiesił ubranie przez krzesło w swoim pokoju. Na jego lewym policzku pojawiła się wyjątkowo paskudna krosta i Andrew postanowił przeprowadzić eksperyment z podkładem Ruth, zwędzonym z szuflady jej toaletki.

Był piątkowy wieczór. Andrew właśnie nakrywał do stołu. Jego myśli krążyły wokół Gai i całych siedmiu godzin, które miał spędzić w pobliżu niej. To wszystko było w zasięgu ręki. Wtedy z pracy wrócił ojciec. Andrew jeszcze nigdy nie widział go w takim stanie. Simon wydawał się przygaszony, prawie zdezorientowany.

– Gdzie matka?

Ze spiżarni wyłoniła się zaaferowana Ruth.

– Cześć, Misiu-Pysiu, co się stało?

– Wylali mnie.

Przerażona Ruth podniosła dłonie do twarzy, a potem podbiegła do męża, zarzuciła mu ręce na szyję i przytuliła go.

– Dlaczego? – wyszeptała.

– Przez tą wiadomość – powiedział Simon. – Na tej pieprzonej stronie. Jim i Tommy też polecieli. Powiedzieli, że albo dobrowolnie zgłoszę się do redukcji i wezmę odprawę, albo mnie wywalą. Ale to gówniany układ. Nawet nie połowa tego, co dali Brianowi Grantowi.

Andrew zastygł w bezruchu, zamieniając się w żywy pomnik poczucia winy.

– Kurwa – powiedział Simon w ramię Ruth.

– Znajdziesz coś innego – wyszeptała.

– Nie w tej okolicy – odrzekł Simon.

Usiadł w płaszczu na kuchennym krześle i wpatrywał się w dal, jakby był zbyt oszołomiony, żeby się odezwać. Ruth kręciła się dokoła niego z przerażeniem, czułością i łzami w oczach. Andrew jednak dostrzegł w katatonicznym spojrzeniu Simona cień zwykłej afektowanej teatralności ojca. To znacznie zmniejszyło jego wyrzuty sumienia. Bez słowa wrócił do nakrywania stołu.

Kolacja przebiegała w atmosferze przygnębienia. Paul, powiadomiony o tym, co się stało, wyglądał na przerażonego, jakby się obawiał, że ojciec obarczy go winą za wszystko. Przy pierwszym daniu Simon zachowywał się jak chrześcijański męczennik: ranny, ale z godnością znoszący nieuzasadnione prześladowania. A potem wybuchnął.

– Wynajmę kogoś, żeby przefasonował kutasowi tę jego tłustą mordę – powiedział i wpakował do ust pełną łyżeczkę szarlotki z kruszonką.

Wszyscy wiedzieli, że ma na myśli Howarda Mollisona.

– Wiecie, na tej stronie pojawiła się nowa wiadomość – powiedziała Ruth jednym tchem. – Nie tylko ciebie to spotkało, Misiu. Shir... ktoś w pracy mi mówił. Ta sama osoba, Duch Barry'ego Fairbrothera, napisała jakieś okropne rzeczy na temat doktor Jawandy. Więc Howard i Shirley poprosili kogoś, żeby przyjrzał się stronie. Okazało się, że ten, kto to robi, posługuje się loginem Barry'ego Fairbrothera, więc na wszelki wypadek usunęli go z bazy danych czy coś...

– A czy dzięki temu odzyskam swoją pierdoloną pracę?!

Ruth nie odzywała się przez następnych kilka minut.

Słowa matki wytrąciły Andrew z równowagi. Martwiło go dochodzenie w sprawie Ducha_Barry'ego_Fairbrothera i to, że ktoś inny poszedł w jego ślady.

Kto oprócz Fatsa mógł wpaść na to, żeby użyć loginu Barry'ego? Dlaczego Fats miałby atakować doktor Jawandę? A może to jego nowy sposób znęcania się nad Sukhvinder? Andrew wcale się to nie podobało...

– Co z tobą? – warknął Simon nad stołem.

– Nic – wymamrotał Andrew, ale zaraz się wycofał. – To straszny szok... z tą twoją pracą...

– Och, jesteś zszokowany, tak?! – wrzasnął Simon.

Paul upuścił łyżeczkę i ochlapał się lodami.

– Posprzątaj to, Paulinko, ty mały pedziu!

A do Andrew krzyknął:

– No, takie jest życie, Pryszczaku! Wszędzie kutasy, na każdym kroku chcą cię udupić! – Wyciągnął rękę, wskazując palcem starszego syna. – Znajdź mi jutro jakiegoś haka na Mollisona albo możesz nie wracać do domu!

– Misiu...

Simon odsunął krzesło od stołu, strącając łyżeczkę, która odbiła się z brzękiem od podłogi, i wyszedł, trzaskając drzwiami. Andrew czekał na to, co nieuniknione. Doczekał się.

– To dla niego straszliwy szok – wyszeptała do synów wstrząśnięta Ruth. – Po tylu latach w firmie... Martwi się, jak nas wszystkich utrzymać...

Kiedy następnego dnia o wpół do siódmej zadzwonił budzik, Andrew wyłączył go już po kilku sekundach i dosłownie wyskoczył z łóżka. Z uczuciem, jakby to było Boże Narodzenie, umył się, błyskawicznie ubrał, a potem poświęcił czterdzieści minut włosom i twarzy, nakładając na najbardziej widoczne pryszcze mikroskopijne ilości podkładu.

Minął chyłkiem drzwi sypialni rodziców, jakby się spodziewał, że ojciec go zatrzyma, ale nikt się nie pokazał. Po pośpiesznym śniadaniu

Andrew wyprowadził z garażu kolarzówkę Simona i zaczął zjeżdżać ze wzgórza w kierunku Pagford.

Poranek był mglisty, niósł jednak z sobą obietnicę słońca. W delikatesach rolety były jeszcze opuszczone, ale drzwi ustąpiły z brzękiem dzwonka.

– Nie tędy! – krzyknął Howard, tocząc się w jego stronę. – Ty wchodzisz od tyłu! Rower możesz zostawić koło kontenerów, zabierz go sprzed sklepu!

Na zaplecze delikatesów prowadził wąski zaułek przechodzący w maleńkie zawilgocone podwórko z nawierzchnią z kocich łbów. Otaczały je wysokie mury i wiaty, pod którymi stały metalowe kontenery na śmieci. Klapa w ziemi kryła strome schody prowadzące do piwnicy.

– Przypnij go gdzieś tam, żeby nie zawadzał – powiedział Howard, kiedy Andrew zdyszany i spocony pojawił się w tylnym wejściu.

Mollison otarł czoło fartuchem, czekając, aż Andrew skończy się mocować z kłódką przy łańcuchu.

– Dobra, zaczniemy od piwnicy – powiedział, kiedy rower był już bezpiecznie przypięty. – Zejdź na dół i rozejrzyj się, gdzie co jest.

Kiedy Andrew schodził po schodach, Howard stał pochylony nad włazem. Od lat nie był w stanie zejść do własnej piwnicy. Kilka razy w tygodniu schodziła tam chwiejnym krokiem Maureen, ale teraz, kiedy piwnicę wypełniały zapasy czekające na otwarcie kawiarni, niezbędne były młodsze nogi.

– Porządnie się rozejrzyj! – krzyknął do Andrew, który już zniknął mu z pola widzenia. – Widzisz, gdzie są torty i wypieki? Widzisz te duże worki z kawą ziarnistą i pudełka z herbatą? W rogu masz papier toaletowy i worki na śmieci.

– Widzę – rozległ się z dołu głos Andrew.

– Możesz do mnie mówić „panie Mollison" – powiedział Howard z lekką zgryźliwością w zdyszanym głosie.

Andrew stał w piwnicy, zastanawiając się, czy powinien zacząć od razu.

– Dobrze... panie Mollison.

Zabrzmiało to sarkastycznie. Żeby zatrzeć takie wrażenie, czym prędzej dorzucił grzecznym tonem:

– Co jest w tych dużych szafkach?

– Zajrzyj – odparł zniecierpliwiony Howard. – Po to tam poszedłeś. Żeby wiedzieć, gdzie co odłożyć i skąd wziąć.

Howard słuchał stłumionych odgłosów otwierania ciężkich drzwi, mając nadzieję, że chłopak nie okaże się tępy i nie będzie go trzeba prowadzić za rączkę. Astma Howarda wyjątkowo dawała mu się we znaki. Stężenie pyłków było nietypowo duże jak na tę porę roku, a cała dodatkowa praca, emocje i drobne frustracje związane z otwarciem kawiarni też odbijały się na jego zdrowiu. Pomyślał, że jeżeli dalej będzie się tak pocił, to chyba zadzwoni do Shirley, żeby przed otwarciem przywiozła mu czystą koszulę.

– Przyjechała dostawa! – zawołał Howard, słysząc dudnienie na końcu zaułka. – Wracaj na górę! Trzeba znieść towar do piwnicy i poukładać, jasne? I przynieś do kawiarni zgrzewkę mleka. Zrozumiałeś?

– Taak... panie Mollison – odpowiedział z dołu głos Andrew.

Howard wrócił powoli do budynku po inhalator, który trzymał w kieszeni kurtki w pokoju na zapleczu. Po kilku głębokich wdechach poczuł się znacznie lepiej. Kolejny raz wytarł twarz fartuchem i usiadł na jednym ze skrzypiących krzeseł, żeby odpocząć.

Od ostatniej wizyty u doktor Jawandy, kiedy poszedł do niej ze swoją wysypką, kilka razy myślał o tym, co powiedziała o jego nadwadze: że to właśnie tusza jest przyczyną wszystkich jego problemów zdrowotnych.

To oczywista bzdura. Wystarczy spojrzeć na chłopaka Hubbardów: chudy jak patyk, a i tak ma astmę. Howard był masywny, odkąd pamiętał. Na tych niewielu zdjęciach, które zrobił mu ojciec, zanim zostawił rodzinę, kiedy Howard miał cztery czy pięć lat, był zaledwie pucołowaty. Po odejściu ojca matka sadzała go przy stole między sobą a babką i czuła się urażona, jeśli nie brał dokładek. Chłopak powoli rósł, wypełniając przestrzeń między dwiema kobietami, i w wieku dwunastu lat ważył już tyle co ojciec, który ich zostawił. Zdrowy apetyt kojarzył się Howardowi z męskością. Zwalista sylwetka stała się jego znakiem rozpoznawczym. Była dziełem kobiet, które go kochały i z przyjemnością mu dogadzały. Przyszło mu do głowy, że to zupełnie typowe dla Jawandy Propagandy – to babsko potrafiło zepsuć każdą zabawę, więc nic dziwnego, że chciało go pozbawić męskości.

Ale czasami, w chwilach słabości, kiedy ciężko mu było oddychać albo się ruszać, ogarniał go strach. To dobrze, że Shirley zachowywała się tak, jakby nigdy nie był w niebezpieczeństwie, ale on pamiętał te długie noce w szpitalu po operacji wszczepienia by-passów, kiedy nie mógł zasnąć ze strachu, że jego serce nie wytrzyma i przestanie bić. Za każdym razem, gdy widział Vikrama Jawandę, przypominał sobie, że długie ciemne palce tego człowieka dotykały jego nagiego, bijącego serca. Jowialny sposób bycia, który przybierał podczas każdego spotkania z nim, był tylko sposobem na odegnanie prymitywnego, instynktownego lęku. Po operacji lekarze powiedzieli Howardowi, że powinien schudnąć, ale przecież i tak zrzucił ponad dwanaście kilo, zmuszony żywić się okropnym szpitalnym jedzeniem. Kiedy tylko wyszedł, Shirley postanowiła go z powrotem podtuczyć...

Howard siedział jeszcze przez chwilę, ciesząc się łatwością, z jaką przychodziło mu oddychanie po użyciu inhalatora. Dzisiejszy dzień wiele dla niego znaczył. Trzydzieści pięć lat wcześniej, z rozmachem szesnastowiecznego poszukiwacza przygód wiozącego nieznane specjały z drugiego końca świata, zaznajomił Pagford z dobrym jedzeniem, a miasto, po początkowym okresie nieufności, szybko zaczęło węszyć, nieśmiało, lecz z zaciekawieniem, w jego styropianowych pojemnikach. Pomyślał smutno o swojej starej matce, która była taka dumna z syna i z jego kwitnącego interesu. Szkoda, że nie może zobaczyć kawiarni. Howard podniósł się z krzesła, zdjął z haka swoją czapkę *à la* Sherlock Holmes i w akcie samokoronacji ostrożnie włożył ją na głowę.

Jego nowe kelnerki pojawiły się razem o wpół do dziewiątej. Miał dla nich niespodziankę.

– Proszę – powiedział, podając im stroje służbowe: czarne sukienki i białe fartuszki z falbankami, dokładnie takie, jak sobie wymarzył. – Powinny pasować. Maureen twierdziła, że zna wasze rozmiary. Sobie sprawiła taki sam.

Gaia stłumiła chichot, kiedy Maureen z uśmiechem wkroczyła do delikatesów od strony kawiarni. Na nogach miała sandały dra Scholla włożone na czarne rajstopy. Jej sukienka kończyła się pięć centymetrów nad pomarszczonymi kolanami.

– Możecie się przebrać na zapleczu, dziewczyny – powiedziała, wskazując pomieszczenie, z którego przed chwilą wyłonił się Howard.

Kiedy Gaia zdejmowała dżinsy w toalecie dla personelu, zobaczyła minę Sukhvinder.

– Co jest, Sooks? – zapytała.

Nowe przezwisko dodało Sukhvinder odwagi, żeby powiedzieć to, czego w przeciwnym razie pewnie nie byłaby w stanie z siebie wydusić.

– Nie mogę tego włożyć – wyszeptała.

– Dlaczego? – zapytała Gaia. – Będziesz świetnie wyglądała.

Ale czarna sukienka miała krótkie rękawy.

– Nie mogę.

– Ale o co... Jezu – przeraziła się Gaia.

Sukhvinder podciągnęła rękawy bluzy. Wewnętrzne strony jej przedramion, od nadgarstków do łokci, były pokryte brzydkimi, krzyżującymi się bliznami i paskudnymi świeżo zakrzepłymi nacięciami.

– Sooks – powiedziała Gaia cicho. – Co ty wyprawiasz?

Sukhvinder pokręciła głową. Jej oczy były pełne łez.

Gaia zastanowiła się chwilę.

Zdjęła swój T-shirt z długimi rękawami.

Pod wpływem ciężkiego ciosu niedokładnie zaryglowane drzwi na zaplecze nagle się otworzyły. Spocony Andrew z dwiema wielkimi paczkami papieru toaletowego pod pachami był już jedną nogą w środku, kiedy powstrzymały go pełne złości krzyki Gai. Cofając się, stracił równowagę i wpadł na Maureen.

– Przebierają się – oznajmiła Maureen z cierpką dezaprobatą.

– Pan Mollison kazał mi to zanieść do toalety dla personelu.

„Ja pierdolę. Ja pierdolę". Była rozebrana do majtek i stanika. Widział prawie wszystko.

– Przepraszam! – wrzasnął Andrew w stronę zamkniętych drzwi. Jego zarumieniona twarz aż pulsowała.

– Palant – wymamrotała Gaia po drugiej stronie. Podawała swój T-shirt Sukhvinder. – Włóż to pod sukienkę.

– Będzie głupio wyglądało.

– Nieważne. Następnym razem przyniesiesz sobie czarny i będziesz udawała, że masz sukienkę z długimi rękawami. Coś im się powie...

– Ma egzemę – oświadczyła potem Gaia, kiedy razem z Sukhvinder wyłoniły się z zaplecza w sukienkach i fartuszkach. – Na przedramionach. Trochę paskudnie to wygląda.

– Aha – powiedział Howard, spoglądając na ręce Sukhvinder zakryte białymi rękawami, a potem z powrotem na Gaię, która wyglądała dokładnie tak oszałamiająco, jak sobie wyobrażał.

– Za tydzień przyniosę czarny T-shirt – powiedziała Sukhvinder, nie śmiejąc spojrzeć Howardowi w oczy.

– Świetnie – odparł, a kiedy szły do kawiarni, poklepał Gaię po dolnej części pleców. – Przygotujcie się! – zawołał do wszystkich swoich pracowników. – Już prawie pora... Maureen, otwieramy!

Na zewnątrz już czekała grupka klientów. Napis przy wejściu głosił: „Dziś otwarcie – Pierwsza kawa gratis!".

Andrew nie widział Gai przez następne kilka godzin. Ciągle musiał biegać do piwnicy po mleko i soki owocowe albo wycierać podłogę na małym zapleczu kuchennym. Przerwę na lunch miał wcześniej niż kelnerki. Następnym razem zobaczył Gaię w przelocie, kiedy Howard wezwał go do baru. Minęli się w odległości kilku centymetrów, kiedy ona szła w przeciwną stronę, na zaplecze.

– Mamy oblężenie, panie Price! – powiedział Howard. Był w świetnym humorze. – Weź sobie czysty fartuch i przetrzyj parę stolików, bo Gaia idzie na przerwę!

Pod oknem usiedli właśnie Miles i Samantha Mollisonowie z córkami i Shirley.

– Wygląda na to, że diabelnie dobrze im idzie, co? – zauważyła Samantha, rozglądając się. – Ale co, u licha, ma ta mała Jawanda pod sukienką?

– Bandaże? – podsunął Miles, krzywiąc się na jej widok.

– Cześć, Sukhvinder! – zawołała Lexie, która znała ją z podstawówki.

– Nie krzycz, kochanie – zganiła wnuczkę Shirley, a Samantha obruszyła się na teściową.

Zza baru wyłoniła się Maureen w krótkiej czarnej sukience i falbaniastym fartuszku, a Shirley parsknęła do filiżanki z kawą.

– Ojej... – westchnęła cicho, kiedy Maureen szła z promiennym uśmiechem w ich stronę.

To prawda, Maureen wyglądała śmiesznie, szczególnie przy dwóch identycznie ubranych szesnastolatkach, ale Samantha nie miała zamiaru sprawiać Shirley przyjemności, przyznając jej rację. Ostentacyjnie odwróciła się w drugą stronę i obserwowała chłopaka, który przecierał stoliki. Był szczupły, ale w miarę barczysty. Widziała, jak pod luźnym T-shirtem pracują jego mięśnie. Nie do pomyślenia, że wielki tłusty tyłek Milesa mógł kiedykolwiek być taki zgrabny i jędrny. Wtedy chłopak odwrócił się twarzą do światła i Sam zobaczyła jego trądzik.

– Nie najgorzej, co? – wychrypiała Maureen do Milesa. – Od rana mamy komplet.

– No dobrze, dziewczyny – zwrócił się Miles do matki, żony i córek – co zamawiamy, żeby poprawić dziadkowi obroty?

Kiedy Samantha z ociąganiem zamawiała porcję zupy, do kawiarni wtoczył się Howard. Przez cały dzień co dziesięć minut kursował między kawiarnią a delikatesami, witając klientów i sprawdzając wpływy w kasie.

– Oszałamiający sukces – powiedział do Milesa, wciskając się za stolik. – Co o tym myślisz, Sammy? Nie widziałaś jeszcze kawiarni, co? Fajne malowidło? Podoba ci się porcelana?

– Uhmm – odrzekła Samantha. – Śliczne.

– Tak sobie myślę, że może urządzę tu swoje urodziny – powiedział Howard, drapiąc się w roztargnieniu, bo maści Parminder nie wyleczyły jeszcze jego świądu. – Ale trochę za mało tu miejsca. Pewnie zostaniemy przy sali parafialnej.

– Kiedy to będzie, dziadku? – pisnęła Lexie. – Mogę przyjść?

– Dwudziestego dziewiątego. A ile ty teraz masz lat? Szesnaście? Jasne, że możesz przyjść – radośnie odrzekł Howard.

– Dwudziestego dziewiątego? – zapytała Samantha. – Och, ale... Shirley skarciła ją wzrokiem.

– Howard planuje to od miesięcy. Mówimy o tym od dawna.

– ... wtedy jest koncert Libby – wybąkała Samantha.

– Jakaś impreza w szkole? – zainteresował się Howard.

– Nie – odrzekła Libby. – Mama kupiła bilety na koncert mojego ulubionego zespołu. W Londynie.

– I jadę z nią – powiedziała Samantha. – Nie puszczę jej samej.

– Mama Harriet mówi, że mogłaby...

– Ja cię zabieram, Libby, nie pojedziesz beze mnie do Londynu.

– Dwudziestego dziewiątego? – zapytał Miles, patrząc surowo na Samanthę. – Dzień po wyborach?

Samantha parsknęła szyderczym śmiechem, którego wcześniej oszczędziła Maureen.

– To tylko rada gminy, Miles. Nikt nie przewiduje konferencji prasowej.

– No cóż, będzie nam cię brakowało, Sammy – powiedział Howard, kładąc rękę na oparciu jej krzesła, żeby podźwignąć się z miejsca. – Wracam do pracy... Dobra, Andrew, starczy... Sprawdź, czy nie potrzebujemy czegoś z piwnicy.

Andrew musiał zaczekać za barem, żeby przepuścić ludzi mijających się w przejściu do toalety. Maureen kładła na tacy Sukhvinder talerze z kanapkami.

– Jak się miewa twoja mama? – zapytała nagle dziewczynę, jakby ta myśl właśnie w tej chwili przyszła jej do głowy.

– Dobrze – powiedziała Sukhvinder, czerwieniąc się.

– Nie denerwuje się za bardzo tymi okropnymi rzeczami na stronie rady gminy?

– Nie – odparła Sukhvinder, a jej oczy wypełniły się łzami.

Andrew wyszedł na podwórko. Teraz, wczesnym popołudniem, zrobiło się tu ciepło i słonecznie. Miał nadzieję, że zastanie tam Gaię, że wyszła się przewietrzyć, ale widocznie poszła na zaplecze delikatesów. Rozczarowany zapalił papierosa. Ledwie zdążył się zaciągnąć, kiedy dziewczyna wyłoniła się z kawiarni, popijając lunch puszką gazowanego napoju.

– Hej – rzucił Andrew.

Zaschło mu w ustach.

– Hej – przywitała się.

A po chwili zapytała:

– Dlaczego ten twój kumpel jest taki wredny dla Sukhvinder? To sprawa osobista czy jest rasistą?

– Nie jest rasistą – powiedział Andrew.

Wyjął z ust papierosa, próbując powstrzymać drżenie rąk, ale nie wiedział, co mógłby dodać. Słońce odbite od kontenerów ogrzewało mu spocone plecy. Jej obecność tak blisko, ubranej w obcisłą czarną sukienkę, niemal go przytłaczała, zwłaszcza teraz, po tym, jak zobaczył, co się kryje pod spodem. Zaciągnął się jeszcze raz, zastanawiając się, kiedy po raz ostatni był taki oszołomiony albo taki pełen życia.

– Co ona mu takiego zrobiła?

Ta krągłość jej bioder w miejscu, gdzie przechodziły w wąską talię, doskonałość jej dużych oczu z plamkami na tęczówkach widocznymi tuż nad puszką sprite'a. Andrew miał ochotę powiedzieć: „Nic, to dupek, dam mu w pysk, jeżeli pozwolisz mi się dotknąć...".

Na podwórze wyszła Sukhvinder, mrużąc oczy w słońcu. Wyglądała tak, jakby w koszulce Gai było jej niewygodnie i gorąco.

– On chce, żebyś już wracała – powiedziała do Gai.

– Nie pali się – odparła Gaia ze spokojem. – Już kończę. Miałam tylko czterdzieści minut.

Andrew i Sukhvinder patrzyli, jak sączy napój, zdumieni jej arogancją i urodą.

– Ta stara suka mówiła coś o twojej mamie? – zapytała Gaia.

Sukhvinder pokiwała głową.

– Moim zdaniem to sprawka j e g o kumpla – powiedziała Gaia, znowu gapiąc się na Andrew, a on uznał, że ten nacisk na „jego" zabrzmiał bardzo sexy, nawet jeśli w zamierzeniu miał być obraźliwy. – To on zamieścił ten wpis o twojej mamie.

– Niemożliwe – odrzekł Andrew, ale głos lekko mu zadrżał. – Ktokolwiek to był, obsmarował też mojego starego. Parę tygodni temu.

– Co? – zapytała Gaia. – Ta sama osoba napisała coś na twojego tatę?

Pokiwał głową, delektując się jej zainteresowaniem.

– Coś o kradzieżach, prawda? – odważyła się zapytać Sukhvinder.

– Tak – potwierdził Andrew. – A wczoraj wylali go za to z roboty. Więc nie tylko jej mama na tym ucierpiała. – Prawie bez przerwy patrzył w oszałamiające oczy Gai.

– Jasna dupa – powiedziała Gaia, odwracając puszkę do góry dnem i wyrzucając ją do kontenera na śmieci. – Pełno tu pieprzonych świrów.

IV

Wpis na temat Parminder na stronie internetowej rady gminy sprawił, że lęki Colina Walla urosły i zmieniły się w koszmar. Mógł jedynie zgadywać, w jaki sposób Mollisonowie zdobywają informacje, ale jeśli wiedzieli o Parminder...

– Na litość boską, Colin! – powiedziała Tessa. – To tylko wredna plotka! Nie ma nic wspólnego z prawdą!

Ale Colin bał się zaufać żonie. Wiara w to, że inni ludzie również skrywają sekrety, które doprowadzają ich na skraj szaleństwa, przychodziła mu w naturalny sposób. Nie pocieszała go nawet świadomość, że większą część dorosłego życia przeżył w strachu przed katastrofami, które nigdy się nie wydarzyły, bo przecież statystycznie rzecz biorąc, prędzej czy później i tak któraś z nich musiała go spotkać.

Wracając o wpół do drugiej ze sklepu mięsnego, myślał o czekającej go nieuniknionej demaskacji – zresztą myślał o niej przez cały czas. Zdał sobie sprawę, gdzie jest, dopiero gdy jego uwagę przykuła wrzawa dobiegająca z nowej kawiarni. Gdyby nie to, że zdążył już dojść do okien Copper Kettle, pewnie przeszedłby na przeciwległy koniec placu. Ostatnio przerażało go nawet przebywanie w pobliżu któregokolwiek z Mollisonów. Nagle jednak za szybą zobaczył coś, co sprawiło, że cofnął się i zajrzał do środka po raz drugi.

Kiedy dziesięć minut później wszedł do kuchni, Tessa rozmawiała z siostrą przez telefon. Colin włożył do lodówki udziec jagnięcy i poszedł na górę, aż do pokoju Fatsa na poddaszu. Otworzył drzwi i tak jak się spodziewał, nikogo nie zastał.

Nie mógł sobie przypomnieć, kiedy był tu po raz ostatni. Na podłodze leżały rozrzucone brudne ubrania. Pomimo uchylonego okna dachowego w pokoju unosił się dziwny zapach. Colin zauważył na biurku pudełko zapałek. Kiedy je otworzył, zobaczył, że jest pełne niedopałków. Obok komputera leżała bezwstydnie paczka bibułek do papierosów.

Colin odniósł wrażenie, że serce wypadło mu z klatki piersiowej i łomocze teraz o wnętrzności.

– Colin! – dobiegł go głos Tessy z korytarza. – Gdzie jesteś?

– Tutaj! – ryknął.

Po chwili przestraszona i zatroskana Tessa pojawiła się w drzwiach pokoju. Colin bez słowa podniósł pudełko od zapałek i pokazał jego zawartość.

– Ojej – jęknęła Tessa słabym głosem.

– Powiedział, że wychodzi z Andrew Price'em – oznajmił Colin.

Tessę przeraził mięsień drgający w szczęce męża: poruszający się na boki wściekły mały guz.

– Właśnie przechodziłem obok tej nowej kafejki na rynku i widziałem Andrew Price'a wycierającego stoliki. Więc gdzie jest Stuart?

Tessa od tygodni udawała, że wierzy Fatsowi, kiedy mówił, że wychodzi z Andrew. Od wielu dni powtarzała sobie, że Sukhvinder musiała się mylić, twierdząc, że Fats spotyka się z Krystal Weedon. Jak coś podobnego mogłoby mu w ogóle przyjść do głowy.

– Nie wiem – powiedziała. – Chodź na dół, napijmy się herbaty. Zadzwonię do niego.

– Chyba zaczekam tutaj – rzekł Colin i usiadł na niepościelonym łóżku Fatsa.

– Chodź, Colin, zejdźmy na dół – powtórzyła Tessa.

Bała się go tam zostawić. Nie wiedziała, co może znaleźć w szufladach albo w szkolnym plecaku Fatsa. Nie chciała, żeby sprawdzał jego komputer ani zaglądał pod łóżko. Sprzeciw wobec przeszukiwania mrocznych zakamarków stał się jej jedynym *modus operandi*.

– Chodź na dół, Col – ponagliła go.

– Nie – powtórzył stanowczo i splótł ręce na piersi jak zbuntowane dziecko, ale mięsień w jego szczęce nie przestawał się poruszać. – Narkotyki w koszu na śmieci. Syn wicedyrektora.

Tessa, która usiadła na krześle przy komputerze Fatsa, poczuła znajomy dreszcz gniewu. Wiedziała, że zaabsorbowanie sobą to po prostu jeden z objawów jego choroby, ale czasami...

– Wielu nastolatków eksperymentuje – powiedziała.

– Jeszcze go bronisz? Nigdy nie przyszło ci do głowy, że przez to twoje ciągłe usprawiedliwianie umacniasz go w przekonaniu, że wszystko ujdzie mu płazem?

Próbowała się opanować, wiedziała, że musi być buforem między nimi.

– Przykro mi, Colin, ale ty i twoja praca to nie wszystko...

– Ach tak, więc jeśli mnie wyleją...

– Dlaczego, u licha, mieliby cię wylać?

– Na litość boską! – krzyknął Colin oburzony. – Wszystko, co on wyrabia, odbija się na mnie! Już i tak jest wystarczająco źle, i tak należy do uczniów, którzy sprawiają największe problemy w...

– Nieprawda! – krzyknęła Tessa. – Nikt poza tobą nie uważa, że zachowanie Stuarta odbiega od normalnego zachowania nastolatka. On nie jest jak Dane Tully!

– Idzie w jego ślady. Narkotyki w koszu...

– Mówiłam, że powinniśmy go posłać do liceum Paxton! Wiedziałam, że jeżeli będzie chodził do Winterdown, to wszystko, co zrobi, będziesz traktował jak prowokację! Nic dziwnego, że się buntuje, skoro oczekujesz, że każdy jego ruch powinien ci przynosić chlubę! Nie chciałam, żeby chodził do twojej szkoły!

– A ja – wrzasnął Colin, zrywając się na nogi – w ogóle go nie chciałem!

– Nie mów tak! – wykrztusiła Tessa. – Wiem, że jesteś wściekły, ale nie mów w ten sposób!

Dwa piętra niżej trzasnęły drzwi wejściowe. Tessa rozejrzała się przestraszona, jakby Fats miał się nagle zmaterializować tuż obok nich. Nie tylko ten nagły dźwięk ją przestraszył. Stuart nigdy nie trzaskał drzwiami, zwykle wślizgiwał się do środka jak duch.

Na schodach rozległ się znajomy odgłos jego kroków. Czy wiedział, że są w jego pokoju? Czy coś podejrzewał? Colin stał z rękami wzdłuż ciała i dłońmi zaciśniętymi w pięści. Tessa usłyszała skrzypnięcie stopnia w połowie schodów, a po chwili stanął przed nimi Fats. Była pewna, że zawczasu przybrał odpowiednią minę: wyrażała znudzenie zmieszane z pogardą.

– ... dobry – bąknął, zerkając to na matkę, to na sztywnego, spiętego ojca. Miał zdolność panowania nad sobą, która nigdy nie była mocną stroną Colina. – Co za niespodzianka.

Tessa, zrozpaczona, próbowała nadać sprawie łagodny obrót.

– Martwiliśmy się, gdzie jesteś – zaczęła błagalnym tonem. – Powiedziałeś, że będziesz dzisiaj z Arfem, ale tata widział...

– A tak, zmiana planów – odparł Fats.

Zerknął na biurko, gdzie leżało pudełko zapałek.

– To co, zechcesz nam powiedzieć, gdzie się podziewałeś? – zapytał Colin.

Wokół jego ust pojawiły się białe plamy.

– Tak, skoro chcecie – odrzekł Fats i zamilkł.

– Stu – Tessa wydała z siebie pół szept, pół jęk.

– Umówiłem się z Krystal Weedon.

„O Boże, nie – pomyślała Tessa. – Nie, nie, nie..."

– Co takiego? – zapytał Colin tak zaskoczony, że zapomniał o agresywnym tonie.

– Umówiłem się z Krystal Weedon – powtórzył Fats, trochę głośniej.

– A od kiedy to – spytał Colin po ledwie zauważalnej chwili milczenia – Krystal Weedon należy do twoich przyjaciół?

– Od jakiegoś czasu.

Tessa widziała, że Colin usiłuje sformułować pytanie zbyt groteskowe, żeby mogło mu przejść przez gardło.

– Powinieneś był nam powiedzieć, Stu – jęknęła Tessa.

– O czym? – zapytał.

Przerażała ją myśl, że rozmowa może wkroczyć na niebezpieczny grunt.

– O tym, dokąd idziesz – wyjaśniła, wstając i starając się przybrać rozsądną minę. – Następnym razem zadzwoń.

Spojrzała na Colina, łudząc się, że mąż pójdzie w jej ślady, i skierowała się do drzwi. On jednak ani drgnął. Stał na środku pokoju i z przerażeniem wpatrywał się w Fatsa.

– Jesteś... związany z Krystal Weedon? – wykrztusił Colin.

Stali naprzeciwko siebie. Colin był o kilkanaście centymetrów wyższy, ale to Fats miał przewagę.

– Związany? – powtórzył Fats. – Co masz na myśli?

– Wiesz, co mam na myśli! – wrzasnął Colin, a jego twarz powoli robiła się czerwona.

– Chodzi ci o to, czy ją posuwam? – zapytał Fats.

Cichy okrzyk Tessy „Stu!" utonął we wrzasku Colina:

– Jak śmiesz, do cholery!

Fats tylko patrzył z pogardliwym uśmieszkiem. Wszystko w nim było drwiną i prowokacją.

– Co? – zapytał.

– Czy ty... – Colin usiłował znaleźć odpowiednie słowa. Robił się coraz bardziej czerwony. – ... sypiasz z Krystal Weedon?

– A czy gdybym sypiał, byłby to jakiś problem? – zapytał Fats, zerkając na matkę. – Przecież jesteś za tym, żeby jej pomagać, prawda?

– Pomagać...

– Nie po to chcesz bronić tego ośrodka odwykowego? Żeby pomóc rodzinie Krystal?

– A co to ma wspólnego...?

– Nie rozumiem, dlaczego to, że z nią chodzę, miałoby stanowić problem.

– A c h o d z i s z z nią? – zapytała ostro Tessa. Skoro Fats chciał prowadzić wojnę na własnym terytorium, była gotowa się z nim zmierzyć. – Czy ty naprawdę gdzieś z nią c h o d z i s z, Stuart?

Jego uśmieszek przyprawiał ją o mdłości. Nawet nie silił się na przyzwoitą odpowiedź.

– No przecież nie robimy tego u niej ani u mnie w domu...

Colin uniósł jedną ze swoich sztywnych rąk i zamachnął się pięścią. Trafił Fatsa w policzek. Cios zaskoczył chłopaka, którego uwaga była skupiona na matce. Zatoczył się, wpadł na biurko i osunął się na podłogę. Chwilę później zerwał się z powrotem na nogi, ale Tessa już wkroczyła pomiędzy nich, zwrócona twarzą do syna.

– Ty mały łajdaku. Ty mały łajdaku – powtarzał Colin za jej plecami.

– Tak? – powiedział Fats, już się nie uśmiechając. – Wolę być małym łajdakiem niż tobą, dupku!

– Dość! – krzyknęła Tessa. – Colin, wyjdź stąd. Wyjdź!

Przerażony, wściekły i wstrząśnięty Colin ociągał się przez chwilę, a potem wymaszerował z pokoju. Słyszeli, jak idzie po schodach odrobinę niepewnym krokiem.

– Jak mogłeś? – wyszeptała Tessa do syna.

– Jak co, kurwa, mogłem? – zapytał Stuart.

Wyraz jego twarzy przeraził Tessę tak bardzo, że czym prędzej zamknęła drzwi i zasunęła zasuwkę.

– Wykorzystujesz tę dziewczynę, Stuart, wiesz o tym, a sposób, w jaki odezwałeś się teraz do...

– No i, kurwa, co z tego? – przerwał jej Fats, chodząc tam i z powrotem. Nie starał się już udawać, że jest spokojny. – Co z tego, że ją, kurwa, wykorzystuję. Ona dobrze wie, czego chce. To, że mieszka w pieprzonym Fields, nie oznacza... Tak naprawdę ty i Przegródka nie chcecie, żebym ją rżnął, bo uważacie, że to poniżej...

– Nieprawda! – powiedziała Tessa, chociaż miał rację. Niezależnie od swojej troski o Krystal, poczułaby ulgę, gdyby wiedziała, że Fats miał na tyle zdrowego rozsądku, żeby założyć kondom.

– Ale z was cholerni hipokryci – powiedział, nie przestając chodzić po pokoju. – I ty, i Przegródka opowiadacie bzdety, jak to niby chcecie pomóc Weedonom, a nie...

– Dość! – krzyknęła Tessa. – Nie waż się mówić do mnie w ten sposób! Nie zdajesz sobie sprawy... nie rozumiesz, jakim jesteś cholernym egoistą...?

Zabrakło jej słów. Odwróciła się, otworzyła drzwi i wyszła, zatrzaskując je za sobą.

Jej wyjście dziwnie wpłynęło na Fatsa, który przestał chodzić i przez kilka sekund wpatrywał się w zamknięte drzwi. Potem przetrząsnął kieszenie, wyciągnął papierosa i zapalił, nie zawracając sobie głowy wydmuchiwaniem dymu przez okno. Chodził w kółko po pokoju, nie mogąc dojść do ładu z własnymi myślami. Jego mózg wypełniały chaotyczne, niedopracowane obrazy, płynące na fali wzbierającej furii.

Przypomniał sobie piątkowy wieczór sprzed prawie roku, kiedy Tessa przyszła do jego pokoju i oznajmiła, że ojciec chciałby nazajutrz zagrać w piłkę razem z nim, z Barrym i jego synami.

(„Co?" Fats osłupiał. To nie mieściło mu się w głowie.

„Tak dla zabawy. Chce iść trochę pokopać piłkę" – powiedziała Tessa. Unikała przeszywającego spojrzenia Fatsa, wpatrując się w porozrzucane na podłodze ubrania.

„Dlaczego?"

„Bo uznał, że mogłoby być fajnie – odparła, schylając się, żeby podnieść szkolną koszulę Fatsa. – Declan chce poćwiczyć czy coś. Niedługo ma jakiś mecz".

Fats nieźle grał w piłkę. Ludziom wydawało się to zaskakujące. Byli przekonani, że nie lubi sportu, że pogardza grą w drużynie. Tymczasem on zachowywał się na boisku równie swobodnie jak w rozmowie, stosując zwody, robiąc w konia niezdarnych zawodników, nie bojąc się ryzykownych zagrań i nie przejmując się, jeśli nic z nich nie wyszło.

„Pierwsze słyszę, że ojciec umie grać".

„Owszem, i to całkiem nieźle. Kiedy się poznaliśmy, grywał dwa razy w tygodniu – powiedziała rozzłoszczona Tessa. – Jutro o dziesiątej, dobrze? Wypiorę ci spodnie od dresu").

Fats zaciągnął się papierosem, wbrew własnej woli dając się ponieść wspomnieniom. Dlaczego się wtedy zgodził? Dzisiaj po prostu odmówiłby uczestniczenia w farsie Przegródki i nie wstawałby z łóżka, dopóki ich krzyki nie ucichłyby w oddali. Rok temu jeszcze nie wiedział, czym jest autentyczność.

(Rok temu wyszedł z domu z Przegródką i znosił w milczeniu pięciominutowy marsz, podczas którego obaj byli jednakowo świadomi dzielącej ich bezgranicznej pustki.

Poszli na boisko przy szkole Świętego Tomasza. Było słonecznie i pusto. Podzielili się na trzyosobowe drużyny, bo był z nimi jeszcze kolega Declana, który akurat spędzał u niego weekend. Kolega, któremu Fats najwyraźniej imponował, dołączył do drużyny jego i Przegródki.

Fats i Przegródka w milczeniu wymieniali podania, a Barry, zdecydowanie najsłabszy z graczy, wrzeszczał, wygłupiał się i dopingował ich swoim akcentem z Yarvil, biegając po boisku, którego końce wyznaczały ich rzucone na trawę bluzy. Kiedy Fergus strzelił gola, Barry podbiegł do niego, żeby wykonać triumfalne zderzenie z wyskoku, źle wymierzył i przyłożył Fergusowi głową w szczękę. Obaj upadli na ziemię, Fergus, jęcząc z bólu i śmiejąc się, a Barry, przepraszając go wśród wybuchów wesołości. Fats zdał sobie sprawę, że szeroko się uśmiecha, ale zaraz dobiegł go sztuczny, tubalny śmiech Przegródki i odwrócił się zagniewany.

A potem przyszedł ten moment, ta żenująca, żałosna chwila. Mecz był wyrównany, a zbliżała się pora powrotu do domu. Kiedy Fatsowi udało się przechwycić piłkę od Fergusa, Przegródka krzyknął: „Dalej, Stu, chłopie!".

„Chłopie". Przegródka nigdy wcześniej nie powiedział do niego „chłopie". Zabrzmiało to żałośnie, drętwo i nienaturalnie. Próbował być taki jak

Barry, naśladować swobodny, odruchowy ton, którym Barry dopingował swoich synów, chciał zrobić wrażenie na przyjacielu.

Piłka odbita od nogi Fatsa wystrzeliła jak kula armatnia. Zanim trafiła Przegródkę prosto w jego niczego niepodejrzewającą, głupią twarz, zanim pękły mu okulary, a pod okiem rozkwitła kropla krwi, Fats zdał sobie sprawę z własnych intencji, z tego, że miał nadzieję trafić Przegródkę i że piłka poszybowała w jego kierunku za karę).

Nigdy więcej z sobą nie zagrali. Ten nieszczęsny eksperyment w budowaniu ich więzi został odłożony na półkę obok całej serii poprzednich.

„W ogóle go nie chciałem!"

Był przekonany, że usłyszał właśnie te słowa. Przegródka najprawdopodobniej mówił o nim. Byli w jego pokoju. Kogo innego mógł mieć na myśli?

„Jakby mnie to obchodziło" – pomyślał Fats. Zawsze podejrzewał, że tak jest. Nie wiedział tylko, skąd się bierze to dziwne uczucie zimna wypełniające mu pierś.

Fats podniósł krzesło i odstawił je tam, gdzie stało, zanim Przegródka wymierzył mu cios. Zachowałby się autentycznie, gdyby odsunął matkę i uderzył Przegródkę pięścią w twarz. Znowu rozbiłby mu okulary. Skaleczyłby go. Fats brzydził się sobą, że tego nie zrobił.

Ale były przecież inne sposoby. Od lat podsłuchiwał różne rzeczy. Wiedział o niedorzecznych lękach ojca więcej, niż się zdawało obojgu rodzicom.

Palce Fatsa poruszały się bardziej niezdarnie niż zazwyczaj. W ustach miał papierosa. Kiedy otwierał stronę rady gminy, popiół spadł na klawiaturę. Kilka tygodni wcześniej czytał w internecie o lukach w zabezpieczeniach aplikacji internetowych i znalazł kod, którego nie chciał mu pokazać Andrew. Przyglądał się przez kilka minut forum dyskusyjnemu, zalogował się bez trudu jako Betty Rossiter, zmienił nazwę użytkownika na Duch_Barry'ego_Fairbrothera i zaczął pisać.

V

Shirley Mollison była przekonana, że jej mąż i syn wyolbrzymiają zagrożenia wynikające z pozostawiania postów Ducha *on-line*. Nie mogła zrozumieć, w czym te wiadomości miałyby być gorsze od zwykłych plotek, które przecież nie były karalne. Nie wierzyła również w to, że prawo jest na tyle głupie i niedorzeczne, żeby mogła zostać ukarana za to, co napisał ktoś inny. To byłoby zdecydowanie nie w porządku. Choć wykształcenie prawnicze Milesa napawało ją dumą, nie miała wątpliwości, że akurat w tej kwestii jej syn się myli.

Sprawdzała fora dyskusyjne na stronie rady gminy jeszcze częściej, niż radzili jej Miles i Howard, ale nie z obawy przed konsekwencjami prawnymi. Była przekonana, że Duch Barry'ego Fairbrothera postawił sobie za cel zmiażdżenie zwolenników Fields i że nie spocznie, póki go nie osiągnie. A ona koniecznie chciała przeczytać kolejny post jako pierwsza. Kilka razy dziennie gnała do pokoju Patricii i klikała przycisk Odśwież. Czasem podczas odkurzania albo obierania ziemniaków przebiegał ją dreszcz, pod którego wpływem biegła do gabinetu i przeżywała kolejne rozczarowanie.

Shirley odczuwała głęboką, potajemną więź z Duchem. Wybrał sobie jej stronę jako narzędzie do demaskowania hipokryzji przeciwników Howarda. Rozpierała ją duma przyrodnika, który zbudował siedlisko i wkrótce się przekonał, że raczyły się w nim zagnieździć rzadkie gatunki. Ale tu chodziło o coś więcej. Shirley delektowała się gniewem Ducha, jego okrucieństwem i zuchwałością. Zastanawiała się, kim on może być, wyobrażała sobie silnego, zagadkowego mężczyznę przyczajonego za plecami jej i Howarda, stojącego po ich stronie, przecierającego dla nich szlak wśród zastępów wroga. Przeciwnicy osuwali się na ziemię, rażeni przez wstrętną prawdę o sobie samych.

Wydawało jej się, że żaden z mężczyzn w Pagford nie dorasta Duchowi do pięt. Czułaby się rozczarowana, gdyby się dowiedziała, że to któryś ze znanych jej przeciwników Fields.

– Zakładając, że to rzeczywiście mężczyzna – zauważyła Maureen.

– Słuszna uwaga – powiedział Howard.

– Moim zdaniem to mężczyzna – odparła chłodno Shirley.

Kiedy w niedzielę rano Howard wyszedł do kawiarni, Shirley w szlafroku, z filiżanką herbaty w ręce, odruchowo podreptała do gabinetu i otworzyła stronę.

„Fantazje wicedyrektora", autor: Duch_Barry'ego_Fairbrothera.

Drżącymi rękami odstawiła filiżankę, kliknęła na nagłówek i z otwartymi ustami przeczytała wpis. Potem pobiegła do salonu, chwyciła za telefon i zadzwoniła do kawiarni, ale numer był zajęty.

Zaledwie pięć minut później wpis zobaczyła Parminder Jawanda, która również nabrała zwyczaju przeglądania forum na stronie rady częściej niż kiedyś. Podobnie jak Shirley, w pierwszym odruchu złapała za telefon.

Wallowie jedli śniadanie bez syna, który jeszcze spał w swoim pokoju. Kiedy Tessa odebrała, Parminder nawet się nie przywitała.

– Na stronie rady jest wpis na temat Colina. Zrób wszystko, żeby go nie zobaczył.

Tessa rzuciła na męża przerażone spojrzenie, ale on stał zaledwie metr od słuchawki i już zdążył usłyszeć każde słowo tak głośno i wyraźnie wypowiedziane przez Parminder.

– Oddzwonię do ciebie – powiedziała pospiesznie Tessa. – Colin – zwróciła się do męża, niezgrabnie odkładając słuchawkę. – Colin, zaczekaj...

Ale on już wymaszerował z pokoju swoim podrygującym krokiem, z rękami sztywno wyprostowanymi wzdłuż ciała, i Tessa musiała biec, żeby go dogonić.

– Może lepiej nie sprawdzać – przekonywała, gdy jego guzowata dłoń przesuwała myszkę po blacie biurka. – Albo może ja przeczytam i...

Fantazje wicedyrektora

Jednym z mężczyzn, którzy mają nadzieję reprezentować naszą społeczność na szczeblu gminy, jest Colin Wall, wicedyrektor Państwowej Szkoły Średniej Winterdown. Wyborców może zainteresować informacja, że Wall, zwolennik surowej dyscypliny, żyje w świecie niezwykle wybujałych fantazji. Pan Wall panicznie się boi, że zostanie oskarżony przez ucznia o niestosowne zachowanie z podtekstem seksualnym. Często jeszcze długo po powrocie z pracy nie może się uspokoić. Czy pan Wall rzeczywiście obmacywał uczennicę pierwszej klasy? Duch może się tego jedynie domyślać. Ferwor fascynujących fantazji Colina Walla sugeruje, że nawet jeśli tego nie zrobił, nie przestaje o tym marzyć.

„Stuart to napisał" – pomyślała od razu Tessa.

W blasku monitora twarz Colina wyglądała upiornie. Tessa wyobraziła sobie, że tak właśnie by wyglądał, gdyby dostał udaru.

– Colin...

– Pewnie rozpowiedziała to Fiona Shawcross – szepnął.

Katastrofa, której bał się od lat, w końcu na niego spadła. To koniec. Zawsze sobie wyobrażał, że weźmie wtedy pigułki nasenne. Właśnie się zastanawiał, czy mają w domu dostateczną ilość.

Tessa była poruszona wzmianką o dyrektorce.

– Fiona by nie... zresztą ona nie wie... – zaczęła.

– Wie, że mam nerwicę natręctw.

– Tak, ale nie wie, co... czego się obawiasz...

– Wie – odparł Colin. – Powiedziałem jej. Ostatnim razem, kiedy musiałem iść na zwolnienie.

– Dlaczego!? – wykrzyknęła Tessa. – Co ci strzeliło do głowy?

– Chciałem, żeby wiedziała, czemu powinienem dostać trochę wolnego – wyjaśnił Colin niemal z pokorą. – Myślałem, że powinna wiedzieć, jaka to poważna sprawa.

Tessa zwalczyła w sobie gwałtowne pragnienie, żeby na niego nawrzeszczeć. Teraz już wiedziała, skąd się bierze obrzydzenie, z jakim Fiona traktuje jej męża i mówi o nim. Tessa nigdy jej nie lubiła i zawsze uważała, że dyrektorka jest surowa i niesympatyczna.

– Tak czy inaczej – powiedziała – nie wydaje mi się, żeby Fiona miała cokolwiek...

– Może nie bezpośrednio – przerwał jej Colin, przyciskając drżącą dłoń do zroszonej potem górnej wargi. – Wystarczy, że plotka dotarła do Mollisona.

„To nie Mollison. Stuart to napisał, wiem, że to on". Tessa rozpoznawała styl syna w każdym zdaniu. Była bardzo zaskoczona, że Colin tego nie widzi, że nie powiązał wpisu z wczorajszą kłótnią, z tym, że uderzył Stuarta. „Nie mógł się nawet oprzeć pokusie zastosowania odrobiny aliteracji. Pewnie napisał te wszystkie posty. Ten na temat Simona Price'a. Ten o Parminder". Tessa struchlała z przerażenia.

Ale Colin nie myślał o Stuarcie. Powracał do swoich wizji, wyraźnych jak wspomnienia, jak rzeczywiste wrażenia zmysłowe, do szalonych, ohydnych wyobrażeń: ręka, która chwyta i ściska, kiedy on idzie przez gęsty tłum młodych ciał, okrzyk bólu, wykrzywiona dziecięca twarz. Nieustannie zadawał sobie pytania: czy faktycznie to zrobił? Czy sprawiło mu to przyjemność? Nie mógł sobie przypomnieć. Wiedział tylko, że wciąż o tym myśli, widział, jak to się dzieje, czuł, jak to się dzieje. Miękkie w dotyku ciało pod cienką bawełnianą bluzką, chwytanie, ściskanie, ból, szok, występek. Ile razy? Nie wiedział. Godzinami się zastanawiał, ile z tych dzieci wie, że to robi, czy o tym z sobą rozmawiały, ile musi minąć czasu, zanim zostanie zdemaskowany.

Nie wiedział, ile razy dopuścił się występku. Nie mając do siebie zaufania, chodził obładowany papierami i teczkami, żeby nie mieć wolnej ręki, którą mógłby dotknąć ucznia na zatłoczonym korytarzu. Krzyczał na dzieci, żeby zeszły mu z drogi, żeby zrobiły mu miejsce. Nic nie pomagało. Zawsze zdarzali się jacyś maruderzy przebiegający tuż za nim albo tuż przed nim. A jemu przychodziły do głowy inne sposoby spowodowania kontaktu cielesnego bez użycia dłoni: delikatnie wysunięty łokieć muskający pierś uczennicy, krok w bok, żeby otrzeć się o mijanego ucznia, noga przypadkowo dotykająca dziecięcej pachwiny.

– Colin – odezwała się Tessa.

Ale on znowu zaczął płakać. Gwałtowne szlochanie wstrząsało jego wielkim, niezgrabnym ciałem, a kiedy go objęła i przytuliła twarz do jego twarzy, jego skórę zwilżyły także jej łzy.

Kilka kilometrów dalej, w Hilltop House, Simon Price siedział właśnie przy nowiutkim komputerze w salonie. Widok Andrew wyjeżdżającego rowerem do pracy u Howarda Mollisona i myśl o tym, że trzeba było zapłacić za komputer pełną cenę rynkową, sprawiły, że czuł się rozdrażniony i jeszcze bardziej pokrzywdzony. Simon nie zaglądał na stronę rady gminy od tamtego wieczoru, kiedy wyrzucił kradziony komputer, ale teraz proste skojarzenie podsunęło mu myśl, żeby sprawdzić, czy informacja, która kosztowała go utratę pracy, wciąż znajduje się na stronie i może być widoczna dla jego potencjalnych pracodawców.

Nie było jej tam. Simon nie wiedział, że zawdzięcza to żonie, bo Ruth czuła przerażenie na myśl o przyznaniu się do dalszych kontaktów z Shirley, nawet jeśli miały one służyć usunięciu posta. Nieco podniesiony na duchu Simon zaczął szukać wpisu na temat Parminder, ale jego też nie znalazł.

Już miał zamknąć stronę, kiedy zobaczył najnowszy post zatytułowany „Fantazje wicedyrektora".

Przeczytał go dwukrotnie i choć siedział w salonie sam, zaczął się głośno śmiać. Był to gwałtowny, triumfalny rechot. Simon nigdy nie lubił tego wysokiego człowieka o śmiesznym chodzie i masywnym czole. Przyjemnie było się dowiedzieć, że w porównaniu z Wallem wyszedł z tego niemal obronną ręką.

Ruth weszła do salonu z nieśmiałym uśmiechem na twarzy. Cieszyła się, że Simon się śmieje, bo odkąd stracił pracę, był w fatalnym nastroju.

– Z czego się śmiejesz?

– Znasz ojca Fatsa? Colina Walla, wicedyrektora szkoły? To pieprzony pedofil.

Uśmiech znikł z twarzy Ruth. Rzuciła się do komputera, żeby przeczytać post.

– Idę pod prysznic – powiedział wesoło Simon.

Ruth zaczekała, aż mąż wyjdzie z pokoju, i wybrała numer Shirley, żeby powiadomić przyjaciółkę o nowym skandalu, ale telefon Mollisonów był zajęty.

Shirley wreszcie udało się dodzwonić do delikatesów. Była jeszcze w szlafroku. Howard chodził tam i z powrotem po ciasnym zapleczu.

– Dzwonię do ciebie i dzwonię...

– Mo rozmawiała przez telefon. Jak to idzie? Tylko powoli.

Shirley przeczytała wpis na temat Colina, modulując głos jak prezenterka wiadomości. Nie zdążyła doczytać do końca, kiedy Howard jej przerwał.

– Skopiowałaś to czy jak?

– Słucham?

– Czytasz to ze strony? To nadal tam jest? Nie zdjęłaś tego?

– Właśnie zdejmuję – skłamała Shirley wytrącona z równowagi. – Myślałam, że będziesz chciał...

– Natychmiast to usuń! Boże święty, Shirley, to się zaczyna wymykać spod kontroli... Nie możemy tam trzymać takich rzeczy!

– Pomyślałam tylko, że powinieneś...

– Zdejmij to, porozmawiamy, jak wrócę do domu! – krzyknął Howard.

Shirley była wściekła. Nigdy nie podnosili na siebie głosu.

Następne posiedzenie rady gminy, pierwsze od śmierci Barry'ego, miało być rozstrzygające dla wojny o Fields. Howard nie zgodził się na przełożenie głosowań nad przyszłością Ośrodka Leczenia Uzależnień Bellchapel i nad wnioskiem Pagford o przekazanie Yarvil zarządu nad kontrowersyjnym osiedlem.

Dlatego Parminder zasugerowała, że w przeddzień posiedzenia powinni się wieczorem spotkać z Colinem i Kay, żeby ustalić strategię.

– Pagford nie może jednostronnie postanowić o przesunięciu granicy gminy, prawda? – zapytała Kay.

– Nie – odpowiedziała cierpliwie Parminder (przecież to nie wina Kay, że jest nowa w mieście) – ale rada okręgu wystąpiła do nas o opinię i teraz Howard zrobi wszystko, żeby przekazać im w tej opinii własne zdanie.

Rozmawiali w salonie Wallów, bo Tessa wywarła na Colina subtelny nacisk i doprowadziła do tego, że spotkanie odbyło się u nich w domu. Chciała posłuchać, co będą mówili. Rozdała kieliszki do wina, postawiła dużą miskę chipsów na stoliku do kawy i siedziała w milczeniu, podczas gdy pozostali rozmawiali.

Była wyczerpana i wściekła. Anonimowy post na temat Colina wywołał u jej męża jeden z najbardziej destrukcyjnych napadów paniki w historii jego choroby, tak silny, że uniemożliwił mu pójście do pracy. Parminder wiedziała, jak poważny jest jego stan, sama wypisała mu zwolnienie, a mimo to poprosiła go o uczestnictwo w spotkaniu, jakby nic jej nie obchodziło, z jakimi nowymi urojeniami i rozpaczą przyjdzie się zmagać Tessie tego wieczoru.

– Sposób działania Mollisonów budzi niezadowolenie wśród mieszkańców – mówił Colin wzniosłym tonem człowieka znającego się na rzeczy, kogoś, komu lęk i paranoja są całkowicie obce. – Howardowi się wydaje, że może mówić w imieniu całego miasta. Myślę, że to zaczyna działać ludziom na nerwy. Takie odniosłem wrażenie, kiedy zabiegałem o poparcie wśród wyborców.

Tessa pomyślała z goryczą, że byłoby miło, gdyby Colin mógł jej czasem użyczyć odrobiny tej tajemnej mocy, która pomaga mu stwarzać pozory.

Kiedyś, dawno temu, pochlebiało jej, że jest jedyną powiernicą Colina, jedyną strażniczką jego lęków i źródłem otuchy, ale teraz coraz mniej jej się to podobało. Nie spała przez niego od drugiej do wpół do czwartej nad ranem. Siedział na skraju łóżka, kiwał się w przód i w tył, zawodził i płakał, powtarzając, że chciałby umrzeć, że nie może tego znieść, że żałuje, że w ogóle zgłosił swoją kandydaturę na to stanowisko, że jest skończony...

Tessa usłyszała kroki Fatsa na schodach i struchlała, ale jej syn minął otwarte drzwi salonu i poszedł do kuchni, zerkając tylko pogardliwie na Colina, który przysiadł na niskim skórzanym pufie przed kominkiem, tak że jego kolana znalazły się na wysokości klatki piersiowej.

– Może kandydatura Milesa zrazi wyborców? Nawet dotychczasowych zwolenników Mollisonów? – powiedziała Kay z nadzieją w głosie.

– Niewykluczone – odrzekł Colin, kiwając głową.

Kay zwróciła się do Parminder:

– Myślisz, że rada gminy zdoła przegłosować usunięcie Bellchapel z budynku? Wiem, że ludzi denerwują powyrzucane igły i narkomani, którzy kręcą się po okolicy, ale ośrodek jest oddalony od Pagford o parę kilometrów... Co im zależy?

– No cóż, ręka rękę myje – wyjaśniła Parminder. Widać było napięcie na jej twarzy i cienie pod oczami. (To ona miała następnego dnia uczestniczyć w posiedzeniu rady i zmierzyć się z Howardem Mollisonem i jego kolesiami: sama, bez Barry'ego). – Aubrey zasiada w radzie okręgu, a okręg musi przeprowadzić cięcia na swoim szczeblu. Jeśli Howard pozbawi ośrodek taniej siedziby, to koszty jego utrzymania znacznie wzrosną i Fawley będzie mógł to wykorzystać jako pretekst do obcięcia funduszy. A potem zrobi, co w jego mocy, żeby Fields zostało przyłączone do Yarvil.

Zmęczona tymi wyjaśnieniami Parminder zaczęła przeglądać plik przyniesionych przez Kay dokumentów dotyczących Bellchapel, udając, że je czyta. Dzięki temu nie musiała uczestniczyć w rozmowie.

„Co ja tu w ogóle robię?" – zastanawiała się.

Mogłaby teraz siedzieć w domu z Vikramem. Kiedy wychodziła, oglądał z Jaswant i Rajpalem jakąś komedię w telewizji. Ich śmiech ją rozdrażnił. Kiedy ostatnio się śmiała? Po co tutaj przyszła? Po co piła to paskudne ciepłe wino, po co walczyła o ośrodek, którego nigdy nie będzie potrzebowała, i o osiedle zamieszkane przez ludzi, którzy z pewnością wzbudziliby u niej niechęć, gdyby ich kiedykolwiek poznała? Nie była Bhai Kanhaiyim, który nie widział różnicy między duszami sprzymierzeńców i wrogów, nie zauważała Bożego światła promieniejącego z duszy Howarda Mollisona. Większą radość odczuwała na myśl o przegranej Howarda niż o dzieciach z Fields kontynuujących naukę w szkole Świętego Tomasza czy o narkomanach wychodzących z nałogu dzięki leczeniu w Bellchapel. Uważała, że to cele szczytne, lecz odległe. Nie wzbudzały w niej emocji.

(Szczerze mówiąc, wiedziała, po co to wszystko robi. Chciała wygrać dla Barry'ego. Opowiadał jej o latach nauki w szkole Świętego Tomasza. O tym, jak koledzy z klasy zapraszali go do siebie w czasach, kiedy mieszkał w przyczepie z matką i dwoma braćmi. O tym, jak cieszyły go wizyty w czystych i wygodnych domach przy Hope Street, jaki podziw wzbudzały w nim przestronne wiktoriańskie wille przy Church Row. Kiedyś był nawet na urodzinach w tym domu przypominającym krowią mordę, który potem kupił i w którym wychował czworo swoich dzieci.

Już jako chłopiec zakochał się w Pagford, razem z jego rzeką, polami i domami o solidnych murach. Marzył o tym, żeby mieć ogród do zabawy, drzewo, na którym można powiesić huśtawkę, przestrzeń i zieleń wokół siebie. Zbierał kasztany i wiózł je do Fields. Błyszczał w szkole Świętego Tomasza, gdzie był wzorowym uczniem, a potem jako pierwszy w rodzinie poszedł na studia.

„Miłość i nienawiść – pomyślała Parminder, trochę przerażona własną szczerością. – Miłość i nienawiść, to przez nie tutaj jestem...")

Przewróciła stronę w dokumentach Kay, udając skupienie.

Kay była zachwycona, że lekarka przegląda jej materiały z taką uwagą, bo ich zebranie wymagało wiele czasu i zaangażowania. Nie wierzyła, by po ich przeczytaniu ktokolwiek mógł chcieć pozbawić ośrodek Bellchapel jego dotychczasowej siedziby.

Ale mimo wszystkich zgromadzonych danych, anonimowych studiów przypadku i relacji osób leczonych w Bellchapel Kay patrzyła na ośrodek przez pryzmat jednej jedynej pacjentki: Terri Weedon. Czuła, że w Terri zaszła zmiana, która napawała ją dumą i jednocześnie lękiem. Chwilami wydawało jej się, że Terri odzyskuje poczucie kontroli nad swoim życiem.

Ostatnio dwukrotnie powiedziała do Kay: „Nie dam im zabrać Robbiego, nie dam im", i nie były to tylko bezsilne utyskiwania na los, ale deklaracja świadcząca o powziętym zamiarze.

– Zaprowadziłam go wczoraj do żłobka – powiedziała do Kay, która nieopatrznie zrobiła zdumioną minę. – I co w tym, kurwa, dziwnego? Że niby nie dam rady trafić do jebanego żłobka?

Kay była przekonana, że jeśli ośrodek zostanie zamknięty, cała delikatna konstrukcja, którą udało się wznieść ze szczątków życia Terri, legnie w gruzach. Terri przejawiała pewien instynktowny lęk przed Pagford, którego Kay nie potrafiła zrozumieć.

– Nie cierpię tego pierdolonego miasta – powiedziała kiedyś, gdy Kay wspomniała o Pagford.

Nie licząc tego, że w miasteczku mieszkała zmarła babka Terri, Kay nie dotarła do żadnych informacji z okresu, który jej podopieczna spędziła w Pagford. Obawiała się jednak, że konieczność jeżdżenia raz w tygodniu po metadon do Pagford będzie oznaczała kres samokontroli Terri i nowego, kruchego bezpieczeństwa jej rodziny.

Colin uzupełnił wyjaśnienia Parminder o historię Fields. Znudzona Kay kiwała głową i mówiła „uhmm", ale myślami była gdzieś bardzo daleko.

Tymczasem Colinowi bardzo pochlebiał sposób, w jaki ta atrakcyjna młoda kobieta chłonęła każde jego słowo. Od chwili przeczytania tamtego okropnego posta nie czuł się spokojniejszy. Wpis został już usunięty ze strony. Nie nastąpił żaden z kataklizmów, które Colin wyobrażał sobie w nocy. Nie wylali go z pracy. Przed jego drzwiami nie pojawił się rozsierdzony tłum. Nikt na stronie rady gminy ani w ogóle w internecie (wpisał już do wyszukiwarki parę haseł) nie domagał się jego aresztowania ani osadzenia go w więzieniu.

W otwartych drzwiach salonu mignął Fats, który przechodził korytarzem, jedząc jogurt. Zerknął w stronę pokoju. Ich spojrzenia na chwilę się spotkały. Colin natychmiast stracił wątek.

– ... i... no cóż, mówiąc w skrócie, właśnie tak to wygląda – zakończył nieprzekonująco.

Zerknął na Tessę, szukając u niej otuchy, ale jego żona siedziała z kamiennym wyrazem twarzy i patrzyła przed siebie. Colin poczuł się urażony, bo myślał, że poprawa jego samopoczucia ucieszy Tessę. Miał wrażenie, że po bezsennej nocy nareszcie odzyskał panowanie nad sobą. Przerażający strach czynił spustoszenie w jego żołądku, ale Colin czerpał pociechę z obecności Parminder – swojej towarzyszki niedoli i kozła ofiarnego – oraz z życzliwego zainteresowania, jakie okazywała mu atrakcyjna pracowniczka socjalna.

W przeciwieństwie do Kay Tessa z uwagą słuchała wywodu Colina na temat przynależności Fields do Pagford. Według niej jego słowom brakowało przekonania. Chciał wierzyć w to, w co wierzył Barry, i chciał pokonać Mollisonów, dlatego że Barry by tego chciał. Colin nie lubił Krystal Weedon, ale ponieważ była ulubienicą Barry'ego, zakładał, że jest warta więcej, niż mu się wydaje. Tessa wiedziała, że jej mąż nosi w sobie dziwną mieszankę arogancji i pokory, niewzruszonych przekonań i niepewności.

„Ci ludzie żyją złudzeniami – pomyślała Tessa, przyglądając się pozostałej trójce. Właśnie oglądali jakiś wykres, który Parminder wyjęła z notatek Kay. – Myślą, że mogą wymazać sześćdziesiąt lat gniewu i urazy za pomocą kilku arkuszy danych statystycznych". Żadne z nich nie było Barrym, żywym dowodem na to, co oni znali wyłącznie z drugiej ręki: że dla dziecka z ubogiej rodziny wykształcenie może być przepustką do życia w dostatku, że nawet startując z pozycji bezsilności i uzależnienia od innych, można zostać wartościowym członkiem społeczeństwa. Czyżby nie widzieli, że w porównaniu z człowiekiem, który zmarł, wypadają beznadziejnie?

– Ludzie mają powyżej uszu Mollisonów, którzy próbują wszystkim kierować – mówił Colin.

– Myślę – powiedziała Kay – że kiedy radni to przeczytają, nie będą mieli wyjścia. Nie będą mogli zlekceważyć roli ośrodka.

– Jeszcze nie wszyscy zapomnieli Barry'ego – wtrąciła Parminder lekko drżącym głosem.

Zatłuszczone palce Tessy natrafiły na pustkę. Kiedy oni rozmawiali, zjadła całą miskę chipsów.

VII

Był jasny, ciepły poranek i w sali komputerowej Winterdown panował coraz większy zaduch. Światło wpadające przez brudne okna rzucało denerwujące plamy na zakurzone monitory. W pobliżu nie było Gai ani Fatsa, ale Andrew Price i tak nie mógł się skupić. Bez przerwy myślał o podsłuchanej poprzedniego wieczoru rozmowie rodziców.

Całkiem poważnie zastanawiali się nad przeprowadzką do Reading, gdzie mieszkała siostra Ruth z mężem. Andrew kręcił się po ciasnym, ciemnym przedpokoju i nadstawiał uszu. Z rozmowy toczącej się w kuchni wynikało, że wujek, którego Andrew i Paul ledwie znali, bo Simon okropnie go nie lubił, załatwił ojcu pracę lub też miał taką możliwość.

– Płacą mniej niż tutaj – narzekał Simon.

– Nie wiadomo. Nie powiedział dokładnie...

– Na pewno. I życie jest tam droższe.

Ruth wydała jakiś nieokreślony dźwięk. Andrew, który stał w korytarzu, wstrzymując oddech, zorientował się, że matka chce wyjechać. Świadczyło o tym chociażby to, że nie przytakiwała ochoczo Simonowi.

Andrew nie potrafił sobie wyobrazić rodziców w innym domu niż Hilltop House ani w żadnym innym otoczeniu niż Pagford. Zakładał, że zostaną tutaj na zawsze. On, Andrew, pewnego dnia wyjedzie do Londynu, ale Simon i Ruth mieli pozostać na wzgórzu do końca życia, jak drzewa, które zapuściły korzenie.

Po cichu wrócił na górę, do swojego pokoju, i spojrzał przez okno na światła Pagford migoczące w oddali, w głębokiej, czarnej kotlinie wśród wzgórz. Czuł się tak, jakby zobaczył je po raz pierwszy. Gdzieś tam w dole Fats w swoim pokoju na poddaszu palił papierosa, prawdopodobnie oglądając przy tym jakieś porno na komputerze. Gaia też tam była, pochłonięta swoimi tajemniczymi kobiecymi rytuałami. Andrew przyszło do głowy, że ona wie, co znaczy taka przeprowadzka, bo została wyrwana z miejsca, które znała, i przeniesiona na obcy grunt. Nareszcie mieli z sobą coś wspólnego. Myśl, że ten wyjazd w pewien sposób ich do siebie zbliży, sprawiła mu jakąś melancholijną przyjemność.

Tylko że to nie ona doprowadziła do swojego wygnania. Czuł, że wnętrzności skręcają mu się ze strachu. Sięgnął po telefon i napisał do Fatsa: „Misio-Pysio dostał pracę w Reading. Chyba ją przyjmie".

Fats nie odpowiedział. Nie mieli tego dnia żadnych wspólnych zajęć i Andrew się z nim nie widział. Nie spotykali się również w ostatnie dwa weekendy, bo Andrew pracował w Copper Kettle. Najdłuższa rozmowa, jaką ostatnio przeprowadzili, dotyczyła posta na temat Przegródki, umieszczonego przez Fatsa na stronie rady gminy.

– Myślę, że Tessa wie – rzucił Fats od niechcenia. – Cały czas patrzy na mnie tak, jakby wiedziała.

– Co jej powiesz? – zapytał przerażony Andrew.

Wiedział, jak Fats pragnie chwały i uznania i z jaką pasją posługuje się orężem prawdy, ale nie był pewien, czy przyjaciel rozumie, że nikt się nie może dowiedzieć, jaką rolę w działalności Ducha odegrał Andrew. Wytłumaczenie Fatsowi, co to znaczy mieć Simona za ojca, nigdy nie było łatwe, a ostatnio wyjaśnienie mu czegokolwiek wydawało się jeszcze trudniejsze niż zwykle.

Kiedy nauczyciel się oddalił, Andrew poszukał w internecie informacji o Reading. Co roku odbywał się tam festiwal muzyczny. W porównaniu z Pagford było olbrzymim miastem, w dodatku leżało tylko sześćdziesiąt pięć kilometrów od Londynu. Przeglądał połączenia kolejowe. Może w weekendy mógłby jeździć do stolicy, tak jak teraz jeździł autobusem do Yarvil. Ale to wszystko wydawało się nierealne. Pagford było jego całym światem, wciąż nie mógł sobie wyobrazić życia gdzie indziej.

Podczas przerwy na lunch Andrew od razu wyszedł z budynku. Cały czas szukał Fatsa. Gdy tylko się oddalił na wystarczającą odległość, zapalił papierosa. Chowając zapalniczkę do kieszeni, z radością usłyszał wypowiedziane dziewczęcym głosem „hej". Dogoniły go Gaia i Sukhvinder.

– Jak tam? – zapytał uradowany, wydmuchując dym z dala od pięknej twarzy Gai.

Ostatnio ich trójka miała coś, czego nie miał nikt inny. Dwa weekendy spędzone razem w kawiarni stworzyły między nimi delikatną więź. Znali ulubione powiedzonka Howarda i razem znosili chorobliwe zainteresowanie Maureen ich prywatnymi sprawami, razem uśmiechali się znacząco na widok jej pomarszczonych kolan w zbyt krótkiej sukience kelnerki i wymieniali między sobą drobne informacje osobiste jak kupcy handlujący na obcej ziemi. Dziewczyny wiedziały, że ojciec Andrew stracił pracę, Andrew i Sukhvinder wiedzieli, że Gaia pracuje, żeby odłożyć na bilet na pociąg do Hackney, a on i Gaia wiedzieli, że matka Sukhvinder jest wściekła, bo jej córka pracuje dla Howarda Mollisona.

– Gdzie twój przyjaciel Fats? – zapytała Gaia, kiedy wszyscy troje szli już obok siebie.

– Nie wiem – odparł Andrew. – Nie widziałem go.

– Mała strata – powiedziała Gaia. – Ile tego wypalasz dziennie?

– Nie liczę – odrzekł Andrew upojony jej zainteresowaniem. – Chcesz jednego?

– Nie – odmówiła Gaia. – Nie lubię papierosów.

Od razu zaczął się zastanawiać, czy niechęć Gai obejmuje całowanie się z palaczami. Niamh Fairbrother nie skarżyła się, kiedy na szkolnej dyskotece wepchnął jej język do ust.

– A Marco pali? – zapytała Sukhvinder.

– Nie, cały czas trenuje – wyjaśniła Gaia.

Andrew już prawie się uodpornił na wzmianki o Marcu de Luce. To, że uczucia Gai były bezpiecznie ulokowane gdzieś poza Pagford, miało swoje dobre strony, a ciągłe oglądanie wspólnych zdjęć pary na Facebooku przytępiło wrażenie, jakie początkowo na nim robiły. Andrew miał wrażenie, że wymiana wiadomości na portalu między Gaią i Markiem staje się coraz mniej regularna i mniej przyjazna – i że nie jest to tylko jego pobożne życzenie. Nie mógł wiedzieć, jak wyglądają ich rozmowy telefoniczne ani e-maile, ale zauważył, że na wzmiankę o Marcu Gaię ogarnia przygnębienie.

– O, jest – powiedziała.

Jednak zamiast przystojnego Marca ich oczom ukazał się Fats Wall. Stał przed kioskiem i rozmawiał z Dane'em Tullym. Palili papierosy.

Sukhvinder przystanęła, ale Gaia złapała ją za ramię.

– Możesz chodzić tam, gdzie ci się podoba – oznajmiła, delikatnie ciągnąc przyjaciółkę za sobą.

Kiedy zbliżyli się do Fatsa i Dane'a, zmrużyła swoje nakrapiane oczy.

– Jak leci, Arf! – zawołał Fats.

– Cze, Fats – powiedział Andrew.

Usiłując zapobiec kłopotom, zwłaszcza gdyby Fats zaczął się nabijać z Sukhvinder w obecności Gai, postanowił skierować rozmowę na bezpieczny temat.

– Dostałeś mojego SMS-a? – spytał.

– Jakiego SMS-a? Aaa, tego o Misiu? Wyjeżdżasz, tak?

Zostało to powiedziane z nonszalancką obojętnością, której przyczyną mogła być jedynie obecność Dane'a Tully'ego.

– Tak, możliwe – odparł Andrew.

– Dokąd? – zapytała Gaia.

– Mój stary ma mieć pracę w Reading – powiedział Andrew.

– Ooo, tam mieszka mój tata! – wykrzyknęła zaskoczona Gaia. – Moglibyśmy się gdzieś wybrać, jak do niego pojadę. Festiwal jest zarąbisty. Chcesz kanapkę, Sooks?

Andrew był tak oszołomiony jej spontaniczną propozycją wspólnego spędzenia czasu, że zanim zdążył zebrać myśli i się zgodzić, Gaia zniknęła w kiosku. Przez chwilę brudny przystanek, kiosk, a nawet wytatuowany Dane Tully w znoszonym T-shircie i spodniach od dresu – wszystko rozjaśniło się jakimś niebiańskim światłem.

– No, muszę spadać – rzucił Fats.

Dane cicho zarechotał. Zanim Andrew zdążył cokolwiek powiedzieć albo zaproponować swoje towarzystwo, Fats oddalił się szybkim krokiem.

Fats był pewien, że Andrew poczuje się zdezorientowany i dotknięty jego chłodnym zachowaniem. Cieszył się z tego. Nie zastanawiał się, dlaczego się z tego cieszy ani skąd u niego ta chęć sprawiania innym bólu, która w ostatnich dniach zdominowała jego poczynania. Niedawno uznał, że zgłębianie motywów własnych zachowań jest nieautentyczne. To drobne udoskonalenie jego życiowej filozofii sprawiło, że znacznie łatwiej było ją stosować.

Idąc w kierunku Fields, Fats myślał o tym, co wydarzyło się poprzedniego wieczoru w domu, kiedy matka przyszła do jego pokoju po raz pierwszy, odkąd Przegródka go uderzył.

(„Ta wiadomość na stronie rady gminy – zaczęła. – Muszę cię o to zapytać i chciałabym... Stuart, czy to ty ją napisałeś?"

Zebranie się na odwagę, żeby zadać to pytanie, zajęło jej kilka dni, więc zdążył się przygotować.

„Nie" – odparł.

Być może przyznanie się byłoby bardziej autentyczne, ale nie miał na to ochoty. Nie widział też powodów, dla których miałby się przed sobą usprawiedliwiać.

„Nie napisałeś tego?" – drążyła, nie zmieniając tonu głosu ani wyrazu twarzy.

„Nie" – powtórzył.

„Bo bardzo, bardzo niewiele osób wie, czego tata... czym tata się martwi".

„To nie ja".

„Wpis pojawił się tego samego dnia, kiedy pokłóciliście się z tatą i tata cię..."

„Powiedziałem, że tego nie zrobiłem".

„Wiesz, że on jest chory".

„Tak, w kółko to powtarzasz".

„Powtarzam, bo tak jest! To nie jego wina... Cierpi na poważną chorobę psychiczną, która wywołuje niewysłowiony ból i udrękę".

Rozległ się sygnał przychodzącej wiadomości. Fats sięgnął po komórkę i przeczytał SMS-a od Andrew. To było jak cios pięścią w przeponę. Arf wyjeżdżał na zawsze.

„Mówię do ciebie, Stuart..."

„Tak... co?"

„Te wszystkie wpisy: Simon Price, Parminder, tata... To ludzie, których znasz. Jeżeli to ty za tym wszystkim stoisz..."

„Już mówiłem: to nie ja".

„... robisz im nieopisaną krzywdę. Ogromną, straszliwą krzywdę".

Fats próbował sobie wyobrazić życie bez Andrew. Znali się, odkąd skończyli cztery lata.

„To nie ja" – powtórzył).

„Ogromną, straszliwą krzywdę".

„Sami są sobie winni" – pomyślał Fats pogardliwie, skręcając w Foley Road. Ofiary Ducha nurzały się w kłamstwach i hipokryzji. Nie podobało im się, że ktoś je zdemaskował. Były tylko głupimi pluskwami, które uciekają przed promieniem jasnego światła. Nie miały pojęcia o prawdziwym życiu.

Zobaczył dom z łysą oponą na trawniku. Przypuszczał, że właśnie tu mieszka Krystal, a kiedy dojrzał numer, okazało się, że miał rację. Był tutaj po raz pierwszy. Jeszcze parę tygodni wcześniej za nic w świecie nie spotkałby się z nią u niej w domu podczas przerwy na lunch, ale od tamtej pory zaszły pewne zmiany. On się zmienił.

Słyszał, że jej matka jest prostytutką. Z całą pewnością była ćpunką. Krystal powiedziała, że nikogo nie będzie w domu, bo matka musi iść do Bellchapel po swoją dawkę metadonu. Nie zwalniając kroku mimo niespodziewanego przypływu niepokoju, Fats wszedł na ścieżkę prowadzącą do drzwi.

Krystal wypatrywała go z okna swojego pokoju. Pozamykała pomieszczenia na dole, żeby nie mógł zobaczyć niczego poza korytarzem, a wszystkie porozrzucane rzeczy upchnęła w salonie i w kuchni. W wykładzinie na korytarzu były powypalane dziury, pod nogami chrzęścił piasek, a tapetę znaczyły plamy, ale na to nie można było nic poradzić. Nie została ani odrobina sosnowego środka dezynfekującego, Krystal jednak znalazła trochę wybielacza, więc zalała nim kuchnię i łazienkę, dwa najbardziej śmierdzące miejsca w domu.

Kiedy Fats zapukał do drzwi, Krystal zbiegła po schodach. Spieszyła się. Terri z Robbiem mieli wrócić koło pierwszej. To niezbyt dużo czasu na zrobienie dziecka.

– Heja – powiedziała, otwierając drzwi.

– Jak leci? – zapytał Fats, wydmuchując dym przez nos.

Sam nie wiedział, czego się spodziewał. Na pierwszy rzut oka dom wydał mu się brudny i ogołocony. Nie było mebli. Pozamykane drzwi z lewej i na wprost robiły dziwnie złowieszcze wrażenie.

– Jesteśmy sami? – zapytał, przestępując próg.

– No – powiedziała Krystal. – Chodźmy na górę. Do mojego pokoju.

Ruszyła przodem. Im dalej szli, tym bardziej cuchnęło chlorem i brudem. Fats starał się nie zwracać uwagi na smród. Na górze wszystkie drzwi oprócz jednych były pozamykane. Krystal weszła do środka.

Fats mimo woli poczuł się zszokowany. W pokoju był tylko materac przykryty prześcieradłem i niepowleczoną kołdrą. W rogu leżała sterta ubrań. Na ścianie wisiało kilka zdjęć z tabloidów, przyklejonych taśmą klejącą – mieszanka gwiazd popu i sławnych ludzi.

Krystal zrobiła ten kolaż poprzedniego dnia, wzorując się na plakatach zdobiących ścianę w pokoju Nikki. Chciała, żeby było ładnie, kiedy przyjdzie Fats. Przez zaciągnięte cienkie zasłony wpadało niebieskawe światło.

– Daj fajkę – powiedziała. – Chce mi się jarać.

Podsunął Krystal ogień. Nigdy jej nie widział takiej zdenerwowanej. Wolał, kiedy była pewna siebie i przebojowa.

– Mamy mało czasu – powiedziała i z papierosem w ustach zaczęła się rozbierać. – Niedługo wróci moja mama.

– Z Bellchapel? – zapytał Fats, próbując znowu myśleć o Krystal jak o twardzielce.

– Taa – potwierdziła, siadając na materacu, żeby zdjąć spodnie od dresu.

– Co będzie, jak zamkną ośrodek? – zapytał Fats, zdejmując marynarkę. – Podobno się nad tym zastanawiają.

– Nie wiem – odparła Krystal, ale była przerażona. Siła woli jej matki, krucha i bezbronna jak świeżo wyklute pisklę, mogła się złamać w zetknięciu z najmniejszą przeszkodą.

Krystal była już w samej bieliźnie. Fats właśnie zdejmował buty, kiedy obok kupki z ubraniami zobaczył małe plastikowe pudełko na biżuterię. Było otwarte, a w środku leżał znajomo wyglądający zegarek.

– To zegarek mojej mamy? – zapytał zdumiony.

– Co? – Krystal wpadła w panikę. – A skąd! – skłamała. – Należał do mojej babci Cath. Nie...

Ale on już wyjął zegarek z pudełka.

– To zegarek mojej mamy – powiedział.

Rozpoznał pasek.

– Wcale nie, kurwa!

Była przerażona. Już prawie zapomniała, że go ukradła i komu. Fats milczał. Nie podobało jej się to.

Fatsowi zegarek wydawał się jednocześnie wyrzutem i wyzwaniem. Najpierw sobie wyobraził, że chowa go do kieszeni i wychodzi, a zaraz potem, że wzrusza ramionami i oddaje go Krystal.

– To moje – powiedziała.

Nie chciał się bawić w policjanta. Chciał być ponad prawem. Gdy nagle sobie przypomniał, że zegarek był prezentem od Przegródki, oddał go jej i wrócił do zdejmowania ubrania. Zaczerwieniona Krystal ściągnęła stanik i majtki, po czym wślizgnęła się naga pod kołdrę.

Fats podszedł do niej w samych bokserkach, z nierozpakowanym kondomem w ręce.

– Możemy bez – mruknęła Krystal. – Biorę pigułki.

– Serio?

Zrobiła mu miejsce na materacu. Fats wślizgnął się pod kołdrę. Zdejmując bokserki, zastanawiał się, czy z tą pigułką skłamała tak samo jak w kwestii zegarka. Ale miał ochotę spróbować bez kondoma.

– No, dalej – szepnęła, zabrała mu z ręki foliowy kwadracik i rzuciła go na stos ubrań na podłodze.

Wyobraził sobie, że Krystal zachodzi z nim w ciążę. Oraz miny Tessy i Przegródki, kiedy się o tym dowiadują. Jego dziecko w Fields, jego krew. Przegródka by tego nie zniósł.

Położył się na niej. Czuł, że właśnie tak wygląda prawdziwe życie.

VIII

Tego wieczoru, o wpół do siódmej, Howard i Shirley Mollisonowie weszli do sali przy kościele w Pagford. Na szyi Howarda błyszczał urzędowy łańcuch z niebiesko-białym herbem miasta. Shirley niosła naręcze papierów.

Odrapane stoliki stały już zsunięte. Drewniana podłoga skrzypiała pod ciężarem Howarda, kiedy zbliżał się do swego miejsca przewodniczącego. Howard lubił tę salę prawie tak bardzo jak własny sklep. We wtorki odbywały się tu zbiórki zuchów, a w środy spotkania Instytutu Kobiet. Organizowano tu aukcje dobroczynne, świętowano jubileusze, urządzano wesela i stypy, a w powietrzu unosił się zapach tego wszystkiego: przepoconych ubrań i termosów do kawy, wspomnień domowych wypieków i sałatek, kurzu i ludzkich ciał. Ale przede wszystkim starego drewna i kamienia. Z krokwi zwisały kute mosiężne żyrandole na grubych czarnych sznurach, a do kuchni wchodziło się przez zdobione mahoniowe drzwi.

Shirley krzątała się wokół stołu, rozkładając dokumenty. Uwielbiała posiedzenia rady. Oprócz dumy i radości, jakimi napawało ją słuchanie Howarda w roli przewodniczącego, cieszyła ją nieobecność Maureen. Wspólniczka Howarda nie pełniła żadnej oficjalnej funkcji w radzie, więc musiała się zadowolić okruchami, którymi zechciała się z nią podzielić Shirley.

Radni przybywali pojedynczo i w parach. Howard witał ich swoim tubalnym głosem, który odbijał się echem od krokwi. Rada rzadko obradowała w pełnym, szesnastoosobowym składzie. Dzisiaj Howard spodziewał się ujrzeć zaledwie dwanaścioro członków.

Kiedy połowa miejsc była już zajęta, pojawił się Aubrey Fawley. Wkroczył do sali jak zwykle lekko przygarbiony, z pochyloną głową, jakby szedł pod wiatr. Otaczała go aura powściągliwej władczości.

– Aubrey! – zagrzmiał radośnie Howard i po raz pierwszy ruszył się, by powitać któregoś z przybyszów. – Jak się masz? Jak się czuje Julia? Dostałeś moje zaproszenie?

– Zaproszenie? Przepraszam, ale chyba...

– Na moje urodziny. Sześćdziesiąte piąte! Tutaj, w sobotę, dzień po wyborach.

– A, tak, tak. Howardzie, na zewnątrz czeka jakaś kobieta. Mówi, że jest z „Yarvil and District Gazette". Alison jakaśtam.

– O – powiedział Howard. – Dziwne. Dopiero co wysłałem jej swój artykuł, no wiesz, odpowiedź na tekst Fairbrothera... Może o to jej chodzi... Pójdę zobaczyć.

Pełen nieokreślonych złych przeczuć wytoczył się z sali w chwili, gdy wchodziła Parminder Jawanda. Jak zwykle zagniewana minęła go bez słowa, a Howard po raz pierwszy nie zapytał: „Co u naszej Parminder?".

Na chodniku stała młoda, krępa i postawna blondynka z notatnikiem w ręce. Przyglądała się inicjałom Sweetlove'ów wyrytym nad dwuskrzydłowymi drzwiami do budynku. Otaczała ją aura niewyczerpanej pogody ducha, w której Howard natychmiast dostrzegł determinację podobną do swojej.

– Witam, witam – wysapał. – Alison, prawda? Howard Mollison. Przyjechała pani specjalnie po to, żeby mi powiedzieć, że nie potrafię sklecić zdania?

Uśmiechnęła się promiennie i uścisnęła wyciągniętą dłoń Howarda.

– Och, nie, artykuł nam się podoba – zapewniła go. – Pomyślałam sobie, że skoro sprawa robi się taka interesująca, mogłabym przyjechać i posłuchać obrad. Nie ma pan nic przeciwko temu? Zdaje się, że posiedzenia rady są otwarte dla prasy. Sprawdziłam we wszystkich przepisach.

Mówiąc to, szła w stronę drzwi.

– Tak, tak, spotkania są otwarte dla prasy – potwierdził Howard, dotrzymując jej kroku. Przy wejściu przystanął i uprzejmie przepuścił ją przodem. – Oczywiście pod warunkiem że przedmiotem obrad nie są kwestie wymagające omówienia przy drzwiach zamkniętych.

Zerknęła na niego. Nawet w gasnącym świetle dnia wyraźnie widział jej zęby.

– Takie jak te anonimowe oskarżenia na waszym forum dyskusyjnym? Wpisy Ducha Barry'ego Fairbrothera?

– Ojej – wysapał Howard, odpowiadając uśmiechem na jej uśmiech. – Chyba mi pani nie powie, że dwa głupie komentarze w internecie to temat na pierwszą stronę?

– Tylko dwa? Słyszałam, że mnóstwo innych zdjęto już ze strony.

– Widocznie ktoś się pomylił – odparł Howard. – Z tego, co mi wiadomo, były tylko dwa lub trzy. Wstrętne wygłupy. Szczerze mówiąc, według mnie to jakiś dzieciak – dodał.

Wymyślił to na poczekaniu.

– Dzieciak?

– No, wie pani. Nastolatek, który zrobił to dla zabawy.

– Czy nastolatek atakowałby radnych? – zapytała, nie przestając się uśmiechać. – Podobno jeden z zaatakowanych stracił pracę. Niewykluczone, że właśnie w wyniku zarzutów, które pojawiły się na stronie.

– Pierwsze słyszę – skłamał Howard.

Poprzedniego dnia Shirley widziała się z Ruth w szpitalu, a potem wszystko mu opowiedziała.

– Widzę, że w porządku obrad znalazła się dyskusja na temat Bellchapel. Pan i pan Fairbrother zawarliście w swoich artykułach kilka mocnych argumentów na poparcie racji obu stron sporu... Po wydrukowaniu tekstu pana Fairbrothera dostaliśmy sporo listów. To się spodobało wydawcy. Kiedy ludzie piszą listy...

– Tak, czytałem je – przerwał jej Howard. – Wygląda na to, że nikt nie ma nic dobrego do powiedzenia na temat tej kliniki, prawda?

Radni przy stole przyglądali się Howardowi i Alison, która odwzajemniała ich spojrzenia z niezmąconym spokojem. Uśmiech nie znikał z jej twarzy.

– Przyniosę pani krzesło – powiedział Howard.

Zabrał jedno z ustawionych pod ścianą i posapując, postawił je jakieś cztery metry od stołu.

– Dziękuję – rzekła dziennikarka, przysuwając je o połowę bliżej.

– Panie i panowie! – zawołał Howard. – Mamy tu dziś lożę prasową. Jest z nami pani Alison Jenkins z „Yarvil and District Gazette".

Kilka osób wydawało się zaintrygowanych pojawieniem się dziennikarki, a nawet zadowolonych z jej obecności, ale większość przyglądała jej się podejrzliwie. Howard ciężkim krokiem wrócił na swoje miejsce u szczytu stołu. Aubrey i Shirley patrzyli na niego pytającym wzrokiem.

– Duch Barry'ego Fairbrothera – powiedział do nich półgłosem, siadając ostrożnie na plastikowym krześle (na przedostatnim posiedzeniu jedno z nich się pod nim złamało). – I Bellchapel. O, witamy Tony'ego! – zagrzmiał. Aubrey aż podskoczył. – Prosimy, Tony... Myślę, że damy Henry'emu i Sheili jeszcze parę minut...

Szum rozmów przy stole wydawał się bardziej przytłumiony niż zazwyczaj. Allson Jenkins już zaczęła notować.

„Wszystko przez głupiego Fairbrothera – pomyślał Howard ze złością. – To on wciągnął w to prasę". Przez ułamek sekundy Howard myślał o Barrym i o Duchu, jakby byli jedną i tą samą osobą. Barry Fairbrother – wichrzyciel za życia i po śmierci.

Parminder, podobnie jak Shirley, przyniosła z sobą plik dokumentów. Leżały teraz przed nią na stole przykryte kartką z porządkiem obrad. Parminder udawała, że go czyta, żeby nie musieć z nikim rozmawiać. W rzeczywistości myślała o kobiecie, która siedziała prawie dokładnie za jej plecami. „Yarvil and District Gazette" nagłośniła historię śmierci Catherine Weedon, informując o skargach na jej lekarkę. Parminder nie została wymieniona z nazwiska, ale dziennikarka bez wątpienia wiedziała, kim jest. Może nawet dowiedziała się o anonimowym poście na temat Parminder na stronie rady gminy.

„Uspokój się. Zachowujesz się jak Colin".

Howard odnotowywał już nieobecności i prosił o wprowadzenie zmian do protokołu z poprzedniego posiedzenia, lecz Parminder prawie nic z tego nie słyszała. Szumiało jej w uszach.

– A teraz pozwólcie – powiedział Howard – że przejdziemy do punktów ósmego i dziewiątego. Członek rady okręgu Aubrey Fawley chciałby nam przekazać pewne informacje na obydwa tematy, a nie może zostać z nami długo...

– Mam czas do ósmej trzydzieści – wtrącił Aubrey, zerkając na zegarek.

– ... więc, jeśli nikt nie ma nic przeciwko temu... nie? Oddaję ci głos.

Aubrey przedstawił sytuację krótko i bez emocji. Planowano rewizję granic i tak się złożyło, że po raz pierwszy Yarvil wykazało zainteresowanie przyłączeniem Fields. Przejęcie od Pagford stosunkowo niedużych kosztów utrzymania osiedla wydało się opłacalne tym, którzy chcieli w ten sposób pozyskać dodatkowe antyrządowe głosy dla okręgu wyborczego Yarvil. W Yarvil mogłyby one mieć znaczenie, natomiast w Pagford, w którym od połowy dwudziestego wieku przeważał elektorat konserwatywny, marnowały się. Wszystko miało się odbyć pod pretekstem upraszczania i usprawniania – za całą infrastrukturę osiedla odpowiadałoby teraz Yarvil.

Na zakończenie Aubrey powiedział, że jeśli Rada Gminy Pagford popiera oddanie osiedla miastu Yarvil, należałoby wydać stosowną opinię na użytek rady okręgu.

– Potrzebujemy jasnego, jednoznacznego stanowiska – mówił. – Naprawdę sądzę, że nadeszła pora...

– To się jeszcze nigdy nie udało – odezwał się pewien rolnik, wywołując pomruk aprobaty.

– No cóż, John, jeszcze nigdy nie proszono nas o opinię w tej sprawie – odparł Howard.

– Przed publicznym ogłoszeniem tej opinii powinniśmy chyba ustalić swoje stanowisko – powiedziała Parminder lodowatym głosem.

– No dobrze – zgodził się Howard ze spokojem. – Zechce pani zacząć, pani doktor?

– Nie wiem, ile osób czytało artykuł Barry'ego w „Gazette" – powiedziała Parminder. Wszystkie oczy były teraz zwrócone na nią. Starała się nie myśleć o anonimowym wpisie ani o siedzącej za jej plecami dziennikarce. – Według mnie ten tekst zawiera najważniejsze argumenty za utrzymaniem Fields w granicach Pagford.

Parminder zauważyła, że protokołująca Shirley uśmiecha się pod nosem.

– To znaczy listę korzyści, które to przyniesie osobom pokroju Krystal Weedon? – zapytała starsza kobieta o imieniu Betty, która siedziała na końcu stołu.

Parminder szczerze jej nie znosiła.

– Barry chciał nam przypomnieć, że ludzie, którzy mieszkają w Fields, też są częścią naszej społeczności – odparła.

– Oni uważają się za mieszkańców Yarvil – powiedział rolnik. – Zawsze tak było.

– Pamiętam – oznajmiła Betty – jak Krystal Weedon wepchnęła jakieś dziecko do rzeki na wycieczce szkolnej.

– To nieprawda – odrzekła Parminder ze złością. – Moja córka przy tym była. Chodziło o dwóch chłopców, którzy się pobili... W każdym razie...

– Słyszałam, że to była Krystal Weedon – upierała się Betty.

– To źle słyszałaś! – ucięła Parminder, podnosząc głos.

Wszyscy byli zszokowani. Ona sama była zszokowana. Jej krzyk odbił się echem od starych murów. Parminder z trudem przełknęła ślinę. Spuściła głowę i utkwiła wzrok w kartce z porządkiem obrad. Gdzieś z oddali dobiegł ją głos Johna:

– Barry lepiej by zrobił, gdyby opowiedział o sobie, zamiast o tej dziewczynie. Wiele zyskał dzięki szkole Świętego Tomasza.

– Problem w tym – wtrąciła inna kobieta – że na jednego Barry'ego przypada zgraja prymitywów.

– To ludzie z Yarvil, i kropka – odezwał się jakiś mężczyzna. – Ich miejsce jest w Yarvil.

– Nieprawda – powiedziała Parminder, celowo ściszając głos, ale wszyscy i tak zamilkli, żeby jej posłuchać. Czekali, aż znowu zacznie krzyczeć. – To po prostu nieprawda. Weźmy Weedonów. W swoim artykule Barry zmierzał do tego, że ich rodzina pochodzi z Pagford, ale...

– Przeprowadzili się do Yarvil! – dokończyła Betty.

– Bo tutaj nie budowano nowych domów – odparowała Parminder, starając się trzymać nerwy na wodzy. – Żadne z was nie chciało nowych inwestycji mieszkaniowych na przedmieściach.

– Przykro mi, ale ciebie wtedy tu nie było – powiedziała zaczerwieniona Betty, ostentacyjnie odwracając się od Parminder. – Co możesz o tym wiedzieć?

Wszyscy zaczęli mówić naraz, dyskusja toczyła się jednocześnie w kilku grupkach, a Parminder nie mogła z niej nic zrozumieć. Miała ściśnięte gardło i nie miała odwagi nikomu spojrzeć w oczy.

– Czy możemy to przegłosować!? – krzyknął Howard i przy stole zapadła cisza. – Kto jest za przekazaniem radzie okręgu, że Pagford z radością zgodzi się na przesunięcie granicy gminy, aby pozbyć się Fields ze swojego terytorium?

Parminder siedziała, zaciskając pięści na kolanach, aż paznokcie wbijały jej się w dłonie. Dokoła niej słychać było szelest rękawów.

– Doskonale! – powiedział Howard, a jego radość rozbrzmiała triumfalnie pod sklepieniem sali. – W takim razie przygotujemy z Tonym i Helen projekt opinii, roześlemy go do wszystkich i sprawa załatwiona. Doskonale!

Kilkoro radnych zaczęło klaskać. Parminder gwałtownie mrugała, usiłując odzyskać ostrość widzenia. Porządek obrad raz po raz rozmywał jej się przed oczami. Cisza trwała tak długo, że doktor Jawanda wreszcie podniosła wzrok. Podekscytowany Howard zmuszony był sięgnąć po inhalator, a większość radnych przyglądała mu się z troską.

– No dobrze – wysapał przewodniczący, odkładając inhalator. Był czerwony, ale uśmiechał się od ucha do ucha. – Jeśli nikt nie ma nic do dodania... – zamilkł na ułamek sekundy – przejdźmy do punktu dziewiątego. Bellchapel. Tutaj też Aubrey ma nam coś do przekazania.

„Barry by na to nie pozwolił. Przekonałby ich. Rozśmieszyłby Johna i przeciągnąłby go na swoją stronę. Powinien był napisać o sobie, nie o Krystal... Zawiodłam go".

– Dziękuję, Howardzie – powiedział Aubrey.

Parminder wciąż szumiało w uszach. Jej paznokcie coraz głębiej wbijały się w dłonie.

– Jak wiecie, jesteśmy zmuszeni do przeprowadzenia radykalnych cięć na szczeblu okręgowym... – zaczął Aubrey.

„Była we mnie zakochana i z trudem to ukrywała, kiedy na mnie patrzyła..."

– Jednym z przedsięwzięć, którym musimy się przyjrzeć, jest działalność ośrodka Bellchapel – ciągnął. – Pomyślałem sobie, że przyda się tu kilka słów wyjaśnienia, bo jak wszyscy wiecie, właścicielem budynku jest gmina...

– ... a umowa najmu niedługo wygasa – uzupełnił Howard. – Zgadza się.

– Tylko że nikt inny się tym budynkiem nie interesuje, prawda? – zapytał emerytowany księgowy z końca stołu. – O ile wiem, to ruina.

– Och, jestem pewien, że znajdziemy nowego najemcę – powiedział spokojnie Howard. – Ale właściwie nie o to chodzi. Chodzi o to, czy naszym zdaniem ośrodek spełnia swoją...

– Wcale nie – przerwała mu Parminder. – To nie rada gminy powinna decydować, czy ośrodek spełnia swoją funkcję, czy nie. Nie finansujemy jego działalności. Nie jesteśmy za niego odpowiedzialni.

– Ale budynek należy do gminy – odparł Howard, cały czas uśmiechając się uprzejmie – więc to chyba oczywiste, że chcemy rozważyć...

– Jeśli mamy się przyjrzeć pracy ośrodka, to przede wszystkim powinniśmy to zrobić w sposób obiektywny – powiedziała Parminder.

– Bardzo przepraszam, pani doktor – odezwała się Shirley, mrugając oczami – ale czy mogłabym prosić o nieprzerywanie przewodniczącemu? Okropnie trudno notować, kiedy ludzie się przekrzykują. Ale teraz to ja pani przerwałam – dodała z uśmiechem. – Przepraszam!

– Zakładam, że gmina chce utrzymać wpływy z najmu budynku – powiedziała Parminder, ignorując Shirley. – A o ile mi wiadomo, nie ma nikogo innego, kto chciałby go wynająć. Więc nie rozumiem, dlaczego w ogóle zastanawiamy się nad przedłużeniem umowy z ośrodkiem.

– Oni nikogo nie leczą – odezwała się Betty. – Tylko rozdają narkotyki. Osobiście chętnie bym się ich pozbyła.

– Musimy podjąć pewne bardzo trudne decyzje na poziomie rady okręgu – powiedział Aubrey Fawley. – Rząd oczekuje od samorządów lokalnych oszczędności w kwocie ponad biliona funtów. Nie możemy prowadzić działalności w taki sposób jak do tej pory. Fakty mówią same za siebie.

Parminder nie cierpiała tego, jak jej koledzy radni zachowywali się w obecności Aubreya, jak wsłuchiwali się w jego głęboki, modulowany głos, kiwając nieznacznie głowami. Dobrze wiedziała, że niektórzy z nich mówią o niej „Jawanda Propaganda".

– Badania wskazują, że ilość zażywanych narkotyków wzrasta w okresach recesji – powiedziała Parminder.

– To ich wybór – zauważyła Betty. – Nikt im nie każe brać.

Parminder rozejrzała się w poszukiwaniu wsparcia. Shirley uśmiechnęła się do niej.

– Czasem musimy dokonywać trudnych wyborów... – powiedział Aubrey.

– Dlatego razem z Howardem – zagłuszyła go Parminder – postanowiliście delikatnie nakłonić ośrodek do zakończenia działalności, pozbawiając go siedziby.

– Znam lepsze sposoby wydawania pieniędzy niż sponsorowanie bandy kryminalistów – powiedział księgowy.

– Osobiście odebrałabym im wszystkie świadczenia – oznajmiła Betty.

– Zostałem zaproszony na to spotkanie, żeby wam przekazać, jak wygląda sytuacja na szczeblu okręgowym – wyjaśnił spokojnie Aubrey. – Nic ponadto, pani doktor.

– Helen! – zawołał Howard, wskazując na radną, która od kilku minut trzymała rękę w górze, próbując dojść do głosu.

Parminder nie słyszała ani słowa z tego, co powiedziała ta kobieta. Zupełnie zapomniała o pliku dokumentów, których zgromadzenie zajęło Kay Bawden tyle czasu: o statystykach, opisach przypadków wyjścia z nałogu, wyjaśnieniach przewagi metadonu nad heroiną, zestawieniach finansowych i społecznych kosztów uzależnienia od heroiny. Wszystko to leżało niewykorzystane pod kartką z porządkiem obrad. Parminder miała wrażenie, że świat wokół niej stał się płynny, nierzeczywisty. Wiedziała, że za chwilę wybuchnie jak jeszcze nigdy w życiu. Wiedziała też, że nie ma sensu tego żałować i że nie zdoła temu zapobiec. Mogła tylko patrzeć, jak to się dzieje, bo na wszystko inne było już za późno, o wiele za późno...

– ... postawy roszczeniowej – kończył Aubrey Fawley. – To ludzie, którzy nie przepracowali w swoim życiu ani jednego dnia.

– Spójrzmy prawdzie w oczy – powiedział Howard. – Rozwiązanie tego problemu jest proste. Niech przestaną brać narkotyki. – Zwrócił się do Parminder. – To się chyba nazywa detoks, prawda, pani doktor?

– Ach, więc twierdzisz, że osoby uzależnione powinny wziąć odpowiedzialność za swój nałóg i zmienić swoje zachowanie? – zapytała Parminder.

– Mówiąc w skrócie, tak.

– Zamiast narażać państwo na dalsze koszty?

– No właś...

– A czy wiesz – przerwała mu Parminder, dając się ponieść fali długo tłumionego gniewu – ile dziesiątków tysięcy funtów ty, Howard Mollison, kosztujesz służbę zdrowia, tylko dlatego że tak dużo żresz!?

Głęboka bordowa czerwień zabarwiła szyję Howarda i rozlała się na jego policzki.

– Wiesz, ile kosztowały podatników twoje by-passy, twoje leki, twój długotrwały pobyt w szpitalu? Wszystkie wizyty lekarskie, których wymaga leczenie twojej astmy, wysokiego ciśnienia i tej paskudnej wysypki? Dolegliwości wynikających wyłącznie z tego, że nie chcesz się odchudzać?

Głos Parminder przechodził w krzyk i pozostali radni zaczęli protestować, stając w obronie Howarda. Shirley zerwała się z miejsca. Parminder krzyczała dalej, gwałtownie zgarniając dokumenty, które jakimś sposobem rozsypały się, kiedy gestykulowała.

– Co z tajemnicą lekarską!? – wykrzyknęła Shirley. – To oburzające! Absolutnie oburzające!

Parminder była już w drzwiach. Wychodząc, słyszała mimo swoich gwałtownych szlochów, jak Betty domaga się natychmiastowego wykluczenia jej z rady. Opuściła budynek prawie biegiem. Zdawała sobie sprawę, że zrobiła katastrofalną rzecz, i marzyła tylko o tym, żeby pochłonęła ją ciemność, żeby móc zniknąć na zawsze.

IX

Choć najstarsi mieszkańcy miasta nie pamiętali tak pełnego zajadłości posiedzenia rady gminy, relacja z obrad opublikowana przez „Yarvil and District Gazette" była więcej niż oględna. Nie miało to jednak większego znaczenia. Ocenzurowane sprawozdanie, uzupełnione o barwne opowieści wszystkich naocznych świadków, stało się wystarczającą pożywką dla plotek. Co gorsza na pierwszej stronie wydrukowano tekst poświęcony serii anonimowych oszczerstw umieszczonych w internecie przez osobę podającą się za nieżyjącego człowieka. Jak napisała Alison Jenkins, spowodowały one „wiele spekulacji i gniewu. Więcej na stronie 4". Choć nazwiska zaatakowanych osób i szczegóły dotyczące ich domniemanych występków nie zostały podane, użycie w gazecie takich określeń jak „poważne zarzuty" i „działalność kryminalna" zaniepokoiło Howarda jeszcze bardziej niż same wpisy.

– Trzeba było wzmocnić zabezpieczenia strony, kiedy tylko pojawił się pierwszy post – powiedział do żony i do wspólniczki, siedząc przed gazowym kominkiem.

Cichy wiosenny deszcz zraszał okno. Trawnik na tyłach połyskiwał maleńkimi czerwonymi punkcikami światła. Howard drżał i nie ruszał się sprzed kominka, chłonąc całe ciepło wydzielane przez imitację węgla. Od kilku dni prawie wszyscy klienci delikatesów i kawiarni plotkowali o anonimowych postach, o Duchu Barry'ego Fairbrothera i o wybuchu Parminder Jawandy na posiedzeniu rady. Świadomość, że wszyscy powtarzają rzeczy wykrzyczane przez lekarkę, straszliwie Howardowi doskwierała. Po raz pierwszy w życiu czuł się niezręcznie we własnym sklepie i martwił się o swoją pozycję w Pagford, która dotąd wydawała mu się niezachwiana. Wybory następcy Barry'ego miały się odbyć następnego dnia, ale Howard, jeszcze niedawno podekscytowany i pełen optymizmu, teraz był zmartwiony i niespokojny.

– To wyrządziło wiele szkód. Wiele szkód – powtarzał.

Jego ręka zabłąkała się w okolice brzucha, ale cofnął ją, znosząc świąd z miną męczennika. Nieprędko zapomni, co powiedziała doktor Jawanda w obecności radnych i dziennikarki. On i Shirley już sprawdzili dane kontaktowe Naczelnej Izby Lekarskiej, byli u doktora Crawforda i złożyli oficjalną skargę. Parminder nie chodziła do pracy i bez wątpienia już żałowała swojego wybuchu. Jednak Howard nie mógł zapomnieć wyrazu jej twarzy, kiedy na niego krzyczała. Widok takiej nienawiści w oczach drugiego człowieka wstrząsnął nim do głębi.

– Niedługo wszystko ucichnie – pocieszyła go Shirley.

– Nie jestem pewien – odparł Howard. – Nie jestem pewien. To nas stawia w złym świetle. Kłótnie na oczach dziennikarzy. Uwidoczniają się podziały w radzie. Aubrey mówi, że na szczeblu okręgowym są niezadowoleni. Ta cała historia podważyła wiarygodność naszej opinii w sprawie

Fields. Publiczne sprzeczki, nieuczciwe zagrania... Zupełnie tak, jakby rada nie była w stanie reprezentować mieszkańców.

– Ależ reprezentuje – rzekła Shirley z lekkim śmiechem. – Przecież nikt w Pagford nie chce tego osiedla. Prawie nikt.

– Po przeczytaniu tego artykułu można pomyśleć, że prześladujemy zwolenników Fields. Że próbujemy ich zastraszyć – powiedział Howard, ulegając pokusie drapania. Już po chwili oddawał się tej czynności z wielkim zaangażowaniem. – Jasne, Aubrey wie, że jest inaczej, niż to przedstawiła ta dziennikarka. Ale jeżeli w Yarvil uznają nas za nieudolnych albo nieuczciwych... Od lat szukają pretekstu, żeby nas wchłonąć.

– Nie ma obawy – zapewniła go pospiesznie Shirley. – Na pewno do tego nie dojdzie.

– Myślałem, że już po wszystkim – ciągnął Howard, nie zwracając uwagi na słowa żony i myśląc tylko o Fields. – Myślałem, że nam się udało. Myślałem, że się ich pozbyliśmy.

Artykuł, któremu poświęcił tyle czasu, jego wyjaśnienia, dlaczego osiedle i ośrodek Bellchapel są studnią bez dna i rysą na wizerunku Pagford, zostały zupełnie przyćmione przez skandaliczny wybuch Parminder i posty Ducha Barry'ego Fairbrothera. Howard zdążył już zapomnieć, ile radości sprawiły mu zarzuty wobec Simona Price'a i że nawet nie przyszło mu do głowy, żeby je usunąć, dopóki żona Price'a o to nie poprosiła.

– Dostałem e-maila od członków rady okręgu z listą pytań na temat strony – powiedział, zwracając się do Maureen. – Chcą wiedzieć, jakie kroki poczyniliśmy, żeby zapobiec kolejnym przypadkom zniesławienia. Uważają, że zabezpieczenia są niezadowalające.

Shirley, która wyczuła w jego słowach wyrzut pod swoim adresem, powiedziała chłodno:

– Już ci mówiłam, że się tym zajęłam, Howardzie.

Poprzedniego dnia, kiedy Howard był w pracy, Shirley odwiedził siostrzeniec jednego z ich przyjaciół. Chłopak był na trzecim roku informatyki. Doradził jej zlikwidowanie obecnej strony, praktycznie nie zabezpieczonej przed atakami hakerów, przyjęcie kogoś, kto „zna się na rzeczy", i zlecenie mu założenia nowej.

Shirley rozumiała co dziesiąte słowo z technicznego żargonu, którym zasypał ją młody człowiek. Wiedziała, że „haker" to ktoś, kto włamuje się do jakichś danych. Kiedy student skończył pleść swoje mądrości, zdezorientowana Shirley wywnioskowała z jego słów, że widocznie Duchowi udało się jakoś poznać hasła użytkowników, na przykład zadając im podstępne pytania w trakcie luźnej rozmowy.

Tak więc wysłała do wszystkich e-mail z prośbą o zmianę hasła i nieudostępnianie go nikomu. To właśnie miała na myśli, mówiąc, że się tym zajęła.

Co do sugestii zamknięcia strony, której była opiekunką i moderatorką, nie poczyniła w tym kierunku żadnych kroków ani nawet nie wspomniała o tym pomyśle Howardowi. Bała się, że administrowanie stroną wyposażoną w środki bezpieczeństwa zalecane przez tego wyniosłego młodego człowieka znacznie przerosłoby jej zdolności organizacyjne i techniczne. Prowadzenie strony już w tej chwili było dla niej ogromnym wyzwaniem, a za wszelką cenę chciała utrzymać funkcję administratora.

– Jeśli Miles zostanie wybrany... – zaczęła Shirley, ale Maureen przerwała jej swoim niskim głosem.

– Miejmy nadzieję, że on na tym nie ucierpi. Ohydna historia. Oby to się na nim nie odbiło – powiedziała.

– Ludzie rozumieją, że Miles nie ma z tym nic wspólnego – oświadczyła chłodno Shirley.

– Doprawdy? – powątpiewała Maureen.

Shirley po prostu jej nienawidziła. Jak ona śmie siedzieć w pokoju wypoczynkowym Shirley i jej zaprzeczać? Co gorsza Howard jej przytakiwał.

– Ja też się tym martwię – powiedział – a teraz potrzebujemy Milesa bardziej niż kiedykolwiek przedtem. W radzie nie ma jedności. Po tym, jak Jawanda Propaganda powiedziała, co powiedziała... po tym całym poruszeniu... nawet nie przegłosowaliśmy kwestii Bellchapel. Potrzebujemy Milesa.

Shirley wyszła z pokoju na znak milczącego protestu. Nie mogła znieść tego, że Howard trzyma z Maureen. Gotując się ze złości, poszła do kuchni i zajęła się parzeniem herbaty. Zastanawiała się, czy nie podać tylko dwóch filiżanek. To byłaby aluzja, na którą Maureen w pełni sobie zasłużyła.

Działalność Ducha nadal budziła w Shirley mimowolny podziw. Jego zarzuty obnażały prawdę o ludziach, których nie lubiła i którymi pogardzała, uważając ich za destrukcyjnych i zawziętych. Była pewna, że wyborcy patrzą na to w ten sam sposób i zagłosują na Milesa, a nie na tego odrażającego człowieka, Colina Walla.

– Kiedy pójdziemy głosować? – zapytała Howarda, gdy wróciła do pokoju, pobrzękując filiżankami na tacy i ostentacyjnie ignorując Maureen (w końcu to przy nazwisku ich syna mieli postawić krzyżyk na karcie do głosowania).

Ale ku jej wielkiej irytacji Howard zaproponował, żeby wszyscy troje poszli głosować po zamknięciu sklepu.

Miles Mollison był prawie równie zaniepokojony jak jego ojciec. Obawiał się, że niespotykanie zła atmosfera wokół zaplanowanego na następny dzień głosowania wpłynie na jego szanse wyborcze. Kiedy z samego rana wszedł do kiosku niedaleko rynku, mimowolnie usłyszał urywek rozmowy między kobietą za ladą i jakimś starszym klientem.

– ... Mollison zawsze się uważał za króla Pagford – mówił starszy człowiek, nie zważając na kamienny wyraz twarzy sprzedawczyni. – Lubiłem Barry'ego Fairbrothera. Straszna tragedia. Straszna. Ten chłopak Mollisona sporządzał nasze testamenty. Wydawał się bardzo zadowolony z siebie.

To sprawiło, że Miles stracił zimną krew i wymknął się ze sklepu czerwony jak jakiś chłystek. Zastanawiał się, czy ten wygadany starszy człowiek nie był przypadkiem autorem anonimu. Pogodna wiara Milesa w to, że jest powszechnie lubiany, zachwiała się. Wciąż próbował sobie wyobrazić, jak będzie się czuł, jeśli następnego dnia nikt na niego nie zagłosuje.

Wieczorem, rozbierając się przed pójściem do łóżka, obserwował milczące odbicie swojej żony w lustrze toaletki. Samantha od wielu dni na każdą wzmiankę o wyborach reagowała sarkazmem. Tymczasem Miles potrzebował wsparcia, pokrzepienia, zwłaszcza dziś. Poza tym był napalony. Od ostatniego razu minęło sporo czasu. Po zastanowieniu się doszedł do wniosku, że robili to w przeddzień śmierci Barry'ego Fairbrothera. Samantha była na lekkim rauszu. Ostatnio na ogół potrzebowała do tego odrobiny alkoholu.

– Jak tam praca? – zapytał, obserwując w lustrze, jak żona rozpina biustonosz.

Samantha nie od razu odpowiedziała. Masowała głębokie czerwone ślady pozostawione poniżej pach przez ciasny stanik.

– Właściwie miałam zamiar o tym z tobą porozmawiać – odezwała się wreszcie, nie patrząc na Milesa.

To straszne, że musiała to powiedzieć na głos. Od kilku tygodni odkładała tę rozmowę.

– Roy uważa, że powinnam zamknąć sklep. Interes nie idzie najlepiej.

Miles byłby wstrząśnięty, gdyby wiedział, w jak fatalnym stanie znajduje się jej butik. Sama przeżyła szok, kiedy księgowy przedstawił jej sytuację bez owijania w bawełnę. Była świadoma problemów, a jednocześnie nie była. To dziwne, że mózg potrafi wiedzieć rzeczy, których serce nie chce zaakceptować.

– Aha – powiedział Miles. – Ale zachowałabyś stronę?

– Taak – westchnęła. – Stronę mogłabym zachować.

– No to nie jest jeszcze tak źle... – pocieszył ją Miles.

Odczekał prawie całą minutę przez wzgląd na śmierć jej sklepu. A potem dodał:

– Pewnie nie czytałaś dzisiaj „Gazette"?

Sięgnęła po leżącą na poduszce koszulę nocną, a on z zadowoleniem zerknął na jej piersi. Tak, seks z pewnością pomógłby mu się zrelaksować.

– To naprawdę wielka szkoda, Sam – powiedział, przysuwając się do niej na łóżku, żeby ją objąć, kiedy już włoży koszulę. – To był świetny sklep. I miałaś go... ile? Dziesięć lat?

– Czternaście.

Samantha dobrze wiedziała, o co mu chodzi. Miała zamiar mu powiedzieć, żeby się pieprzył, i pójść do drugiego pokoju, ale to oznaczałoby kłótnię i niemiłą atmosferę, a ona bardzo chciała pojechać za dwa dni z Libby do Londynu w kupionych już na tę okazję koszulkach i spędzić cały wieczór w pobliżu Jake'a i jego kolegów z zespołu. Ta wycieczka była teraz jedynym marzeniem Samanthy. Co więcej, seks złagodziłby pewnie irytację Milesa z powodu jej nieobecności na przyjęciu urodzinowym Howarda.

Więc pozwoliła mu się objąć i pocałować. Zamknęła oczy, usiadła na nim i wyobraziła sobie, że ujeżdża Jake'a na opustoszałej białej plaży: ona dziewiętnastoletnia, on dwudziestojednoletni. Doszła, wyobrażając sobie, że rozwścieczony Miles siedzi na rowerze wodnym i obserwuje ich z oddali przez lornetkę.

X

W dniu wyborów następcy Barry'ego Fairbrothera Parminder wyszła
z domu o dziewiątej rano i poszła w górę Church Row do domu Wallów.
Zapukała do drzwi i cierpliwie czekała na pojawienie się Colina.

Miał zapadnięte policzki i podkrążone, nabiegłe krwią oczy, jego skóra
wydawała się cieńsza niż dotychczas, a ubranie za duże. Jeszcze nie wrócił
do pracy. Wiadomość o tym, że Parminder wykrzyczała publicznie poufne
informacje o stanie zdrowia Howarda, na nowo zachwiała tą odrobiną
odzyskanej przez Colina równowagi. Zdrowszy Colin, który kilka dni
temu siedział na skórzanym pufie i udawał, że jest pewny zwycięstwa,
równie dobrze mógłby nigdy nie istnieć.

– Wszystko w porządku? – zapytał nieufnie, zamykając drzwi za Parminder.

– Tak – odparła. – Myślałam, że może będziesz miał ochotę przejść
się ze mną do sali przy kościele, żeby zagłosować.

– Nnie – wymamrotał. – Przykro mi.

– Wiem, jak się czujesz – powiedziała Parminder z wyczuwalnym
napięciem w głosie. – Ale jeżeli nie pójdziesz głosować, to będzie tak,
jakby oni już wygrali. Nie mogę im na to pozwolić. Zamierzam tam iść
i zagłosować na ciebie, a ty pójdziesz ze mną.

Parminder została zawieszona w pracy. Wcześniej Mollisonowie złożyli na nią skargę do każdej oficjalnej instytucji, której adres udało im
się znaleźć, a doktor Crawford radził Parminder, żeby wzięła wolne. Ku
swojemu ogromnemu zdumieniu poczuła się dziwnie wyzwolona.

Colin jednak pokręcił głową. W jego oczach błysnęły łzy.

– Nie dam rady, Mindo.

– Oczywiście, że dasz radę! – powiedziała. – Dasz radę, Colin! Musisz
stawić im czoło! Pomyśl o Barrym!

– Nie mogę... Przykro mi... Ja...

Colin wydał z siebie zdławiony jęk i wybuchnął płaczem. Zdarzało
mu się szlochać w gabinecie Parminder, kiedy nie mógł już znieść lęku
towarzyszącego mu przez całe życie.

– Daj spokój – powiedziała łagodnie.

Wzięła go pod rękę i zaprowadziła do kuchni. Podała mu papierowy ręcznik i pozwoliła się wypłakać.

– Gdzie jest Tessa? – zapytała.

Colin dostał czkawki.

– W pracy – wyjąkał, ocierając oczy.

Na kuchennym stole leżało zaproszenie na sześćdziesiąte piąte urodziny Howarda Mollisona. Ktoś przedarł je równiutko na pół.

– Ja też takie dostałam – powiedziała Parminder. – Zanim na niego nawrzeszczałam. Posłuchaj, Colin. Głosując...

– Nie mogę – wyszeptał Colin.

– ... pokażemy im, że jeszcze nas nie pokonali.

– Ale przecież nas pokonali.

Parminder wybuchnęła śmiechem. Colin przez chwilę przyglądał się jej z otwartymi ustami, a potem sam zaczął się śmiać. Z jego gardła wydobywał się donośny rechot przypominający szczekanie mastifa.

– Zgoda, może i pozbawili nas pracy – przyznała Parminder – i żadne z nas nie ma ochoty wychodzić z domu, ale poza tym jesteśmy w całkiem niezłej formie.

Colin z uśmiechem zdjął okulary i otarł łzy.

– No chodź, Colin. Chcę na ciebie zagłosować. To jeszcze nie koniec. Po tym, jak wpadłam w szał i powiedziałam Howardowi Mollisonowi, że nie jest lepszy od ćpuna... przy całej radzie i dziennikarce...

Colin znowu wybuchnął śmiechem, a Parminder była uszczęśliwiona. Ostatni raz słyszała jego śmiech w Nowy Rok, tyle że wtedy to Barry go rozśmieszał.

– ... z wrażenia zapomnieli przegłosować wyrzucenie ośrodka z budynku. Proszę. Weź płaszcz. Pójdziemy tam razem.

Colin powoli się uspokoił i spuścił wzrok. Pocierał jedną wielką dłonią o drugą, jakby je mył.

– To jeszcze nie koniec. Możesz coś zmienić. Ludzie nie lubią Mollisonów. Jeśli zostaniesz wybrany, będziemy mieli o wiele silniejszą pozycję do walki. Proszę, Colin.

– No dobrze – zgodził się po dłuższej chwili, zdumiony własną odwagą.

Ruszyli na krótki spacer na świeżym czystym powietrzu. Każde z nich ściskało kartę uprawniającą do głosowania. Poza nimi w sali przy kościele nie było głosujących. Postawili krzyżyki obok nazwiska Colina i wyszli z poczuciem, że coś im uszło na sucho.

Miles Mollison poszedł głosować dopiero w południe. Wychodząc, przystanął w drzwiach gabinetu wspólnika.

– Idę głosować, Gav – powiedział.

Gavin pokazał palcem na telefon przy swoim uchu. Rozmawiał z towarzystwem ubezpieczeniowym Mary.

– A, w porządku. Idę głosować, Shona – powiedział Miles do sekretarki.

Nie zaszkodziło im przypomnieć, że liczy na ich wsparcie. Miles zbiegł po schodach i poszedł do Copper Kettle. Podczas krótkiej pokopulacyjnej pogawędki umówili się z Samanthą, że właśnie tu się spotkają, żeby razem pójść do sali przy kościele.

Samantha spędziła ranek w domu, zostawiając sklep pod opicką ekspedientki. Wiedziała, że wkrótce będzie musiała jej powiedzieć, że zbankrutowały, i Carly zostanie bez pracy, ale nie potrafiła się na to zdobyć przed wyjazdem na koncert.

Na widok podekscytowanego uśmieszku męża poczuła, że ogarnia ją wściekłość.

– Tata nie idzie? – brzmiały pierwsze słowa Milesa.

– Pójdą po zamknięciu sklepu – powiedziała Samantha.

Kiedy dotarli z Milesem do lokalu, kabiny do głosowania były zajęte przez dwie starsze panie. Samantha stała, patrząc na ich siwe trwałe, grube płaszcze i jeszcze grubsze kostki u nóg. Pewnego dnia ona też będzie tak wyglądała. Bardziej pomarszczona ze starszych kobiet spostrzegła Milesa i wychodząc, szeroko się do niego uśmiechnęła.

– Głosowałam na pana! – oznajmiła.

– Bardzo dziękuję! – odparł zachwycony Miles.

Samantha weszła do kabiny i spojrzała na dwa nazwiska – Miles Mollison i Colin Wall – a potem na przywiązany kawałkiem sznurka ołówek. W końcu nabazgrała na karcie do głosowania: „Nienawidzę tego cholernego Pagford", złożyła ją, podeszła do urny i bez uśmiechu wrzuciła kartkę do środka.

– Dziękuję, kochanie – powiedział cicho Miles, poklepując ją po plecach.

Tessa Wall, która jeszcze nigdy nie opuściła głosowania, tego dnia minęła salę przy kościele w drodze ze szkoły do domu i nie zatrzymała się. Ruth i Simon Price'owie spędzili dzień na poważnej rozmowie o możliwości przeprowadzki do Reading. Sprzątając stół przed kolacją, Ruth wyrzuciła ich karty uprawniające do głosowania.

Gavin w ogóle nie zamierzał głosować. Gdyby Barry żył i kandydował, Gavin mógłby oddać na niego głos, ale nie miał ochoty pomagać Milesowi w osiągnięciu kolejnego z jego życiowych celów. O wpół do szóstej spakował teczkę. Czuł się rozdrażniony i przygnębiony, bo z braku wymówek zmuszony był zjeść kolację u Kay. Było to tym bardziej denerwujące, że pracownicy towarzystwa, w którym był ubezpieczony Barry, zaczęli zdradzać pewną skłonność do ustępstw i Gavin bardzo chciał pojechać do Mary, żeby jej o tym powiedzieć. Z powodu kolacji u Kay musiał odłożyć wizytę u Mary aż do jutra. Nie chciał marnować takiej wiadomości, przekazując ją przez telefon.

Kay otworzyła drzwi i zaczęła wyrzucać z siebie słowa z prędkością karabinu, co zwykle oznaczało, że jest w złym humorze.

– Przepraszam, miałam okropny dzień – powiedziała, chociaż wcale nie narzekał. Właściwie ledwie zdążyli się przywitać. – Późno wróciłam, miałam zamiar zabrać się do robienia kolacji wcześniej, wejdź.

Z góry dobiegał nieznośny łomot perkusji, któremu towarzyszyła głośna linia basów. Gavin się dziwił, że sąsiedzi się nie skarżą. Kay zauważyła, że Gavin zerka na sufit.

– Gaia jest wściekła, bo jakiś chłopak, który jej się podobał w Hackney, zaczął chodzić z inną dziewczyną – powiedziała.

Sięgnęła po kieliszek z winem i upiła duży łyk. Miała wyrzuty sumienia, że nazwała Marca de Lucę „jakimś chłopakiem". W ostatnich tygodniach przed wyjazdem z Londynu praktycznie zamieszkał u nich w domu. Kay uważała, że jest czarujący, taktowny i uczynny. Miło byłoby mieć takiego syna.

– Przeżyje – dodała Kay, odpychając od siebie wspomnienia, i zajrzała do garnka, w którym gotowały się ziemniaki. – Ma szesnaście lat. W tym wieku człowiek szybko dochodzi do siebie. Nalej sobie wina.

Gavin usiadł przy stole, marząc o tym, żeby Kay kazała Gai ściszyć muzykę. Nie musiałby przekrzykiwać i basowego dudnienia, i stukania pokrywek o garnki, i szumu hałaśliwego kuchennego wyciągu. Znowu zatęsknił za melancholijnym spokojem przestronnej kuchni Mary, za jej wdzięcznością, za tym, jak go potrzebowała.

– Co!? – zapytał głośno, bo zdał sobie sprawę, że Kay właśnie coś powiedziała.

– Pytałam, czy głosowałeś!

– Czy głosowałem!?

– W wyborach do rady gminy! – zawołała.

– Nie. Zupełnie mnie to nie obchodzi.

Nie był pewien, czy usłyszała. Znowu zaczęła coś mówić.

– ... niezwykle odrażające, że gmina jest w zmowie z Aubreyem Fawleyem. Jestem przekonana, że jeśli Miles wygra, to ośrodek Bellchapel będzie skończony – usłyszał, kiedy odwróciła się w stronę stołu, trzymając w ręce sztućce.

Odcedziła ziemniaki. Na chwilę znowu zagłuszyło ją bębnienie i łoskot.

– Gdyby ta niemądra kobieta nie straciła panowania nad sobą, moglibyśmy mieć większe szanse. Dałam jej masę materiałów na temat ośrodka, a mam wrażenie, że w ogóle ich nie wykorzystała. Tylko wrzeszczała na Howarda Mollisona, że jest za gruby. To dopiero brak profesjonalizmu...

Gavin słyszał już plotki o publicznym wybuchu doktor Jawandy. Uważał, że to nawet zabawne.

– ... cała ta niepewność jest bardzo szkodliwa dla ludzi, którzy pracują w tym ośrodku, nie wspominając o jego pacjentach.

Ale Gavin nie był w stanie wykrzesać z siebie ani odrobiny współczucia lub oburzenia. Zaangażowanie Kay w zawiłości i osobiste animozje towarzyszące tej osobliwej lokalnej sprawie budziło jego przerażenie. To był kolejny dowód na to, jak głęboko zapuściła tutaj korzenie. Teraz niełatwo byłoby ją stąd usunąć.

Odwrócił głowę i wyjrzał przez okno na pobliski zarośnięty trawnik. Zaproponował Fergusowi, że pomoże mu w sobotę w ogrodzie. Być może, przy odrobinie szczęścia, Mary znowu zaproponuje, żeby został na kolacji, a jeśli tak się stanie, nie będzie musiał iść na urodziny Howarda. Miles chyba sądził, że Gavin nie może się ich doczekać.

– ... chciałam zatrzymać Weedonów, ale nie, Gilian mówi, że nie możemy przebierać w podopiecznych. Czy ty nazwałbyś to przebieraniem?

– Przepraszam, ale co? – zapytał Gavin.

– Mattie wróciła – wyjaśniła Kay, a on z trudem przypomniał sobie, że to koleżanka, którą Kay zastępowała w pracy. – Chciałam dalej pracować z Weedonami, bo czasem człowiek angażuje się w problemy jakiejś rodziny, ale Gilian nie chce się zgodzić. To jakiś obłęd.

– Pewnie jesteś jedyną osobą na świecie, która kiedykolwiek chciała mieć coś wspólnego z Weedonami – powiedział Gavin. – Przynajmniej tak słyszałem.

Kay musiała się bardzo starać, żeby mu nie odburknąć. Wyjęła z piekarnika filety z łososia. Muzyka w pokoju Gai była tak głośna, że wprawiała w drżenie blachę do pieczenia, którą Kay postawiła z hukiem na płycie kuchenki.

– Gaia! – wrzasnęła, mijając Gavina po drodze na korytarz. Gavin aż podskoczył. – GAIA! Ścisz to! Mówię poważnie! ŚCISZ TO!

Natężenie dźwięku zmniejszyło się najwyżej o jeden decybel. Kay z powrotem wmaszerowała do kuchni. Gotowała się ze złości. Przed przyjściem Gavina pokłóciły się z Gaią jak jeszcze nigdy dotąd. Gaia powiedziała, że zadzwoni do ojca i zapyta, czy może z nim zamieszkać.

– Powodzenia! – krzyknęła Kay w odpowiedzi.

A jeśli Brendan się zgodzi? Zostawił je, kiedy Gaia miała zaledwie miesiąc. Teraz był żonaty, miał jeszcze troje dzieci, wielki dom i dobrą pracę. Co będzie, jeśli się zgodzi?

Gavin cieszył się, że nie musi rozmawiać podczas kolacji. Dudniąca muzyka wypełniała ciszę, a on mógł spokojnie rozmyślać o Mary. Jutro powie jej o pojednawczych sygnałach ze strony towarzystwa ubezpieczeniowego, a ona okaże mu wdzięczność i podziw...

Gdy już prawie opróżnił swój talerz, zdał sobie sprawę, że Kay nie tknęła kolacji. Przyglądała się mu z wyrazem twarzy, który go zaniepokoił. Być może w jakiś sposób zdradził się ze swoimi najskrytszymi myślami...

Muzyka Gai nad ich głowami gwałtownie ucichła. Pulsująca cisza przeraziła Gavina. Miał nadzieję, że Gaia szybko włączy coś innego.

– Nawet nie próbujesz – powiedziała Kay ze smutkiem. – Nawet nie udajesz, że ci zależy, Gavin.

Usiłował zastosować łatwy wykręt.

– Kay, miałem ciężki dzień. Przykro mi, że nie jestem na bieżąco ze szczegółami lokalnej polityki w chwili, kiedy wchodzę...

– Nie mówię o lokalnej polityce – odparła. – Siedzisz tutaj z taką miną, jakbyś wolał być gdzie indziej... To... to obraźliwe. Czego ty właściwie chcesz?

Oczami wyobraźni ujrzał kuchnię Mary i jej słodką buzię.

– Muszę cię błagać, żebyś zechciał się ze mną zobaczyć – ciągnęła Kay – a kiedy już przychodzisz, robisz wszystko, żeby dać mi do zrozumienia, że nie masz ochoty tu być.

Chciała, żeby powiedział „to nieprawda". Ostatni moment, w którym to zaprzeczenie mogłoby jeszcze coś znaczyć, minął. Z coraz większą prędkością zbliżali się do kryzysu, którego Gavin zarazem gorąco pragnął i potwornie się bał.

– Powiedz mi, czego chcesz – poprosiła ze znużeniem. – Po prostu powiedz.

Oboje czuli, że ich związek rozpada się na kawałki pod ciężarem tego wszystkiego, czego Gavin nie chce wykrztusić. Pragnienie wybawienia ich obojga z niedoli sprawiło, że uciekł się do słów, których nie zamierzał wypowiadać głośno, być może nigdy. Teraz jednak wydały mu się czymś w rodzaju zwolnienia z odpowiedzialności.

– Nie chciałem, żeby do tego doszło – powiedział z powagą. – Nie chciałem. Kay, bardzo mi przykro, ale myślę, że się zakochałem w Mary Fairbrother.

Wyraz jej twarzy świadczył o tym, że nie była na to przygotowana.

– W Mary Fairbrother? – powtórzyła.

– Tak mi się wydaje. – (Powiedzenie jej o tym sprawiało mu jakąś gorzko-słodką przyjemność. Wiedział, że ją rani, ale była pierwszą osobą, przed którą się otworzył). – To trwa już od jakiegoś czasu. Nie zdawałem sobie z tego sprawy... kiedy Barry żył, nigdy bym...

– Myślałam, że był twoim najlepszym przyjacielem – szepnęła Kay.

– Był.

– Nie żyje dopiero od kilku tygodni!

Tego nie chciał usłyszeć.

– Posłuchaj – powiedział – próbuję być z tobą szczery. Próbuję być uczciwy.

— Próbujesz być uczciwy?

Zawsze myślał, że ich zerwaniu będzie towarzyszył wybuch furii, ale Kay tylko patrzyła ze łzami w oczach, jak on wkłada płaszcz.

— Przykro mi — powiedział i wyszedł z jej domu po raz ostatni.

Na chodniku poczuł gwałtowny przypływ euforii i czym prędzej pobiegł do samochodu. Jednak będzie mógł powiedzieć Mary o towarzystwie ubezpieczeniowym jeszcze dziś wieczorem.

CZĘŚĆ PIĄTA

Przywilej

7.32. Osoba, która dopuściła się zniesławienia, może zostać zwolniona z odpowiedzialności, jeśli zdoła udowodnić, że działała w dobrej wierze, wypełniając obywatelski obowiązek.

Charles Arnold-Baker
Administracja samorządowa (wyd. 7)

I

Terri Weedon przyzwyczaiła się do tego, że ludzie od niej odchodzą. Najbardziej przeżyła swoje pierwsze wielkie rozstanie, z matką, która nawet się z nią nie pożegnała, tylko pewnego dnia po prostu wyszła z domu z walizką, gdy Terri była w szkole.

Po tym jak w wieku czternastu lat uciekła z domu, zajmowało się nią wielu pracowników opieki społecznej i wychowawców z domu dziecka, często całkiem miłych ludzi, którzy jednak pod koniec swojego dnia pracy zawsze ją zostawiali. Po każdym rozstaniu na skorupie chroniącej jej wnętrze wyrastała kolejna cienka warstwa.

W domu dziecka miała wielu przyjaciół, ale oni, gdy kończyli szesnaście lat, przechodzili na własne utrzymanie i wyruszali w świat. Poznała Ritchiego Adamsa i urodziła mu dwoje dzieci. Malutkie różowe bobasy, niewinne i najpiękniejsze pod słońcem. Terri dała im życie i dwa razy przez kilka pełnych szczęścia godzin w szpitalu czuła się tak, jakby sama urodziła się na nowo.

A potem zabrano jej te dzieci i już nigdy ich nie zobaczyła.

Ruchacz ją zostawił. Babcia Cath ją zostawiła. Prawie każdy odchodził, prawie nikt przy niej nie trwał. Powinna była do tego przywyknąć.

Kiedy w progu stanęła Mattie, pracowniczka opieki społecznej zajmująca się Weedonami przed Kay Bawden, Terri zażądała wyjaśnień.

– Gdzie ta druga? – spytała.

– Kay? Ona tylko mnie zastępowała, gdy byłam chora – wyjaśniła Mattie. – Gdzie Liam? To znaczy... chciałam powiedzieć Robbie.

Terri jej nie lubiła. Przede wszystkim dlatego, że Mattie nie miała dzieci, a niby jak ktoś, kto nie ma dzieci, może udzielać rad dotyczących wychowania, jak zdoła zrozumieć, co to znaczy być matką? Właściwie to za Kay też nie przepadała... tylko że przy Kay ogarniało ją takie samo dziwne uczucie jak przy babci Cath, zanim ta zwyzywała ją od kurew i powiedziała, że nie chce jej więcej widzieć... Wprawdzie Kay, tak jak cała reszta, przychodziła z teczkami i to właśnie ona zarządziła ponowne zbadanie przypadku Weedonów, ale mimo wszystko dawała odczuć, że chce im faktycznie pomóc, a nie tylko wypełnić kolejny formularz. Naprawdę takie sprawiała wrażenie. Ale Kay odeszła. „I pewnie już o nas zapomniała" – pomyślała Terri z wściekłością.

W piątek po południu Mattie powiedziała Terri, że prawie na pewno zamkną Bellchapel.

– To sprawa polityczna – wyjaśniła z werwą. – Chcą oszczędzać, a kuracja metadonem budzi sprzeciw wielu osób z rady okręgu. Poza tym Pagford chce odzyskać budynek. Pisali o tym w lokalnej prasie, może czytałaś?

Czasem mówiła tak, jakby samym swoim trajkotaniem chciała dać do zrozumienia, że jadą na jednym wózku, co wkurzało Terri tym bardziej, że chwilę wcześniej Mattie wypytywała ją, czy nie zapomniała nakarmić syna. Ale tym razem Terri zdenerwowało nie tylko to, jak mówi Mattie, ale także to, co mówi.

– Zamykają? – powtórzyła.

– Na to wygląda – powiedziała bezceremonialnie Mattie. – Ale to nie wpłynie na twoją sytuację. No cóż, oczywiście...

Terri już trzy razy brała udział w programie Bellchapel. Dobrze znała, a nawet polubiła to zakurzone wnętrze dawnego kościoła, podzielone ściankami działowymi, pełne ulotek, z oświetloną na niebiesko toaletą (żeby nie można było znaleźć żył i zrobić sobie zastrzyku). Ostatnio zauważyła, że pracujący tam ludzie zaczęli się do niej inaczej odnosić. Na początku wszyscy zakładali, że znowu jej się nie uda, ale stopniowo zaczęli ją traktować tak, jak traktowała ją Kay – jakby już wiedzieli, że w pokrytym bliznami, poparzonym ciele żyje prawdziwy człowiek.

– ... oczywiście b ę d z i e inaczej, ale zawsze możesz dostawać metadon od lekarza rodzinnego – ciągnęła Mattie. Przerzuciła kilka kartek w opasłym segregatorze zawierającym wszystkie zgromadzone przez państwo informacje o życiu Terri. – Jesteś zapisana do doktor Jawandy w Pagford, prawda? Pagford... Dlaczego aż tak daleko?

– W Cantermill przywaliłam pigule – powiedziała Terri na wpół przytomnie.

Kiedy Mattie wyszła, Terri długo siedziała w brudnym fotelu w salonie i obgryzała paznokcie do krwi.

Kiedy tylko w drzwiach stanęła Krystal, która przyprowadziła Robbiego ze żłobka, Terri powiedziała jej, że zamykają Bellchapel.

– Jeszcze nie podjęli decyzji – odparła z przekonaniem Krystal.

– A co ty, kurwa, wiesz? Zamykają i każą mi teraz jeździć do Pagford, do tej suki, co zabiła babcię Cath. Ani mi się, kurwa, śni.

– Musisz – powiedziała Krystal.

Krystal zachowywała się tak od wielu dni. Rozkazywała matce, jakby to ona, Krystal, była dorosła.

– Nic, kurwa, nie muszę – rzuciła wściekle Terri. – Bezczelna, mała suka – dorzuciła na dokładkę.

– Jak znowu zaczniesz brać – powiedziała Krystal purpurowa na twarzy – zabiorą Robbiego.

Robbie, który trzymał Krystal za rękę, uderzył w płacz.

– Widzisz!? – krzyknęły do siebie jednocześnie.

– Kurwa, to przez ciebie! – wrzasnęła Krystal. – A zresztą ta lekarka nie zrobiła babci Cath nic złego, Cheryl i cała reszta pierdolą od rzeczy!

– Patrzcie, kurwa, jaka mądra! – darła się Terri. – Gówno wiesz...

Krystal ją opluła.

– Wypierdalaj mi stąd! – krzyknęła Terri, a ponieważ Krystal była wyższa i silniejsza, Terri podniosła z podłogi but i zamierzyła się na nią. – Wynocha!

– A pewnie, pójdę! – zawołała Krystal. – I zabiorę z sobą Robbiego, a ty tu, kurwa, zostań i pierdol się z Obbo, to może zrobicie następnego bachora!

Wyciągnęła z domu zapłakanego Robbiego, zanim Terri zdołała ją zatrzymać.

Krystal poszła piechotą do swojego stałego schronienia, ale zapomniała, że o tej porze, po południu, Nikki zazwyczaj włóczy się gdzieś poza domem. Drzwi otworzyła jej mama w stroju służbowym z logo supermarketu Asda.

– On tu nie będzie nocował – oznajmiła tonem nieznoszącym sprzeciwu, a Robbie płakał i próbował wyswobodzić dłoń z mocnego uścisku Krystal. – Gdzie twoja mama?

– W domu – odparła Krystal i wszystko, co chciała powiedzieć, wyparowało jej z głowy pod surowym spojrzeniem starszej kobiety.

Wróciła z Robbiem na Foley Road, gdzie Terri ze zwycięską miną chwyciła go za rączkę, wciągnęła do środka i zagrodziła Krystal drogę.

– Już ci się znudził, co!? – zadrwiła, próbując przekrzyczeć płacz Robbiego. – Spierdalaj.

I zatrzasnęła drzwi.

Tej nocy Terri spała na jednym materacu z Robbiem. Leżąc, myślała o tym, jak mały ma pożytek z Krystal, a jednocześnie tęsknota za córką była silniejsza niż najgorszy heroinowy głód.

Krystal gniewała się na nią już od wielu dni. To, co Krystal powiedziała o Obbo...

(„Że co?" – zaśmiał się Obbo z niedowierzaniem, kiedy Terri spotkała go na ulicy i napomknęła mu, że Krystal jest przybita).

Nie zrobił tego. Nie mógłby.

Obbo należał do tej nielicznej grupy ludzi, na których zawsze mogła liczyć. Terri znała go od piętnastego roku życia. Razem chodzili do szkoły, włóczyli się po Yarvil, kiedy była w domu dziecka, i popijali cydr, siedząc pod drzewem na ścieżce biegnącej przez nędzne resztki pól uprawnych, które ostały się w okolicy Fields. Razem zapalili pierwszego skręta.

Krystal nigdy go nie lubiła. „To zazdrość – myślała Terri, obserwując śpiącego Robbiego w świetle lampy ulicznej, sączącym się przez cienkie zasłony. – Po prostu zazdrość. Nikt nie zrobił dla mnie tyle co on" – pomyślała wojowniczo, bo podliczając akty cudzej dobroci, odejmowała od nich akty odrzucenia. Dlatego gdy babcia Cath się od niej odwróciła, Terri wymazała z pamięci całą jej wcześniejszą troskę.

A Obbo ukrył ją kiedyś przed Ritchiem, ojcem jej dwojga najstarszych dzieci, kiedy uciekła z domu boso, cała pokrwawiona. Czasem dawał jej za darmo działkę heroiny. Uważała to za swego rodzaju gest życzliwości. Jego mety zawsze stały dla niej otworem, w przeciwieństwie do domku przy Hope Street, który dawno temu przez trzy wspaniałe dni uważała za swój dom.

Krystal nie wróciła w sobotę rano, ale dla Terri to nie było nic nowego. Wiedziała, że córka pewnie nocuje u Nikki. Wpadła jednak w szał, bo w domu zostało już niewiele jedzenia, skończyły się jej papierosy, a Robbie płakał za siostrą. Wparowała do pokoju córki i zaczęła rozkopywać jej ubrania w poszukiwaniu pieniędzy albo choćby jednego nieopatrznie zostawionego papierosa. Gdy rzuciła na bok starą i pomiętą torbę ze sprzętem do wiosłowania, coś zagrzechotało i zobaczyła przewróconą na bok małą plastikową szkatułkę, pod którą leżał medal zdobyty przez Krystal w zawodach kajakowych i zegarek Tessy Wall.

Terri podniosła zegarek i przyjrzała się mu. Nigdy wcześniej go nie widziała. Zastanawiała się, skąd Krystal go wzięła. W pierwszej chwili pomyślała, że pewnie go ukradła, ale potem przyszło jej do głowy, że może dała jej go albo zapisała w testamencie babcia Cath. Terri wolałaby już, żeby zegarek pochodził z kradzieży. Na samą myśl o tym, że ta wścibska mała suka ukrywała go, pilnowała jak skarbu i nie pisnęła o nim ani słowa...

Terri włożyła zegarek do kieszeni spodni od dresu i krzyknęła do Robbiego, że idą do sklepu. Wkładanie mu butów trwało tak długo, że w pewnej chwili straciła panowanie nad sobą i dała mu klapsa. Wolałaby pójść do sklepu sama, ale pracownikom socjalnym nie podobało się, gdy dzieci zostawały w domu bez opieki, choć przecież bez nich można było wszystko załatwić o wiele szybciej.

– Dzie Krystal? – płakał Robbie, kiedy bez ceregieli wypchnęła go za drzwi. – Chce do Krystal!

– Nie wiem, gdzie polazła ta mała dziwka – warknęła Terri, ciągnąc go za sobą ulicą.

Obbo stał na rogu pod supermarketem i rozmawiał z dwoma facetami. Zauważył ją, uniósł dłoń na powitanie, a jego dwaj towarzysze odeszli.

– Jak leci, Ter? – zapytał.

– Spoko – skłamała. – Robbie, puść.

Zabolało ją, gdy mały wpił się palcami w jej chudą nogę.

– Słuchaj – powiedział Obbo. – Możesz dla mnie jeszcze coś przechować?

– Co? – zapytała Terri, odrywając Robbiego od swojej nogi i chwytając go za rękę.

– Parę toreb z towarem. Naprawdę byś mi pomogła, Ter.

– Długo?

– Kilka dni. Przyniosę wieczorem. Da radę?

Terri pomyślała o Krystal i o tym, co ona by na to powiedziała.

– No dobra – zgodziła się.

Przypomniała sobie coś jeszcze i wyciągnęła z kieszeni zegarek Tessy.

– Da się to opchnąć? Co myślisz?

– Niezły – powiedział Obbo i zważył zegarek w dłoni. – Dam ci za niego dwie dychy. Przynieść wieczorem?

Terri przypuszczała, że zegarek wart jest więcej, ale nie chciała się z nim kłócić.

– No dobra, niech będzie.

Idąc z Robbiem za rękę, zrobiła kilka kroków w stronę wejścia do supermarketu, nagle jednak się odwróciła.

– Ja już nie biorę – powiedziała – i nie przynoś...

– Dalej jedziesz na koktajlu? – zapytał z uśmiechem, a oczy mu błysnęły zza grubych okularów. – Ale z Bellchapel koniec. Pisali w gazecie.

– Taa – odparła przygnębiona i pociągnęła za sobą Robbiego w stronę wejścia do supermarketu. – Wiem.

„Nie będę jeździć do Pagford – pomyślała, zdejmując ciastka z półki. – Nie będę".

Już prawie się uodporniła na bezustanną krytykę i oceny, na ukradkowe spojrzenia rzucane jej przez przechodniów, na wyzwiska sąsiadów, ale nie miała zamiaru jeździć aż do tego małego, nadętego miasteczka i narażać się na drugie tyle upokorzeń. Musiałaby raz w tygodniu cofać się w czasie i odwiedzać miejsce, w którym babcia Cath obiecała ją zatrzymać, a potem ją odepchnęła. Musiałaby mijać tę śliczną szkółkę, z której przychodziły listy w sprawie Krystal, informujące ją o tym, że córka ma za mały, brudny mundurek i źle się zachowuje. Bała się, że na Hope Street spotka dawno zapomnianych krewnych, którzy kłócili się o dom babci Cath, i nie wiedziała, co powie Cheryl na wieść o tym, że Terri z własnej woli zaczęła się zadawać z tą pakistańską suką, która zabiła babcię Cath. Po raz kolejny naraziłaby się rodzinie, która i tak jej nienawidziła.

– Nie zmuszą mnie, żebym jeździła do pierdolonego Pagford – wymamrotała na głos, ciągnąc Robbiego do kasy.

II

– Przygotuj się – droczył się z synem Howard Mollison w sobotnie południe. – Za chwilę mama umieści wyniki na stronie internetowej. Chcesz zaczekać, aż zostaną opublikowane, czy wolisz się dowiedzieć ode mnie?

Miles odruchowo odwrócił się od Samanthy, która siedziała naprzeciw niego przy wyspie na środku kuchni. Dopijali jeszcze kawę, a za chwilę miały jechać z Libby na dworzec i stamtąd na koncert do Londynu. Miles przycisnął słuchawkę do ucha.

– Powiedz mi teraz.

– Wygrałeś. Z dużą przewagą. Dostałeś dwa razy więcej głosów niż Wall.

Miles uśmiechnął się ze wzrokiem wlepionym w kuchenne drzwi.

– Okej – odrzekł, z całych sił próbując zachować spokojny ton. – Dobrze wiedzieć.

– Poczekaj – powiedział Howard. – Mama chce z tobą zamienić dwa słowa.

– Dobra robota, kochanie – odezwała się uradowana Shirley. – Absolutnie cudowna wiadomość. Wiedziałam, że ci się uda.

– Dzięki, mamo – odparł Miles.

Te dwa słowa powiedziały Samancie wszystko, ale obiecała sobie, że oszczędzi Milesowi szyderstw i sarkazmu. Spakowała podkoszulek ze zdjęciem zespołu. Zadbała o fryzurę i kupiła nowe szpilki. Nie mogła się doczekać wyjazdu.

– Mamy radnego Mollisona, tak? – zagadnęła, gdy się rozłączył.

– Zgadza się – potwierdził ostrożnie.

– Gratuluję! Pewnie dzisiaj godnie to uczcicie. Żałuję, że mnie nie będzie – skłamała z radości, że już za chwilę stąd ucieknie.

Wzruszony Miles nachylił się i ścisnął jej dłoń.

Nagle do kuchni weszła Libby cała we łzach. W ręce trzymała komórkę.

– Co się stało? – zapytała zaskoczona Samantha.

– Proszę, zadzwoń do mamy Harriet.

– Czemu?

– Błagam, zadzwoń.

– Ale czemu, Libby?

– Bo ona chce z tobą porozmawiać, bo – Libby wierzchem dłoni wytarła oczy i nos – Harriet i ja strasznie się pokłóciłyśmy. Błagam, zadzwoń do niej.

Samantha poszła z telefonem do salonu. Miała ledwie blade pojęcie, kim jest ta kobieta. Od kiedy jej córki zaczęły chodzić do szkoły z internatem, właściwie straciła wszelkie kontakty z rodzicami ich przyjaciółek.

– O k r o p n i e mi głupio, że zawracam pani głowę – zaczęła matka Harriet. – Obiecałam córce, że z panią porozmawiam, chociaż p o w t a-r z a m jej, że nie chodzi o to, że L i b b y nie chce z nią jechać... Wie pani, jak bardzo się przyjaźnią, i serce mi się kraje, gdy tak się kłócą...

Samantha spojrzała na zegarek. Powinny wyjść najpóźniej za dziesięć minut.

– Harriet ubzdurała sobie, że Libby ma jeszcze jeden bilet, ale nie chce jej z sobą zabrać. Tłumaczyłam jej, że to nieprawda, że to pani bilet, bo nie chce pani puścić Libby samej, prawda?

– Tak, naturalnie – odparła Samantha. – Przecież nie może jechać bez opieki.

– Tak myślałam – powiedziała jej rozmówczyni. W głosie kobiety pobrzmiewała dziwna triumfalna nuta. – W p e ł n i rozumiem pani troskę i n i e o ś m i e l i ł a b y m s i ę proponować pani zmiany planów, gdybym nie sądziła, że mogę pani oszczędzić zachodu. Dziewczynki tak bardzo się przyjaźnią, a Harriet ma fioła na punkcie tego głupiego zespołu, więc kiedy usłyszałam, co Libby powiedziała Harriet przez telefon, doszłam do wniosku, że Libby naprawdę r o z p a c z l i w i e chce, żeby pojechały razem. D o s k o n a l e rozumiem, dlaczego chce pani mieć oko na Libby, ale tak się składa, że moja siostra zabiera na ten koncert s w o j e dwie córki, więc wszystkie cztery byłyby pod opieką dorosłej osoby. Dziś po południu mogę odwieźć Libby i Harriet pod stadion, tam spotkamy się z resztą, a potem przenocujemy u mojej siostry. Zaręczam pani, że razem z siostrą nie spuścimy Libby z oka.

– Och... to bardzo miło z pani strony. Ale – powiedziała Samantha, słysząc dziwne dzwonienie w uszach – oczekuje nas moja przyjaciółka...

– Nadal może pani odwiedzić przyjaciółkę... Mówię tylko, że nie musi pani iść na koncert, skoro ktoś inny może popilnować dziewczynek... Harriet jest zrozpaczona, naprawdę zrozpaczona... Nie chciałam się w to mieszać, ale gdyby miało się to odbić na ich przyjaźni... Oczywiście oddamy pani za bilet – dodała po chwili już trochę mniej rozgorączkowanym tonem.

Samantha traciła grunt pod nogami.

– Och... Po prostu myślałam, że zrobimy sobie z córką miłą wycieczkę...

– One naprawdę wolą swoje towarzystwo – powiedziała zdecydowanym tonem matka Harriet. – A pani nie będzie musiała stać na ugiętych nogach, żeby wtopić się w tłum małolatów, ha, ha... Moja siostra to co innego, ona ma metr pięćdziesiąt w kapeluszu.

III

Ku rozczarowaniu Gavina okazało się, że chyba jednak będzie musiał pójść na przyjęcie urodzinowe Howarda Mollisona. Gdyby Mary, klientka kancelarii i wdowa po jego najlepszym przyjacielu, poprosiła go, żeby został na kolacji, miałby doskonałą wymówkę i mógłby się wymigać... ale Mary go nie zaprosiła. Przyjechali do niej krewni i kiedy przyszedł, wydawała się dziwnie podenerwowana.

„Nie chce, żeby wiedzieli" – pomyślał, pocieszając się jej zawstydzeniem, kiedy odprowadzała go do drzwi.

Wrócił do Smithy, odtwarzając w głowie swoją rozmowę z Kay.

„Myślałam, że był twoim najlepszym przyjacielem. Nie żyje dopiero od kilku tygodni!"

„Tak, i opiekowałem się nią ze względu na Barry'ego – odpowiedział jej w wyobraźni. – On na pewno by tego chciał. Nie spodziewaliśmy się, że to się tak skończy. Barry nie żyje. Więc nie skrzywdzimy go".

W domu wybrał czysty garnitur na przyjęcie, bo na zaproszeniu widniał napis: „Obowiązują stroje wieczorowe". Próbował sobie wyobrazić, jak małe, rozplotkowane Pagford delektuje się historią Gavina i Mary.

„I co z tego? – pomyślał oszołomiony własną odwagą. – Czy do końca życia ma być sama? Takie rzeczy się zdarzają. Opiekowałem się nią".

Nie miał najmniejszej ochoty na to przyjęcie, bo wiedział, że tylko się wynudzi i zmęczy, ale podnosiła go na duchu mała banieczka euforii i szczęścia.

Na górze, w Hilltop House, Andrew Price układał włosy za pomocą suszarki matki. Jeszcze na żadną dyskotekę ani imprezę nie czekał z taką niecierpliwością jak na dzisiejszy wieczór. Howard za dodatkowym wynagrodzeniem zatrudnił jego, Gaię i Sukhvinder, żeby w czasie przyjęcia podawali jedzenie i napoje. Na tę okazję wypożyczył nawet dla Andrew strój kelnerski: białą koszulę, czarne spodnie i muszkę. Chłopak miał pracować razem z Gaią – nie jako byle pomagier, tylko kelner.

Ale Andrew czekał na ten wieczór także z innego powodu. Gaia rozstała się z legendarnym Markiem de Lucą. Po południu Andrew zastał ją płaczącą z tego powodu na podwórku za Copper Kettle, kiedy wyszedł zapalić.

– Jego strata – rzekł, próbując ukryć radość w głosie.

Pociągnęła nosem i powiedziała:

– Dzięki, Andy.

– Ale z ciebie pedzik – odezwał się Simon, gdy Andrew wyłączył wreszcie suszarkę.

Od kilku minut czekał w ciemności w przedpokoju, żeby to powiedzieć, i przez szparę w uchylonych drzwiach do łazienki obserwował, jak jego syn pindrzy się przed lustrem.

Zaskoczony Andrew podskoczył, a potem się roześmiał. Jego dobry humor wytrącił Simona z równowagi.

– Spójrz na siebie – zadrwił, gdy Andrew minął go w koszuli i muszce. – Ale pedalska muszka. Wyglądasz jak ciota.

„A ty jesteś bezrobotny, i to przeze mnie, głupi kutasie".

Uczucia Andrew w związku z tym, co zrobił swojemu ojcu, zmieniały się prawie co godzina. Czasem przygniatał go ciężar winy, która zabarwiała wszystkie jego myśli, by w jednej chwili zniknąć, ustępując miejsca dumie z potajemnego zwycięstwa. Dziś wieczorem wspomnienie tamtego postępku dodatkowo podsycało euforię buzującą pod cienką białą koszulą i wzmagało mrowienie gęsiej skórki wywołanej podmuchami wieczornego powietrza, kiedy na kolarzówce Simona zjeżdżał pędem ze wzgórza do miasta. Był podekscytowany i pełen nadziei. Gaia była wolna i zrozpaczona. Jej ojciec mieszkał w Reading.

Kiedy podjechał na rowerze pod salę przy kościele, Shirley Mollison w eleganckiej sukience przywiązywała właśnie do ogrodzenia wielkie napełnione helem balony w kształcie piątek i szóstek.

– Witaj, Andrew – zaszczebiotała. – Proszę cię, przypnij rower z dala od wejścia.

Zaprowadził kolarzówkę za budynek, mijając nowiutki zielony kabriolet bmw zaparkowany kilka metrów dalej. Wracając do drzwi, okrążył auto, podziwiając jego luksusowe wyposażenie.

– A oto i Andy!

Andrew natychmiast zauważył, że jego szef jest równie podekscytowany i rozradowany jak on. Howard kroczył dumnie po sali ubrany w niebywale obszerny aksamitny smoking. Wyglądał trochę jak cyrkowy iluzjonista. Po sali kręciło się dopiero pięć czy sześć osób, bo przyjęcie miało się zacząć za dwadzieścia minut. Wokół aż się roiło od niebieskich, białych i złotych balonów. Na masywnym stole na kozłach ustawiono mnóstwo talerzy przykrytych serwetkami, a na drugim końcu sali pan w średnim wieku pełniący obowiązki DJ-a rozkładał swój sprzęt.

– Andy, idź pomóc Maureen, dobrze?

Maureen właśnie ustawiała szklanki na końcu długiego stołu, oświetlona jaskrawym snopem światła z lampy wiszącej nad jej głową.

– Aleś ty przystojny! – zaskrzeczała, gdy do niej podszedł.

Miała na sobie kusą elastyczną lśniącą sukienkę podkreślającą każdy szczegół kościstego ciała, na którym rysowały się zaskakujące wałeczki i poduszeczki uwydatnione przez bezlitosny materiał.

Nagle usłyszał, że ktoś mówi do niego „cześć". Gaia kucała przed stojącym na podłodze pudłem z talerzami.

– Andy, wyjmij, proszę, szklanki z pudeł – powiedziała Maureen – i postaw je tutaj, to będzie nasz bar.

Wykonał polecenie. Kiedy wypakowywał szklanki, podeszła do niego nieznajoma kobieta z kilkoma butelkami szampana.

– Trzeba je wstawić do lodówki, jeśli gdzieś tu jest.

Miała prosty nos Howarda, jego wielkie niebieskie oczy i kręcone jasne włosy. Ale podczas gdy jego nalana twarz nabrała miękkich, kobiecych rysów, twarz jego córki – bo to musiała być jego córka – choć nieładna, przyciągała wzrok swoim niskim czołem, dużymi oczami i dołkiem w brodzie. Kobieta miała na sobie spodnie i jedwabną bluzkę rozpiętą pod szyją. Postawiła butelki na stole i odwróciła się. Jej sposób bycia i ubranie, które wyglądało na drogie, sugerowały, że to ona jest właścicielką stojącego na zewnątrz bmw.

– To Patricia – szepnęła mu do ucha Gaia, a on znowu poczuł mrowienie, jakby była naelektryzowana. – Córka Howarda.

– Tak myślałem.

O wiele bardziej interesowało go to, że Gaia właśnie otwierała butelkę wódki i nalewała sobie miarkę alkoholu. Na jego oczach wypiła ją do dna i lekko się wzdrygnęła. Ledwie zdążyła zakręcić butelkę, gdy tuż obok przeszła Maureen z wiaderkiem pełnym lodu.

– Cholerna stara zdzira – powiedziała Gaia, gdy Maureen się oddaliła. Andrew wyczuł w jej oddechu alkohol. – Tylko popatrz, jak ona wygląda.

Roześmiał się, odwrócił i stanął jak wryty, bo nagle wyrosła przed nim Shirley ze słodkim uśmiechem na twarzy.

– Panna Jawanda jeszcze nie przyjechała? – zapytała.

– Jest już w drodze, właśnie mi przysłała SMS-a – odparła Gaia.

Ale tak naprawdę Shirley miała w nosie, gdzie się podziewa Sukhvinder. Usłyszała, jak Andrew i Gaia śmieją się z Maureen, i natychmiast poprawił się jej humor popsuty przez Mo, która z taką rozkoszą obnosiła się ze swoją „kreacją". Trudno było przekłuć nadęty balon jej tępej, bezpodstawnej pychy. Shirley szła w stronę pulpitu DJ-a i już obmyślała, co powie Howardowi, gdy tylko zostanie z nim sam na sam.

„Obawiam się, że młodzież, no cóż, wyśmiewa się z Maureen... Jaka szkoda, że Mo włożyła tę sukienkę... Nie mogę spokojnie patrzeć, jak robi z siebie idiotkę".

Shirley powtórzyła sobie w duchu, że ma wiele powodów do zadowolenia, bo dziś wieczorem musiała sobie dodać pewności siebie. Razem z Howardem i Milesem mieli zasiąść w radzie gminy. Będzie wspaniale, po prostu wspaniale.

Upewniła się, że DJ wie, że ulubiona piosenka Howarda to *The Green, Green Grass of Home* w wykonaniu Toma Jonesa. Już miała sobie poszukać jakiegoś innego zajęcia, gdy jej wzrok spoczął na kimś, przez kogo nie potrafiła w pełni się cieszyć tym od dawna wyczekiwanym wieczorem.

Patricia stała sama, przyglądając się wiszącemu na ścianie herbowi Pagford, i nawet nie starała się nawiązać z nikim rozmowy. Shirley wolałaby, żeby Patricia choć od czasu do czasu nosiła spódnicę. Ale przynajmniej przyjechała sama. Shirley zadrżała na myśl, że w bmw mógłby siedzieć jeszcze ktoś, kto ku jej cichej radości się nie pojawił.

Nie wolno odczuwać niechęci do własnych dzieci. Należy je lubić za wszelką cenę, choćby nie spełniały naszych oczekiwań i stały się kimś, kogo – gdyby nie więzy krwi – najchętniej omijalibyśmy z daleka, przechodząc na drugą stronę ulicy. Howard miał na to nieco szersze spojrzenie. Niekiedy nawet za plecami Patricii niewinnie żartował na ten temat. Shirley jednak nie potrafiła się zdobyć na taki dystans. Czuła się w obowiązku podejść do Patricii, żywiąc mglistą, podświadomą nadzieję, że jej stosowna do okazji sukienka i właściwe zachowanie rozproszą nieco aurę obcości wokół jej córki, którą, jak się obawiała, wyczuwali wszyscy wokół.

– Chcesz się czegoś napić, kochanie?

– Jeszcze nie – odparła Patricia, nie odrywając wzroku od herbu Pagford. – Miałam ciężką noc. Pewnie jeszcze do końca nie wytrzeźwiałam. Wczoraj poszłyśmy na piwo z kolegami z biura Melly.

Shirley uśmiechnęła się niewyraźnie, patrząc na wiszący na ścianie herb.

– U Melly wszystko w porządku, miło, że zapytałaś.

– Och, to świetnie – odparła Shirley.

– Podobało mi się zaproszenie – powiedziała Patricia. – „Pat z osobą towarzyszącą".

– Przepraszam, kochanie, ale tak się pisze, gdy ludzie, no wiesz, nie mają ślubu...

– Przeczytałaś to w poradniku dla arystokracji z osiemnastego wieku? Melly nie miała ochoty przyjeżdżać, skoro jej nazwisko nie znalazło się na zaproszeniu, więc okropnie się pokłóciłyśmy, no i przyjechałam sama. Zadowolona?

Patricia odeszła w stronę baru, zostawiając Shirley nieco wstrząśniętą. Już w dzieciństwie napady szału Patricii budziły u jej matki przerażenie.

– Spóźniła się pani, panno Jawanda! – zawołała, odzyskując panowanie nad sobą, gdy szybkim krokiem podeszła do niej podenerwowana Sukhvinder.

Shirley uważała, że dziewczyna okazuje zwykłą bezczelność, zjawiając się na przyjęciu po tym, co jej matka powiedziała do Howarda, i to w tej właśnie sali. Patrzyła, jak Sukhvinder pospiesznie dołącza do Andrew i Gai, i postanowiła zasugerować Howardowi, żeby ją zwolnił. Notorycznie się spóźniała, a jej egzema ukrywana pod czarnym T-shirtem z długimi rękawami prawdopodobnie urągała normom higieny. Shirley zanotowała w pamięci, żeby sprawdzić na swojej ulubionej stronie internetowej z poradami medycznymi, czy to aby nie choroba zakaźna.

Punkt ósma zaczęli przychodzić goście. Howard kazał Gai stanąć obok siebie i odbierać od nich płaszcze, bo chciał, żeby wszyscy widzieli, jak wydaje polecenia młodej dziewczynie w małej czarnej z falbaniastym fartuszkiem, a ona posłusznie je wykonuje. Ale wkrótce płaszczy przybywało tak szybko, że Gaia nie mogła sobie z nimi poradzić sama, więc Howard zawołał do pomocy Andrew.

– Zwiń jedną butelkę – poleciła koledze Gaia, kiedy w malutkiej szatni wieszali płaszcze po trzy, cztery na jednym haczyku – i schowaj ją w kuchni. Będziemy się na zmianę wymykać i popijać.

– Dobra – powiedział uradowany Andrew.

– Gavin! – krzyknął Howard, kiedy o wpół do dziewiątej w drzwiach stanął współpracownik jego syna.

– Przyszedłeś bez Kay? – zapytała natychmiast Shirley (Maureen za stołem na kozłach zmieniała właśnie buty na brokatowe szpilki, więc Shirley musiała się spieszyć, żeby zyskać nad nią przewagę).

– Tak, niestety, nie mogła wpaść – powiedział Gavin i w tej samej chwili, ku swojemu przerażeniu, stanął twarzą w twarz z Gaią, która czekała na jego płaszcz.

– Mogłaby wpaść – oznajmiła Gaia wyraźnym, donośnym głosem, piorunując go spojrzeniem. – Ale Gavin z nią zerwał, prawda, Gav?

Howard poklepał Gavina po ramieniu, puszczając jej słowa mimo uszu.

– Miło cię widzieć! Weź sobie z baru coś do picia – zagrzmiał.

Shirley zachowała kamienną twarz, ale jeszcze przez jakiś czas czuła przyjemny dreszczyk emocji wywołany tym, co właśnie usłyszała. Kilka następnych osób witała trochę nieobecna i rozkojarzona. Kiedy Maureen w ohydnej sukience, chwiejąc się na szpilkach, dołączyła do komitetu powitalnego, Shirley z ogromną przyjemnością szepnęła do niej:

– Doszło tu do b a r d z o krępującej sceny. B a r d z o krępującej. Gavin i matka Gai... och, dobry Boże... gdybyśmy wiedzieli...

– Co? Co się stało?

Ale Shirley tylko pokręciła głową, z najwyższą przyjemnością napawając się widokiem umierającej z ciekawości Maureen. Szeroko otworzyła ramiona, żeby powitać Milesa, Samanthę i Lexie, którzy właśnie stanęli w drzwiach.

– Oto i on! Miles Mollison, nowy radny gminy Pagford!

Samantha patrzyła, jak Shirley przytula Milesa, i miała wrażenie, że są gdzieś bardzo, bardzo daleko od niej. Tak błyskawicznie jej szczęście i radosne podekscytowanie ustąpiły miejsca oszołomieniu i rozczarowaniu, że w głowie słyszała tylko szum kłębiących się myśli, które z wielkim wysiłkiem próbowała zignorować, żeby nie stracić kontaktu z rzeczywistością.

(„Świetnie! – ucieszył się Miles. – Będziesz mogła pójść na urodziny taty, dopiero co mówiłaś..."

„Tak – odparła. – Wiem. To naprawdę świetnie".

Ale zrzedła mu mina, kiedy zobaczył ją w dżinsach i koszulce ze zdjęciem zespołu, na której włożenie czekała ponad tydzień.

„To eleganckie przyjęcie".

„Miles, idziemy do sali przykościelnej w Pagford".

„Wiem, ale na zaproszeniu..."

„Nie przebiorę się").

– Cześć, Sammy – przywitał ją Howard. – Patrzcie, patrzcie. Nie trzeba było aż tak się stroić.

Ale uścisnął ją lubieżnie jak zawsze i poklepał po pośladkach w obcisłych dżinsach.

Samantha posłała Shirley chłodny uśmiech i przeszła obok niej do baru. Jakiś złośliwy głos w jej głowie pytał: „A niby czego się spodziewałaś po tym koncercie? Po co się tam wybierałaś? Co chciałaś tam znaleźć?".

„Nic. Chciałam się zabawić".

Tego wieczoru jej fantazje o silnych młodych ramionach i śmiechu miały osiągnąć punkt kulminacyjny. Chciała, żeby ktoś znowu ją objął w szczupłej talii, pragnęła poczuć wyrazisty smak czegoś nowego, nieodkrytego. Jej marzeniom podcięto skrzydła i teraz spadały na łeb na szyję...

„Chciałam tylko popatrzeć".

– Ładnie wyglądasz, Sammy.

– Cześć, Pat.

Od roku nie widziała swojej szwagierki.

„Lubię cię bardziej niż kogokolwiek innego w tej rodzinie, Pat".

Miles podszedł do nich i ucałował siostrę.

– Jak się masz? Co u Mel? Przyjechała?

– Nie, nie chciała – odrzekła Patricia. Napiła się szampana i skrzywiła, jakby podano jej ocet. – Na zaproszeniu było napisane: „Pat z osobą towarzyszącą"... Cholernie się pokłóciłyśmy. Jeden zero dla mamy.

– Oj, Pat, daj spokój – powiedział z uśmiechem Miles.

– Jaki, kurwa, spokój, Miles?

Samanthę ogarnęła dzika rozkosz. Właśnie nadarzyła się okazja do ataku.

– Takie traktowanie partnerki Patricii jest cholernie nieuprzejme i dobrze o tym wiesz, Miles. Uważam, że twojej mamie przydałaby się lekcja dobrych manier.

Był zdecydowanie grubszy niż rok temu. Widziała, jak kołnierzyk koszuli ciasno opina opasły kark. Jego oddech szybko robił się nieświeży. Raz po raz Miles lekko unosił się na palcach, co z pewnością podpatrzył u swojego ojca. Poczuła nagły przypływ odrazy, więc odeszła na drugi koniec długiego stołu, gdzie Andrew i Sukhvinder napełniali szklanki i rozdawali napoje.

– Macie gin? – zapytała. – Poproszę podwójny.

Ledwie poznała Andrew. Odmierzył jej dużą porcję ginu, starając się nie zwracać uwagi na jej piersi, wyeksponowane do granic możliwości w ciasnym podkoszulku, ale równie dobrze mógłby próbować nie mrużyć oczu, patrząc prosto w słońce.

– Podobają ci się? – Samantha jednym haustem wypiła pół szklanki ginu z tonikiem.

Andrew poczerwieniał, zanim zdążył zebrać myśli. Ku jego przerażeniu kobieta zuchwale się roześmiała i powiedziała:

– Ten zespół. Pytałam, czy podoba ci się ich muzyka.

– Tak, no... tak, słyszałem o nich. Ale nie... to nie w moim stylu.

– Naprawdę? – zapytała, dopijając drinka. – Poproszę jeszcze raz to samo.

Przypomniała sobie, kto to jest. To ten wypłosz z delikatesów. W kelnerskim stroju wyglądał na starszego. Może po paru tygodniach kursowania po schodach z paletami nabrał trochę mięśni.

– O, kogo ja widzę – powiedziała Samantha na widok postaci oddalającej się od niej w stronę gęstniejącego tłumu. – Zjawił się Gavin. Drugi najnudniejszy facet w Pagford. Oczywiście po moim mężu.

Odeszła dumnym krokiem zadowolona z siebie, z kolejnym drinkiem w dłoni. Gin podziałał na nią dokładnie wtedy, gdy najbardziej tego potrzebowała, znieczulił ją i zarazem pobudził do działania. Idąc, pomyślała: „Spodobały się mu moje cycki. Ciekawe, co sądzi o moim tyłku".

Gavin wiedział, że chcąc uniknąć konfrontacji z nadchodzącą Samanthą, musi zacząć z kimś rozmawiać, wszystko jedno z kim. Najbliżej stał Howard, więc pospiesznie przyłączył się do grupy otaczającej gospodarza przyjęcia.

– Zaryzykowałem – mówił Howard do trzech innych mężczyzn. Gestykulował z cygarem w ręku, a na klapy jego aksamitnego smokingu spadały drobiny popiołu. – Zaryzykowałem i harowałem jak wół. Proste. Nie ma na to żadnego zaklęcia. Nikt mnie nie wyręczył... O, jest Sammy. Kim są ci młodzi chłopcy, Samantho?

Kiedy czterech starszych panów wpatrywało się w zdjęcie boysbandu na jej piersiach, Samantha zwróciła się do Gavina.

– Cześć – przywitała się, nachylając się tak, by musiał ją pocałować. – Przyszedłeś bez Kay?

– Tak – odparł krótko Gavin.

– Rozmawiamy o interesach, Sammy – oznajmił radośnie Howard, a Samantha pomyślała o swoim sklepie, który przynosił same straty i trzeba go było zamknąć. – Do wszystkiego doszedłem sam – pochwalił się słuchaczom, wracając do swojego ulubionego tematu. – I tyle. Niczego więcej nie trzeba. Do wszystkiego doszedłem sam.

Wielki i okrągły wyglądał jak miniaturowe aksamitne słońce, od którego biła satysfakcja i samozadowolenie. Mówił trochę niewyraźnie, zniekształcając głoski, bo najwyraźniej brandy, którą właśnie pił, już na niego podziałała.

— Nie bałem się ryzyka, choć mogłem wszystko stracić.

— Chyba raczej twoja matka mogła wszystko stracić — poprawiła go Samantha. — Czy przypadkiem Hilda nie zastawiła domu, żebyś mógł wpłacić połowę depozytu za sklep?

Zobaczyła maleńki błysk w oczach Howarda, ale uśmiech ani na chwilę nie zniknął z jego twarzy.

— W takim razie całe uznanie należy się mojej matce — powiedział — za to, że pracowała, oszczędzała i odkładała grosz do grosza, żeby ułatwić synowi start. Pomnożyłem to, co dostałem, a teraz spłacam dług zaciągnięty u rodziny, na przykład opłacając twoim córkom czesne w szkole Świętej Anny. W przyrodzie nic nie ginie, prawda, Sammy?

Takiej repliki spodziewałaby się po Shirley, ale nie po Howardzie. Oboje opróżnili szklanki. Patrzyła, jak Gavin odchodzi, i nawet nie próbowała go zatrzymać.

Gavin zastanawiał się, czy udałoby mu się chyłkiem wymknąć z przyjęcia. Hałas potęgował jego zdenerwowanie. Od spotkania w drzwiach z Gaią gnębiła go przerażająca myśl. A jeśli Kay opowiedziała o wszystkim córce? Jeśli Gaia wie, że zakochał się w Mary Fairbrother, i postanowiła rozpuścić tę plotkę? Szesnastolatka pałająca chęcią odwetu byłaby do tego zdolna.

Naprawdę nie chciał, żeby całe Pagford dowiedziało się o jego uczuciach do Mary, zanim sam zdążyłby jej o nich powiedzieć. Zamierzał jej wyznać miłość dopiero za wiele miesięcy, może nawet za rok... poczekać do pierwszej rocznicy śmierci Barry'ego... a tymczasem chciał pielęgnować jej kiełkujące zaufanie, by w sercu Mary niepostrzeżenie budziły się uczucia, tak jak obudziły się w jego sercu...

— Nie masz nic do picia, Gav! — zawołał Miles. — Trzeba temu natychmiast zaradzić!

Zaprowadził kolegę z pracy prosto do baru i nie przestając gadać, nalał mu piwa, roztaczając wokół siebie prawie widoczną aurę szczęścia i dumy, tak samo jak jego ojciec.

— Wiesz, że wygrałem wybory?

Gavin nie słyszał o tym, ale nie miał siły, żeby okazać zaskoczenie.

— Tak, gratuluję.

– Co u Mary? – zapytał Miles serdecznym tonem. Był przyjacielem całego miasta, bo ono go wybrało. – Wszystko u niej w porządku?

– Tak, chyba...

– Słyszałem, że przeprowadza się do Liverpoolu. Może to i lepiej.

– Co? – gwałtownie zapytał Gavin.

– Maureen powiedziała mi dziś rano. Podobno siostra Mary próbuje ją przekonać, żeby wróciła do rodzinnego miasta. Wielu jej krewnych nadal mieszka w Liver...

– Przecież jej dom jest tutaj.

– Wydaje mi się, że z nich dwojga tylko Barry lubił Pagford. Nie wiem, czy Mary zechce tu mieszkać bez niego.

Gaia obserwowała Gavina przez szparę w drzwiach. Trzymała w dłoni papierowy kubek zawierający sporą porcję ukradzionej przez Andrew wódki.

– Co za dupek – powiedziała. – Gdyby nie zwodził mojej mamy, nadal mieszkałabym w Hackney. Cholera, ona jest taka głupia. Mogłam jej powiedzieć, że wcale mu na niej nie zależy. Ani razu nie zaprosił jej na randkę. Jak tylko skończyli się pieprzyć, czym prędzej wychodził.

Stojący za nią Andrew, który układał kolejny stos kanapek na prawie pustym talerzu, nie mógł uwierzyć, że Gaia używa takich słów jak „pieprzyć". Gaia, mityczna istota zrodzona w jego fantazji, była skłonną do erotycznych eksperymentów i spragnioną doznań dziewicą. Nie wiedział jednak, co prawdziwa Gaia robiła, a czego nie robiła z Markiem de Lucą. Jej opinia o matce zabrzmiała tak, jakby Gaia doskonale wiedziała, jak się zachowują po seksie mężczyźni, którym zależy na partnerce...

– Napij się – powiedziała do Andrew, kiedy podszedł do drzwi z talerzem, i przysunęła mu do ust własny kubek.

Napił się trochę jej wódki.

Chichocząc, odsunęła się, żeby go wypuścić, i zawołała za nim:

– Zawołaj tu Sooks, jej też się coś należy!

W tłocznej sali panował gwar. Andrew postawił stos świeżo przygotowanych kanapek na stole, ale zainteresowanie jedzeniem wyraźnie osłabło. Natomiast Sukhvinder z trudem dawała sobie radę z natłokiem gości przy barze. Wiele osób zaczęło samodzielnie robić sobie drinki.

– Gaia woła cię do kuchni – powiedział Andrew do Sukhvinder i zastąpił ją przy stole.

Nie było sensu udawać zawodowego barmana. Napełnił tyle szklanek, ile wpadło mu w ręce, i zostawił je na stole, żeby goście sami się częstowali.

– Cześć, Fistaszek! – przywitała się Lexie Mollison. – Możesz mi nalać szampana?

Chodzili razem do szkoły Świętego Tomasza, ale od dawna jej nie widział. Odkąd trafiła do liceum Świętej Anny, zmienił się jej akcent. Nienawidził, jak mówiono na niego Fistaszek.

– Stoi tutaj – powiedział, pokazując ręką.

– Lexie, nie będziesz piła żadnego szampana – warknęła Samantha, wyłaniając się z tłumu. – Nie ma mowy.

– Ale dziadek powiedział...

– Nic mnie to nie obchodzi.

– Wszyscy...

– Powiedziałam nie!

Lexie odeszła nadąsana. Andrew ucieszył się, że sobie poszła. Uśmiechnął się do Samanthy i zdziwił się, kiedy kobieta odwzajemniła uśmiech.

– Ty też pyskujesz rodzicom?

– Tak – odparł i oboje się zaśmiali.

Miała naprawdę gigantyczne piersi.

– Panie i panowie! – ryknął Howard przez mikrofon, a wszyscy umilkli i zaczęli go słuchać. – Chciałem powiedzieć kilka słów... Większość z was zapewne już wie, że mojego syna Milesa wybrano do rady gminy!

Rozległy się gromkie brawa, a Miles podziękował za nie, unosząc kieliszek nad głowę. Andrew zdębiał, słysząc, jak Samantha wyraźnie mówi pod nosem:

– Też mi, kurwa, sukces!

Nikt nie podchodził po drinki. Andrew wymknął się do kuchni. Gaia i Sukhvinder stały tam same, piły i śmiały się, a na jego widok obie zawołały:

– Andy!

On też się roześmiał.

– Obie się zalałyście?

– Tak – potwierdziła Gaia.

– Nie – zaprzeczyła Sukhvinder. – Tylko ona.

– Mam to gdzieś – powiedziała Gaia. – Mollison może mnie zwolnić, jeśli zechce. Już nie muszę oszczędzać na bilet do Hackney.

– Ciebie nie zwolni – zapewnił ją Andrew, pijąc wódkę. – Jesteś jego ulubienicą.

– Tak – powiedziała Gaia. – Stary oblech.

I wszyscy troje znowu się roześmiali.

Przez szklane drzwi dobiegł chrapliwy głos Maureen wzmocniony aparaturą nagłaśniającą.

– Chodź, Howardzie! Chodź, zrobimy urodzinowy duet! Panie i panowie, za chwilę usłyszycie ulubioną piosenkę Howarda!

Cała trójka popatrzyła na siebie z udawanym przerażeniem. Gaia potknęła się i z chichotem otworzyła drzwi.

Zabrzmiało kilka pierwszych taktów *The Green, Green Grass of Home*, a potem rozległ się basowy głos Howarda i ochrypły alt Maureen:

> *The old home town looks the same,*
> *As I step down the train...**

Tylko Gavin usłyszał chichoty i parsknięcia dobiegające z zaplecza, ale kiedy się odwrócił, zobaczył jedynie rozkołysane dwuskrzydłowe drzwi do kuchni.

Miles odszedł na bok, żeby porozmawiać z Aubreyem i Julią Fawleyami, którzy przyszli spóźnieni, rozpływając się w uprzejmych uśmiechach. Gavin nadal znajdował się w znajomych szponach przerażenia i lęku. Na jego krótkotrwałej świetlistej wizji wolności i szczęścia kładły się cieniem dwie poważne groźby. Gaia mogła wypaplać, co powiedział jej matce, a Mary na zawsze wyjeżdżała z Pagford. Co miał zrobić?

> *Down the lane I walk, with my sweet Mary,*
> *Hair of gold and lips like cherries...***

---

* Moje stare rodzinne miasto wciąż wygląda tak samo, / Gdy wysiadam z pociągu...
** Idę ulicą z moją słodką Mary, / O złotych włosach i ustach jak wiśnie...

– Kay nie przyszła?

Podeszła Samantha i oparła się obok niego o stół z szyderczym uśmieszkiem.

– Już pytałaś – odparł. – Nie.

– Wszystko między wami w porządku?

– To chyba nie twój interes?

Wyrwało mu się to, zanim zdążył się powstrzymać. Miał powyżej uszu jej nieustających podchodów i węszenia. Poza tym byli sam na sam. Miles nadal rozmawiał z Fawleyami.

Z teatralną przesadą odegrała zdumienie. Miała przekrwione oczy i z trudem cedziła słowa. Po raz pierwszy Gavin poczuł się bardziej zdegustowany niż zagrożony.

– Przepraszam, ja tylko...

– Tylko pytasz. Jasne – powiedział, patrząc, jak Howard i Maureen kołyszą się ramię w ramię.

– Chciałabym, żebyś się ustatkował. Ty i Kay sprawialiście wrażenie dobranej pary.

– No tak, ale ja lubię wolność – odrzekł Gavin. – Zresztą znam niewiele szczęśliwych małżeństw.

Samantha za dużo wypiła, żeby poczuć całą kąśliwość tej uwagi, odniosła jednak wrażenie, że Gavin próbuje jej dogryźć.

– Osoby z zewnątrz nigdy nie zrozumieją małżeństwa – powiedziała ostrożnie. – Tylko mąż i żona wiedzą, jak naprawdę między nimi jest. Więc nie powinieneś nas osądzać, Gavin.

– Dziękuję za cenną radę.

Zirytowany do granic wytrzymałości odstawił pustą szklankę po piwie i ruszył w kierunku szatni.

Samantha odprowadziła go wzrokiem, czując, że wyszła z tej konfrontacji obronną ręką, i spojrzała na swoją teściową, która stojąc w tłumie gości, patrzyła na śpiewających Howarda i Maureen. Samantha rozkoszowała się gniewem Shirley, który czaił się w najbardziej napiętym i cierpkim uśmiechu, jaki pojawił się na jej twarzy od początku przyjęcia. W ciągu lat Howard i Maureen wielokrotnie razem występowali. On uwielbiał występy wokalne, a ona śpiewała kiedyś w chórkach miejscowego zespołu skiflowego. Kiedy piosenka dobiegła końca, Shirley klasnęła tylko raz. Jakby przyzywała służącą. Samantha zaśmiała się głośno i podeszła do baru na końcu stołu, za którym, ku jej rozczarowaniu, nie stał już chłopiec w muszce.

W kuchni Andrew, Gaia i Sukhvinder nadal mieli ubaw po pachy. Śmiali się z duetu Howarda i Maureen, śmiali się, bo wypili dwie trzecie butelki wódki, ale przede wszystkim śmiali się dlatego, że się śmiali, nakręcając się nawzajem tak, że ledwie trzymali się na nogach.

Małe okienko nad zlewem, uchylone i podparte, żeby w kuchni nie zrobiło się zbyt parno, zastukało, zakołatało i pojawiła się w nim głowa Fatsa.

– Dobry wieczór – przywitał się.

Najwyraźniej wspiął się na jakieś podwyższenie, bo po chwili rozległ się stukot i łomot przewróconego ciężkiego przedmiotu, a Fats wsunął się do środka przez okno i całym ciężarem runął na suszarkę do naczyń, strącając na ziemię kilka szklanek, które rozbiły się w drobny mak.

Sukhvinder natychmiast wyszła z kuchni. Andrew od razu pomyślał, że nie chce tu widzieć Fatsa. Tylko Gaia wydawała się nieporuszona.

– Nie wiesz, do czego służą drzwi? – spytała.

– Nie wiem – odrzekł Fats. – Gdzie gorzała?

– To nasza butelka – powiedziała Gaia, chowając wódkę w ramionach. – Andy ją zwinął. Musisz sam sobie przynieść.

– Nie ma sprawy – odparł chłodno Fats i poszedł do sali.

– Muszę do kibla... – wymamrotała Gaia.

Odstawiła wódkę z powrotem pod zlew i też wyszła z kuchni.

Andrew ruszył za nią. Sukhvinder wróciła za bar, Gaia zniknęła w toalecie, a Fats oparł się o duży stół z piwem w jednej ręce i kanapką w drugiej.

– Nie przypuszczałem, że będziesz miał ochotę tu wpaść – powiedział Andrew.

– Zaproszono mnie, stary – powiedział Fats. – Byłem wymieniony w zaproszeniu. „Cała rodzina Wallów".

– Przegródka wie, że tu jesteś?

– Nie mam pojęcia. Ukrywa się. Nie udało mu się zająć miejsca po starym dobrym Barrym. Bez Przegródki runie cała struktura lokalnej społeczności. Kurwa, co to za paskudztwo? – dodał, wypluwając wielki kęs kanapki. – Chcesz fajkę?

W sali panował ogromny hałas, podpici goście się wydzierali i najwyraźniej nikogo już nie obchodziło, gdzie podziewa się Andy. Kiedy obaj wyszli na zewnątrz, zobaczyli Patrycię Mollison, która paliła papierosa oparta o swój sportowy samochód i wpatrzona w bezchmurne gwiaździste niebo.

– Chcecie spróbować moich? – zaproponowała, wyciągając do nich paczkę papierosów.

Podała im ogień i przybrała nonszalancką pozę, wsuwając jedną rękę do kieszeni. Miała w sobie coś, co onieśmielało Andrew. Nie odważył się nawet spojrzeć na Fatsa, żeby zobaczyć jego reakcję.

– Jestem Pat – przedstawiła się.

A po chwili dodała:

– Córka Howarda i Shirley.

– Cześć – przywitał się Andrew. – Jestem Andrew.

– Stuart – przedstawił się Fats.

Najwyraźniej nie czuła potrzeby przedłużania rozmowy. Andrew uznał to za swego rodzaju komplement i próbował naśladować jej obojętność. Ciszę przerwały kroki i stłumione dziewczęce głosy.

Gaia ciągnęła Sukhvinder na zewnątrz za rękę. Śmiała się i Andrew widział, że wypita wódka coraz mocniej na nią działa.

– Ej, ty – powiedziała Gaia do Fatsa – jesteś naprawdę okropny dla Sukhvinder.

– Przestań – protestowała Sukhvinder, próbując wyrwać dłoń z uścisku Gai. – Mówię serio... puść...

– Ale to prawda! – powiedziała zdyszana Gaia. – To prawda! Umieszczasz jakieś głupoty na jej profilu na Facebooku?

– Przestań! – krzyknęła Sukhvinder.

Wyswobodziła się z uścisku i biegiem wróciła na przyjęcie.

– Naprawdę j e s t e ś dla niej okropny – powiedziała Gaia, opierając się o barierkę. – Wyzywasz ją od lesbijek i w ogóle...

– Nie ma nic złego w byciu lesbijką – zauważyła Patricia, wdychając dym i mrużąc oczy. – Chociaż w moich ustach to pewnie mało zaskakujące słowa.

Andrew zauważył, że Fats spogląda z ukosa na Pat.

– Nigdy nie mówiłem, że to coś złego. Tylko żartowałem – powiedział.

Gaia zsunęła się w dół po barierce i usiadła na zimnym chodniku, opierając głowę na przedramionach.

– Wszystko w porządku? – zapytał Andrew.

Gdyby nie było Fatsa, usiadłby obok niej.

– Nawaliłam się – wymamrotała.

– Może wsadź palec do gardła – poradziła Patricia, patrząc na nią z góry bez cienia emocji.

– Fajna bryka – powiedział Fats, przyglądając się bmw.

– Tak – przyznała Patricia. – Nowa. Zarabiam dwa razy tyle co Miles – dodała – ale to on jest wybrańcem. Miles Mesjasz... Radny gminy Mollison Drugi... z Pagford. Podoba ci się w Pagford? – zapytała Fatsa, podczas gdy Andrew wpatrywał się w Gaię, która ciężko dyszała, trzymając głowę między kolanami.

– Nie – odparł Fats. – To straszne zadupie.

– Tak, no cóż... ja sama nie mogłam się doczekać, aż stąd ucieknę. Znaliście Barry'ego Fairbrothera?

– Trochę – powiedział Fats.

Andrew usłyszał w jej głosie jakiś niepokojący ton.

– Uczył mnie czytać w szkole Świętego Tomasza – powiedziała Patricia, wpatrując się w drugi koniec ulicy. – Uroczy facet. Chciałam przyjechać na pogrzeb, ale razem z Melly byłyśmy akurat w Zermatt. Co to za historia, którą tak się emocjonuje moja matka? O co chodzi z tym Duchem Barry'ego?

– Ktoś umieszcza wpisy na stronie rady gminy – powiedział czym prędzej Andrew, w obawie przed tym, co mógłby wyjawić Fats, gdyby dopuścił go do głosu. – Jakieś plotki i tego typu rzeczy.

– Nic dziwnego, że to się podoba mojej matce – powiedziała Patricia.

– Ciekawe, co Duch napisze następnym razem? – zastanawiał się na głos Fats, rzucając Andrew porozumiewawcze spojrzenie.

– Pewnie już nic, wybory się skończyły – wymamrotał Andrew.

– No nie wiem – powiedział Fats. – Jeśli stary, dobry Barry nadal jest wkurzony...

Dobrze wiedział, że przez niego Andrew czuje się nieswojo i bawiło go to. Andrew spędzał teraz cały wolny czas w swojej durnej pracy i wkrótce miał się wyprowadzić. Fats nie był mu nic winny. Prawdziwa autentyczność nie mogła współistnieć z poczuciem winy i obowiązku.

– Wszystko w porządku? – zapytała Patricia Gaię, która pokiwała głową, nie pokazując twarzy. – Zrobiło ci się niedobrze od alkoholu czy od słuchania tego duetu?

Andrew zaśmiał się cicho, trochę z uprzejmości, a trochę dlatego, że nie chciał już wracać do rozmowy o Duchu Barry'ego Fairbrothera.

– Mnie też żołądek podszedł do gardła – powiedziała Patricia. – Stara Maureen i mój ojciec śpiewają w duecie. Ramię w ramię. – Patricia po raz ostatni zaciągnęła się głęboko papierosem, rzuciła niedopałek na chodnik i rozdeptała obcasem. – Jak miałam dwanaście lat, przyłapałam ich, kiedy robiła mu laskę – dodała. – Dał mi pięć funtów, żebym nie powiedziała mamie.

Andrew i Fats stali jak wryci, bojąc się nawet spojrzeć na siebie. Patricia wytarła twarz wierzchem dłoni. Płakała.

– Nie powinnam była przyjeżdżać – powiedziała. – Wiedziałam, że nie powinnam.

Wsiadła do bmw, a Andrew i Fats w osłupieniu patrzyli, jak włącza silnik, zjeżdża z chodnika i znika w ciemności.

– Ja pierdolę – powiedział Fats.

– Chyba się zrzygam – szepnęła Gaia.

– Pan Mollison woła was do środka. Macie podawać drinki. – Sukhvinder, kiedy tylko dostarczyła wiadomość, pędem wróciła do sali.

– Nie mogę – wyszeptała Gaia.

Andrew zostawił ją samą. Kiedy otworzył drzwi do sali, oszołomił go zgiełk. Dyskoteka rozkręciła się na całego. Musiał zejść z drogi Aubreyowi i Julii Fawleyom, którzy właśnie wychodzili. Odwróciwszy się tyłem do rozbawionego tłumu, wyglądali na ponuro uszczęśliwionych, że wreszcie mogą sobie pójść.

Samantha Mollison nie tańczyła. Opierała się o wielki stół jeszcze niedawno zastawiony długimi rzędami pełnych szklanek. Sukhvinder natychmiast wzięła się do zbierania naczyń, a Andrew rozpakował ostatnie pudło czystych kieliszków, ustawił je na stole i napełnił.

– Przekrzywiła ci się muszka – powiedziała do niego Samantha, nachylając się nad stołem, żeby mu ją poprawić.

Kiedy tylko go puściła, zażenowany uciekł chyłkiem do kuchni. Między jednym a drugim załadunkiem szklanek do zmywarki napił się kradzionej wódki. Chciał się zalać tak jak Gaia. Chciał cofnąć się do tego momentu, kiedy razem śmiali się jak szaleni, zanim pojawił się Fats.

Dziesięć minut później sprawdził, czy nie brakuje drinków. Samantha nadal stała oparta o stół, miała szkliste oczy, a wokół mnóstwo świeżo przygotowanych drinków, po które wystarczyło sięgnąć ręką. Howard podrygiwał na środku parkietu z twarzą zlaną potem i wył ze śmiechu z czegoś, co powiedziała Maureen. Andrew przecisnął się przez tłum do wyjścia.

W pierwszej chwili jej nie zauważył. Dopiero po chwili zobaczył ich razem. Gaia i Fats stali przytuleni dziesięć metrów od drzwi, oparci o barierkę, wczepieni w siebie i całowali się z języczkiem.

– Słuchaj, przykro mi, ale sama nie dam sobie z tym wszystkim rady – powiedziała zrozpaczonym tonem Sukhvinder, stając za jego plecami.

Na widok Fatsa i Gai wydała zduszony okrzyk, coś między skamleniem a łkaniem. Andrew wrócił z nią do sali kompletnie oszołomiony. W kuchni wlał sobie do szklanki resztę wódki i wypił do dna jednym haustem. Machinalnie napełnił zlew i zaczął myć szklanki, które nie zmieściły się w zmywarce.

Alkohol nie działał tak jak trawa. Andrew czuł się po nim pusty, a zarazem miał ochotę komuś przywalić. Na przykład Fatsowi.

Nawet nie zauważył, kiedy wskazówki na plastikowym zegarze na ścianie w kuchni przesunęły się z północy na pierwszą, a goście zaczęli wychodzić.

Miał szukać płaszczy. Przez chwilę próbował, ale szybko wymknął się z powrotem do kuchni, zrzucając całą robotę na Sukhvinder.

Samantha opierała się o lodówkę. Była sama, trzymała w dłoni szklankę. Obraz przed oczami Andrew dziwnie się rwał, jak seria kadrów. Gaia nie wróciła. Pewnie już dawno poszła z Fatsem. Samantha coś do niego mówiła. Też była pijana. Już go nie zawstydzała. Bał się tylko, że w każdej chwili może mu się zebrać na wymioty.

– ... nienawidzę tego cholernego Pagford – powiedziała Samantha. – Ale ty jesteś jeszcze młody, masz szansę się stąd wyrwać.

– Tak – odrzekł, nie czując ust. – I zrobię to. Zrobię.

Odsunęła mu kosmyk włosów znad czoła i powiedziała, że jest słodki. Ale jemu uparcie stał przed oczami obraz Gai z językiem w ustach Fatsa. Czuł zapach perfum na rozgrzanej skórze Samanthy, docierający do niego falami.

– Gówniany zespół – powiedział, pokazując na jej piersi, ale ona chyba go nie usłyszała.

Jej usta były spierzchnięte i ciepłe, przycisnęła wielkie piersi do jego klatki piersiowej. Miała tak szerokie plecy jak on...

– Co tu się, kurwa, dzieje?

Jakiś wielki facet z krótkimi siwiejącymi włosami wepchnął Andrew na suszarkę do naczyń, a Samanthę wyciągnął z kuchni. Andrew miał mglistą świadomość, że stało się coś złego, ale rzeczywistość wokół niego coraz bardziej się rozmywała, aż wreszcie poczuł, że może zrobić tylko jedno. Przeszedł przez całą kuchnię do kosza na śmieci i zaczął rzygać, rzygać, rzygać...

– Przepraszam, nie może pan teraz wejść! – usłyszał głos Sukhvinder. – Musimy usunąć stertę spod drzwi.

Mocno zawiązał worek na śmieci ze swoimi wymiocinami. Sukhvinder pomogła mu posprzątać kuchnię. Jeszcze dwukrotnie zachciało mu się rzygać, ale tym razem udało mu się dobiec do toalety.

Dochodziła druga, gdy spocony, ale uśmiechnięty Howard podziękował im i pożegnał się.

– Świetna robota – powiedział. – Zatem do zobaczenia jutro. Doskonale... A tak przy okazji, gdzie jest panna Bawden?

Andrew pozostawił Sukhvinder wymyślenie jakiegoś kłamstwa. Na zewnątrz odpiął rower Simona i prowadząc go, zniknął w ciemności.

Długi marsz w chłodzie do Hilltop House oczyścił mu umysł, ale ani trochę nie złagodził rozgoryczenia i bólu.

Czy wspomniał Fatsowi, że podoba mu się Gaia? Może nie, ale Fats dobrze o tym wiedział. Andrew wiedział, że Fats wie... Może właśnie się pieprzyli?

„I tak się stąd wyprowadzam – pomyślał Andrew, drżąc z zimna, gdy zgięty wpół pchał rower pod górę. – Walić ich..."

Potem pomyślał: „Dobrze, że się wyprowadzam". Czy przed chwilą obściskiwał matkę Lexie Mollison? Nakrył ich jej mąż? Czy to się wydarzyło naprawdę?

Bał się Milesa, ale chciał też opowiedzieć o tym Fatsowi, zobaczyć jego minę...

Kiedy wyczerpany wszedł do domu, z ciemności w kuchni dobiegł go głos Simona:

– Wstawiłeś rower do garażu?

Ojciec siedział przy kuchennym stole i jadł płatki z mlekiem. Było prawie wpół do trzeciej.

– Nie mogłem zasnąć – powiedział Simon.

Przynajmniej raz się nie wściekał. W pobliżu nie było Ruth, więc nie musiał nikomu udowadniać, że jest silniejszy i mądrzejszy od swoich synów. Wydawał się zmęczony i mały.

– Chyba będziemy musieli przeprowadzić się do Reading, Pryszcza-ku – powiedział Simon, prawie tak jakby to przezwisko było wyrazem jego czułości.

Andrew lekko drżał, czuł się stary, wstrząśnięty i dręczyły go okropne wyrzuty sumienia. Chciał jakoś wynagrodzić ojcu krzywdę, którą mu wyrządził. Nadszedł czas, by przywrócić równowagę i uznać ojca za sojusznika. Byli rodziną. Obaj musieli się przeprowadzić. Może gdzieś indziej czekało ich lepsze życie.

– Coś ci pokażę – powiedział. – Chodź. Dowiedziałem się w szkole, jak to się robi...

I zaprowadził ojca przed komputer.

IV

Zamglone błękitne niebo rozciągało się nad Pagford i Fields niczym kopuła. Światło poranka padało na rynku na stary, wykuty w kamieniu pomnik ku czci ofiar wojny, na spękane, betonowe fasady domów przy Foley Road i na białe ściany Hilltop House, nadając im bladozłoty odcień. Kiedy Ruth Price wsiadała do samochodu, żeby pojechać na kolejny długi dyżur do szpitala, spojrzała na połyskującą w oddali rzekę Orr i poczuła, że los jest dla niej bardzo niesprawiedliwy, skoro już wkrótce ktoś inny ma zamieszkać w jej domu i cieszyć się tym widokiem.

Na dole, półtora kilometra dalej, w domu przy Church Row Samantha Mollison wciąż spała jak zabita w pokoju gościnnym. W drzwiach nie było zamka, więc zabarykadowała je fotelem, zanim na wpół ubrana padła na łóżko. Ostry ból głowy już dawał o sobie znać, mącąc jej sen, a srebrne promienie słoneczne wdzierały się przez szparę w zasłonach do kącika jej oka niczym wiązka lasera. Drgnęła lekko, spragniona, lecz wciąż pogrążona w niespokojnym półśnie, a przed oczami przesuwały się jej dziwne obrazy przepełnione poczuciem winy.

Piętro niżej, w otoczeniu czystych i jasnych płaszczyzn kuchni, samotny Miles siedział sztywno przed nietkniętym kubkiem herbaty i ze wzrokiem wlepionym w lodówkę po raz kolejny odtwarzał w myślach obraz swojej pijanej żony w objęciach szesnastolatka.

Trzy domy dalej Fats Wall palił papierosa, leżąc na łóżku w tym samym ubraniu, które miał na sobie na przyjęciu urodzinowym Howarda Mollisona. Postanowił, że przez całą noc nie zmruży oka i udało mu się to. Czuł mrowienie ust zdrętwiałych od nadmiaru papierosów, ale efekt zmęczenia był odwrotny do tego, który chciał osiągnąć. Choć miał zmącony umysł, czuł się wyjątkowo nieszczęśliwy i niespokojny.

Collin Wall obudził się zlany potem z kolejnego z wielu koszmarów nękających go od lat. W snach zawsze robił straszne rzeczy, takie, których na jawie przeraźliwie się bał. Tym razem zabił Barry'ego Fairbrothera, a policjanci właśnie to odkryli i przyszli mu powiedzieć, że wiedzą o wszystkim, że odkopano ciało Barry'ego i wykryto w nim truciznę, którą podał mu Colin.

Wpatrując się w znajomy cień żyrandola na suficie, Colin zastanawiał się, dlaczego nigdy nie przyszło mu do głowy, że to on mógł zabić Barry'ego. I nagle pojawiło się pytanie: „Skąd wiesz, że to nie twoja sprawka?".

Na dole Tessa robiła sobie zastrzyk z insuliny w brzuch. Wiedziała, że Fats wrócił w nocy do domu, bo czuła dym papierosowy na schodach do jego pokoju na poddaszu. Z przerażeniem pomyślała, że tak naprawdę nie wie, gdzie był i o której wrócił. Jak mogło do tego dojść?

Howard Mollison spał twardym, błogim snem w swoim podwójnym łóżku. Wzorzyste zasłony rzucały na niego cienie w kształcie różowych plamek i chroniły go przed gwałtowną pobudką, ale jego charczące i świszczące chrapanie zbudziło żonę. Shirley, w okularach i pluszowym szlafroku, jadła grzankę i piła kawę w kuchni. Przypominała sobie Maureen kołyszącą się ramię w ramię z jej mężem w sali przy kościele, a skoncentrowana dawka nienawiści, jaką przy tym odczuwała, odbierała smak każdemu kęsowi.

W Smithy, kilka kilometrów od Pagford, Gavin Hughes namydlił się pod gorącym prysznicem, zastanawiając się, dlaczego nigdy nie miał tyle odwagi co inni. Jakim cudem inni mężczyźni dokonywali właściwych wyborów spośród nieskończonych możliwości? Zżerała go tęsknota za życiem, któremu przyglądał się z daleka, ale nigdy go nie zasmakował, a jednocześnie wzbierał w nim lęk. Wybór niesie z sobą ryzyko: podejmując decyzję, trzeba porzucić wszystkie inne możliwości.

Po przebudzeniu Kay Bawden leżała wyczerpana w podwójnym łóżku przy Hope Street, wsłuchując się w poranną ciszę w Pagford i obserwując Gaię śpiącą obok, bladą i półżywą, skąpaną w porannym świetle. Na podłodze po stronie Gai postawiła wiadro, gdy nad ranem przetransportowała córkę z łazienki do łóżka, po tym jak przez godzinę stała z nią nad sedesem, przytrzymując jej włosy.

– I po co nas tu przywlokłaś? – jęczała Gaia, krztusząc się i wymiotując do sedesu. – Puść mnie. Puść. Kurwa... Nienawidzę cię.

Kay obserwowała pogrążoną we śnie córkę, przywołując w pamięci obraz ślicznego maleństwa, które spało obok niej szesnaście lat temu. Wspominała, w jaką rozpacz wpadła Gaia, gdy Kay rozstała się ze Steve'em, z którym mieszkały osiem lat. Steve chodził do szkoły Gai na wywiadówki i nauczył ją jeździć na rowerze. Kay przypomniała sobie, jak długo pielęgnowała marzenie (które z perspektywy czasu okazało się równie naiwne jak życzenie czteroletniej Gai, żeby dostać jednorożca), że zamieszka na stałe z Gavinem, a Gaia nareszcie będzie miała ojczyma i piękny domek na wsi. Aż tak rozpaczliwie pragnęła książkowego happy endu i życia, do którego Gaia zawsze chciałaby wracać. Czuła, że moment odejścia Gai zbliża się niczym rozpędzony meteoryt, i wiedziała, że gdy straci córkę, cały jej świat legnie w gruzach.

Kay odnalazła pod kołdrą dłoń Gai. Dotyk ciepłego ciała, które przypadkowo powołała na świat, spowodował, że zaczęła płakać – bezgłośnie, ale tak gwałtownie, że drżał cały materac.

Na końcu Church Row Parminder Jawanda narzuciła płaszcz na koszulę nocną i wyszła z kawą do ogrodu za domem. Siedząc w chłodnym słońcu na drewnianej ławce, widziała, że zapowiada się piękny dzień, ale między jej oczami i sercem pojawiła się dziwna bariera. Czuła na piersi ciężar, który zupełnie pozbawiał ją energii.

Wiadomość, że Miles Mollison zajął miejsce Barry'ego w radzie nie zaskoczyła jej, ale czytając krótkie i zwięzłe obwieszczenie zamieszczone przez Shirley na stronie internetowej, poczuła, że na ułamek sekundy ogarnia ją ten sam szał, w który wpadła w czasie ostatniego posiedzenia. Chęć ataku niemal natychmiast ustąpiła pod naporem dławiącej beznadziei.

– Zrezygnuję z członkostwa w radzie – oznajmiła Vikramowi. – To nie ma sensu.

– Przecież lubisz tę pracę – powiedział.

Lubiła ją, gdy żył Barry. Tego ranka, otoczona ciszą i spokojem, z łatwością go sobie wyobraziła. Niewysokiego mężczyznę z rudą brodą. Przewyższała go o pół głowy. Ani przez chwilę nie pociągał jej fizycznie. „Bo czym właściwie jest miłość?" – pomyślała Parminder, kiedy łagodny podmuch wiatru delikatnie poruszył wysokim żywopłotem z cyprysowców Leylanda otaczającym duży ogród za domem Jawandów. Czy to już miłość, gdy ktoś zajmuje tak dużo miejsca w życiu drugiej osoby, że po jego odejściu pozostaje niemożliwa do zapełnienia, ziejąca pustka?

„Tak, kochałam się śmiać – pomyślała Parminder. – Naprawdę brakuje mi śmiechu".

I to właśnie wspomnienie śmiechu w końcu wywołało u niej łzy. Spływały jej po nosie i kapały do kawy niczym małe pociski dziurawiące na ułamek sekundy powierzchnię cieczy. Płakała, bo już nie potrafiła się śmiać, a także dlatego, że poprzedniego wieczoru, kiedy słuchali dobiegającego z oddali triumfalnego dudnienia dyskoteki w sali parafialnej, Vikram zaproponował:

– A może latem wybierzemy się do Amritsaru?

Złota Świątynia, najważniejszy obiekt kultu sikhów, wobec którego okazywał zupełną obojętność. Od razu się zorientowała, co knuje jej mąż. Nigdy wcześniej nie miała do dyspozycji tyle rozlazłego, pustego czasu. Nie wiedzieli, jaką decyzję w jej sprawie podejmie Izba Lekarska, jak osądzi naruszenie etyki zawodowej, którego dopuściła się wobec Howarda Mollisona.

– Mandeep twierdzi, że to jedna wielka pułapka na turystów – odparła, przekreślając jednym zdecydowanym gestem pomysł wyjazdu do Amritsaru.

„Dlaczego to powiedziałam? – zastanawiała się Parminder, płacząc w ogrodzie jak nigdy wcześniej i czując, jak kawa stygnie jej w rękach. – Dobrze by było pokazać świątynię dzieciom. On próbował być miły. Dlaczego się nie zgodziłam?"

Niewyraźnie czuła, że odmawiając wizyty w Złotej Świątyni, dopuściła się jakiejś zdrady. Przez jej łzy przepłynął obraz przedstawiający odbitą w tafli wody miodowozłotą kopułę w kształcie kwiatu lotosu na tle białego marmuru.

– Mamo.

Parminder nawet nie zauważyła, kiedy przez trawnik przeszła Sukhvinder. Miała na sobie dżinsy i obszerną bluzę. Parminder pospiesznie otarła łzy i zmrużonymi oczami spojrzała na córkę stojącą tyłem do słońca.

– Nie chcę dziś iść do pracy.

Parminder odpowiedziała natychmiast, w tym samym duchu automatycznego sprzeciwu, który kazał jej odrzucić propozycję wyprawy do Amritsaru:

– Podjęłaś pewne zobowiązanie, Sukhvinder.

– Źle się czuję.

– Chcesz powiedzieć, że jesteś zmęczona. Ale sama chciałaś iść do pracy. Więc teraz zrobisz, co do ciebie należy.

– Ale...

– Pójdziesz do pracy – warknęła Parminder, jakby wydawała wyrok. – Nie dasz Mollisonom kolejnego powodu do skarg.

Kiedy Sukhvinder szła z powrotem do domu, Parminder poczuła wyrzuty sumienia. Już chciała zawołać córkę, ale zamiast tego zanotowała w pamięci, że musi w wolnej chwili usiąść i spokojnie z nią porozmawiać, bez kłótni.

V

Krystal szła Foley Road w słońcu wczesnego poranka, jedząc banana. Miał osobliwy smak i konsystencję i nie mogła się zdecydować, czy jej smakuje. Terri i Krystal nigdy nie kupowały owoców.

Matka Nikki przed chwilą bezceremonialnie wyrzuciła ją z domu.

– Mamy plany na dziś, Krystal – powiedziała. – Idziemy do babci Nikki na kolację.

Po krótkim namyśle dała Krystal banana, żeby dziewczyna zjadła go na śniadanie. Krystal wyszła bez sprzeciwu. Przy kuchennym stole w domu Nikki ledwie starczało miejsca dla jej rodziny.

W promieniach słońca Fields bynajmniej nie zyskiwało na atrakcyjności. Po prostu lepiej było widać brud i zniszczenia, pęknięcia w betonowych murach, zabite deskami okna i śmieci.

Kiedy tylko wschodziło słońce, rynek w Pagford wyglądał jak świeżo pomalowany. Dwa razy do roku dzieci z podstawówki przechodziły w pochodzie przez centrum miasta, zmierzając do kościoła na msze: bożonarodzeniową i wielkanocną. (Nikt nie chciał iść z Krystal w parze. Fats rozpowiedział, że Krystal ma wszy. Zastanawiała się, czy on jeszcze to pamięta). Kwiaty w wiszących koszach tworzyły wielobarwne plamy fioletu, różu i zieleni. Przechodząc obok kwietników przed Black Canon, Krystal zawsze urywała jeden płatek. Były chłodne i śliskie, ale gdy je ścisnęła, szybko miękły i brązowiały, a wtedy zazwyczaj wycierała dłoń o spodnią stronę ciepłej drewnianej ławki w kościele Świętego Michała.

Weszła do domu i przez otwarte drzwi po lewej stronie od razu zobaczyła, że Terri nie spała w swoim pokoju. Siedziała w fotelu z zamkniętymi oczami i otwartymi ustami. Krystal mocno trzasnęła drzwiami, lecz matka ani drgnęła.

Czterema krokami podeszła do Terri i potrząsnęła nią za chude ramię. Głowa Terri opadła na wychudłą pierś. Matka zaczęła chrapać.

Krystal zostawiła ją w spokoju. W podświadomości dziewczyny znowu pojawiła się wizja martwego mężczyzny w łazience.

– Głupia suka – powiedziała.

Wtedy zdała sobie sprawę, że nigdzie w pobliżu nie kręci się Robbie. Pognała na górę, wołając go po imieniu.

– Tuu! – odezwał się jego głos za zamkniętymi drzwiami jej pokoju. Kiedy je otworzyła, zobaczyła, że Robbie stoi zupełnie nagi. Za nim, na jej materacu, leżał Obbo i drapał się po obnażonym torsie.

– Siemasz, Krys – przywitał się, szczerząc zęby.

Chwyciła Robbiego i zaciągnęła go do jego pokoju. Ręce tak jej się trzęsły, że ubranie braciszka zajęło jej całą wieczność.

– Zrobił ci coś? – szepnęła do Robbiego.

– Jeść! – odparł Robbie.

Kiedy już go ubrała, wzięła go na ręce i zbiegła na dół. Słyszała, jak Obbo chodzi po jej pokoju.

– Co on tu robi!? – krzyknęła do Terri, która zaspana siedziała na fotelu. – Czemu był z Robbiem?

Robbie wyrywał się jej z objęć. Nienawidził awantur.

– A to co, kurwa!? – wrzasnęła Krystal, gdy nagle zobaczyła dwie czarne torby leżące obok fotela Terri.

– Nic – odparła wymijająco Terri.

Ale Krystal już rozsuwała zamek.

– Nic! – krzyknęła Terri.

W środku leżały wielkie jak cegły paczki haszyszu starannie zawinięte w folię. Może i Krystal z trudnością składała litery, może i nie potrafiła rozpoznać połowy warzyw w supermarkecie i nie znała nazwiska obecnego premiera, ale doskonale wiedziała, że jeśli policja znajdzie w jej domu narkotyki, matka pójdzie siedzieć. Nagle zauważyła, że spod fotela, na którym siedzi Terri, wystaje puszka z woźnicą i końmi na wieczku.

– Brałaś – powiedziała Krystal z zapartym tchem, a na jej świat spadało kolejne nieszczęście, niczym grad niszczący wszystko, co napotka na swojej drodze. – Brałaś, kurwa...

Usłyszała Obbo na schodach i znowu wzięła Robbiego na ręce. Przerażony jej furią krzyczał i szarpał się, ale nie zdołał się wyzwolić z żelaznego uścisku Krystal.

– Puść go, kurwa! – wołała nadaremnie Terri.

Krystal otworzyła drzwi i pobiegła ulicą co sił w nogach, uginając się pod ciężarem Robbiego, który wył i próbował jej się wyrwać.

VI

Shirley wzięła prysznic i wyciągnęła z szafy ubranie. Howard nadal chrapał w najlepsze. Kiedy zapinała guziki swetra, rozległo się z wieży kościelnej bicie dzwonu wzywającego na nabożeństwo o dziesiątej. Zawsze się zastanawiała, jak wielki hałas musi panować w takich chwilach u Jawandów, którzy mieszkali naprzeciwko kościoła. Miała nadzieję, że odbierają to jako głośny hołd składany przez Pagford starym obyczajom i tradycjom, z którymi sami, co oczywiste, nie mieli nic wspólnego.

Zgodnie ze swoim zwyczajem przeszła przez przedpokój do dawnego pokoju Patricii i zasiadła przed komputerem.

Patricia miała nocować na rozkładanej kanapie, w przygotowanej przez Shirley pościeli. Co za ulga, że jednak nie została. Howard, który nadal nucił *The Green, Green Grass of Home*, kiedy nad ranem wrócili do Ambleside, zauważył nieobecność Patricii dopiero wtedy, gdy Shirley wsunęła klucz do zamka w drzwiach.

– Gdzie Pat? – wysapał, opierając się o ścianę werandy.

– A, była nie w sosie, bo Melly nie chciała przyjechać – westchnęła Shirley. – Pokłóciły się, jeśli dobrze zrozumiałam... Pewnie wróciła do domu, żeby załagodzić sytuację.

– Ani chwili spokoju – powiedział Howard i odbijając się lekko od ściany do ściany w wąskim korytarzu, ostrożnie ruszył w stronę sypialni.

Shirley weszła na swoją ulubioną stronę z poradami medycznymi. Kiedy wpisała pierwszą literę schorzenia, o którym chciała poczytać, wyszukiwarka znowu zaproponowała jej artykuł na temat ampułkostrzykawek. Shirley zapoznała się pobieżnie z ich zastosowaniem i zawartością, na wypadek gdyby kiedyś pojawiła się okazja uratowania życia pomagierowi Howarda. Potem powoli wpisała słowo „egzema" i ku swojemu rozczarowaniu dowiedziała się, że to nie jest choroba zakaźna i że nie można z jej powodu zwolnić Sukhvinder Jawandy.

Z czystego przyzwyczajenia wpisała adres strony rady gminy i weszła na tablicę informacyjną.

Umiała już błyskawicznie rozpoznać kształt i długość nicka Duch_ Barry'ego_Fairbrothera, tak jak zadurzona po uszy kochanka od razu rozpoznaje kark ukochanego, jego ramiona albo charakterystyczny chód. Wystarczył jeden rzut oka na pierwszą wiadomość od góry. Shirley poczuła, jak ogarnia ją euforia. Nie opuścił jej. Wiedziała, że doktor Jawandzie napaść nie ujdzie płazem.

Romans pierwszego obywatela Pagford

Przeczytała nagłówek, ale w pierwszej chwili go nie zrozumiała. Spodziewała się zobaczyć nazwisko Parminder. Przeczytała ponownie i wydała zduszony okrzyk kobiety, którą oblano lodowatą wodą.

Pierwszego obywatela naszego miasta Howarda Mollisona i długoletnią mieszkankę Pagford Maureen Lowe od wielu lat łączy coś więcej niż tylko wspólne interesy. Powszechnie wiadomo, że Maureen regularnie kosztuje najsmaczniejszego salami Howarda. Wszystko wskazuje na to, że jedyną osobą, która jeszcze o tym nie wie, jest jego żona Shirley.

Shirley zamurowało. Pomyślała tylko: „To nieprawda".
To nie może być prawda.
Owszem, parę razy podejrzewała... czasem dawała Howardowi do zrozumienia...
Nie, nie wierzyła w to. Nie mogła w to uwierzyć
Ale inni by uwierzyli. Uwierzyliby Duchowi. Wszyscy mu wierzyli.
Jej dłonie wydawały się niezdarne i bezwładne niczym puste rękawiczki, kiedy próbowała usunąć wiadomość ze strony, co chwila popełniając jakąś omyłkę. Dopóki notka pozostawała na stronie, ktoś inny mógł ją przeczytać, uwierzyć w nią, śmiać się, przekazać ją do lokalnej gazety... Howard i Maureen, Howard i Maureen...
Wiadomość zniknęła. Shirley siedziała wpatrzona w ekran komputera, a jej myśli jak myszy w szklanej misie próbowały uciec, choć nie było jak, bo brakowało punktu oparcia; żadną miarą nie udawało jej się wspiąć z powrotem na szczęśliwe miejsce, w którym znajdowała się jeszcze przed

chwilą, zanim przeczytała te potworne słowa, ogłoszone wszem wobec, podane do wiadomości całemu światu...

Przecież Howard wyśmiewał się z Maureen.

Nie, to o n a się śmiała z Maureen. Howard śmiał się z Kennetha. Zawsze razem. W wakacje, w czasie pracy i weekendowych wycieczek...

„... jedyną osobą, która jeszcze o tym nie wie..."

... nie potrzebowali z Howardem seksu. Od lat spali w oddzielnych łóżkach, zawarli milczące porozumienie...

„... regularnie kosztuje najsmaczniejszego salami Howarda..."

(Shirley poczuła w pokoju obecność swojej matki, która rechotała i drwiła z niej, rozlewając wino z kieliszka... Shirley nie znosiła tego sprośnego śmiechu. Nigdy nie potrafiła znieść bezwstydu i szyderstwa).

Wstała gwałtownie, potykając się o nogi krzesła, i pospiesznie wróciła do sypialni. Howard wciąż spał, leżąc na plecach i charcząc jak prosię.

– Howard – powiedziała. – Howard!

Obudzenie go zajęło jej całą minutę. Był skołowany i zdezorientowany, ale kiedy nad nim stała, nadal widziała w mężu rycerza obrońcę, który jeszcze może ją ocalić.

– Howardzie, Duch Barry'ego Fairbrothera opublikował kolejną wiadomość.

Niezadowolony z brutalnej pobudki Howard jęknął przeciągle, chowając twarz w poduszkę.

– O tobie – dodała Shirley.

Bardzo rzadko rozmawiali z Howardem bez owijania w bawełnę. Zawsze to sobie ceniła. Ale dziś sytuacja zmusiła ją do brutalnej szczerości.

– O tobie – powtórzyła. – I Maureen. Na temat... waszego romansu.

Przysunął wielką dłoń do twarzy i przetarł oczy. Jak na gust Shirley, tarł je trochę dłużej, niż to było konieczne.

– Co? – powiedział, wciąż zasłaniając twarz.

– Napisał, że masz romans z Maureen.

– Skąd on się o tym dowiedział?

Żadnych zaprzeczeń, żadnego oburzenia, żadnego pogardliwego śmiechu. Tylko ostrożne pytanie o źródło informacji.

Już na zawsze Shirley zapamiętała ten moment jako chwilę swojej śmierci. Jej życie dobiegło końca.

VII

– Robbie! Zamknij się, kurwa! Zamknij się!

Krystal zaciągnęła Robbiego na przystanek autobusowy wiele przecznic dalej, żeby ani Obbo, ani Terri ich nie znaleźli. Nie była pewna, czy ma dość pieniędzy na bilet, ale podjęła niezłomną decyzję, że dotrze do Pagford. Babcia Cath odeszła, pan Fairbrother odszedł, ale wciąż jeszcze pozostał jej Fats Wall, a ona postanowiła, że zajdzie z nim w ciążę.

– Co Obbo robił z tobą w pokoju!? – krzyczała do Robbiego, który popłakiwał, ale nie mówił ani słowa.

Bateria w komórce Terri już prawie się wyczerpała. Krystal zadzwoniła do Fatsa, ale połączyła się z pocztą głosową.

Fats był w domu. Jadł grzankę i słuchał jednej z tych dziwnych rozmów, które często toczyły się w gabinecie, po drugiej stronie przedpokoju. Była miłą odskocznią od nękających go myśli. Telefon w jego kieszeni zawibrował, ale Fats nie odebrał. Nie miał ochoty z nikim rozmawiać. To na pewno nie Andrew. Nie po tym, co zaszło poprzedniego wieczoru.

– Colin, wiesz, jak należy to traktować – mówiła matka Fatsa, jakby była u kresu sił. – Błagam, Colin...

– Jedliśmy z nimi kolację w sobotę wieczorem. W przeddzień jego śmierci. Ja gotowałem. A jeśli...

– Colin, nie dodałeś niczego do jedzenia... na litość boską, teraz ja zaczynam... Nie wolno mi tego robić, Colin, wiesz, że nie powinnam dać się w to wciągnąć. Przemawia przez ciebie twoja nerwica natręctw.

– Ale mogłem to zrobić, Tess. Nagle przyszła mi do głowy myśl: a gdyby tak coś dodać do...

– To czemu my żyjemy: ty, ja i Mary? Zrobiono sekcję zwłok, Colin!

– Nie znamy szczegółowych wyników. Mary nigdy nam ich nie zdradziła. Może to dlatego przestała się do mnie odzywać. Coś podejrzewa.

– Colin, na miłość boską...

Głos Tessy zmienił się w gorączkowy szept, zbyt cichy, by mógł dotrzeć do kuchni. Telefon Fatsa znowu zawibrował. Chłopak wyciągnął go z kieszeni. Numer Krystal Weedon. Odebrał.

– Hejka! – przywitała go Krystal, przekrzykując jakieś rozwrzeszczane dziecko. – Chcesz się spotkać?

– Nie wiem – ziewnął Fats.

Właśnie miał zamiar się położyć.

– Jadę do Pagford autobusem. Moglibyśmy gdzieś wyskoczyć.

Zeszłej nocy przycisnął Gaię Bawden do barierki przed salą przy kościele, ale po chwili odsunęła się i zwymiotowała. Potem znowu zaczęła mu robić wyrzuty, więc ją zostawił i wrócił piechotą do domu.

– Nie wiem – powtórzył.

Czuł się wyczerpany i okropnie przygnębiony.

– No weź – zachęcała go.

Usłyszał głos Colina dobiegający z gabinetu:

– Tak ci się wydaje, ale czy wyniki by to potwierdziły? A jeśli...

– Colin, nie powinniśmy się nad tym zanadto rozwodzić, nie powinieneś traktować takich wymysłów poważnie.

– Jak możesz tak mówić? Jak mogę tego nie traktować poważnie? Jeśli to ja ponoszę odpowiedzialność za...

– No dobra – powiedział Fats do Krystal. – Za dwadzieścia minut, przed pubem na rynku.

VIII

Silne parcie na pęcherz zmusiło Samanthę do wyjścia z pokoju gościnnego. Piła zimną wodę z kranu w łazience, aż zrobiło się jej niedobrze, a potem połknęła dwie tabletki paracetamolu z szafki nad umywalką i wzięła prysznic.

Ubrała się, nie patrząc w lustro. Cały czas wytężała słuch, próbując wyłowić dźwięki wskazujące na to, gdzie w tej chwili przebywa Miles, ale w domu panowała cisza. Pomyślała, że może zabrał gdzieś Lexie, byle jak najdalej od pijanej, rozpustnej matki podrywającej nieletnich...

(„Ten chłopak chodził z Lexie do klasy!" – warknął na nią Miles, kiedy zostali sam na sam w sypialni. Zaczekała, aż mąż odsunie się od drzwi, a wtedy otworzyła je szarpnięciem i uciekła do gościnnego pokoju).

Mdłości i wstyd przychodziły falami. Chciała zapomnieć, żałowała, że nie urwał się jej film, ale nadal stała jej przed oczami twarz chłopaka, na którego się rzuciła... Wciąż czuła dotyk jego przytulonego ciała, takiego szczupłego, takiego młodego...

Gdyby to był Vikram Jawanda, zachowałaby chociaż resztki godności... Musiała napić się kawy. Nie mogła do końca życia siedzieć w łazience. Ale kiedy się odwróciła, aby otworzyć drzwi, zobaczyła swoje odbicie w lustrze i opuściła ją niemal cała odwaga. Miała worki pod oczami, opuchnięte powieki, a z powodu stresu i odwodnienia pogłębiły jej się zmarszczki na twarzy.

„O Boże, co on sobie o mnie pomyślał..."

Gdy weszła do kuchni, zastała w niej Milesa. Nawet na niego nie spojrzała, tylko podeszła do szafki, na której stał ekspres. Nim dotknęła uchwytu dzbanka, jej mąż powiedział:

– Ja już mam.

– To dobrze – bąknęła i nalała sobie pełny kubek, unikając jego wzroku.

– Posłałem Lexie do rodziców – powiedział Miles. – Musimy pogadać. Samantha usiadła przy kuchennym stole.

– No to mów – odparła.

– „No to mów"? Tylko tyle masz mi do powiedzenia?

– To ty chciałeś pogadać.

– Wczoraj wieczorem – zaczął Miles – na urodzinach mojego ojca widziałem, jak obściskujesz się z szesnastoletnim...

– Właśnie, z szesnastoletnim – przerwała mu Samantha. – To legalne. Przynajmniej tyle dobrego.

Spojrzał na nią z przerażeniem.

– Bawi cię to? A gdybyś to ty zastała mnie tak pijanego, że nie zdawałbym sobie sprawy...

– Zdawałam sobie sprawę z wszystkiego – ucięła Samantha.

Postanowiła, że nie będzie taka jak Shirley, że niczego nie zasłoni falbaniastym obrusikiem utkanym z bajeczek dla grzecznych dzieci. Chciała być szczera i przeniknąć przez grubą warstwę samozadowolenia uniemożliwiającą jej rozpoznanie w mężu tego młodego mężczyzny, którego kiedyś pokochała.

– Z czego zdawałaś sobie sprawę? – zapytał Miles.

Tak bardzo oczekiwał od niej zażenowania i skruchy, że miała ochotę roześmiać się mu w twarz.

– Wiedziałam, że go całuję – powiedziała.

Wpatrywał się w nią, a ją powoli opuszczała cała odwaga, bo dobrze wiedziała, co za chwilę usłyszy.

– A gdyby to zobaczyła Lexie?

Na to pytanie Samantha nie miała odpowiedzi. Na myśl o tym, że Lexie dowiedziałaby się, co zaszło, pragnęła zapaść się pod ziemię. A jeśli ten chłopak jej wszystko powie? Chodzili razem do szkoły. Samantha zapomniała, że mieszka w Pagford...

– Co się z tobą dzieje, do cholery? – zapytał Miles.

– Jestem... nieszczęśliwa – wyznała Samantha.

– Dlaczego? – zapytał Miles i natychmiast dodał: – To przez sklep? To dlatego?

– Między innymi – przyznała. – Nienawidzę naszego życia w Pagford, wiecznie w pobliżu twoich rodziców. A czasami – powiedziała powoli – nienawidzę budzić się obok ciebie.

Wydawało jej się, że go tym rozzłości, ale on ze stoickim spokojem zadał kolejne pytanie:

– Chcesz powiedzieć, że już mnie nie kochasz?

– Nie wiem – powiedziała Samantha.

W koszuli rozpiętej pod szyją wyglądał na szczuplejszego. Po raz pierwszy od dawna wydawało się jej, że dostrzegła kogoś znajomego i wrażliwego w tym starzejącym się ciele siedzącym po drugiej stronie stołu. „I nadal mnie pragnie" – pomyślała ze zdumieniem, przypominając sobie pomarszczoną twarz, którą zobaczyła w lustrze na górze.

– Ale tej nocy, kiedy umarł Barry Fairbrother – dodała – cieszyłam się, że żyjesz. Chyba śniło mi się, że umarłeś. Obudziłam się i pamiętam, jaka byłam szczęśliwa, kiedy usłyszałam twój oddech.

– I tylko... tylko tyle masz mi do powiedzenia? Cieszysz się, że jeszcze nie umarłem?

Myliła się – jednak się wkurzył. Wcześniej po prostu był w szoku.

– Tylko tyle masz mi do powiedzenia? Zalałaś się na urodzinach mojego ojca...

– A patrzyłbyś na to inaczej, gdyby to nie były urodziny twojego cholernego ojca!? – krzyknęła sprowokowana jego gniewem. – Naprawdę najbardziej boli cię to, że ośmieszyłam cię przed mamusią i tatusiem?

– Całowałaś się z szesnastolatkiem...

– Być może nie po raz ostatni! – wrzasnęła Samantha, wstając od stołu i uderzając kubkiem o dno zlewu. Ucho zostało jej w dłoni. – Nie rozumiesz, Miles? Mam tego dość! Nienawidzę naszego pierdolonego życia i twoich pierdolonych rodziców...

– ... ale nie masz nic przeciwko temu, żeby płacili za edukację dziewczynek...

– ... nie mogę patrzeć, jak na moich oczach zamieniasz się w swojego ojca...

– ... co za brednie, po prostu nie potrafisz znieść, że jestem szczęśliwy, a ty nie...

– ... podczas gdy mój kochany mąż ma w dupie to, jak ja się czuję...

– ... wokół jest mnóstwo do zrobienia, ale ty wolisz siedzieć nadąsana w domu...

– ... nie zamierzam już dłużej siedzieć w domu, Miles...

– ... nie zamierzam przepraszać za to, że zajmuję się sprawami wspólnoty...

– ... no cóż, napisałam dokładnie to, co miałam na myśli: nie nadajesz się na miejsce po Fairbrotherze!

– Co? – powiedział Miles i tak gwałtownie zerwał się z miejsca, że przewrócił krzesło.

Samantha pomaszerowała do drzwi.

– To, co słyszałeś! – krzyknęła. – Tak jak napisałam w tamtym liście, Miles: nie nadajesz się na miejsce po Barrym Fairbrotherze. On był szczery.

– Ty to napisałaś? – zapytał.

– Tak – odparła, z trudem łapiąc oddech, i położyła dłoń na klamce. – To ja napisałam ten list. Któregoś wieczoru za dużo wypiłam, a ty bez końca rozmawiałeś przez telefon z matką. Poza tym – otworzyła drzwi – nie zagłosowałam na ciebie.

Wyraz jego twarzy zbił ją z tropu. W przedpokoju włożyła pierwszą lepszą parę butów, najzwyklejsze chodaki, i wyszła z domu, zanim mąż zdążył ją dogonić.

IX

Podróż okazała się dla Krystal powrotem do czasów dzieciństwa. Tę samą drogę przemierzała kiedyś codziennie, gdy zupełnie sama jeździła autobusem do szkoły Świętego Tomasza. Wiedziała, kiedy na horyzoncie pojawi się opactwo, i pokazała je Robbiemu.

– Widzisz te ruiny wielkiego zamku?

Robbiemu okropnie chciało się jeść, ale radość z przejażdżki autobusem sprawiła, że na chwilę zapomniał o głodzie. Krystal mocno ściskała go za rączkę. Obiecała mu, że jak tylko wysiądą, dostanie coś do jedzenia, choć nie miała pojęcia, skąd to weźmie. Może Fats pożyczy jej pieniądze na paczkę chipsów, no i jeszcze na bilet powrotny.

– Chodziłam tam do szkoły – powiedziała Robbiemu, który kreślił palcami abstrakcyjne kształty na brudnej szybie. – I ty też tam pójdziesz.

Kiedy z powodu ciąży ją przekwaterują, prawie na pewno przydzielą jej jakiś dom w Fields. Tych ruder nikt przecież nie kupował. Ale dla Krystal mieszkanie w tak opłakanych warunkach miało pewną zaletę, bo Robbie i jej dziecko znaleźliby się w rejonie szkoły Świętego Tomasza. Poza tym, gdy urodzi rodzicom Fatsa wnuka, na pewno dadzą jej kasę na pralkę. A może nawet na telewizor.

Autobus zjeżdżał ze wzgórza w kierunku Pagford, a Krystal spojrzała na roziskrzoną rzekę widoczną przez krótką chwilę, zanim ulica nie zeszła zbyt nisko. Kiedy dołączyła do drużyny wioślarskiej, była rozczarowana, że nie trenują na rzece Orr, tylko na starym, brudnym kanale w Yarvil.

– No i zajechaliśmy – powiedziała do Robbiego, kiedy autobus skręcił, wtaczając się powoli na ukwiecony rynek.

Fats zapomniał, że czekając przed Black Canon, znajdzie się dokładnie naprzeciwko sklepu Mollison and Lowe i kawiarni Copper Kettle. W niedzielę kawiarnię otwierano w południe, więc teoretycznie została mu jeszcze godzina, ale nie wiedział, o której Andrew zaczyna pracę. Tego ranka nie uśmiechało mu się spotkanie z przyjacielem, którego znał od niepamiętnych czasów, więc przyczaił się za rogiem pubu tak, by nie było go widać, i wyszedł dopiero wtedy, kiedy autobus zatrzymał się na przystanku.

Gdy autobus odjechał, oczom Fatsa ukazała się Krystal z małym umorusanym chłopcem.

Zakłopotany, podszedł do nich szybkim krokiem.

– To mój brat – oznajmiła wojowniczo Krystal na widok miny Fatsa.

Fats musiał po raz kolejny zweryfikować swoje wyobrażenie o twardym i autentycznym życiu. Przez krótką chwilę rozważał pomysł zrobienia Krystal dziecka (żeby pokazać Przegródce, czego potrafi dokonać prawdziwy mężczyzna mimochodem, bez wysiłku), ale ten mały chłopiec, kurczowo ściskający dłoń i nogę swojej siostry, wprawił go w zakłopotanie.

Fats pożałował, że się z nią umówił. Ośmieszała go. Teraz, widząc ją na rynku, wolałby już wrócić do tego jej śmierdzącego, zdemolowanego domu.

– Masz jakąś kasę? – zapytała Krystal.

– Co? – zdziwił się Fats.

Jego wyczerpany umysł pracował na zwolnionych obrotach. Już nawet nie pamiętał, dlaczego postanowił nie spać przez całą noc. Język pulsował mu od nadmiaru wypalonych papierosów.

– Kasę – powtórzyła Krystal. – Mały chce jeść, a ja zgubiłam pięć funtów. Oddam.

Fats włożył rękę do kieszeni dżinsów i dotknął zmiętego banknotu. Z jakiegoś powodu nie chciał wyjść przed Krystal na zbyt nadzianego kolesia, więc pogrzebał jeszcze w kieszeni w poszukiwaniu drobnych i wreszcie wyciągnął kilka srebrnych i miedzianych monet.

Poszli do małego kiosku dwie przecznice od rynku. Fats zaczekał na zewnątrz, a Krystal kupiła Robbiemu chipsy i opakowanie nadziewanych czekoladek. Żadne z nich się nie odzywało, nawet Robbie, który najwyraźniej bał się Fatsa. Wreszcie Krystal podała bratu chipsy i zapytała Fatsa:

– Gdzie idziemy?

„Chyba nie ma zamiaru się bzykać" – pomyślał. Nie w obecności dziecka. Zastanawiał się, czy nie zabrać jej do Przegródka: tam było zacisznie, a poza tym ostatecznie sprofanowałby w ten sposób swoją przyjaźń z Andrew. Nie był już nikomu nic winny. Ale wzdrygnął się na myśl o pieprzeniu się z Krystal na oczach trzylatka.

– Nic mu nie będzie – zapewniła go. – Dostanie czekoladki. Nie, później – powiedziała do Robbiego, który jękliwie błagał o słodycze. – Najpierw chipsy.

Poszli drogą w kierunku starego kamiennego mostu.

– Nic mu nie będzie – powtórzyła Krystal. – Robi, co się mu każe. Prawda? – zapytała głośno Robbiego.

– Chcie koladki – powiedział chłopczyk.

– Dobra, za chwilę.

Czuła, że dziś Fats potrzebuje dodatkowej zachęty. Już w autobusie wiedziała, że wymuszona przez okoliczności obecność jej brata skomplikuje sprawę.

– Co porabiałeś? – zapytała.

– Byłem wczoraj na imprezie – odparł Fats.

– Tak? A z kim?

Ziewnął przeciągle i musiała zaczekać na odpowiedź.

– Arf Price. Sukhvinder Jawanda. Gaia Bawden.

– Ona mieszka w Pagford? – zapytała ostro Krystal.

– No, przy Hope Street – odparł Fats.

Wiedział, bo kiedyś Andrew niechcący się przed nim wygadał. Arf nigdy się nie przyznał, że Gaia mu się podoba, ale Fats zauważył, że na tych kilku lekcjach, na które chodzili razem z nią, nie odrywał od niej oczu. Obecność tej dziewczyny, a nawet sama wzmianka o niej, sprawiała, że Andrew się czerwienił.

Krystal jednak myślała o matce Gai, jedynej pracowniczce opieki społecznej, którą kiedykolwiek lubiła, jedynej, która potrafiła przemówić do rozsądku Terri. Mieszkała przy Hope Street, tak jak babcia Cath. I pewnie teraz tam była. A jeśli...

Tylko że Kay ich zostawiła. Wrócili pod skrzydła Mattie. Zresztą nie wolno było nachodzić opiekunów socjalnych w ich domach. Shane Tully raz to zrobił i pomimo trudu, jaki sobie zadał, dostał sądowy zakaz zbliżania się do swojej opiekunki. No tak, ale wcześniej próbował wybić cegłą szybę w jej samochodzie...

Poza tym, myślała Krystal, mrużąc oczy, bo widoczna za zakrętem rzeka oślepiła ją tysiącem iskrzących się białych plamek światła, Kay nadal nosiła teczki, przyznawała punkty i osądzała. Robiła dobre wrażenie, ale nic nie wskazywało na to, by znała rozwiązanie, dzięki któremu Krystal mogłaby zostać z Robbiem...

– Możemy iść tam – zaproponowała Fatsowi, pokazując na porośnięty bujną roślinnością kawałek nadbrzeża, nieco oddalony od mostu. – A Robbie poczeka tam, na ławce.

Pomyślała, że będzie miała brata na oku i dopilnuje, żeby niczego nie widział. Zresztą nie takie sceny oglądał, gdy Terri przyprowadzała do domu nieznajomych...

Ale Fats, mimo swojego wyczerpania, czuł odrazę. Nie mógł robić tego w trawie, na oczach małego chłopca.

– E, nie – odparł, siląc się na obojętny ton.

– Nic mu nie będzie – powiedziała Krystal. – Dostanie czekoladki. Nawet nie będzie wiedział, co się dzieje – przekonywała, chociaż sama w to nie wierzyła.

Robbie wiedział aż za dużo. Już raz mieli kłopoty, kiedy w żłobku zaczął udawać, że robi to na pieska z innym dzieckiem.

Fats przypomniał sobie, że matka Krystal jest prostytutką. Propozycja wydała mu się obrzydliwa, ale czy nie dowodziło to przypadkiem jego braku autentyzmu?

– No co? – zapytała go Krystal z agresją w głosie.

– Nic – odparł.

Dane Tully by to zrobił. Pikey Pritchard by to zrobił. A Przegródka nie, nawet za milion lat.

Krystal zaprowadziła Robbiego na ławkę. Fats nachylił się nad oparciem, spojrzał w stronę bujnych chwastów i krzaków i uznał, że dzieciak chyba rzeczywiście niczego nie zobaczy, ale na wszelki wypadek postanowił załatwić sprawę tak szybko, jak tylko się da.

– Masz – powiedziała Krystal do Robbiego, wyciągając długi rulonik czekoladek, a on sięgnął po nie łapczywie. – Możesz zjeść wszystkie, ale musisz tu chwilę posiedzieć, dobra? Siedź tutaj, Robbie, a ja będę w krzakach. Rozumiesz, Robbie?

– Tak – odparł szczęśliwy, z ustami pełnymi czekolady.

Krystal ruszyła w stronę gęstych zarośli nad rzeką, licząc na to, że Fats nie będzie stwarzał problemów i zgodzi się to zrobić bez prezerwatywy.

X

Gavin miał na nosie okulary przeciwsłoneczne dla ochrony przed ostrym porannym słońcem, ale był to raczej marny kamuflaż: Samantha Mollison z pewnością rozpoznałaby jego samochód. Kiedy ją zauważył, kroczącą samotnie chodnikiem z rękami w kieszeniach i spuszczoną głową, gwałtownie skręcił w lewo i zamiast pojechać prosto do domu Mary, przejechał przez stary kamienny most i zaparkował w bocznej uliczce po drugiej stronie rzeki.

Nie chciał, żeby Samantha widziała, jak parkuje pod domem Mary. To nie miało znaczenia w dni powszednie, kiedy miał na sobie garnitur i niósł w ręce teczkę. To nie miało znaczenia, dopóki nie przyznał się przed sobą, co czuje do Mary. Teraz sytuacja wyglądała inaczej. Zresztą poranek był przepiękny, a dzięki spacerowi Gavin mógł zyskać trochę czasu.

„Klamka jeszcze nie zapadła – pomyślał, kiedy piechotą przechodził przez most. Poniżej zobaczył małego chłopca, który siedział samotnie na ławce i zajadał słodycze. – Nie muszę nic mówić... Będę improwizował..."

Ale i tak pociły mu się dłonie. Przez całą bezsenną noc nawiedzała go myśl o Gai, która może powiedzieć bliźniaczkom Fairbrotherów, że zakochał się w ich matce.

Mary wydawała się ucieszona jego wizytą.

– Gdzie twój samochód? – zapytała, spoglądając mu przez ramię.

– Zaparkowałem nad rzeką – powiedział. – Śliczny poranek. Wybrałem się na spacer, a potem pomyślałem, że mógłbym ci skosić trawnik, jeśli...

– Och, Graham już to zrobił – powiedziała. – Ale to bardzo miło z twojej strony. Wejdź, napijemy się kawy.

Krzątając się po kuchni, cały czas do niego mówiła. Miała na sobie stare dżinsy z obciętymi nogawkami i T-shirt. Ten strój podkreślał jej chudość, ale włosy Mary odzyskały dawny blask i wyglądały dokładnie tak, jak je zapamiętał. Widział obie bliźniaczki leżące na kocu na świeżo skoszonym trawniku ze słuchawkami na uszach i iPodami w dłoni.

– Jak się czujesz? – zapytała Mary, siadając obok niego.

W pierwszej chwili nie wiedział, skąd ta troska w jej głosie. A potem przypomniał sobie, że poprzedniego dnia w czasie swojej krótkiej wizyty napomknął Mary o rozstaniu z Kay.

– W porządku – odparł. – Tak będzie chyba najlepiej.

Uśmiechnęła się i poklepała go po ramieniu.

– Wczoraj wieczorem słyszałem – powiedział, czując, że trochę zaschło mu w ustach – że myślisz o przeprowadzce.

– W Pagford wieści rozchodzą się błyskawicznie – zauważyła. – Ale na razie to tylko pomysł. Thcresa chce, żebym wróciła do Liverpoolu.

– A co na to dzieci?

– No cóż, poczekam, aż dziewczynki i Fergus zdadzą egzaminy w czerwcu. Z Declanem nie byłoby problemu. Wiesz, nie chcemy zostawiać...

Rozpłakała się, ale on był przeszczęśliwy, że może wyciągnąć rękę i dotknąć jej delikatnego nadgarstka.

– Oczywiście, że nie chcecie...

– ... grobu Barry'ego.

– A – powiedział Gavin i jego szczęście zgasło jak świeczka na wietrze.

Mary otarła łzy wierzchem dłoni. To, co powiedziała, wydało się Gavinowi trochę makabryczne. W jego rodzinie ciała zmarłych poddawano kremacji. Na pogrzebie Barry'ego dopiero drugi raz w życiu widział, jak zakopuje się zwłoki, i okropnie mu się to nie podobało. Dla Gavina grób był tylko oznaczeniem miejsca, w którym rozkłada się czyjeś ciało. Okropna myśl. A jednak ludzie uporczywie odwiedzali zmarłych i przynosili im kwiaty, jakby po cichu liczyli, że jeszcze wrócą do życia.

Mary wstała po chusteczki. Na trawniku bliźniaczki wymieniały się słuchawkami, a ich głowy podrygiwały w górę i w dół w takt tej samej piosenki.

– Więc to Miles zajął miejsce Barry'ego – powiedziała. – Zeszłej nocy odgłosy ich świętowania docierały aż tutaj.

– W zasadzie to Howard urządził swoje... Tak, masz rację – powiedział Gavin.

– Więc Pagford już prawie uwolniło się od Fields – dodała.

– Na to wygląda.

– A teraz, kiedy Miles wszedł do rady, likwidacja Bellchapel to tylko kwestia czasu – ciągnęła.

Gavin nigdy nie pamiętał, co to było Bellchapel. Te sprawy kompletnie go nie interesowały.

– Pewnie tak.

– Więc wszystko, o co walczył Barry, wzięło w łeb – podsumowała. Jej łzy wyschły, a na policzki wróciły czerwone plamy gniewu.

– Niestety – powiedział. – To naprawdę smutne.

– Czy ja wiem – odparła nadal czerwona i rozdrażniona. – Niby dlaczego Pagford ma płacić rachunki za Fields? Barry widział zawsze tylko jedną stronę problemu. Wydawało mu się, że w Fields mieszkają tacy ludzie jak on. Myślał, że Krystal Weedon jest taka jak on, ale się mylił. Nawet nie przyszło mu do głowy, że być może mieszkańcom Fields niczego nie brakuje do szczęścia.

– Tak – powiedział Gavin uradowany tym, że Mary nie zgadzała się z Barrym. Poczuł, że cień jego grobu już nad nimi nie wisi. – Wiem, co masz na myśli. Z tego, co słyszałem o Krystal Weedon...

– Poświęcał jej więcej czasu i uwagi niż własnym córkom – skarżyła się Mary. – A ona nie dała złamanego grosza na wieniec. Wiem to od dziewczynek. Złożyła się cała osada oprócz Krystal. W dodatku nie przyszła na pogrzeb, choć tyle dla niej zrobił...

– No cóż, to świadczy o tym...

– Przepraszam, ale nie mogę przestać o tym wszystkim myśleć – powiedziała rozgorączkowana. – Wciąż mam wrażenie, że on by chciał, żebym się zamartwiała tą cholerną Krystal Weedon. Nie potrafię się od tego uwolnić. Tuż przed śmiercią przez cały dzień bolała go głowa, ale on to zlekceważył, bo pisał ten przeklęty artykuł!

– Wiem – powiedział Gavin. – Wiem. Wydaje mi się – dodał, czując się tak, jakby stawiał pierwszy krok na starym moście linowym – że faceci tacy już są. Spójrz na Milesa. Samantha nie chciała, żeby startował w wyborach do rady, ale on i tak postawił na swoim. Wiesz, niektórych mężczyzn cholernie cieszy choćby odrobina władzy...

– Barry nie dążył do władzy – obruszyła się Mary, a Gavin pospiesznie się wycofał.

– Nie, nie, Barry nie. On dążył do...

– To było silniejsze od niego – wyjaśniła. – Wydawało mu się, że wszyscy są tacy jak on, że jak wyciągnie się do nich pomocną dłoń, to zaczną nad sobą pracować.

– Tak – zgodził się Gavin – ale przecież wokół nie brakuje ludzi, którym przydałaby się pomoc, na przykład w domu...

– No właśnie! – powiedziała Mary, znowu uderzając w płacz.

– Mary – odezwał się Gavin, wstając z krzesła i podchodząc do niej (teraz stał już na moście linowym, czując paniczny strach zmieszany z radosnym wyczekiwaniem) – posłuchaj... Na razie jest na to jeszcze za wcześnie... o wiele za wcześnie... ale jeszcze kogoś spotkasz.

– Po czterdziestce – łkała Mary – z czwórką dzieci...

– Mnóstwo facetów... – zaczął, ale zaraz się opamiętał: wolał, żeby nie wiedziała, jak wielkie ma możliwości. – Właściwy facet – poprawił się – nie będzie miał nic przeciwko twoim dzieciom. Zresztą one są takie urocze... każdy chciałby je przygarnąć.

– Och, Gavin, jesteś taki słodki – powiedziała, znowu wycierając oczy.

Objął ją ramieniem, a ona go nie odepchnęła. Stali w milczeniu, ona wycierała nos. Kiedy poczuł, że Mary chce się od niego odsunąć, powiedział:

– Mary...

– Co?

– Muszę ci o czymś... Mary, chyba się w tobie zakochałem.

Przez kilka sekund czuł cudowne uniesienie, jak spadochroniarz, który odpycha się od twardego podłoża i skacze w bezkresną otchłań.

Mary odsunęła się od niego.

– Gavin. Ale...

– Przepraszam – powiedział, z niepokojem obserwując odrazę malującą się na jej twarzy. – Chciałem, żebyś to usłyszała ode mnie. Powiedziałem Kay, że to dlatego chcę się z nią rozstać, i bałem się, że dowiesz się od kogoś innego. Miałem zamiar milczeć jeszcze przez wiele miesięcy. Przez lata – dodał, próbując sprawić, żeby znowu się uśmiechnęła i nadal uważała go za słodkiego faceta.

Ale Mary kręciła głową z rękami splecionymi na wąskiej piersi.

– Gavin, ja nigdy, przenigdy...

– Zapomnij, że cokolwiek powiedziałem – poprosił niemądrze. – Zapomnijmy o tym.

– Myślałam, że rozumiesz.

Dotarło do niego, jak wielki popełnił błąd, lekceważąc niewidzialny pancerz smutku, który szczelnie ją otaczał i miał za zadanie chronić.

– Bo rozumiem – skłamał. – Nie powiedziałbym ci, ale...

– Barry zawsze powtarzał, że ci się podobam.

– Mylił się – odparł rozpaczliwie.

– Gavin, uważam cię za naprawdę miłego faceta – powiedziała jednym tchem. – Ale nigdy nie... to znaczy, nawet gdybym...

– Dobrze – rzekł głośno, próbując ją zagłuszyć. – Rozumiem. Słuchaj, pójdę już.

– Nie ma potrzeby...

Ale teraz prawie jej nienawidził. Domyślał się, co próbowała powiedzieć: „Nawet gdybym nie była w żałobie po mężu, i tak bym cię nie chciała".

Jego wizyta trwała tak krótko, że kawa, którą zostawił, była jeszcze gorąca, gdy lekko roztrzęsiona Mary wylewała ją do zlewu.

XI

Howard powiedział Shirley, że źle się czuje, więc chyba poleży w łóżku i odpocznie, a Copper Kettle przez jedno popołudnie obejdzie się bez niego.

– Zadzwonię do Mo – dodał.

– Nie, sama do niej zadzwonię – rzuciła ostro Shirley.

Zamykając drzwi sypialni, pomyślała: „Udaje, że boli go serce".

Wcześniej rzucił tylko: „Nie bądź niemądra, Shirl", a potem dodał: „To bzdury, cholerne bzdury".

Nie drążyła. Tak jakby lata wytwornego unikania przykrych tematów coś w niej stłamsiły (kiedy dwudziestotrzyletnia Patricia oznajmiła: „Mamo, jestem lesbijką", Shirley dosłownie zaniemówiła).

Zadzwonił dzwonek do drzwi.

– Tata kazał mi do was przyjść – oznajmiła Lexie. – Mają z mamą coś do roboty. Gdzie dziadek?

– W łóżku – powiedziała Shirley. – Wczoraj trochę przesadził.

– Udane przyjęcie, prawda? – zapytała Lexie.

– Tak, urocze – odrzekła Shirley, czując, jak rozpętuje się w niej burza. Po chwili zmęczyła ją paplanina wnuczki.

– Chodźmy na lunch do kawiarni – zaproponowała. – Howard! – zawołała przez zamknięte drzwi sypialni. – Zabieram Lexie na lunch do Copper Kettle.

Usłyszała niepokój w jego głosie, więc się ucieszyła. Nie bała się Maureen. Spojrzy jej prosto w twarz...

Ale kiedy szły, Shirley uświadomiła sobie, że Howard mógł zadzwonić do Maureen, gdy tylko zamknęły się za nimi drzwi. Była taka głupia... Z jakiegoś powodu wydawało się jej, że jeśli sama poinformuje Maureen o jego chorobie, uniemożliwi im dalsze kontakty... Była taka naiwna...

Znajome, ukochane ulice wyglądały jakoś inaczej, dziwnie. Nieustannie pielęgnowała wizerunek, który prezentowała temu uroczemu małemu światu: obraz żony i matki, wolontariuszki pracującej w szpitalu, sekretarza rady gminy, pierwszej obywatelki. Pagford było jej zwierciadłem, które z uprzejmym szacunkiem odbijało jej wartość i jej znaczenie. Ale Duch zasmarował nieskazitelną powierzchnię jej życia rewelacją, która to wszystko przyćmiła: jej mąż sypiał ze wspólniczką, a ona o niczym nie wiedziała...

Teraz kiedy padnie jej nazwisko, wszyscy będą mówili tylko o tym, tylko tak będą ją odtąd pamiętać.

Otworzyła drzwi do kawiarni. Dzwonek brzdęknął i Lexie powiedziała:

– Jest Fistaszek Price.

– Wszystko w porządku u Howarda? – zaskrzeczała Maureen.

– Po prostu jest zmęczony – powiedziała Shirley, podchodząc od razu do stolika i siadając.

Serce waliło jej tak szybko, że zaczęła się zastanawiać, czy przypadkiem sama nie wymaga wszczepienia by-passów.

– Przekaż mu, że żadna z dziewczyn nie zjawiła się w pracy – powiedziała rozzłoszczona Maureen, stając przy stoliku – i żadna nie zadała sobie trudu, żeby zadzwonić. Całe szczęście, że mamy mały ruch.

Lexie podeszła do baru, żeby porozmawiać z Andrew, który znowu pracował jako kelner. Siedząca przy stoliku Shirley, świadoma swego nietypowego osamotnienia, przypomniała sobie Mary Fairbrother na pogrzebie Barry'ego, wyprostowaną i wymizerowaną, spowitą wdowieństwem jak królewskim trenem. Żal, podziw. Straciwszy męża, Mary stała się milczącą, bierną odbiorczynią podziwu, podczas gdy Shirley, przykuta do męża, który ją zdradził, została zbrukana i stała się obiektem drwin...

(Dawno temu w Yarvil mężczyźni uczynili sobie z Shirley obiekt sprośnych żartów z powodu reputacji jej matki, mimo że sama Shirley była tak czysta, jak to tylko możliwe).

– Dziadek źle się czuje – mówiła Lexie do Andrew. – Z czym są te ciasta?

Pochylił się za ladą, ukrywając czerwoną twarz.

„Całowałem się z twoją mamą".

Andrew chciał wymigać się od pójścia do pracy. Bał się, że Howard z miejsca go zwolni za to, że całował się z jego synową, i z przerażeniem myślał, że Miles Mollison już go szuka i za chwilę wpadnie do kawiarni. Jednocześnie nie był aż tak naiwny, żeby nie wiedzieć, że to Samantha – która, jak pomyślał bezlitośnie, musiała być już dobrze po czterdziestce – wyjdzie na główną winowajczynię w tej historii. Jego linia obrony brzmiała prosto: „Nawaliła się i rzuciła się na mnie".

W jego zakłopotaniu migotała maleńka iskierka dumy. Nie mógł się doczekać, kiedy zobaczy Gaię. Chciał jej powiedzieć, że rzuciła się na niego dorosła kobieta. Miał nadzieję, że się z tego pośmieją, tak samo jak śmiali się z Maureen, ale że w głębi duszy jej to zaimponuje oraz że wśród tego całego śmiechu będzie miał okazję się dowiedzieć, co dokładnie Gaia robiła z Fatsem, jak daleko pozwoliła mu się posunąć. Był gotów jej wybaczyć. Też się nawaliła. Ale Gaia nie przyszła do pracy.

Ruszył po serwetkę dla Lexie i o mało się nie zderzył z żoną szefa, która stała za ladą, trzymając jego ampułkostrzykawkę z adrenaliną.

– Howard chciał, żebym coś sprawdziła – wyjaśniła mu Shirley. – Ta strzykawka nie powinna leżeć na wierzchu. Położę ją gdzieś z tyłu – dodała.

XII

W połowie paczki czekoladek Robbiemu okropnie zachciało się pić. Krystal nie kupiła mu żadnego napoju. Zgramolił się z ławki i przykucnął w ciepłej trawie, skąd nadal widział zarys sylwetki siostry, która była w krzakach z tym obcym chłopakiem. Po chwili zaczął zsuwać się do nich po skarpie.

– Pić – marudził.

– Wynoś się stąd, Robbie! – zawołała Krystal. – Idź na ławkę!

– Chce pić!

– Kurwa... Idź se płakać na ławce, za chwilę skombinuję ci coś do picia! Wynoś się stąd, Robbie!

Płacząc, wspiął się po śliskiej skarpie z powrotem w stronę ławki. Przyzwyczaił się, że nie dostaje tego, czego chce, i bywał nieposłuszny, bo nie da się dyskutować ze złością i zasadami dorosłych. Nauczył się korzystać z drobnych przyjemności, kiedy tylko nadarzała się okazja.

Zły na Krystal oddalił się trochę od ławki i ruszył ulicą. Chodnikiem szedł w jego stronę jakiś mężczyzna w okularach przeciwsłonecznych.

(Gavin zapomniał, gdzie zaparkował. Wyszedł z domu Mary i ruszył w dół Church Row. Dopiero kiedy zrównał się z domem Milesa i Samanthy, zdał sobie sprawę, że pomylił kierunki. Nie chcąc znowu przechodzić obok Fairbrotherów, wybrał okrężną drogę do mostu.

Zobaczył chłopca umazanego czekoladą, zaniedbanego i niezbyt ładnego i minął go, czując, że jego szczęście legło w gruzach, i trochę żałując, że nie może pójść do Kay, która w milczeniu utuliłaby go w ramionach... Zawsze była dla niego najczulsza, kiedy był smutny – właśnie dlatego zwrócił na nią uwagę).

Szum rzeki potęgował pragnienie Robbiego. Chłopiec znowu trochę popłakał, w końcu zawrócił i zaczął się oddalać od mostu, idąc w stronę miejsca, w którym schowała się Krystal. Krzaki zaczęły się trząść. Szedł dalej, chciało mu się pić, a potem po lewej stronie ulicy zauważył dziurę w długim żywopłocie. Zrównał się z nią i ujrzał boisko.

Przecisnął się przez dziurę i zaczął się przyglądać ogromnej zielonej przestrzeni otoczonej rozłożystymi kasztanowcami oraz dwóm bramkom. Robbie wiedział, gdzie jest, bo jego kuzyn Dane pokazał mu na placu zabaw, jak się kopie piłkę. Ale mały nigdy nie widział takiej ilości zieleni.

Przez boisko szła jakaś kobieta z założonymi rękami i pochyloną głową. (Samantha chodziła bez celu, tu i tam, byle jak najdalej od Church Row. Zadawała sobie wiele pytań i znalazła kilka odpowiedzi. Jedno z tych pytań dotyczyło tego, czy przypadkiem nie posunęła się zbyt daleko, mówiąc Milesowi o tym głupim, napisanym po pijaku liście, który wysłała w złości i który teraz wydawał się jej znacznie mniej sprytny...

Podniosła głowę i napotkała spojrzenie Robbiego. Dzieci często przeciskały się przez dziurę w żywopłocie, żeby pograć w piłkę w czasie weekendu. Jej córki też to robiły, kiedy były młodsze.

Wyszła przez bramę i skierowała się w stronę rynku. Przylgnęło do niej obrzydzenie do samej siebie i bez względu na to, jak bardzo starała się go pozbyć, nie chciało jej opuścić).

Robbie wydostał się przez tę samą dziurę w żywopłocie i poszedł kawałek chodnikiem za tą spacerującą panią, ale szybko zniknęła mu z oczu. Połowa czekoladek roztapiała mu się w dłoni, ale nie chciał ich wyrzucać. Nadal okropnie chciało mu się pić. Może Krystal już skończyła? Ruszył w przeciwną stronę.

Kiedy dotarł do pierwszej kępy krzaków nad rzeką, zauważył, że już się nie ruszają, więc pomyślał, że może podejść.

– Krystal – powiedział.

Ale w krzakach było pusto. Krystal zniknęła.

Robbie zaczął płakać i wołać Krystal. Wdrapał się z powrotem na brzeg i rozpaczliwie się rozglądał, ale nigdzie nie było jej widać.

– Krystal! – krzyknął.

Jakaś siwowłosa kobieta spojrzała na niego i zmarszczyła brwi, idąc pospiesznie chodnikiem po drugiej stronie.

Shirley zostawiła Lexie w Copper Kettle, bo wnuczce najwyraźniej się tam spodobało. Przechodząc przez rynek, zauważyła Samanthę – ostatnią osobę, którą miała ochotę spotkać – więc skręciła w przeciwną stronę.

Płacz i wołanie chłopczyka odbijały się za nią echem, gdy pospiesznie szła przed siebie. Mocno zaciskała dłoń na strzykawce w kieszeni. Nie miała zamiaru być obiektem sprośnych żartów. Chciała być czysta i budzić współczucie, tak jak Mary Fairbrother. Jej wściekłość stała się tak potężna i niebezpieczna, że Shirley nie była w stanie logicznie myśleć: pragnęła działać, wymierzyć karę, położyć kres.

Tuż przed starym kamiennym mostem zauważyła, że krzaki po lewej stronie lekko się trzęsą. Przyjrzała się i zobaczyła coś wstrętnego i plugawego, a to jeszcze bardziej ją zdopingowało.

XIII

Sukhvinder chodziła po Pagford dłużej niż Samantha. Wyszła z Old Vicarage tuż po tym, jak matka kazała jej iść do pracy, i od tej pory krążyła po ulicach, trzymając się z dala od niewidzialnych stref zagrożenia przy Church Row, na Hope Street i na rynku.

Miała w kieszeni prawie pięćdziesiąt funtów, które zarobiła w kawiarni i na przyjęciu, oraz żyletkę. Chciała zabrać także swoją książeczkę oszczędnościową, która leżała w małej szafce w gabinecie Vikrama, ale ojciec akurat siedział przy biurku. Przez chwilę stała na przystanku, z którego można było pojechać do Yarvil, zauważyła jednak idące chodnikiem Shirley i Lexie Mollison, więc szybko zeszła im z oczu.

Zdrada Gai okazała się brutalna i niespodziewana. Poderwać Fatsa Walla... Pewnie teraz, skoro ma Gaię, rzuci Krystal. Każdy chłopak rzuciłby dla Gai każdą dziewczynę, wiedziała o tym. Ale nie mogła iść do pracy i słuchać, jak jej sojuszniczka próbuje jej wmówić, że Fats jest naprawdę fajnym chłopakiem.

Zabzyczała jej komórka. Gaia przysłała jej już dwa SMS-y.

Jak bardzo się wczoraj nawaliłam? Idziesz do pracy?

Ani słowa o Fatsie Wallu. Ani słowa o całowaniu się z oprawcą Sukhvinder. W drugim SMS-ie pytała:

Wszystko OK?

Sukhvinder wsadziła komórkę z powrotem do kieszeni. Mogła pójść w stronę Yarvil i złapać autobus za miastem, gdzie nikt by jej nie zobaczył. Rodzice zauważyliby jej zniknięcie dopiero o wpół do szóstej, bo wtedy miała wrócić z kawiarni.

Kiedy tak szła, zgrzana i zmęczona, w jej głowie zrodził się desperacki plan: gdyby udało się jej znaleźć miejsce, w którym można przenocować za mniej niż pięćdziesiąt funtów... Chciała jedynie zostać sama i puścić w ruch żyletkę.

Maszerowała wzdłuż rzeki Orr. Gdyby przeszła przez most, mogłaby dojść boczną uliczką aż na początek obwodnicy.

– Robbie! Robbie! Gdzie jesteś!?

To była Krystal Weedon. Biegała nad rzeką tam i z powrotem. Fats Wall palił papierosa i trzymając rękę w kieszeni, patrzył na biegającą Krystal.

Sukhvinder skręciła w prawo, na most, przerażona, że któreś z nich mogłoby ją zauważyć. Krzyki Krystal odbijały się echem od szumiącej wody.

Sukhvinder zauważyła coś w rzece.

Zanim zdążyła pomyśleć, jej ręce znalazły się na rozgrzanej kamiennej półce, a potem podciągnęła się na krawędź mostu i zawołała:

– Jest w wodzie, Krys!

Po czym wskoczyła do rzeki, nogami w dół. Gdy prąd wciągnął ją pod powierzchnię, rozbity monitor komputera rozciął jej nogę.

XIV

Shirley otworzyła drzwi sypialni i zobaczyła tylko dwa puste łóżka. Sprawiedliwość wymagała Howarda pogrążonego we śnie. Pomyślała, że będzie musiała mu poradzić, żeby się położył.

Ale ani z kuchni, ani z łazienki nie dobiegał żaden dźwięk. Shirley bała się, że wracając do domu wzdłuż rzeki, minęła się z mężem. Pewnie się ubrał i wyszedł do pracy. Może już stał z Maureen na zapleczu i rozmawiali o niej. Może planował się z nią rozwieść i poślubić Maureen, skoro gra była skończona i nie musieli dłużej zachowywać pozorów.

Prawie wbiegła do salonu z zamiarem zadzwonienia do Copper Kettle. Ubrany w piżamę Howard leżał na dywanie.

Miał fioletową twarz i wytrzeszczone oczy. Z jego ust wydobywało się lekkie rzężenie. Drżącą ręką trzymał się za serce. Góra od piżamy podciągnęła się. Shirley zobaczyła dokładnie to parchate, czerwone miejsce, w którym zamierzała zatopić igłę.

Howard wpatrywał się w nią z milczącym błaganiem w oczach.

Shirley gapiła się na niego z przerażeniem, a potem wybiegła z pokoju. Najpierw schowała ampułkostrzykawkę z adrenaliną w słoju na herbatniki, potem ją stamtąd wyjęła i wsunęła za książki kucharskie.

Biegiem wróciła do salonu, złapała słuchawkę i wystukała 999.

– Pagford? To po drodze do Orrbank Cottage, prawda? Karetka już jedzie.

– Och, dziękuję, dzięki Bogu – powiedziała Shirley. Już miała odłożyć słuchawkę, kiedy zdała sobie sprawę, co właśnie usłyszała, i krzyknęła: – Nie, nie, nie na Orrbank Cottage...

Ale dyspozytor już się rozłączył i musiała wybrać numer jeszcze raz. Ogarnęła ją taka panika, że upuściła słuchawkę. Na dywanie tuż obok rzężenie Howarda coraz bardziej słabło.

– Nie, nie na Orrbank Cottage! – krzyknęła. – Evertree Crescent trzydzieści sześć, Pagford. Mój mąż ma zawał...

XV

Miles Mollison wybiegł z domu w kapciach i popędził stromym chodnikiem do Old Vicarage za rogiem. Lewą ręką walił w grube dębowe drzwi, a prawą próbował wystukać numer żony.

– Słucham? – zapytała Parminder, otwierając drzwi.

– Mój tato – wydyszał Miles – ... znowu atak serca... mama zadzwoniła po pogotowie... pomożesz? Proszę, pomóż.

Parminder szybko cofnęła się do przedpokoju i w myślach już sięgała po torbę lekarską, gdy nagle zastygła w bezruchu.

– Nie mogę. Zostałam zawieszona, Miles. Nie mogę.

– Żartujesz... proszę... Karetka przyjedzie dopiero za...

– Nie mogę, Miles – powtórzyła.

Zawrócił i wybiegł przez otwartą bramę. Z daleka zobaczył Samanthę, która szła po ich ścieżce w ogrodzie. Zawołał ją łamiącym się głosem, a ona odwróciła się zaskoczona. W pierwszej chwili pomyślała, że mąż panikuje z jej powodu.

– Tata... zasłabł... jedzie karetka... cholerna Parminder Jawanda nie chce pomóc...

– Mój Boże – powiedziała Samantha. – O mój Boże.

Popędzili do samochodu i pojechali na wzgórze. Miles w kapciach, a Samantha w drewniakach, od których jej stopy pokryły się pęcherzami.

– Miles, słuchaj, słychać syrenę... Już tu są...

Ale gdy skręcili w Evertree Crescent, nie było widać żadnej karetki, a syrena już ucichła.

Półtora kilometra dalej Sukhvinder Jawanda siedziała pod wierzbą i wymiotowała na trawę wodą z rzeki, a jakaś starsza pani owijała ją kocami, które były już tak samo przemoczone jak ubranie Sukhvinder. Kawałek dalej człowiek, który wyszedł z psem na spacer i wyciągnął Sukhvinder z rzeki za włosy i bluzę od dresu, pochylał się nad małym bezwładnym ciałkiem.

Sukhvinder czuła, że Robbie szarpał się w jej ramionach, lecz może to tylko okrutny prąd rzeczny próbował jej go wyrwać? Była dobrą pływaczką, ale rzeka Orr wciągnęła ją pod powierzchnię i ciskała nią na prawo i lewo. Sukhvinder była bezradna. Zniosło ją w stronę zakola, ku brzegowi, i wtedy zdołała krzyknąć, a potem zobaczyła mężczyznę z psem, biegnącego do niej wzdłuż brzegu...

– Niedobrze – powiedział mężczyzna, który przez dwadzieścia minut próbował ocucić Robbiego. – Umarł.

Sukhvinder rozpłakała się i osunęła na zimną, mokrą ziemię, trzęsąc się gwałtownie. Wtedy dotarł do nich dźwięk syreny – za późno.

Przy Evertree Crescent ratownicy medyczni mieli ogromne trudności z umieszczeniem Howarda na noszach. Musieli im pomóc Miles i Samantha.

– Pojedziemy za karetką samochodem, ty jedź z tatą! – krzyknął Miles do Shirley, która wydawała się oszołomiona i nie chciała wsiąść do karetki.

Maureen właśnie pożegnała ostatniego klienta kawiarni. Stanęła na progu i zaczęła nasłuchiwać.

– Mnóstwo syren – rzuciła przez ramię do wyczerpanego Andrew, który wycierał stoliki. – Coś musiało się stać.

I wzięła głęboki oddech, jakby miała nadzieję, że w ciepłym popołudniowym powietrzu wyczuje cierpką woń katastrofy.

Część szósta

Słabe punkty organów powoływanych z inicjatywy własnej

22.23. Najsłabsze punkty takich organów to to, że trudno je powołać, są podatne na rozpad...

Charles Arnold-Baker
Administracja samorządowa (wyd. 7)

I

Wiele, wiele razy Colin Wall wyobrażał sobie, jak policja puka do jego drzwi. W końcu przyjechali: w niedzielę wieczorem, o zmierzchu. Kobieta i mężczyzna. Ale nie po to, żeby aresztować Colina – interesował ich jego syn.

Doszło do śmiertelnego wypadku i „Stuart, zgadza się?" był świadkiem.

– Czy syn jest w domu?

– Nie – powiedziała Tessa. – O mój Boże... Robbie Weedon... Ale przecież on mieszka w Fields... Co tutaj robił?

Policjantka uprzejmie wyjaśniła przebieg wydarzeń ustalony przez policję. Użyła sformułowania: „nastolatki spuściły go z oka".

Tessa myślała, że zemdleje.

– Nie wiedzą państwo, gdzie jest Stuart? – zapytał policjant.

– Nie – powiedział Colin. Twarz mu się wyciągnęła i poszarzała. – Gdzie go widziano po raz ostatni?

– Kiedy podjechał nasz kolega, Stuart... no cóż, najwyraźniej uciekł.

– O mój Boże – powtórzyła Tessa.

Colin zadzwonił do Fatsa na komórkę.

– Nie odbiera telefonu – oznajmił spokojnie. – Będziemy musieli go poszukać.

Colin przygotowywał się do katastrofy przez całe życie. Nie zaskoczyła go. Sięgnął po płaszcz.

– Spróbuję zadzwonić do Arfa – powiedziała Tessa, biegnąc do telefonu.

Do Hilltop House, który stał odizolowany, górując nad miastecz-kiem, nie dotarła jeszcze wieść o tragedii. Komórka Andrew zadzwoniła w kuchni.

– ...łucham – odezwał się z ustami pełnymi grzanki.

– Andy, mówi Tessa Wall. Jest z tobą Stu?

– Nie – powiedział. – Przykro mi.

Ale wcale nie było mu przykro, że nie miał przy sobie Fatsa.

– Stało się coś złego, Andy. Stu był nad rzeką z Krystal Weedon, która przyprowadziła swojego braciszka, i chłopczyk się utopił. Stu dokądś... uciekł. Nie wiesz, gdzie może być?

– Nie – odrzekł odruchowo Andrew, bo tak nakazywał kodeks jego i Fatsa. Nic nie mówić rodzicom.

Ale okropność tego, co właśnie powiedziała Tessa, podpełzła do niego przez telefon jak lepka mgła. Nagle wszystko straciło ostrość, stało się mniej pewne. Tessa odkładała słuchawkę.

– Niech pani zaczeka – powiedział. – Chyba wiem... Jest takie miejsce nad rzeką...

– Nie wydaje mi się, żeby poszedł teraz nad rzekę.

Mijały sekundy, a Andrew był coraz bardziej pewny, że Fats jest w Prze-gródku.

– Żadne inne miejsce nie przychodzi mi do głowy.

– Powiedz mi, gdzie...

– Będę musiał pani pokazać.

– Przyjadę po ciebie za dziesięć minut! – zawołała.

Colin już przeszukiwał ulice Pagford piechotą. Tessa wjechała nissa-nem po krętej drodze wiodącej na wzgórze i zastała Andrew czekającego na skrzyżowaniu, przy którym zazwyczaj wsiadał do autobusu. Kazał jej jechać w stronę miasta. W półmroku słabo świeciły uliczne latarnie.

Zaparkowali przy drzewach, gdzie Andrew zazwyczaj rzucał kolarzów-kę Simona. Tessa wysiadła z samochodu i poszła za Andrew na brzeg rzeki zdziwiona i wystraszona.

– Nie ma go tu – powiedziała.

– To miejsce jest tam – odparł Andrew, wskazując ciemną ścianę wzgórza Pargetter spadającą prosto do rzeki i wąskie przejście nad wartko płynącą wodą.

– To znaczy gdzie? – zapytała przerażona Tessa.

Andrew od początku wiedział, że niska i pulchna matka Fatsa nie będzie w stanie za nim pójść.

– Sam to sprawdzę – powiedział. – Niech pani tu zaczeka.

– Ale to zbyt niebezpieczne! – zawołała, przekrzykując szum wartkiej rzeki.

Zignorował ją i zaczął szukać znajomych punktów oparcia dla rąk i nóg. Kiedy centymetr po centymetrze przesuwał się po wąziutkiej półce skalnej, obojgu przyszła do głowy ta sama myśl: że Fats mógł spaść albo wskoczyć do rzeki grzmiącej teraz tak blisko stóp Andrew.

Tessa stała na brzegu, dopóki Andrew nie zniknął jej z oczu, a potem się odwróciła, próbując powstrzymać płacz, na wypadek gdyby Stuart rzeczywiście tam był i musiała z nim spokojnie porozmawiać. Po raz pierwszy zastanowiła się, gdzie jest Krystal. Policjanci nic o tym nie wspomnieli, a przeraźliwy strach o Fatsa przysłonił jej wszystkie inne zmartwienia...

„Boże, proszę, pozwól mi znaleźć Stuarta – modliła się. – Proszę, Boże, pozwól mi znaleźć Stuarta".

Potem wyjęła komórkę z kieszeni rozpinanego swetra i zadzwoniła do Kay Bawden.

– Nie wiem, czy słyszałaś! – zawołała, przekrzykując pędzącą wodę, a potem opowiedziała Kay całą historię.

– Ale ja już nie jestem jej opiekunką socjalną – powiedziała Kay.

Siedem metrów dalej Andrew dotarł do Przegródka. W środku było ciemno choć oko wykol. Jeszcze nigdy nie był tu o tak późnej porze. Wskoczył do środka.

– Fats?

Usłyszał, że w głębi jamy coś się rusza.

– Fats? Jesteś tu?

– Masz ogień, Arf? – odezwał się zmieniony nie do poznania głos.

– Upuściłem pieprzone zapałki.

Andrew pomyślał, żeby od razu krzyknąć do Tessy, ale przecież nie wiedziała, ile czasu potrzeba na dotarcie do Przegródka. Mogła jeszcze chwilę zaczekać.

Podał zapalniczkę. W świetle pełgającego płomienia zobaczył, że twarz jego przyjaciela zmieniła się prawie tak samo jak jego głos. Fats miał spuchnięte oczy. Cały był spuchnięty.

Płomień zgasł. Koniuszek papierosa Fatsa żarzył się w ciemności.

– Jej brat nie żyje, prawda?

Andrew nie zdawał sobie sprawy, że Fats nie wie.

– Tak – powiedział, a potem dodał: – Tak mi się wydaje. Tak... tak słyszałem.

Zapadła cisza, a później w ciemności do Andrew dotarł cichy kwik przywodzący na myśl prosię.

– Proszę pani! – zawołał Andrew, wysuwając głowę z jamy najdalej, jak się dało, tak żeby poprzez szum rzeki nie słyszeć łkania Fatsa. – Proszę pani, jest!

II

Policjantka była delikatna i miła. W zagraconym domku nad rzeką zimna woda przemoczyła już koce, obite perkalem krzesła i wytarte dywany. Jego właścicielka, starsza pani, przyniosła termofor i kubek gorącej herbaty, którego Sukhvinder nie mogła podnieść, bo trzęsła się jak wiertarka. Wcześniej wypluła z siebie strzępy informacji: swoje nazwisko, nazwisko Krystal i nazwisko martwego chłopczyka, którego wnosili do karetki. Człowiek z psem, który wyciągnął ją z rzeki, był przygłuchy. Składał zeznanie w sąsiednim pokoju i Sukhvinder nie mogła znieść jego wykrzykiwanej relacji. Wcześniej przywiązał psa do drzewa pod oknem i zwierzę uparcie skomlało.

Potem policjanci zadzwonili po jej rodziców, którzy natychmiast przyjechali. Parminder przewróciła stolik i roztrzaskała jedną z porcelanowych ozdób starszej pani, kiedy szła przez pokój, niosąc czyste ubranie. W maleńkiej łazience zauważyła głębokie brudne rozcięcie na nodze córki, które naznaczyło puszysty dywanik łazienkowy czarnymi kropkami. Na widok rany Parminder krzyknęła do Vikrama, który głośno dziękował wszystkim w przedpokoju, że muszą zabrać Sukhvinder do szpitala.

W samochodzie Sukhvinder jeszcze raz zwymiotowała, a jej matka, która siedziała przy niej z tyłu, wytarła ją z wymiocin. Przez całą drogę rodzice głośno mówili. Ojciec ciągle się powtarzał, mówiąc rzeczy w rodzaju: „będzie potrzebowała czegoś na uspokojenie" i „ta rana na pewno wymaga szycia". Parminder, która siedziała obok trzęsącej się i wymiotującej córki, bez przerwy mówiła: „Mogłaś zginąć. Mogłaś zginąć".

Sukhvinder czuła się tak, jakby nadal była pod wodą. Znajdowała się gdzieś, gdzie nie mogła oddychać. Spróbowała przebić się przez to wszystko, chciała, żeby ją usłyszeli.

– Czy Krystal wie, że on nie żyje? – zapytała, szczękając zębami.

Parminder musiała kilka razy prosić, żeby powtórzyła pytanie.

– Nie wiem – odpowiedziała w końcu. – Mogłaś zginąć, Jolly.

W szpitalu znowu kazali jej się rozebrać i za parawan weszła z nią matka. Dopiero na widok przerażenia na jej twarzy Sukhvinder zdała sobie sprawę ze swojego błędu – zbyt późno.

– Mój Boże – powiedziała Parminder, chwytając ją za przedramię. – Mój Boże. Coś ty sobie zrobiła?

Sukhvinder zabrakło słów, więc pozwoliła sobie ulec łzom i niekontrolowanym drgawkom. Vikram krzyknął, żeby wszyscy, łącznie z Parminder, zostawili jego córkę w spokoju i pospieszyli się, do cholery, bo jej rana wymaga oczyszczenia i zszycia, trzeba podać środki uspokajające, zrobić prześwietlenie...

Później położyli ją do łóżka, a rodzice usiedli po obu stronach i głaskali ją po rękach. Było jej ciepło i niczego nie czuła, nawet bólu w nodze. Za oknami zrobiło się już ciemno.

Sukhvinder usłyszała, jak jej matka mówi do ojca:

– Howard Mollison znowu miał zawał. Miles chciał, żebym do niego poszła.

– Bezczelny typ – powiedział Vikram.

Ku sennemu zaskoczeniu Sukhvinder nie powiedzieli o Howardzie Mollisonie już nic więcej. Jedynie nadal głaskali ją po rękach, aż w końcu, po chwili, zasnęła.

Na drugim końcu budynku, w obskurnym niebieskim pomieszczeniu z plastikowymi krzesłami i akwarium w kącie, Miles i Samantha siedzieli po obu stronach Shirley, czekając na wieści z sali operacyjnej. Miles nadal miał na nogach kapcie.

– Nie mogę uwierzyć, że Parminder Jawanda nie chciała pomóc – powiedział po raz enty łamiącym się głosem.

Samantha wstała, okrążyła Shirley i objęła Milesa, całując jego gęste, przyprószone siwizną włosy, wdychając jego znajomy zapach.

– To dla mnie żadne zaskoczenie – powiedziała Shirley piskliwym zduszonym głosem. – Wcale nie jestem zdziwiona. Potworność.

Atak na znajome cele był tym, co zostało z jej dawnego życia i dawnych pewników. Szok odebrał jej prawie wszystko: nie wiedziała już, w co wierzyć ani nawet na co mieć nadzieję. Mężczyzna leżący na stole operacyjnym nie był tym, którego poślubiła. Gdyby mogła wrócić do tego szczęśliwego miejsca wypełnionego pewnością, do czasów sprzed przeczytania tego paskudnego wpisu...

Może powinna była zamknąć tę stronę internetową. Zlikwidować całą tablicę ogłoszeń. Bała się, że Duch może wrócić, że znowu powie coś okropnego...

Miała ochotę natychmiast pójść do domu i to zrobić. Przy okazji mogłaby raz na zawsze zniszczyć ampułkostrzykawkę z adrenaliną...

„Widział ją... Wiem, że ją widział..."

„Ale przecież nigdy bym tego nie zrobiła, naprawdę. Nie zrobiłabym tego. Byłam przygnębiona. Nigdy bym tego nie zrobiła..."

A jeśli Howard przeżyje i jego pierwsze słowa będą brzmiały: „Kiedy mnie zobaczyła, wybiegła z pokoju. Nie od razu wezwała karetkę. Trzymała wielką strzykawkę..."?

„Powiem, że wskutek zawału ucierpiał jego mózg" – pomyślała buntowniczo.

A jeśli umrze...

Obok Samantha przytulała Milesa. Shirley się to nie spodobało: to o n a powinna była się znaleźć w centrum uwagi, to jej mąż leżał na bloku operacyjnym i walczył o życie. Chciała być jak Mary Fairbrother: rozpieszczaną i podziwianą, tragiczną bohaterką. Nie tak to sobie wyobrażała...

– Shirley?

Do pokoju wpadła Ruth Price w pielęgniarskim fartuchu. Na jej chudej zrozpaczonej twarzy malowało się współczucie.

– Właśnie się dowiedziałam... Musiałam przyjść... Shirley, to straszne, tak mi przykro.

— Ruth, moja droga — powiedziała Shirley, wstając i pozwalając się przytulić. — To takie miłe. Takie miłe.

Shirley spodobała się chwila, w której przedstawiała swoją zatrudnioną w szpitalu przyjaciółkę Milesowi i Samancie, oraz to, że mogła przyjąć w ich obecności wyrazy współczucia i uprzejme słowa. Przedsmak tego, co wyobrażała sobie jako wdowieństwo...

Ale po chwili Ruth musiała biec do pracy, a Shirley wróciła na plastikowe krzesło i do swoich nieprzyjemnych myśli.

— Wyjdzie z tego — mruczała Samantha do Milesa, który położył głowę na jej ramieniu. — Jestem pewna, że się wyliże. Poprzednim razem mu się udało.

Shirley patrzyła na jaskrawe jak neony rybki śmigające w akwarium. Żałowała, że nie może cofnąć czasu. Przyszłość jawiła się jej jako pustka.

— Czy ktoś zadzwonił do Mo? — zapytał po chwili Miles, wycierając oczy wierzchem dłoni, a drugą ściskając Samanthę za kolano. — Mamo, chcesz, żebym...?

— Nie — powiedziała ostro Shirley. — Zaczekamy... aż będzie wiadomo.

Piętro wyżej ciało Howarda Mollisona wylewało się ze stołu operacyjnego. Jego pierś została szeroko otwarta, ukazując ruiny dzieła Vikrama Jawandy. Dziewiętnaście osób pracowało, żeby naprawić zniszczenia, a maszyny, do których podłączono Howarda, wydawały ciche nieustępliwe dźwięki, potwierdzając, że pacjent nadal żyje.

Znacznie niżej, w trzewiach szpitala, zamrożone i białe ciało Robbiego Weedona leżało w kostnicy. Nikt mu nie towarzyszył w drodze do szpitala i nikt go nie odwiedził, kiedy spoczywał w metalowej szufladzie.

III

Andrew nie chciał, żeby Tessa odwiozła go z powrotem do Hilltop House, więc w samochodzie zostali tylko ona i Fats.

— Nie chcę jechać do domu — powiedział Fats.

— W porządku — odparła Tessa i jechała dalej, rozmawiając z Colinem przez komórkę. — Już jest ze mną... Andy go znalazł. Wrócimy za jakiś czas... Tak... Tak, dobrze...

Po twarzy Fatsa płynęły łzy. Ciało go zdradzało. Dokładnie tak jak wtedy, gdy ku jego przerażeniu gorący mocz popłynął mu po nodze na widok wściekłego Simona Price'a. Teraz gorąca słona ciecz spływała mu po brodzie i spadała na pierś jak krople deszczu.

Ciągle wyobrażał sobie pogrzeb. Maleńką trumienkę.

Nie chciał tego robić w pobliżu chłopca.

Czy kiedykolwiek pozbędzie się ciężaru martwego dziecka?

– Więc uciekłeś – powiedziała chłodno Tessa, przebijając się przez jego łzy.

Modliła się, żeby odnalazł się żywy, ale teraz wśród jej uczuć dominowało obrzydzenie. Widok jego łez wcale nie zmiękczył jej serca. Przywykła do męskich łez. W pewnym sensie czuła wstyd, że jednak nie rzucił się do rzeki.

– Kryształ powiedziała policji, że byliście w krzakach. Zostawiliście go bez opieki, prawda?

Fats zaniemówił. Nie mógł uwierzyć w jej okrucieństwo. Czy nie rozumiała tego żalu, który w nim szalał, tego przerażenia, poczucia, że został skażony?

– No cóż, mam nadzieję, że faktycznie ją zapłodniłeś – powiedziała Tessa. – Przynajmniej będzie miała kogoś, dla kogo warto żyć.

Ilekroć pokonywali zakręt, myślał, że matka wiezie go do domu. Wcześniej najbardziej bał się Przegródki, ale ona okazała się niewiele lepsza. Chciał wyskoczyć z samochodu, lecz zaryglowała drzwi.

Bez ostrzeżenia gwałtownie odbiła w bok i zahamowała. Fats, ściskając fotel, zobaczył, że znaleźli się w zatoczce na obwodnicy Yarvil. Wystraszony, że matka każe mu wysiąść, obrócił do niej napuchniętą twarz.

– Twoja biologiczna matka – powiedziała, patrząc na niego tak, jak nie patrzyła nigdy wcześniej: bez żalu i czułości – miała czternaście lat. Na podstawie tego, co nam powiedziano, doszliśmy do wniosku, że pochodziła z klasy średniej i była dość inteligentną dziewczyną. Kategorycznie odmówiła ujawnienia tożsamości ojca dziecka. Nikt nie wiedział, czy próbuje chronić niepełnoletniego chłopaka, czy może ukryć coś gorszego. Powiedziano nam o tym wszystkim na wypadek, gdybyś miał jakieś wady umysłowe albo fizyczne. Na wypadek, gdyby się okazało – wyjaśniła jak nauczycielka próbująca podkreślić coś, co na pewno znajdzie się w teście – że jesteś owocem kazirodztwa.

Skulił się i odsunął od niej. Wolałby, żeby go zastrzeliła.

– Rozpaczliwie chciałam cię adoptować – ciągnęła. – Rozpaczliwie. Ale tata był bardzo chory. Powiedział: „Nie dam rady. Boję się, że skrzywdzę to dziecko. Zanim to zrobimy, muszę się wyleczyć, bo nie mogę się leczyć i jednocześnie opiekować małym dzieckiem". Ja jednak byłam tak zdeterminowana, że skłoniłam go do kłamstwa. Powiedział pracownikom socjalnym, że nic mu nie jest, udawał szczęśliwego i normalnego. Przynieśliśmy cię do domu. Byłeś maleńkim wcześniakiem. Pięć dni później tata wymknął się w nocy z łóżka, poszedł do garażu, nałożył wąż na rurę wydechową i próbował się zabić, bo był pewny, że cię udusił. O mało nie umarł. Więc możesz winić mnie za to, że od początku nie układa ci się z ojcem. Zresztą chyba możesz mnie winić za wszystko, co się wydarzyło od tamtej pory. Jednak coś ci powiem, Stuart. Twój ojciec przez całe życie zmaga się z czymś, czego nigdy nie zrobił. Nie sądzę, żebyś zrozumiał, jaka to wielka odwaga. Ale – jej głos wreszcie się załamał i Fats usłyszał matkę taką, jaką znał – on cię kocha.

Dorzuciła kłamstwo, bo nie mogła się powstrzymać. Po raz pierwszy była pewna, że to jest kłamstwo i że wszystko, co robiła w życiu, wmawiając sobie, że tak będzie najlepiej, było jedynie ślepym samolubstwem wywołującym wszędzie wokół zamęt i bałagan.

„Ale kto mógłby żyć z wiedzą o tym, które dokładnie gwiazdy już umarły – pomyślała, patrząc na nocne niebo i mrugając. – Czy ktokolwiek zniósłby myśl, że wszystkie są już martwe?"

Przekręciła kluczyk w stacyjce, wrzuciła bieg i znaleźli się z powrotem na obwodnicy.

– Nie chcę jechać do Fields – powiedział przerażony Fats.

– Nie jedziemy do Fields – odparła. – Zabieram cię do domu.

IV

Policja w końcu znalazła Krystal Weedon, która bezradnie biegała wzdłuż brzegu rzeki na skraju Pagford i ochrypłym głosem wołała braciszka. Policjantka, która do niej podeszła, zwróciła się do niej po imieniu i próbowała delikatnie przekazać wieść o śmierci Robbiego, ale Krystal ciągle ją odpychała i w końcu kobieta musiała prawie siłą zaciągnąć dziewczynę do samochodu. Krystal nie zauważyła, jak wcześniej Fats rozpłynął się w zaroślach. Przestał dla niej istnieć.

Policja zawiozła Krystal do domu, ale kiedy funkcjonariusze zapukali do drzwi, Terri nie chciała otworzyć. Zauważyła ich z okna na piętrze i pomyślała, że Krystal dopuściła się niewyobrażalnej i niewybaczalnej rzeczy: powiedziała psom o pełnych haszu torbach Obbo. Wtaszczyła ciężkie torby na górę, słysząc, jak policja wali do drzwi, i otworzyła, dopiero kiedy uznała, że nie da się tego uniknąć.

– Czego!? – krzyknęła przez dwucentymetrową szparę w drzwiach.

Policjantka prosiła trzy razy, żeby Terri ich wpuściła, ale ona odmawiała i dalej się dopytywała, czego chcą. Kilku sąsiadów zaczęło wyglądać przez okna. Nawet kiedy policjantka powiedziała: „Chodzi o pani syna Robbiego", Terri nie zdawała sobie sprawy, co ją czeka.

– Z nim w porządku. Nic mu nie jest. Jest z Krystal.

Ale potem zobaczyła Krystal, która nie chciała zostać w radiowozie i stanęła w połowie ścieżki. Wzrok Terri zsunął się po ciele córki do miejsca, w którym powinien stać wtulony w siostrę Robbie, wystraszony obecnością obcych ludzi.

Terri wypadła z domu jak furia, z palcami rozczapierzonymi jak szpony. Policjantka musiała ją złapać wpół i odciągnąć od Krystal, której matka chciała zmasakrować twarz.

– Ty suko, ty suko, co zrobiłaś Robbiemu!?

Krystal ominęła szamoczące się kobiety, wbiegła do domu i zatrzasnęła za sobą drzwi.

– Ja pierdolę – mruknął pod nosem policjant.

Wiele kilometrów dalej, przy Hope Street, Kay i Gaia Bawden stały naprzeciw siebie w ciemnym przedpokoju. Obie były za niskie, żeby wymienić żarówkę, która przepaliła się dawno temu, a nie miały drabiny. Cały dzień kłóciły się i prawie się pogodziły, a potem znowu zaczęły się kłócić. W końcu, w chwili kiedy już się wydawało, że pojednanie jest na wyciągnięcie ręki, kiedy Kay przyznała, że też nienawidzi Pagford, że popełniła błąd i że postara się wrócić do Londynu, zadzwoniła jej komórka.

– Utonął brat Krystal Weedon – szepnęła Kay, rozłączywszy się z Tessą.

– Aha – powiedziała Gaia. Wiedząc, że powinna wyrazić smutek, ale bojąc się, że rozmowa o Londynie zostanie przerwana, zanim matka podejmie wyraźne zobowiązanie, dodała cichym, spiętym głosem: – To smutne.

– To się stało tutaj, w Pagford. Przy moście. Krystal była z synem Tessy Wall.

Gaia poczuła jeszcze większy wstyd, że dała się pocałować Fatsowi Wallowi. Smakował paskudnie, piwem i papierosami, i próbował ją obmacywać. Była warta kogoś znacznie lepszego niż Fats Wall, wiedziała o tym. Czułaby się lepiej, gdyby chodziło o Andy'ego Price'a. Sukhvinder przez cały dzień nie odbierała od niej telefonów.

– Ona kompletnie się załamie – powiedziała Kay wpatrzona w dal.

– Ale chyba nic na to nie możesz poradzić, prawda?

– No wiesz... – zaczęła Kay.

– O nie! – zawołała Gaia. – Zawsze to samo! Już nie jesteś jej opiekunką socjalną! – Tupnęła nogą tak jak wtedy, kiedy była mała, i krzyknęła: – A co ze mną!?

Policjanci z Foley Road już zadzwonili do obecnej opiekunki socjalnej. Terri miotała się, krzyczała i niezdarnie waliła w drzwi, za którymi rozlegały się odgłosy przysuwania mebli i tworzenia barykady. Sąsiedzi wychodzili z domów, zafascynowani upadkiem Terri. W jakiś sposób przyczyna tego zamieszania dotarła do nich za pośrednictwem chaotycznych wrzasków Terri i postawy złowieszczych policjantów.

– Chłopiec nie żyje – szło z ust do ust.

Nikt nie podszedł, żeby pocieszyć albo uspokoić Terri. Terri Weedon nie miała przyjaciół.

– Jedź ze mną – poprosiła Kay zbuntowaną córkę. – Wejdę do domu i zobaczę, czy mogę jakoś pomóc. Dobrze się dogadywałam z Krystal. Ona nie ma nikogo.

– Założę się, że kiedy to się stało, pieprzyła się z Fatsem! – zawołała Gaia, ale to był jej ostatni protest.

Kilka minut później wsiadała do starego vauxhalla Kay, ciesząc się mimo wszystko, że matka poprosiła ją, żeby jej towarzyszyła.

Ale zanim wjechały na obwodnicę, Krystal znalazła to, czego szukała: torebkę heroiny ukrytą w suszarce nad zlewem, drugą z dwóch przyniesionych przez Obbo w zamian za zegarek Tessy Wall. Zaniosła ją razem ze sprzętem Terri do łazienki, jedynego pomieszczenia, które miało zamek w drzwiach.

Jej ciotka Cheryl najwidoczniej dowiedziała się, co zaszło, bo Krystal usłyszała jej charakterystyczny chropawy wrzask wtórujący krzykom Terri, który dobiegał nawet przez dwoje drzwi.

– Otwieraj, ty mała suko! Pokaż się matce!

Policjanci też krzyczeli, próbując przekrzyczeć obie kobiety.

Krystal nigdy wcześniej nie dawała w żyłę, ale wiele razy widziała, jak to się robi. Wiedziała, co to jest zawijas, i umiała zrobić miniaturowy wulkan, wiedziała, jak podgrzać łyżeczkę, i że jest potrzebna malutka kulka z waty, którą należało nasączyć rozpuszczoną herą i wykorzystać jako filtr podczas napełniania strzykawki. Wiedziała, że najlepiej znaleźć żyłę w zgięciu łokciowym, że trzeba ustawić igłę płasko przy skórze. Wiedziała też – bo słyszała to wiele razy – że nowicjusze nie wytrzymują dawki, z którą radzą sobie uzależnieni. Jej to odpowiadało, bo nie chciała wytrzymać.

Robbie zginął i ona była temu winna. Próbując go ocalić, zabiła go. Kiedy palce robiły to, co należało zrobić, przez jej umysł przemykały różne obrazy. Pan Fairbrother w dresie biegnący wzdłuż kanału za wiosłującą osadą. Twarz babci Cath targana bólem i miłością. Robbie wyglądający jej przez okno w domu rodziców zastępczych, nienaturalnie czysty, podskakujący z radości, kiedy szła do frontowych drzwi...

Słyszała, jak policjant woła przez szparę na listy, żeby przestała się wygłupiać, a policjantka próbuje uciszyć Terri i Cheryl.

Igła z łatwością wślizgnęła się w żyłę. Krystal mocno wcisnęła tłok, z nadzieją i bez żalu.

Zanim przyjechały Kay i Gaia, a policja postanowiła wyważyć drzwi, Krystal Weedon osiągnęła swój jedyny cel: dołączyła do brata, tam gdzie nikt nie mógł ich rozdzielić.

Część siódma

Pomoc ubogim

13.5. Dary dla ubogich (...) są chwalebne, nawet jeśli któryś z nich przez przypadek daje korzyść bogatym...

Charles Arnold-Baker
Administracja samorządowa (wyd. 7)

Prawie trzy tygodnie po tym, jak w sennym miasteczku Pagford rozwyły się syreny, w słoneczny kwietniowy poranek Shirley Mollison stała sama w sypialni, patrząc spod przymrużonych powiek na swoje odbicie w lustrze w szafie. Po raz ostatni poprawiała sukienkę przed jedną ze swoich codziennych wizyt w szpitalu South West General. Pasek zapinał się o jedną dziurkę ciaśniej niż przed dwoma tygodniami, jej siwe włosy domagały się przystrzyżenia, a grymas będący reakcją na jaskrawe promienie słońca, które wpadały do pokoju, mógłby być jednocześnie prostym wyrazem jej nastroju.

Shirley chodziła szpitalnymi korytarzami od roku, pchając wózek z biblioteki, nosząc podkładkę z klipsem i pielęgnując kwiaty, ale nigdy nie przyszło jej do głowy, że mogłaby zostać jedną z tych nieszczęsnych wymiętych kobiet, które siedziały przy łóżkach, bo ich życie wypadło z toru, a mężowie stali się pokonani i słabi. Howard nie wrócił do zdrowia tak szybko jak przed siedmioma laty. Nadal był podłączony do popiskujących maszyn, zamknięty w sobie i słaby, szary na twarzy, płaczliwy i uzależniony od innych. Czasami udawała, że musi wyjść do toalety, byle tylko uciec przed jego złowrogim spojrzeniem.

Kiedy podczas wizyt w szpitalu towarzyszył jej Miles, mogła zamilknąć i pozwolić mówić synowi, więc mówił, ciągnąc nieprzerwany monolog na temat najnowszych wydarzeń w Pagford. Czuła się znacznie lepiej – lepiej widoczna i bezpieczniejsza – kiedy wysoki Miles szedł obok niej chłodnymi korytarzami. Miło gawędził z pielęgniarkami, pomagał jej wsiąść do samochodu i wysiąść, i przywracał matce poczucie, że jest rzadkim stworzeniem wartym troski i ochrony. Ale Miles nie mógł przyjeżdżać codziennie i ku ogromnej irytacji Shirley ciągle przysyłał w zastępstwie

Samanthę. A w towarzystwie Samanthy czuła się zupełnie inaczej, nawet jeśli to właśnie synowa była jedną z nielicznych osób, którym udawało się przywrócić uśmiech na sinej, nieobecnej twarzy Howarda.

Poza tym najwyraźniej nikt nie zdawał sobie sprawy, jak okropna jest cisza panująca w jej domu. Kiedy lekarze powiedzieli rodzinie, że powrót do zdrowia potrwa wiele miesięcy, Shirley miała nadzieję, że Miles zaprosi ją do pokoju gościnnego w dużym domu przy Church Row albo że od czasu do czasu wpadnie i u niej przenocuje. Ale nie: została sama, zupełnie sama, nie licząc bolesnych trzech dni, kiedy gościła Pat i Melly.

„Nigdy bym tego nie zrobiła – zapewniała się odruchowo w ciche noce, kiedy nie mogła spać. – Tak naprawdę nigdy tego nie chciałam. Po prostu byłam przygnębiona. Nigdy bym tego nie zrobiła".

Zakopała ampułkostrzykawkę z adrenaliną w miękkiej ziemi pod karmnikiem w ogrodzie, jak maleńkie zwłoki. Świadomość, że tam leży, nie dawała jej jednak spokoju. Niedługo potem, pewnego ciemnego wieczoru, dzień przed wywózką śmieci, odkopała ją i podrzuciła do kubła sąsiadów.

Howard nie wspomniał o strzykawce ani jej, ani nikomu innemu. Nie zapytał, czemu na jego widok wybiegła z pokoju.

Shirley znalazła ulgę w długim i wartkim strumieniu obelg pod adresem osób, które według niej spowodowały katastrofę, jaka spadła na jej rodzinę. Oczywiście pierwszą z nich była Parminder Jawanda, która bezdusznie odmówiła Howardowi pomocy. Oprócz niej dwoje nastolatków, którzy przez swoją nikczemną nieodpowiedzialność zajęli karetkę, uniemożliwiając jej wcześniejsze dotarcie do Howarda.

Ten drugi argument był być może trochę słaby, ale dawał pretekst do przyjemnego oczerniania Stuarta Walla i Krystal Weedon, a w najbliższym otoczeniu Shirley znalazło się mnóstwo osób, które z chęcią słuchały takich opowieści. Co więcej, okazało się, że syn Wallów od początku był Duchem Barry'ego Fairbrothera. Przyznał się rodzicom, a oni osobiście zadzwonili do ofiar podłości syna, żeby je przeprosić. Wiadomość o tożsamości Ducha szybko wyciekła i trafiła do uszu wszystkich mieszkańców, co w połączeniu z wiedzą o jego współodpowiedzialności za utonięcie trzylatka uczyniło ze znieważania Stuarta Walla zarówno obowiązek, jak i przyjemność.

Shirley była w tych zniewagach bardziej zapalczywa niż ktokolwiek inny. Jej potępienie cechowało się brutalnością. Za każdym razem było małym egzorcyzmem dla zrozumienia i podziwu, którymi wcześniej darzyła Ducha, oraz negacją tego okropnego ostatniego wpisu, o którym na razie nikt nie wspomniał. Wallowie nie zadzwonili z przeprosinami do Shirley, ale ona wciąż trwała w stanie gotowości na wypadek, gdyby chłopak wspomniał o tym rodzicom albo gdyby ktokolwiek poruszył ten temat. Mogłaby wtedy zadać ostatni, miażdżący cios reputacji Stuarta.

– A tak, ja i Howard już o tym wiemy – zamierzała oznajmić z lodowatą godnością – i moim zdaniem właśnie szok doprowadził mojego męża do zawału.

Ćwiczyła to nawet na głos w kuchni.

To, czy Stuart Wall naprawdę coś wiedział o jej mężu i Maureen, było teraz mniej palącą kwestią, bo Howard z oczywistych względów stracił zdolność ponownego okrycia jej hańbą, być może już na dobre – a zresztą chyba nikt na ten temat nie plotkował. I nawet jeśli milczenie, którym odpowiadał na jej milczenie Howard, kiedy nadchodziła ta nieunikniona chwila i zostawali sam na sam, było zabarwione poczuciem żalu z obu stron, to Shirley znosiła perspektywę jego przeciągającej się niesprawności i nieobecności w domu z większym spokojem, niż byłoby to możliwe trzy tygodnie wcześniej.

Zadzwonił dzwonek i Shirley pobiegła do drzwi. Na progu czekała Maureen, chwiejąc się na nierozsądnie wysokich obcasach, ubrana w krzykliwy akwamarynowy strój.

– Witaj, moja droga, wejdź – powiedziała Shirley. – Wezmę torebkę.

Wolała jechać do szpitala choćby z Maureen niż sama. Otępienie Howarda wcale jej nie zrażało: zachrypnięty głos Maureen zgrzytał i zgrzytał, a Shirley mogła spokojnie siedzieć, odprężyć się i słodko się uśmiechać. W każdym razie, ponieważ Shirley tymczasowo przejęła kontrolę nad częścią interesu należącą do Howarda, znajdowała mnóstwo okazji, żeby pozbyć się resztek pretensji poprzez dawanie Maureen małych bolesnych klapsów w formie niezgadzania się z jej każdą decyzją.

– Wiesz, co się dzieje kawałek dalej? – zapytała Maureen. – W kościele Świętego Michała? Jest pogrzeb małych Weedonów.

– Tutaj? – przeraziła się Shirley.

– Podobno ktoś zorganizował składkę – powiedziała Maureen kipiąca od plotek, które jakimś cudem umknęły Shirley w czasie jej nieustannego kursowania między domem a szpitalem. – Nie pytaj kto. W każdym razie nigdy bym nie przypuszczała, że rodzina zdecyduje się na pochówek tuż nad rzeką, a ty?

(Brudny, ledwie umiejący mówić chłopczyk, o którego istnieniu mało kto wcześniej wiedział i do którego nie pałał szczególną sympatią nikt oprócz jego matki i siostry, przeszedł po utonięciu tak wielką metamorfozę w zbiorowej świadomości mieszkańców Pagford, że wszyscy mówili o nim jak o jakimś wodnym dziecku, cherubinku, czystym i łagodnym aniołku, którego wszyscy przytuliliby z miłością i współczuciem, gdyby tylko mogli go uratować.

Lecz igła i płomień nie miały równie czarodziejskiego wpływu na reputację Krystal. Przeciwnie, na stałe zapisały ją w umysłach starej pagfordzkiej gwardii jako bezduszną istotę, która w imię pogoni za tym, co starsi nazywają podnietami, doprowadziła do śmierci niewinnego dziecka).

Shirley obciągnęła płaszcz.

– Wiesz, widziałam ich tamtego dnia – powiedziała, rumieniąc się. – Chłopczyk beczał przy jednej kępie krzaków, a w drugiej Krystal Weedon i Stuart Wall...

– Naprawdę? I oni rzeczywiście...? – zapytała z przejęciem Maureen.

– O tak – potwierdziła Shirley. – W biały dzień. W krzakach. A kiedy ich zauważyłam, chłopczyk był już nad rzeką. Dwa kroki od wody.

Coś w minie Maureen boleśnie ją ukłuło.

– Spieszyłam się – dodała szorstko. – Howard powiedział, że słabo się czuje, i ze zmartwienia odchodziłam od zmysłów. W ogóle nie zamierzałam wychodzić, ale Miles i Samantha przysłali Lexie, jeśli chcesz znać moje szczere zdanie, to chyba się pokłócili, i ona chciała iść do kawiarni. Byłam kompletnie rozkojarzona i potrafiłam myśleć tylko o tym, że muszę wrócić do Howarda... Dopiero znacznie później zdałam sobie sprawę, co widziałam... A najgorsze jest to – powiedziała Shirley, bardziej czerwona niż kiedykolwiek wcześniej, wracając do swojej ulubionej śpiewki – że gdyby Krystal Weedon nie spuściła dziecka z oka, dlatego że chciała się zabawić w krzakach, karetka dotarłaby do Howarda o wiele szybciej. Bo wiesz, jechały dwie i wszystko się poplątało...

– Masz rację – przerwała jej Maureen, kiedy szły do samochodu, bo już to wszystko słyszała. – Wiesz, nie mam pojęcia, dlaczego ten pogrzeb jest tutaj, w Pagford...

Bardzo chciała zaproponować, żeby w drodze do szpitala przejechały obok kościoła – pragnęła zobaczyć, jak wygląda rodzina Weedonów w komplecie, i być może spojrzeć na zdegenerowaną matkę narkomankę – ale nie wiedziała, jak sformułować taką propozycję.

– Wiesz, Shirley, jedno jest pocieszające – powiedziała, kiedy ruszyły w stronę obwodnicy. – Już praktycznie pozbyliśmy się Fields. Howard na pewno się cieszy. Nawet jeśli przez jakiś czas nie będzie mógł zasiadać w radzie, dopiął swego.

Andrew Price pędził po stromym wzgórzu z Hilltop House, czując na plecach gorące słońce i wiatr we włosach. Jego tygodniowe limo zrobiło się żółtozielone i o dziwo, wyglądało jeszcze gorzej niż w dniu, w którym zjawił się w szkole ze spuchniętym, prawie całkiem zamkniętym okiem. Powiedział nauczycielom, że spadł z roweru.

Była wielkanocna przerwa świąteczna i dzień wcześniej dostał wieczorem SMS-a od Gai, która pytała, czy wybiera się na pogrzeb Krystal. Natychmiast odpisał: „Tak", a teraz, po długich przygotowaniach, miał na sobie swoje najczystsze dżinsy i ciemnoszarą koszulę, bo nie posiadał garnituru.

Nie do końca wiedział, dlaczego Gaia idzie na pogrzeb. Może chciała być przy Sukhvinder Jawandzie, której prawie nie odstępowała, gdyż niebawem miała wrócić z matką do Londynu.

– Mama mówi, że w ogóle nie powinna była przyjeżdżać do Pagford – oznajmiła radośnie Gaia w rozmowie z Andrew i Sukhvinder, kiedy siedzieli we trójkę na murku obok kiosku i jedli lunch. – Wie, że Gavin to totalna cipa.

Dała Andrew swój numer na komórkę i powiedziała, że kiedy wpadnie do Reading, żeby odwiedzić ojca, będą mogli gdzieś razem wyskoczyć. Wspomniała nawet mimochodem, że jeśli Andrew przyjedzie do Londynu, pokaże mu swoje ulubione miejsca. Rzucała takie podarunki z hojnością szczęśliwego zdemobilizowanego żołnierza, a one, rozdawane lekką ręką, osładzały Andrew wizję przeprowadzki. Wieść, że jego rodzice dostali ofertę na zakup Hilltop House, wzbudziła w nim co najmniej tyle samo radości, ile bólu.

Łagodny zakręt w Church Row, który zazwyczaj poprawiał Andrew humor, tym razem mu go popsuł. Po cmentarzu chodzili ludzie i Andrew zastanawiał się, jak będzie wyglądał pogrzeb. Tamtego ranka po raz pierwszy pomyślał o Krystal Weedon jak o kimś więcej niż tylko abstrakcyjnej postaci.

Wróciło do niego wspomnienie dawno zakopane w najgłębszych zakamarkach umysłu: przypomniał mu się dzień, kiedy na boisku przy szkole Świętego Tomasza Fats, wiedziony czysto naukowym zainteresowaniem, podał mu fistaszka ukrytego w piance... Nadal czuł nieubłagane zamykanie się piekącego gardła. Pamiętał, że próbował krzyczeć, ugięły się pod nim nogi, dzieci wokół przyglądały mu się z jakimś dziwnym, chłodnym zaciekawieniem, a po chwili Krystal Weedon wrzasnęła na całe gardło:

– Andipricemaatakalurgiczny!

Pobiegła na swoich mocnych nóżkach aż do pokoju nauczycielskiego, a dyrektor porwał Andrew i popędził z nim do pobliskiej przychodni, gdzie doktor Crawford podał adrenalinę. Tylko Krystal zapamiętała, co mówiła nauczycielka, kiedy wyjaśniała na lekcji groźną dla życia przypadłość Andrew. Tylko ona rozpoznała objawy.

Krystal powinna była dostać złotą gwiazdę honorową, może nawet dyplom Ucznia Tygodnia na apelu, ale następnego dnia (Andrew pamiętał to równie wyraźnie jak swoje zasłabnięcie) tak mocno uderzyła Lexie Mollison, że wybiła jej dwa zęby.

Ostrożnie wprowadził rower Simona do garażu Wallów, a potem zadzwonił do drzwi z wahaniem, którego nigdy wcześniej nie doświadczył. Otworzyła Tessa Wall ubrana w swój najlepszy szary płaszcz. Andrew był na nią zły. To przez nią miał podbite oko.

– Wejdź, Andy – powiedziała Tessa. Na jej twarzy malowało się napięcie. – Za chwilę będziemy gotowi.

Czekał w przedpokoju, gdzie kolorowe szybki w drzwiach rzucały akwarelowe plamy na drewnianą podłogę. Tessa wmaszerowała do kuchni, a Andrew zauważył Fatsa w czarnym garniturze, skulonego na kuchennym krześle jak przestraszony pająk, z jedną ręką na głowie, jakby osłaniał się przed ciosami.

Andrew odwrócił wzrok. Chłopcy nie kontaktowali się, odkąd Andrew zaprowadził Tessę do Przegródka. Fats od dwóch tygodni nie chodził do szkoły. Andrew wysłał do niego parę SMS-ów, ale Fats nie odpowiedział. Jego strona na Facebooku była zamrożona i wyglądała dokładnie tak samo jak w dniu przyjęcia Howarda Mollisona.

Tydzień wcześniej, bez ostrzeżenia, Tessa zadzwoniła do rodziców Andrew i powiedziała, że Fats przyznał się do zamieszczania w internecie wpisów jako Duch Barry'ego Fairbrothera. Wyraziła głęboki żal z powodu przykrości, jakie spotkały z tego powodu rodzinę Price'ów.

– No więc skąd wiedział, że kupiłem komputer!? – wrzeszczał Simon, zbliżając się do Andrew. – Skąd pierdolony Fats Wall wiedział, że brałem po godzinach lewe zlecenia w drukarni?

Jedynym pocieszeniem było dla Andrew to, że gdyby ojciec znał prawdę, mógłby zignorować protesty Ruth i lałby go do utraty przytomności.

Andrew nie miał pojęcia, dlaczego Fats postanowił udać, że jest autorem wszystkich wpisów. Może do głosu doszło *ego* Fatsa, jego uparte dążenie do bycia mózgiem operacji, najbardziej destrukcyjnym i najgorszym z nich wszystkich. Może myślał, że biorąc na siebie winę, postępuje szlachetnie. W każdym razie spowodował więcej szkód, niż mu się wydawało. „Nie zdaje sobie sprawy – myślał Andrew, czekając w przedpokoju – jak to jest mieć za ojca Simona Price'a, bo mieszka sobie bezpiecznie w pokoju na poddaszu razem z rozsądnymi, kulturalnymi rodzicami".

Andrew usłyszał, jak dorośli Wallowie rozmawiają ściszonym głosem. Nie zamknęli drzwi do kuchni.

– Musimy już wychodzić – mówiła Tessa. – To jego moralny obowiązek, musi pójść.

– Spotkała go już wystarczająca kara – zabrzmiał głos Przegródki.

– Nie wymagam, żeby szedł jako...

– Nie? – zapytał surowo Przegródka. – Na litość boską, Tesso. Myślisz, że będą go tam chcieli oglądać? Idź sama. Stu może zostać ze mną.

Po chwili Tessa wyszła z kuchni i zdecydowanym ruchem zamknęła za sobą drzwi.

– Andy, Stu nie idzie – powiedziała. Widział, że jest wściekła. – Przykro mi.

– Nic nie szkodzi – mruknął.

Ucieszył się. Nie miał pojęcia, o czym mogliby jeszcze rozmawiać. A tak mógł usiąść obok Gai.

Kawałek dalej, przy Church Row, Samantha Mollison stała w oknie salonu, trzymając filiżankę kawy i patrząc na żałobników mijających jej dom w drodze do kościoła Świętego Michała i Wszystkich Świętych. Na widok Tessy Wall i chłopaka, którego wzięła za Fatsa, wydała zduszony okrzyk.

– O mój Boże, on idzie na pogrzeb – powiedziała na głos, nie wiadomo do kogo.

Potem rozpoznała Andrew, zrobiła się czerwona i pospiesznie odsunęła się od okna.

Samantha miała pracować w domu. Jej laptop leżał otwarty na kanapie, ale rano włożyła starą czarną sukienkę, zastanawiając się, czy nie pójść na pogrzeb Krystal i Robbiego Weedonów. Teraz zostało jej tylko kilka minut na podjęcie decyzji.

Nigdy nie powiedziała dobrego słowa o Krystal Weedon, więc wzięcie udziału w pogrzebie tylko dlatego, że popłakało się nad informacją o jej śmierci w „Yarvil and District Gazette", i dlatego, że pucołowata twarz Krystal śmiała się z każdego zdjęcia klasowego, które Lexie przyniosła do domu ze Świętego Tomasza, byłoby chyba oznaką hipokryzji?

Samantha odstawiła kawę, podbiegła do telefonu i zadzwoniła do Milesa do pracy.

– Witaj, kochanie – powiedział.

(Tuliła go, kiedy szlochał z ulgą obok szpitalnego łóżka, na którym Howard leżał podłączony do różnych urządzeń, ale żywy).

– Cześć. Jak leci? – spytała.

– Nieźle. Pracowity poranek. Wspaniale, że dzwonisz. Wszystko w porządku?

(Poprzedniego wieczoru kochali się i nie udawała, że Miles jest kimś innym).

– Za chwilę zacznie się pogrzeb – powiedziała Samantha. – Za oknem przechodzą ludzie...

Zdusiła słowa, które chciała wypowiedzieć od blisko trzech tygodni. Milczała ze względu na Howarda, na szpital i dlatego że nie chciała przypominać Milesowi o ich okropnej kłótni, ale nie była w stanie dłużej się powstrzymywać.

– Miles, widziałam tego chłopca. Robbiego Weedona. Widziałam go, Miles. – Czuła paniczny strach, mówiła błagalnym tonem. – Był na boisku przy szkole Świętego Tomasza, kiedy tam wtedy spacerowałam.

– Po boisku?

– Widocznie się oddalił, kiedy oni... Był zupełnie sam – powiedziała, przypominając sobie tamtego chłopca: brudnego i zaniedbanego. Ciągle zadawała sobie pytanie, czy gdyby wyglądał schludniej, zaniepokoiłaby się bardziej, czy na jakimś podświadomym poziomie uznała to zaniedbanie za oznakę sprytu, twardości i odporności. – Myślałam, że przyszedł się pobawić, ale nikogo przy nim nie było. Miles, on miał tylko trzy i pół roku. Czemu nie zapytałam, gdzie są jego opiekunowie?

– Hej, hej – powiedział Miles tonem, który zdawał się mówić „Wolnego!", i od razu poczuła ulgę: przejmował kontrolę. Łzy zaszczypały ją w oczy. – Nie możesz się obwiniać. Przecież nie wiedziałaś. Prawdopodobnie myślałaś, że gdzieś w pobliżu jest jego matka.

(Więc jednak jej nie znienawidził, nie uznał jej za złego człowieka. Zdolność do wybaczania, którą ostatnio zaobserwowała u męża, uczyła Samanthę pokory).

– Nie jestem pewna – powiedziała słabym głosem. – Miles, gdybym go zagadnęła...

– Kiedy go widziałaś, nie był nad rzeką.

„Ale był w pobliżu ulicy" – pomyślała Samantha.

W ciągu ostatnich trzech tygodni w Samancie rosło pragnienie zainteresowania się czymś więcej niż tylko samą sobą. Dzień po dniu czekała, aż ta nowa dziwna potrzeba ustąpi („Właśnie tak ludzie stają się religijni" – pomyślała, próbując obrócić to w żart), a tymczasem tylko się nasiliła.

– Miles – powiedziała – wiesz, skoro w radzie nie ma... twojego taty, a Parminder Jawanda zrezygnowała z mandatu... będziecie musieli dokooptować dwie nowe osoby, prawda? – Znała terminologię, słuchała jej od lat. – Bo chyba po tym wszystkim nikt nie chce następnych wyborów?

– Cholera, jasne, że nie.

– Więc jedno miejsce mógłby zająć Colin Wall – powiedziała czym prędzej – i tak sobie myślę, że mam trochę czasu, prowadzę sprzedaż już tylko przez internet, więc może mogłabym zająć drugie.

– Ty? – zdziwił się Miles.

– Chciałabym się zaangażować – wyjaśniła Samantha.

Krystal Weedon zmarła w wieku szesnastu lat, zabarykadowawszy się w nędznym domku przy Foley Road... Samantha nie tknęła wina od dwóch tygodni. Pomyślała, że chętnie wysłucha argumentów za utrzymaniem kliniki odwykowej Bellchapel.

W domu przy Hope Street 10 zadzwonił telefon. Kay i Gaia już były spóźnione na pogrzeb Krystal. Kiedy Gaia podniosła słuchawkę, jej urocza twarz stężała: nagle wydała się znacznie starsza.

– To Gavin – powiedziała matce.

– Nie dzwoniłam do niego! – szepnęła Kay jak zdenerwowana uczennica, biorąc słuchawkę.

– Cześć – powiedział Gavin. – Jak leci?

– Właśnie wychodzę na pogrzeb – odparła Kay ze wzrokiem utkwionym w oczach córki. – Chowają małych Weedonów, więc nie mogę powiedzieć, że jest wspaniale.

– Aha. Chryste, no tak. Przepraszam. Nie wiedziałem.

Zauważył znajome nazwisko w nagłówku na pierwszej stronie „Yarvil and District Gazette" i wreszcie odrobinę zainteresowany kupił gazetę. Uświadomił sobie, że mógł przechodzić obok miejsca, w którym były te nastolatki i mały chłopiec, ale nie przypominał sobie, żeby widział Robbiego Weedona.

Gavin miał za sobą dziwne dwa tygodnie. Okropnie tęsknił za Barrym. Sam siebie nie rozumiał: powinien był rozpaczać, że odtrąciła go Mary, a marzył jedynie o napiciu się piwa z facetem, po którym chciał przejąć żonę...

(Mamrocząc na głos, gdy oddalał się od jej domu, powiedział do siebie: „Tak to jest, kiedy próbuje się ukraść życie najlepszemu przyjacielowi", i nawet nie zauważył, że użył nie tego słowa na „ż", które miał na myśli).

– Słuchaj – powiedział – zastanawiałem się, czy nie miałabyś później ochoty na drinka.

Kay o mało nie parsknęła śmiechem.

– Dała ci kosza, prawda?

Przekazała córce słuchawkę, a ta odłożyła ją na miejsce. Szybko wyszły z domu i prawie biegiem dotarły do rynku. Przez dziesięć kroków, kiedy przechodziły obok Black Canon, Gaia trzymała matkę za rękę.

Dotarły na miejsce w chwili, kiedy na końcu ulicy ukazały się karawany, i szybko poszły w stronę cmentarza, podczas gdy osoby mające nieść trumny ustawiały się na chodniku.

(„Odsuń się od okna" – rozkazał synowi Colin Wall.

Ale Fats, który od tej pory musiał żyć ze świadomością swojego tchórzostwa, przysunął się jeszcze bliżej, próbując udowodnić, że może wytrzymać przynajmniej tyle...

Trumny przejechały w dużych samochodach z przyciemnionymi szybami: pierwsza była jaskraworóżowa i na ten widok zaparło mu dech w piersi, a druga maleńka, biała i lśniąca...

Colin stanął przed Fatsem za późno, żeby go ochronić, ale i tak zaciągnął zasłony. W ponurym znajomym salonie, gdzie Fats wyznał rodzicom, że to on obwieścił światu chorobę swojego ojca, gdzie przyznał się do wszystkiego, co zdołał wymyślić, w nadziei że uznają go za szalonego i chorego, gdzie próbował obarczyć się tak wielkimi winami, by rzucili się na niego, zadźgali go albo zrobili mu to wszystko, na co wiedział, że zasługuje, Colin delikatnie położył rękę na plecach syna i wyprowadził go do słonecznej kuchni).

Przed kościołem Świętego Michała i Wszystkich Świętych szykowano się do wniesienia trumien. Wśród niosących był Dane Tully z kolczykiem w uchu i z własnoręcznie wytatuowaną na szyi pajęczyną, ubrany w ciężki czarny płaszcz.

Jawandowie czekali z Kay i Gaią Bawden w cieniu cisu. Andrew Price kręcił się obok nich, a Tessa Wall stanęła w pewnej odległości, z bladą, kamienną twarzą. Pozostali żałobnicy tworzyli osobną grupę przy drzwiach kościoła. Niektórzy byli spięci i wyzywający, inni wyglądali na zrezygnowanych i pokonanych. Kilka osób włożyło tanie czarne ubrania, ale większość przyszła w dżinsach albo dresach, a jedna dziewczyna paradowała w krótkim T-shircie. W pępku miała kolczyk, który przy każdym jej ruchu odbijał promienie słońca. Wniesiono po ścieżce trumny połyskujące w jasnym świetle.

To Sukhvinder Jawanda wybrała dla Krystal jaskraworóżową trumnę, bo była pewna, że Krystal by taką chciała. Sukhvinder zrobiła prawie wszystko: to ona organizowała, wybierała i przekonywała. Parminder ciągle zerkała z boku na swoją córkę i szukała pretekstu, żeby jej dotknąć: odgarniała jej włosy z oczu, wygładzała kołnierzyk.

Tak jak Robbie wynurzył się z rzeki oczyszczony i opłakiwany przez całe Pagford, tak Sukhvinder Jawanda, która zaryzykowała życie, żeby spróbować go ocalić, została bohaterką. Dzięki artykułowi o niej, który ukazał się w „Yarvil and District Gazette", głośnemu obwieszczeniu Maureen Lowe, że zgłosi dziewczynę do specjalnej nagrody przyznawanej przez policję, oraz dzięki przemówieniu, jakie wygłosiła o niej dyrektorka szkoły z mównicy na apelu, Sukhvinder dowiedziała się, jak to jest przyćmić brata i siostrę.

Nienawidziła każdej minuty tego wszystkiego. W nocy znowu czuła w ramionach ciężar martwego chłopca, który ciągnął ją w głębinę. Pamiętała pokusę, żeby go puścić i ratować własną skórę, i zadawała sobie pytanie, jak długo byłaby w stanie się jej opierać. Głęboka blizna na nodze swędziała ją i bolała, bez względu na to, czy ruszała nogą, czy nie. Wieść o śmierci Krystal Weedon wywarła na nią tak niepokojący wpływ, że rodzice zorganizowali jej spotkanie z psychologiem, ale odkąd wyciągnięto ją z rzeki, Sukhvinder ani razu się nie cięła. Otarcie się o śmierć przez utonięcie najwyraźniej oczyściło ją z tej potrzeby.

Potem, pierwszego dnia po powrocie do szkoły, kiedy Fats Wall nadal był nieobecny, a na korytarzach odprowadzano ją pełnymi podziwu spojrzeniami, usłyszała plotkę, że Terri Weedon nie ma pieniędzy na pogrzeb dzieci, że nie będzie kamienia na cmentarzu i zostaną zakupione najtańsze trumny.

— To bardzo smutne, Jolly — powiedziała tamtego wieczoru jej matka, kiedy cała rodzina jadła kolację pod ścianą ze zdjęciami.

Mówiła takim łagodnym tonem jak tamta policjantka. Kiedy Parminder zwracała się do córki, w jej głosie nie pobrzmiewała już złość.

– Spróbuję zorganizować zbiórkę – oznajmiła Sukhvinder.

Parminder i Vikram spojrzeli na siebie nad stołem. Obydwoje byli instynktownie przeciwni pomysłowi proszenia mieszkańców Pagford o datki na taki cel, ale żadne z nich tego nie powiedziało. Trochę się bali martwić Sukhvinder po tym, jak zobaczyli jej przedramiona, i nad wszystkimi ich rozmowami zdawał się unosić cień nieznanego jeszcze terapeuty.

– Poza tym – ciągnęła Sukhvinder z gorączkową energią przypominającą zapał Parminder – myślę, że msza żałobna powinna być odprawiona tutaj, u Świętego Michała. Tak jak msza za pana Fairbrothera. Krys przychodziła tu na msze, kiedy byłyśmy w Świętym Tomaszu. Założę się, że poza tym nigdy w życiu nie weszła do żadnego kościoła.

„Każda dusza promienieje Bożym światłem" – pomyślała Parminder i ku zaskoczeniu Vikrama powiedziała nagle:

– Tak, racja. Musimy zobaczyć, co da się zrobić.

Większość wydatków pokryli Jawandowie i Wallowie, ale Kay Bawden, Samantha Mollison i kilka matek dziewczyn z osady wioślarskiej też wpłaciło datek. Wtedy Sukhvinder się uparła, że sama pojedzie do Fields i wyjaśni Terri, co zrobiły i dlaczego. Opowie o osadzie wioślarskiej i wytłumaczy, czemu msza żałobna za Krystal i Robbiego powinna być odprawiona w kościele Świętego Michała.

Parminder bardzo się bała tej samotnej wyprawy Sukhvinder do Fields, nie wspominając już o wizycie w tym brudnym domu, ale Sukhvinder wiedziała, że nic jej się tam nie stanie. Rodziny Weedonów i Tullych wiedziały, że próbowała uratować Robbiemu życie. Dane Tully przestał na nią pomrukiwać na angielskim i zakazał tego swoim kumplom.

Terri zgodziła się na wszystko, co zaproponowała Sukhvinder. Była wychudzona, brudna, odpowiadała monosylabami i zachowywała się całkowicie biernie. Sukhvinder bała się jej, tych ospowatych rąk i szczerbatych ust. Czuła się tak, jakby rozmawiała z trupem.

W kościele żałobnicy w naturalny sposób się podzielili: ci z Fields zajęli ławki po lewej, a ci z Pagford po prawej stronie. Shane i Cheryl Tully'owie zaprowadzili Terri do pierwszej ławki, podtrzymując ją z obu stron. Terri, ubrana w płaszcz o dwa rozmiary za duży, wydawała się nie do końca świadoma, gdzie się znajduje.

Trumny stały obok siebie na katafalkach ustawionych przed ołtarzem. Na trumnie Krystal leżało wiosło z brązowych chryzantem, a na trumience Robbiego miś z białych.

Kay Bawden przypomniała sobie pokój Robbiego z paroma brudnymi zabawkami z plastiku i jej palce zadrżały na książeczce do nabożeństwa. Oczywiście miało się odbyć dochodzenie, którego głośno domagała się lokalna gazeta. Artykuł na pierwszej stronie sugerował, że chłopczyka pozostawiono pod opieką dwóch narkomanek i że jego śmierci można było uniknąć, gdyby pracownicy socjalni byli bardziej sumienni i w porę przenieśli go w bezpieczne miejsce. Mattie znowu poszła na zwolnienie z powodu załamania nerwowego, a przeprowadzoną przez Kay ocenę przypadku poddawano analizie. Kay zastanawiała się, jak to wpłynie na jej szanse zdobycia pracy w Londynie, skoro wszystkie samorządy redukują liczbę pracowników socjalnych, i jak zareaguje Gaia na konieczność pozostania w Pagford... Kay nie odważyła się jeszcze o tym z nią porozmawiać.

Andrew spojrzał z ukosa na Gaię i wymienili lekkie uśmiechy. Na górze, w Hilltop House, Ruth już segregowała rzeczy do przeprowadzki. Andrew czuł, że na swój wiecznie optymistyczny sposób jego matka ma nadzieję, że gdy poświęcą swój dom i piękno wzgórz, zostaną nagrodzeni nowym życiem. Na zawsze zaślubiona z wyobrażeniem Simona, które nie uwzględniało jego napadów wściekłości ani krętactw, miała nadzieję, że zostawią problemy za sobą jak pudła zapomniane podczas przeprowadzki... „Ale przynajmniej – pomyślał Andrew – będą o jeden przystanek bliżej Londynu". Gaia zapewniła go, że była zbyt pijana, żeby wiedzieć, co robi z Fatsem. Poza tym po pogrzebie zamierzała zaprosić jego i Sukhvinder do siebie na kawę...

Gaia, która nigdy wcześniej nie była w kościele Świętego Michała, słuchała jednym uchem śpiewnego głosu pastora, błądząc wzrokiem po gwiaździstym sklepieniu i kolorowych jak klejnoty witrażach. Pagford miało w sobie pewien urok i teraz, kiedy już wiedziała, że wyjeżdża, pomyślała, że być może będzie jej go brakowało...

Tessa Wall postanowiła usiąść za wszystkimi, sama. W ten sposób znalazła się bezpośrednio pod spokojnym spojrzeniem świętego Michała, który od wiek wieków przydeptywał wijącego się diabła z rogami i ogonem. Tessa płakała, odkąd zobaczyła dwie lśniące trumny, i choć próbowała się powstrzymać, ludzie w pobliżu cały czas słyszeli jej ciche łkanie. Myślała nawet, że któryś z siedzących po drugiej stronie Weedonów rozpozna w niej matkę Fatsa i zaatakuje ją, ale nic takiego się nie zdarzyło.

(Jej życie rodzinne stanęło na głowie. Colin był na nią wściekły.

„Coś ty mu powiedziała?"

„Chciał zasmakować prawdziwego życia – wyszlochała – chciał zobaczyć ciemną stronę... Nie rozumiesz, dlaczego tak go ciągnęło w niebezpieczne miejsca?"

„Więc mu powiedziałaś, że może być owocem kazirodztwa i że gdy wszedł do rodziny, próbowałem się zabić?"

Przez całe lata usiłowała ich pogodzić, ale trzeba było śmierci dziecka i dogłębnego zrozumienia swojego poczucia winy przez Colina, żeby to się udało. Poprzedniego wieczoru usłyszała, jak rozmawiają w pokoju Fatsa na poddaszu, i przystanęła obok schodów, żeby podsłuchać.

„... możesz zupełnie zapomnieć o tym... o tym, co zasugerowała ci mama – mówił szorstko Colin. – Przecież nie masz żadnych fizycznych ani umysłowych wad, prawda? No cóż... w takim razie przestań się tym martwić. Terapeuta ci w tym wszystkim pomoże...")

Tessa łkała i szlochała w przemoczoną chusteczkę, a potem pomyślała, jak niewiele zrobiła dla Krystal, która umarła na podłodze w łazience... To byłaby ulga, gdyby święty Michał zstąpił z jaśniejącego okna i wykonał wyrok na nich wszystkich, oznajmiając, jaką dokładnie winę ponosi Tessa za śmierć, za zniszczone życie, za ten cały bałagan... Wiercący się chłopczyk Tullych po drugiej stronie przejścia wyskoczył z ławki, a wytatuowana kobieta wyciągnęła silną rękę, chwyciła go i przyciągnęła z powrotem. Szlochanie Tessy przerwał zduszony okrzyk zaskoczenia. Była pewna, że na grubym nadgarstku rozpoznała swój zgubiony zegarek.

Sukhvinder, która słuchała popłakiwania Tessy, współczuła jej, ale nie odważyła się odwrócić. Parminder była na Tessę wściekła. Sukhvinder nie była w stanie wytłumaczyć, skąd się wzięły blizny na jej rękach, nie wspominając o Fatsie Wallu. Błagała matkę, żeby nie dzwoniła do Wallów, ale Tessa sama zadzwoniła do Parminder z informacją, że Fats wziął na siebie całą odpowiedzialność za wpisy Ducha Barry'ego Fairbrothera na stronie internetowej rady gminy, i Parminder zareagowała takim jadem, że od tamtej pory się do siebie nie odzywały.

To było takie dziwne: Fats wziął na siebie także winę za wpis Sukhvinder. Dziewczyna traktowała to prawie jak przeprosiny. Zawsze miała wrażenie, że Fats czyta w jej myślach: czy wiedział, że zaatakowała własną matkę? Sukhvinder zastanawiała się, czy będzie w stanie wyznać prawdę tej nowej terapeutce, w której jej rodzice najwyraźniej pokładali tak wielkie nadzieje, i czy kiedykolwiek będzie w stanie powiedzieć o tym tej nowej i skruszonej Parminder...

Próbowała się skupić na mszy, ale nabożeństwo nie pomagało jej tak, jak się spodziewała. Była zadowolona z wiosła i misia z chryzantem, dzieła mamy Lauren. Była zadowolona, że przyszli Gaia i Andy oraz dziewczyny z osady wioślarskiej, ale żałowała, że nie zjawiły się bliźniaczki Fairbrotherów.

(„Mama byłaby smutna – wyjaśniła jej Siobhan. – Widzisz, ona uważa, że tata poświęcał Krystal za dużo czasu".

„Aha" – powiedziała zaskoczona Sukhvinder.

„Poza tym – dodała Niamh – mamie się nie podoba, że będzie musiała widywać grób Krystal za każdym razem, kiedy pójdzie do taty na cmentarz. Prawdopodobnie będą leżeć bardzo blisko siebie".

Sukhvinder pomyślała, że to małostkowe i podłe, ale określanie takimi słowami pani Fairbrother wydało się jej świętokradztwem. Bliźniaczki odeszły pochłonięte sobą, traktując Sukhvinder chłodno za jej ucieczkę do outsiderki Gai Bawden).

Sukhvinder cały czas czekała, aż ktoś wstanie i powie, jaka naprawdę była Krystal i co robiła w życiu, tak jak wujek Niamh i Siobhan zrobił dla pana Fairbrothera, ale nie licząc zdawkowej wzmianki o „tragicznie krótkim życiu" i „rodzinie głęboko zakorzenionej w Pagford", pastor sprawiał wrażenie, jakby postanowił uniknąć tematu.

Dlatego myśli Sukhvinder skupiły się na dniu, w którym osada wystartowała w finałach mistrzostw regionu. Pan Fairbrother zawiózł je minibusem, żeby stawiły czoło dziewczynom ze Świętej Anny. Kanał przepływał przez prywatne tereny należące do szkoły. Postanowiono, że dziewczyny przebiorą się w szatni sali gimnastycznej i wyścig rozpocznie się właśnie tam.

– To niesportowa decyzja – powiedział im pan Fairbrother po drodze. – Osada gospodarzy ma przewagę. Próbowałem ich przekonać, żeby to zmienili, ale nie chcieli. Po prostu nie dajcie się zastraszyć, dobrze?

– Ja tam się, kurwa, nie...

– Krys...

– Ja się nie boję.

Ale kiedy wjechały na teren liceum Świętej Anny, Sukhvinder poczuła strach. Zobaczyła wielkie połacie miękkich zielonych trawników, duże symetryczne budynki z żółtego kamienia, z wieżyczkami i setkami okien. Nigdy wcześniej czegoś takiego nie widziała, chyba że na pocztówkach.

– Całkiem jak pałac Buckingham! – pisnęła z tyłu Lauren, a usta Krystal ułożyły się w okrągłe O. Bywała naturalna jak dziecko.

Wszyscy rodzice dziewczyn oraz prababcia Krystal czekali przy linii mety, gdziekolwiek się znajdowała. Kiedy zbliżali się do drzwi pięknego budynku, Sukhvinder była pewna, że nie tylko ona czuje się mała, wystraszona i gorsza.

Jakaś kobieta w stroju akademickim wyszła powitać pana Fairbrothera, który miał na sobie dres.

– Wy musicie być Winterdown!

– A wyglądamy jak jebany budynek? – powiedziała głośno Krystal.

Wszyscy byli pewni, że nauczycielka ze Świętej Anny to usłyszała, i pan Fairbrother odwrócił się, próbując zgromić Krystal spojrzeniem, ale dziewczyny widziały, że tak naprawdę go to rozbawiło. Cała osada zaczęła chichotać. Nadal dusiły się ze śmiechu i rechotały, kiedy pan Fairbrother żegnał się z nimi przy wejściu do szatni.

– Zróbcie rozgrzewkę! – krzyknął za nimi.

Osada ze Świętej Anny była w środku z trenerką. Dwie grupy dziewczyn zmierzyły się wzrokiem nad ławkami. Sukhvinder uderzył widok fryzur tamtych dziewczyn. Wszystkie miały długie i lśniące włosy – mogłyby występować w reklamach szamponu. W jej drużynie Siobhan i Niamh miały koki, Lauren krótkie włosy, Krystal jak zwykle wysoki, ciasno związany koński ogon, a Sukhvinder szorstkie, gęste i niesforne włosy przypominające końską grzywę.

Wydało jej się, że dwie dziewczyny ze Świętej Anny coś do siebie szepczą i pogardliwie się uśmiechają. Przekonała się, że to nie było przywidzenie, bo Krystal nagle wstała, wyprostowała się, spiorunowała je spojrzeniem i powiedziała:

– Wasze gówno pachnie pewnie różami, co?

– Słucham? – zapytała ich trenerka.

– Tylko pytam – odparła słodko Krystal, odwracając się, żeby zdjąć spodnie od dresu.

Nie były w stanie powstrzymać się od śmiechu. Osada z Winterdown przebierała się i chichotała. Krystal dalej pajacowała, a kiedy dziewczyny ze Świętej Anny wychodziły z szatni, pożegnała je buczeniem.

– Uroczo – powiedziała ostatnia z nich.

– Dzięki! – zawołała za nią Krystal. – Jak chcesz, później też dam ci popatrzeć. Wiem, wszystkie jesteście lesbami – krzyczała – siedzicie tu same bez chłopaków!

Holly tak bardzo się śmiała, że zgięła się wpół i uderzyła głową o drzwiczki szafki.

– Kurwa, uważaj, Hol – powiedziała Krystal zachwycona wrażeniem, jakie na wszystkich robi. – Ta głowa będzie ci potrzebna.

Kiedy maszerowały nad kanał, Sukhvinder zrozumiała, dlaczego pan Fairbrother zabiegał o zmianę miejsca. Na starcie był ich jedynym kibicem, podczas gdy osada ze Świętej Anny miała mnóstwo piszczących, klaszczących i skaczących w miejscu przyjaciółek z takimi samymi lśniącymi długimi włosami.

– Patrzcie! – zawołała Krystal, pokazując na mijaną po drodze grupkę. – To Lexie Mollison! Pamiętasz, jak ci wybiłam zęby, Lex?

Sukhvinder tak się śmiała, że aż ją bolał brzuch. Była zadowolona i dumna, że idzie za Krystal, i wiedziała, że pozostałe dziewczyny czują się podobnie. Coś w sposobie, w jaki Krystal stawiała czoło światu, chroniło je przed gapiącymi się oczami, łopoczącymi chorągiewkami i budynkiem w tle, który wyglądał jak pałac.

Ale gdy wchodziły do łodzi, zauważyła, że nawet Krystal czuje napięcie. Krystal odwróciła się do Sukhvinder, która zawsze siedziała za nią. Trzymała coś w dłoni.

– Mój talizman na szczęście – powiedziała, pokazując jej go.

Na kółku od kluczy dyndało czerwone plastikowe serduszko ze zdjęciem jej braciszka w środku.

– Obiecałam mu, że przywiozę medal – dodała Krystal.

– Tak – powiedziała Sukhvinder, czując przypływ wiary i strachu. – Przywieziemy.

– No – zgodziła się Krystal, odwracając się z powrotem i wkładając kółko od kluczy do stanika. – Przecież to dla nas żadne przeciwniczki – powiedziała głośno, żeby cała osada mogła ją usłyszeć. – Zgraja cipolizów. Dowalmy im!

Sukhvinder pamiętała huk wystrzału, wiwatowanie tłumu i granie swoich mięśni. Pamiętała euforyczną radość z ich idealnego rytmu i przyjemność, jaką sprawiała śmiertelna powaga po tak długim śmiechu. Krystal zdobyła dla nich zwycięstwo. Krystal zniosła przewagę gospodarzy. Sukhvinder żałowała, że nie może być taka jak Krystal: zabawna i twarda, nieustraszona, zawsze waleczna.

Poprosiła Terri Weedon o dwie rzeczy i uzyskała zgodę, bo Terri zgadzała się z każdym i zawsze. Krystal została pochowana z medalem, który zdobyły tamtego dnia. Druga prośba została spełniona na samym końcu mszy. Pastor zapowiedział ją zrezygnowanym tonem.

Good girl gone bad –
Take three –
Action.
No clouds in my storms...
Let it rain, I hydroplane into fame
Comin' down with the Dow Jones...

Rodzina prawie wyniosła Terri Weedon po szafirowym chodniku, a żałobnicy odwrócili wzrok.

SPIS TREŚCI

Tytuł oryginału
The Casual Vacancy

Projekt okładki
Mario J. Pulice

Rysunek i liternictwo na okładce
Joel Holland

Cover copyright © 2012 Hachette Book Group, Inc., USA, Used with permission

Fotografia autorki na czwartej stronie okładki
Photography by Debra Hurford Brown © J.K. Rowling 2012

Opieka redakcyjna
Anna Rucińska-Barnaś
Anna Szulczyńska

Przekład
Anna Gralak

Współpraca z tłumaczem
Mateusz Borowski
Małgorzata Kafel

Adiustacja
Bogumiła Gnypowa

Korekta
Urszula Horecka
Katarzyna Onderka

Redakcja techniczna
Irena Jagocha

ISBN 978-83-240-2204-5 (oprawa twarda)
ISBN 978-83-240-2146-8 (oprawa broszurowa)

znak

Książki z dobrej strony: www.znak.com.pl
Społeczny Instytut Wydawniczy Znak, 30-105 Kraków, ul. Kościuszki 37
Dział sprzedaży: tel. (12) 61 99 569, e-mail: czytelnicy@znak.com.pl

Społeczny Instytut Wydawniczy Znak,
30-105 Kraków, ul. Kościuszki 37. Wydanie I, 2012
Printed in EU